C0-ARS-095

Szkolna Encyklopedia

John Farndon

WYDAWNICTWORTW

Wydanie oryginalne HarperCollins *Children's Books*

Tytuł oryginału: *Children's Encyclopedia*

Przekład z języka angielskiego:
dr Włodzimierz KUPIS – *Żyjący świat*
– *Ciało człowieka*
– *Medycyna*
Beata LESKA – *Kręgowce*
– *Bezkręgowce*
– *Wiek Ziemi*
– *Historia ludzkości*
– *Historia*, str. 124–129
– *Społeczeństwo*, str. 194, 198–202
– *Rośliny*
Piotr KOŁYSZKO – *Kosmos*
– *Ziemia*
– *Nauka*
– *Technologie, odkrycia i wynalazki*
Jerzy ZAREMBA – *Historia*, str. 130–139
– *Społeczeństwo*, str. 182–192
– *Kraje*

Konsultacja merytoryczna haseł w działach:

Kręgowce i *Bezkręgowce*
Dział Dydaktyczny Warszawskiego Ogrodu Zoologicznego
– Ewa Zbonikowska
– Marcin Jan Gorazdowski

Ziemia, Wiek Ziemi, Historia ludzkości:
– Karol Sabath, Muzeum Ewolucji PAN
– Marcin Machalski, Instytut Paleobiologii PAN

Opracowanie redakcyjne: Bożena LADA
Współpraca redakcyjna oraz weryfikacja językowa: Anna DULANOWSKA
Opracowanie typograficzne: Tomasz ANDZIAK

ISBN 83-85493-68-9

Wydanie dziewiąte. Warszawa 2003
WYDAWNICTWORTW, 01-780 Warszawa, ul. Broniewskiego 9a
e-mail: wydawnictwortw@wydawnictwortw.pl

Druk i oprawa: Olsztyńskie Zakłady Graficzne S.A.

WSTĘP

Encyklopedia ta jest przewodnikiem po świecie wiedzy. Niepowtarzalna oprawa graficzna ułatwia poruszanie się w bogactwie informacji o ludziach, wynalazkach, faktach i całym otaczającym nas świecie.

Celem tej *Encyklopedii* jest dostarczanie łatwej do przyswojenia wiedzy, która pobudza do dalszych poszukiwań. *Encyklopedia* nadaje się do wykorzystania zarówno do szybkiego sprawdzania faktów w szkole, jak i pogłębiania swojej wiedzy w domu.

Wszystkie informacje podane w tej książce zostały zweryfikowane przez fachowców z poszczególnych dziedzin.

Układ *Encyklopedii* jest tematyczny. Umożliwia to przedstawianie różnych wiadomości w szerszym kontekście. Poszukiwania ułatwia spis treści oraz indeksy zamieszczone na końcu książki.

Każdy z rozdziałów został podzielony tak, żeby ułatwić znalezienie potrzebnej informacji. Na każdej rozłożonej kartce znajduje się część główna, która zawiera opis przedstawianego problemu. Obok znajdują się wyróżnione fragmenty tekstu, które zawierają ważne informacje z danej dziedziny. Słowa nowe i ważne zostały w tekście zaznaczone kursywą. Ich znaczenie zwykle znajduje się w tekście głównym. Czasem jednak czytelnik powinien sięgnąć do słownika. Założeniem *Encyklopedii* jest bowiem zmuszanie do dalszych poszukiwań.

Ostatni rozdział *Encyklopedii* zawiera tablice, które podają w przejrzystej formie ważne informacje.

Dodatkową zaletą książki są wspaniałe ilustracje.

Encyklopedia przygotowana w wydawnictwie HarperCollins jest wspaniałym kompendium wiedzy dla dzieci i młodzieży.

SPIS TREŚCI

ŻYJĄCY ŚWIAT

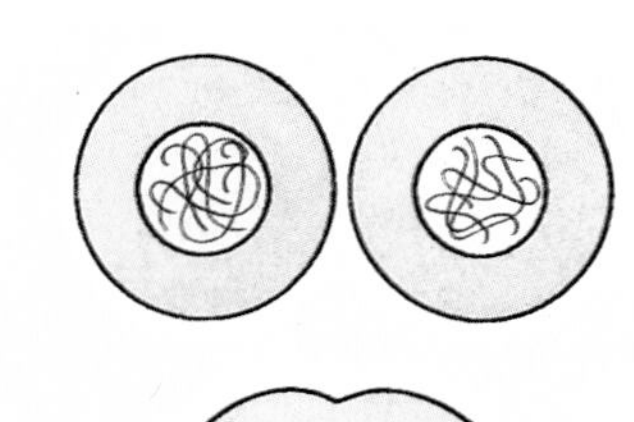

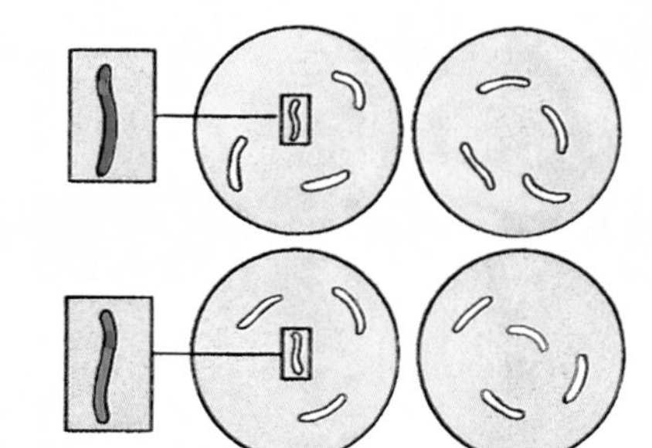

CIAŁO CZŁOWIEKA

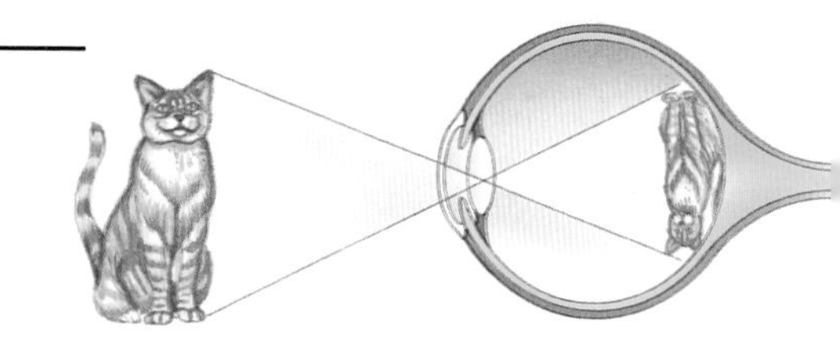

KRĘGOWCE

BEZKRĘGOWCE

Rośliny

Kosmos

Ziemia

Wiek ziemi

Historia ludzkości

Historia

Nauka

Technologie, odkrycia i wynalazki

Społeczeństwo

Kraje (uzupełnienia – s. 268)

Część informacyjna

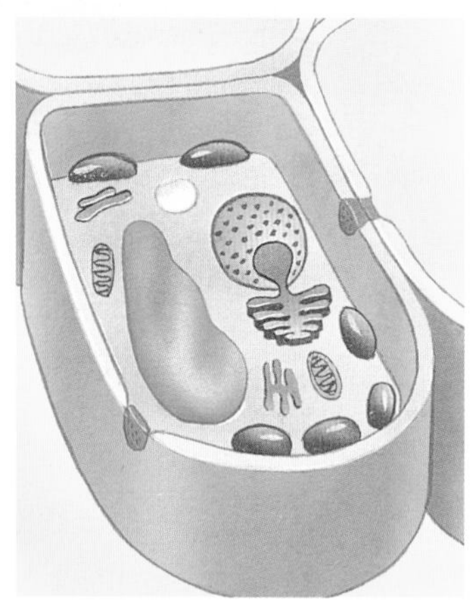

Komórka roślinna *zawiera wiele takich samych organelli (struktur wewnętrznych) jak komórka zwierzęca, ale brak jej lizosomów (patrz niżej).*

ŻYWE KOMÓRKI

Niemal wszystkie istoty żywe zbudowane są z maleńkich pudełeczek zwanych komórkami. Są one tak małe, że można je zobaczyć tylko pod mikroskopem, ale każda z nich jest żywą fabryką chemiczną odgrywającą swą rolę w życiu rośliny czy zwierzęcia.

WNĘTRZE KOMÓRKI

Żywa komórka jest pudełeczkiem zawierającym galaretowatą mieszaninę związków chemicznych zwaną *cytoplazmą*. Poszczególne komórki łączą się z sąsiadującymi w jedną całość.

Błona komórkowa. Komórka utrzymywana jest w całości przez cienką błonkę zwaną *błoną komórkową*. Komórki roślinne posiadają grubą, sztywną błonę komórkową, zwaną często ścianą komórkową, zbudowaną z *celulozy*; miękka błona komórek zwierzęcych zbudowana jest z cząsteczek tłuszczu poprzedzielanych niekiedy cząsteczkami białka. Błona komórkowa utrzymując cytoplazmę w całości pozwala jednak niektórym związkom chemicznym wnikać do środka w celu odżywiania komórki, a innym, nieużytecznym, opuścić jej wnętrze.

Cytoplazma zachowuje się jak przechowalnia cząsteczek służących wzrostowi i naprawianiu różnych struktur wewnątrzkomórkowych. Opływa ona skomplikowany system struktur zwanych *organellami*. Różne rodzaje komórek zawierają różne organelle, każda o ściśle określonych zadaniach do wypełnienia. Są wśród nich, na przykład, „pałeczkowate" *mitochondria*, będące komórkowymi fabrykami, i spłaszczone woreczki *aparatu Golgiego*, w których magazynowane są białka i węglowodany przygotowane do uwolnienia z komórki.

Jądro komórkowe. Większość komórek roślinnych i zwierzęcych zawiera *jądro* będące ośrodkiem kontroli. Otoczone jest ono własną błoną jądrową i zawiera plan budowy i funkcjonowania całej nowej rośliny lub zwierzęcia (str. 9). Komórki, których jądro posiada błonę jądrową nazywamy *eukariotycznymi*. Bakterie są zaś organizmami *prokariotycznymi*, co oznacza, że nie mają w swych komórkach błony jądrowej.

KOMÓRKI ROŚLINNE

Komórki roślinne zamknięte są w twardej błonie zbudowanej z celulozy. W przeciwieństwie do komórek zwierzęcych zawierają one malutkie organelle zwane *chloroplastami*. Są one miniaturowymi przetwornikami słonecznymi zdolnymi do wykorzystywania energii promieniowania słonecznego w procesie zwanym *fotosyntezą* (str. 7). Komórki roślinne zawierają też przestrzenie wypełnione powietrzem lub wodą zwane *wodniczkami*.

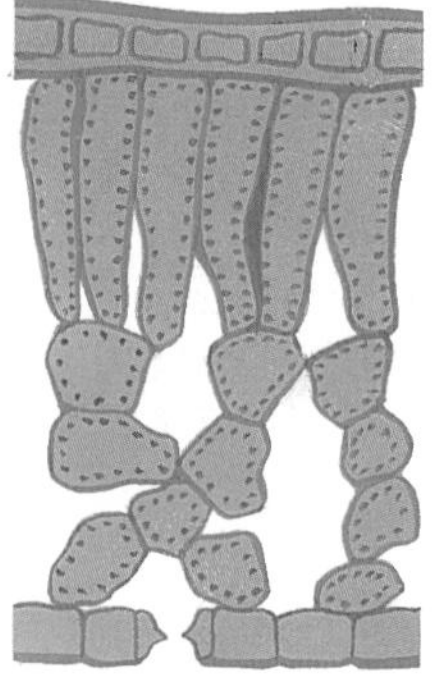

Liście *zbudowane są z rzędów przylegających do siebie komórek, których pożywieniem są związki chemiczne rozpuszczone w wodzie wnikającej przez ścianę komórkową.*

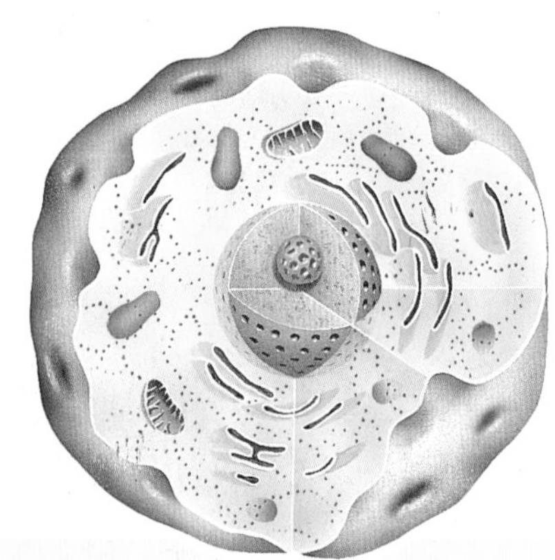

W komórkach zwierzęcych *znajduje się niewiele wodniczek za to dużo innych organelli.*

KOMÓRKI ZWIERZĘCE

Komórki zwierzęce mają błonę komórkową delikatniejszą niż roślinne. Podobnie jak one posiadają *siateczkę endoplazmatyczną*, gdzie wytwarzane są *enzymy*. Ponadto znajdują się w nich *lizosomy* usuwające zbędne substancje.

KOMÓRKI CIAŁA

Twoje ciało zbudowane jest z wielu różnych rodzajów komórek — kulistych komórek tłuszczowych, płaskich komórek naskórka, kanciastych komórek wątrobowych i wielu innych. Wszystkie one rozwijają się z pojedynczej komórki powstałej wskutek połączenia się plemnika twojego ojca i komórki jajowej twojej matki. Ta jedna komórka zawiera informacje niezbędne do zbudowania waszego ciała. Dzieli się ona wiele, wiele razy, aby wyprodukować miliony milionów komórek tworzących twoje ciało. Tak więc, mimo że komórki różnią się znacznie kształtem i rolą, wszystkie one wywodzą się z tej samej, macierzystej komórki. Komórki ulegają stałemu zużyciu i muszą być zastępowane nowymi. Niektóre z nich przeżywają miesiące, inne jeden dzień. Tylko komórki nerwowe żyją bardzo długo, ale kiedy już obumierają, nie mogą być zastąpione nowymi.

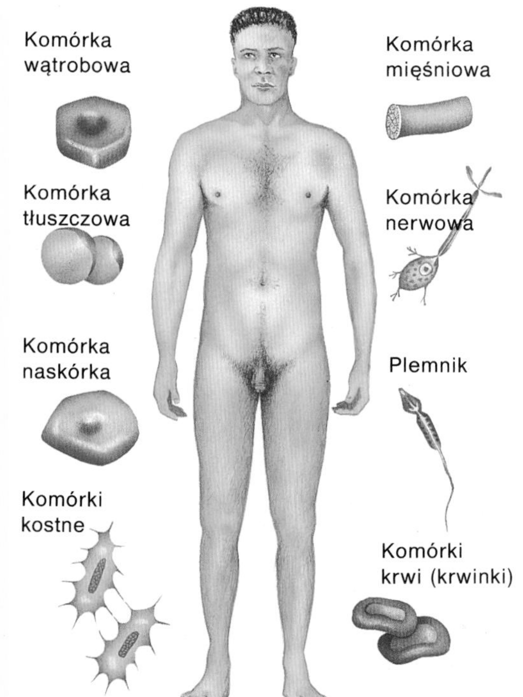

PLAN ŻYCIA

Wewnątrz każdej żywej komórki znajduje się bardzo istotna cząsteczka, która zawiera wszystkie instrukcje potrzebne komórce do spełnienia jej zadania i wszystkie instrukcje wykonania dokładnej kopii całej rośliny czy zwierzęcia. Cząsteczka ta zwana jest kwasem *deoksyrybonukleinowym* lub w skrócie *DNA*.

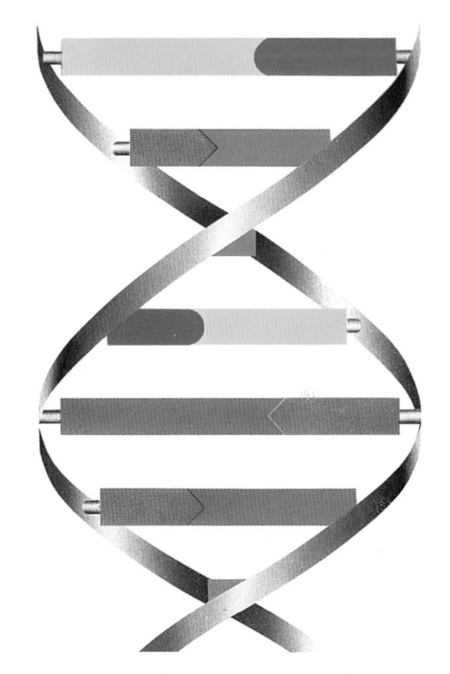

KOD GENETYCZNY

Podobnie jak każdy komputer, DNA przechowuje wszystkie informacje w postaci kodu. Naukowcy stwierdzili, że malutka cząsteczka DNA znajdująca się w każdej komórce zawiera wystarczająco dużo informacji, aby wypełnić pamięć 85 000 małych komputerów domowych lub całą bibliotekę gromadzącą tysiące książek.

Geny. Klucz do kodu DNA zawarty jest w kolejności ułożenia zasad chemicznych w każdej jego nitce (patrz po prawej). Zasady te są trochę jak litery alfabetu, a ich rzędy podzielone są na „zdania" zwane *genami*, które dostarczają instrukcji do budowy poszczególnych *białek*. Białka są podstawowym materiałem budulcowym wszystkich żywych komórek.

Białka zbudowane są z różnych kombinacji związków chemicznych zwanych *aminokwasami*. Znajdują się one pod ręką, w każdej komórce, więc aby zbudować białko, potrzebuje ona tylko uzyskać od DNA informację w jakiej kolejności ułożyć aminokwasy.

Kodony. Zasady pogrupowane są po trzy wzdłuż każdej nitki DNA. Grupy te zwane są *kodonami*, a kolejność trzech zasad w każdej takiej grupie określa poszczególne aminokwasy.

Istnieją 64 sposoby pogrupowania 4 zasad w trójczłonowe zespoły, tak więc muszą istnieć 64 kodony. Ponieważ istnieje tylko 20 aminokwasów, oznacza to że kilka kodonów musi zawierać kod dla tego samego aminokwasu. Trzy kodony zachowują się jak kropka w zdaniu i znajdując się na końcu każdego genu oznaczają przekazanie kompletnej informacji o budowie danego białka.

CZĄSTECZKA DNA

Cząsteczka DNA jest jedną z największych znanych cząsteczek i waży 500 milionów razy więcej niż cząsteczka cukru. Jest ona bardzo cienka, ale bardzo długa; rozciągnięta mierzyłaby ponad 40 cm. Wyglądem przypomina skręconą taśmę, ale w rzeczywistości zbudowana jest z dwu cienkich wstążek owiniętych wokół siebie w długą, *podwójną spiralę* (**helisę**). Wygląda trochę jak nieprawdopodobnie długa skręcona drabina sznurkowa. Liny jej utworzone są przez leżące naprzemiennie grupy chemiczne: cukry i fosforany, a jej szczeble tworzą związki chemiczne zwane *zasadami*, połączone ze sobą *wiązaniami wodorowymi*.
W cząsteczce DNA występują 4 rodzaje zasad – guanina, adenina, cytozyna i tymina. Każda z tych zasad dobiera się w parę z drugą, ściśle określoną. Guanina może połączyć się tylko z cytozyną, a adenina z tyminą. Oznacza to, że kolejność zasad wzdłuż jednej nitki DNA jest dokładnym, lustrzanym odbiciem drugiej nitki. Tak więc każda z nich może być użyta jako matryca do wykonania dokładnej kopii drugiej.

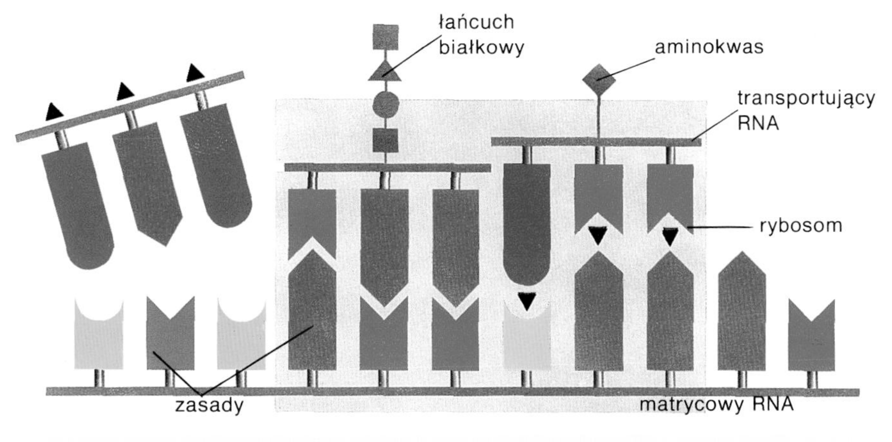

PRODUKCJA BIAŁEK

DNA jest zbyt wartościowe, aby służyć za matrycę do produkcji białek. Do tego celu komórka posiada kopię kodu DNA w postaci matrycowego RNA lub mRNA. Inny rodzaj RNA zwany transportującym (tRNA) dostarcza potrzebne aminokwasy. Odczytanie kodu mRNA i wiązanie aminokwasów w łańcuchy białkowe następuje przy udziale rybosomów

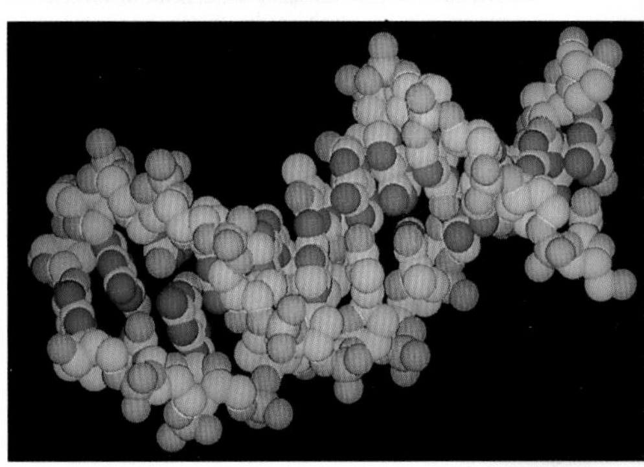

***Cząsteczka DNA** ma kształt długiej, podwójnej spirali zbudowanej z wodoru, węgla i tlenu. Ten model ukazuje tylko malutki jej fragment.*

ROZMNAŻANIE KOMÓREK

Żywe komórki mnożą się poprzez następujące po sobie podziały. W ten sposób rosną wszystkie rośliny i zwierzęta, a stare komórki zastępowane są nowymi.

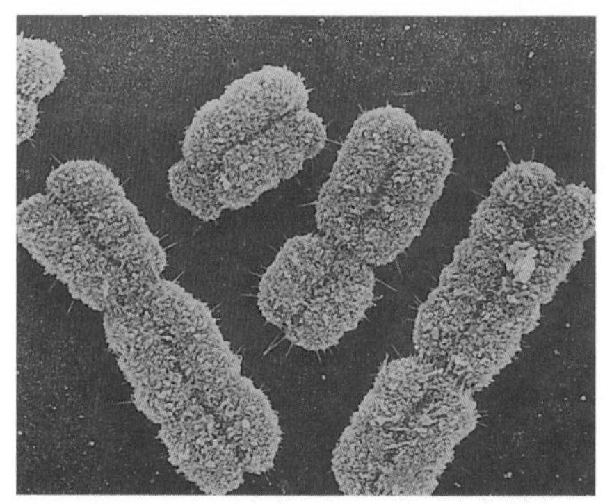

Pary chromosomów *(powyżej) można ujrzeć pod bardzo silnym mikroskopem.*

Komórka nasienia łączy się z komórką jajową *(poniżej).*

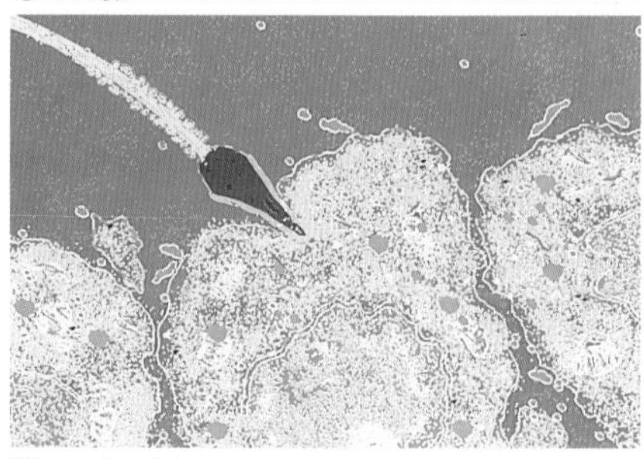

KOPIOWANIE

Kiedy dochodzi do podziału komórek, każda nowo powstała musi być identyczna i posiadać ten sam zestaw informacji genetycznej. Dlatego przed każdym podziałem komórka wykonuje kopię swego DNA (str. 9), aby obdzielić nim nowe komórki; proces ten nazywamy *replikacją*. Podczas replikacji DNA obie jego nitki rozkręcają się i stopniowo rozdzielają, odsłaniając lustrzane odbicia sekwencji zasad na każdej z nich. W tym momencie do każdej z odsłoniętych nitek przyczepiają się tzw. *wolne zasady* pływające dookoła w jądrze komórki.

Każda z czterech rodzajów wolnych zasad odnajduje swego właściwego partnera na odsłoniętej nitce – guanina łączy się z cytozyną, a adenina z tyminą i na odwrót. W ten sposób idealnie dopasowana nitka jest dołączona do każdej z wcześniej odsłoniętych, tworząc dwie identyczne kopie oryginalnego DNA, co umożliwia rozpoczęcie podziału komórki.

MITOZA

Kiedy stare komórki ulegną zużyciu, nowe powstają w procesie zwanym *mitozą*. Podczas mitozy wiązania łączące dwie nitki chromosomów (patrz po prawej) rozluźniają się i każda nitka przesuwa się do przeciwnego bieguna komórki. Środek komórki ulega przewężeniu, aż w końcu rozdziela się ona na dwie nowe.

MEJOZA

Większość zwierząt i roślin posiada dwa zestawy chromosomów w każdej komórce, po jednym od każdego z rodziców. Zanim rozpocznie się nowe życie, muszą powstać specjalne *komórki rozrodcze* z pojedynczym zestawem chromosomów.
Dzieje się to w procesie podziału i redukcji zwanym *mejozą*. Powstałe w czasie mejozy komórki rozrodcze łączą się tworząc *zygotę*, komórkę zawierającą podwójny zestaw chromosomów.

CHROMOSOMY

W jądrze komórkowym DNA wymieszane jest z białkiem tworząc *chromosomy*. Geny zawierają jedno zdanie kodu genetycznego, a chromosomy całą jego książkę. Liczba chromosomów w komórce różni się zależnie od gatunku, do którego należy dany organizm. U człowieka jest ich 46. Podczas replikacji DNA kopie każdego chromosomu łączą się w pary w kształcie litery X.

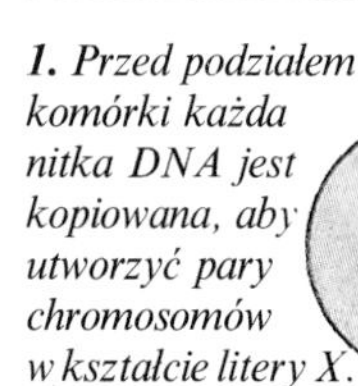

1. Przed podziałem komórki każda nitka DNA jest kopiowana, aby utworzyć pary chromosomów w kształcie litery X.

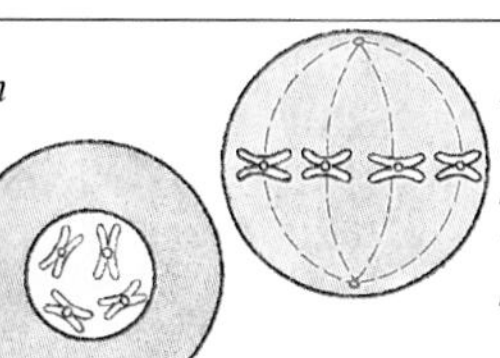

2. Pary te ustawiają się w jednej linii w środku komórki.

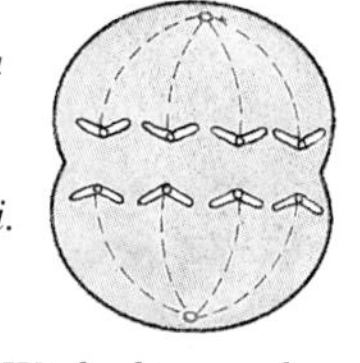

3. Połowa każdej pary pociągana jest wzdłuż białkowych nitek zwanych wrzecionem do przeciwległych biegunów komórki.

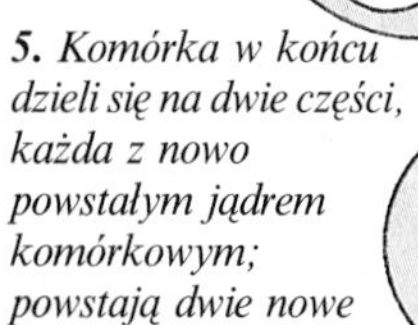

4. W obu biegunach komórki powstaje skupisko chromosomów będące nowym jądrem komórkowym.

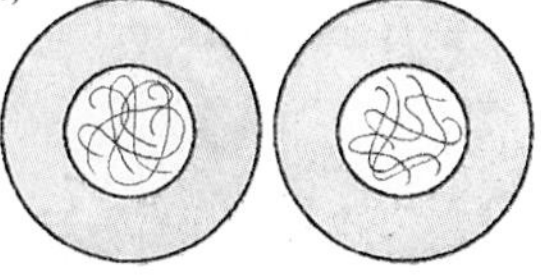

5. Komórka w końcu dzieli się na dwie części, każda z nowo powstałym jądrem komórkowym; powstają dwie nowe komórki.

Mitoza *jest sposobem podziału mającego na celu stworzenie nowych komórek niezbędnych dla wzrostu organizmu lub zastępowania zużytych. Każda nowa komórka otrzymuje identyczną kopię chromosomów oryginalnej komórki.*

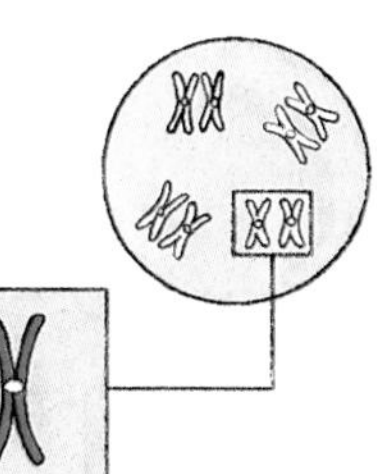

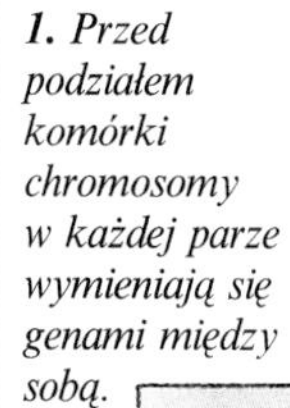

1. Przed podziałem komórki chromosomy w każdej parze wymieniają się genami między sobą.

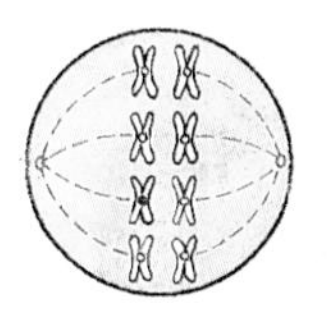

2. Pary chromosomów ustawiają się w szeregu w poprzek komórki.

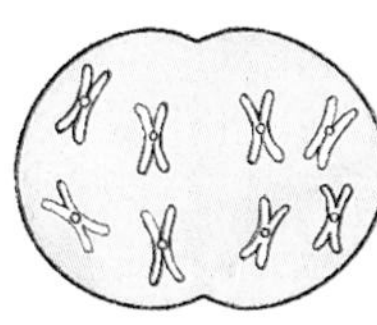

3. Komórka dzieli się, tak jak podczas mitozy uwalniając dwie nowe komórki, każda z normalną liczbą chromosomów.

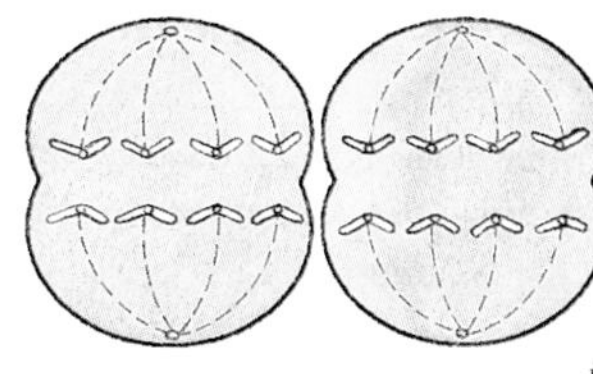

4. Pary chromosomów znów ustawiają się w jednej linii w środku każdej z dwu nowych komórek, a potem rozdzielają się i pociągane są przez długie nici białkowe.

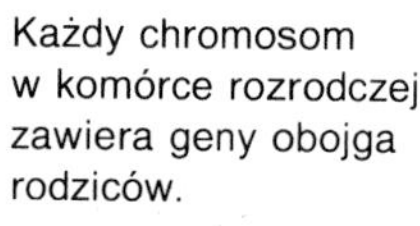

Każdy chromosom w komórce rozrodczej zawiera geny obojga rodziców.

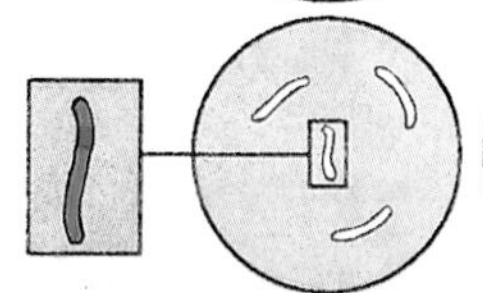

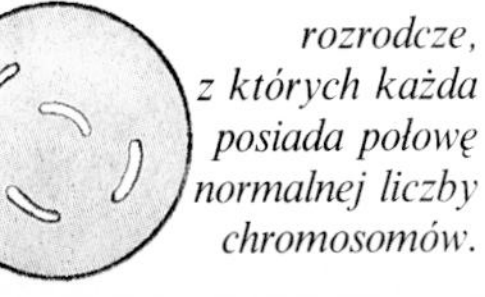

5. Każda połówka pary chromosomów jest pociągana do przeciwległego bieguna każdej komórki. Obie komórki dzielą się tworząc cztery komórki rozrodcze, z których każda posiada połowę normalnej liczby chromosomów.

Mejoza *(po prawej) to taki podział komórkowy, w którym powstają komórki rozrodcze zawierające połowę normalnej liczby chromosomów; łączenie się takich komórek zapoczątkowuje nowe życie.*

DZIEDZICZNOŚĆ

Kod genetyczny tak doskonale spełnia swoje zadanie, że każda roślina i zwierzę są podobne nie tylko do swych rodziców, ale również dziadków. Takie rodzinne podobieństwo nazywamy dziedzicznością.

Dziewczynki są daltonistkami tylko gdy w obu chromosomach X geny są zmutowane.

PROJEKTOWANIE ŻYCIA

Szczególną cechą kodu genetycznego jest to, że nie tylko przenosi z pokolenia na pokolenie cechy rodzinne z zadziwiającą dokładnością, ale również dopuszcza do powstawania niewielkich odmian w ich zestawie, dzięki czemu dwie rośliny czy dwoje zwierząt nigdy nie są identyczne. Jest to ważne, gdyż te drobne różnice pozwalają poszczególnym gatunkom zmieniać się i rozwijać (str. 101).

Chłopiec czy dziewczynka? Klucz do dziedziczenia mieści się w chromosomach. Człowiek posiada 46 chromosomów. Kobiety mają ich 23 dobrane pary, mężczyźni również 23, ale w jednej z nich chromosomy różnią się od siebie. Te różniące się od siebie chromosomy decydują czy dziecko będzie chłopcem, czy dziewczynką i dlatego nazywane są one *chromosomami płciowymi*. Jeden z nich ma kształt litery X, drugi litery Y. Kobiety również posiadają jedną parę chromosomów płciowych, tyle że oba mają kształt litery X. Kiedy komórki rozrodcze powstają w toku mejozy (patrz po lewej) liczba chromosomów jest dzielona na pół. U kobiety komórka rozrodcza zawsze otrzyma chromosom X, ponieważ ma ich dwa. Natomiast u mężczyzny połowa z nich otrzyma chromosom X, a druga połowa Y. Gdy więc komórki rozrodcze łączą się podczas zapłodnienia (str. 21) komórka jajowa może otrzymać z plemnikiem chromosom X lub Y. Jeśli otrzyma chromosom X dziecko będzie dziewczynką, jeśli Y chłopcem.

Pozostałe 44 chromosomy ułożone są w pary. Oba chromosomy w parze zawierają instrukcję genetyczną dla tych samych cech. W praktyce każda cecha ma swój kod w tym samym miejscu obu chromosomów. Miejsce to nosi nazwę *locus genowego*. Dzięki takiej budowie chromosomów każda cecha organizmu jest wypadkową działania dwu zestawów informacji. Większość cech jest jakby mieszanką obu zestawów, ale czasem do głosu dochodzi tylko jeden z nich, dominujący.

DALTONIZM

Czasami gen może ulec uszkodzeniu. Nazywa się go wtedy *genem zmutowanym* (lub mutantem). Jeśli ktoś odziedziczy pewne zmutowane geny w chromosomie X, może mieć trudności w dostrzeżeniu liczby zaznaczonej czerwonymi kropkami w tym zielonym kółku. Zjawisko to nazywamy daltonizmem.

MUTACJA

Kod genetyczny jest wyjątkowo trwały, ale niekiedy może mu się przydarzyć drobna pomyłka i geny ulegają *mutacji* (zmianom) w chwili kopiowania DNA przed podziałem komórki. Mutacje występują bardzo rzadko, a niekiedy mogą być bardzo korzystne, pozwalając na ewolucję gatunków. Czasem mogą być także źródłem różnych chorób.

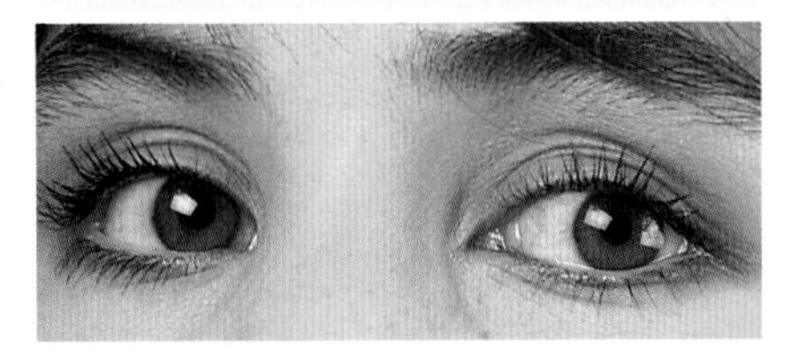

Brązowe czy niebieskie oczy? *Mimo że oboje rodzice mają brązowe oczy, dziecko może mieć niebieskie (cecha recesywna).*

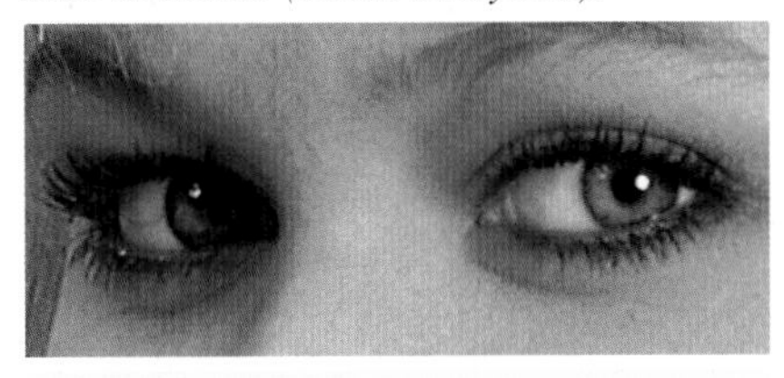

GENY DOMINUJĄCE I RECESYWNE

W niektórych przypadkach jeden z pary genów musi zwyciężyć. Gen, który zwycięża, jak na przykład gen decydujący o brązowym kolorze oczu, jest zwany genem *dominującym*; gen, który przegrywa jest genem *recesywnym*. Może on dojść do głosu tylko łącząc się z podobnym sobie. Schemat ukazuje, jak możliwe jest istnienie szans 1 do 4, że dziecko rodziców o brązowych oczach może mieć niebieskie oczy.

JEDEN GEN CZY DWA

Brązowy kolor oczu zależy od jednego genu. Inne cechy zależą od więcej niż jednego (*dziedziczenie wielogenowe*).

MIKROSKOPIJNE FORMY ŻYCIA

Pleśń. *Pleśń atakująca to jabłko jest drobnoustrojem zwanym protoctista.*

Najczęściej występujące w przyrodzie formy życia są bardzo małe i można je obserwować tylko pod mikroskopem. Spotyka się je w ogromnych ilościach w każdym środowisku na ziemi. Wiele z nich żyje wewnątrz lub na innych, większych istotach żywych. Wiele form tych mikroorganizmów znajduje się w powietrzu. Dlatego teatry operowe i niektóre fabryki instalują całe systemy filtrów zatrzymujących drobnoustroje na zewnątrz.

RÓŻNE RODZAJE MIKROBÓW

Istnieje tak ogromna ilość różnych mikrobów, że naukowcy mają duże trudności, aby je pogrupować. Mikroskopijnej wielkości algi czy pleśń czasem zaliczane są do roślin, a czasem do zupełnie oddzielnej grupy organizmów zwanych *protoctista.* Ale z kolei niebiesko-zielone algi są obecnie uważane za bakterie.

Protoctista są również częścią większej grupy organizmów zwanych *Protista*, nad którymi z kolei dominują pierwotniaki (*Protozoa*). Podobnie jak bakterie, pierwotniaki, na przykład ameba, są organizmami jednokomórkowymi, ale mogą samodzielnie utrzymać się przy życiu pływając w wodzie i pod wieloma względami zachowując się jak zwierzęta – jedzą, wydalają, oddychają i poruszają się samodzielnie dzięki pulsowaniu ściany komórkowej. Podczas gdy bakterie są *prokariotyczne*, co oznacza, że nie posiadają błony jądrowej otaczającej ich materiał genetyczny, to pierwotniaki są *eukariotyczne.* Niektóre pierwotniaki są pasożytami ryb i zwierząt lądowych. Ameby mogą wywoływać chorobę zwaną *czerwonką pełzakową.*

BAKTERIE

Najczęściej spotykanymi spośród drobnoustrojów są bakterie. Mają one bardzo prostą budowę i w korzystnych warunkach mogą się bardzo szybko rozmnażać. Mają jednak szczególne wymagania. Liczebność ich kolonii kontrolowana jest obfitością pożywienia, właściwą temperaturą i innymi istotnymi czynnikami środowiskowymi.

Znane jest wiele tysięcy różnych bakterii, ale wszystkie one są organizmami jednokomórkowymi. Bakterie tlenowe najlepiej czują się w środowisku bogatym w tlen, natomiast bakterie beztlenowe giną w jego obecności. Niektóre bakterie są *autotroficzne*, co oznacza, że potrafią same produkować dla siebie pożywienie korzystając ze światła słonecznego lub związków chemicznych. Inne są *heterotroficzne*, co z kolei oznacza, że przeżywają tylko dzięki odżywianiu się gotowymi substancjami organicznymi.

Poszukiwanie żywiciela. Większość bakterii nie może samodzielnie poruszać się zbyt daleko, dlatego bakterie heterotroficzne znajdują sobie żywiciela, aby na nim lub w nim żyć. Czasami to współżycie układa się całkiem dobrze i jest korzystne zarówno dla bakterii, jak i jej gospodarza. Taki układ nazywamy *symbiozą*. Bakterie żyjące, na przykład, w żołądkach krów pomagają im w trawieniu trawy. Inne bakterie, żyjąc ze swym gospodarzem są mu całkiem obojętne. Bakteria *Escherichia coli* lub *E.coli* żyje w naszych jelitach nie wyrządzając nam żadnej szkody. Taki

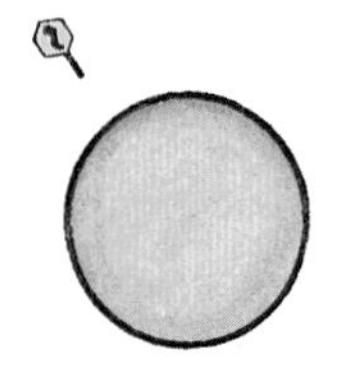

1. Wirus zbliża się do komórki gospodarza.

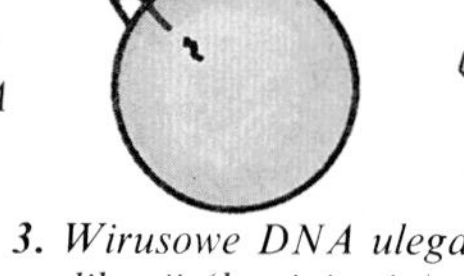

2. Wirus przylega do powierzchni komórki gospodarza i wstrzykuje do jej wnętrza swoje DNA (materiał genetyczny).

3. Wirusowe DNA ulega replikacji (kopiuje się) wewnątrz komórki gospodarza.

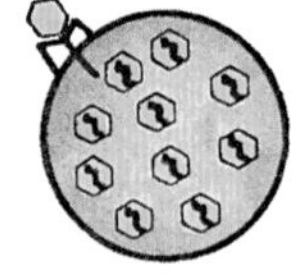

4. Wewnątrz komórki powstają nowe wirusy.

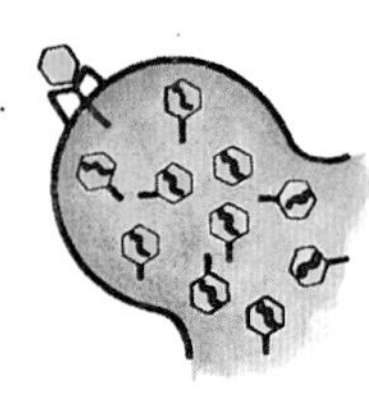

5. Komórka pęka i wirusy rozsiewają się.

KSZTAŁT BAKTERII

Każda bakteria posiada sztywną ścianę komórkową otaczającą miękką błonę komórkową, która z kolei utrzymuje w całości galaretowatą protoplazmę i pływające w niej nici DNA (str. 11). Niektóre posiadają witki (twory podobne do ogonków) służące do poruszania. Bakterie są często klasyfikowane na podstawie swego kształtu. Ziarenkowce są okrągłe, pałeczki (prątki) mają kształt pręta, przecinkowce są zakrzywione, a krętki spiralne. Ziarenkowce, które żyją parami zwane są dwoinkami, w gronach żyją gronkowce, a paciorkowce tworzą łańcuchy.

WIRUSY

Wirusy są najprostszymi ze znanych form życia, ale są tak małe (długość ich wynosi sto milionowych części milimetra), że można je zobaczyć tylko przy pomocy silnego mikroskopu elektronowego.
W przeciwieństwie do bakterii są one całkowitymi pasożytami i nie potrafią mnożyć się poza organizmem swego żywiciela. Poza wnętrzem komórki gospodarza są właściwie pozbawione możliwości przeżycia. Kiedy jakiś wirus dostaje się do komórki swego żywiciela, przejmuje jego energię chemiczną i zdolność wytwarzania białek, aby się rozmnażać. Kiedy się już rozmnoży, nowo powstałe wirusy rozsadzają komórkę, często całkowicie ją rozpuszczając.

układ nazywamy *komensalizmem*.

Czasem bakterie są pasożytami, które żyjąc w organizmie swego żywiciela mogą przynosić mu wiele szkody uwalniając trujące związki chemiczne zwane *toksynami*. Bakteria wywołująca chorobę bywa nazywana *patogenem* (patrz niżej). Ponadto bakterie, które w jednym miejscu są komensalami, w innym mogą być patogenami. E.coli, na przykład, może wywoływać objawy chorobowe, jeśli dostanie się do dróg moczowych. Wiele spośród bakterii jest jednak użytecznych. Niektóre rozkładają substancje organiczne uwalniając różne składniki odżywcze do gleby. Inne uczestniczą w procesie fermentacji alkoholowej albo wykorzystywane są przy produkcji serów. Jeszcze inne okazały się pomocne w inżynierii genetycznej.

Rozmnażanie. Większość bakterii mnoży się przez proste podziały następujące po sobie. Czasami potrafią one przeżywać tysiące lat w niekorzystnych dla siebie warunkach tworząc *zarodniki*.

Inżynieria genetyczna

Drobnoustroje odegrały istotną rolę w rozwoju inżynierii genetycznej. Jej celem jest zmiana kodu genetycznego zwierząt w celu wyeliminowania różnych jego wad powodujących choroby dziedziczne albo uzyskania jakiegoś korzystnego efektu.

Jak dotychczas najszersze zastosowanie inżynieria genetyczna znalazła w produkcji leków.

Maszyna do produkcji leków. *Inżynieria genetyczna może sprawić, że krowy będą wraz z mlekiem dostarczać nam różnych ważnych leków.*

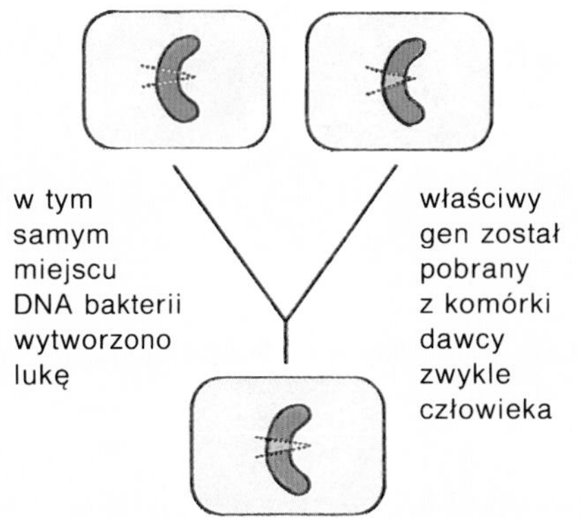

Jeśli naukowcom uda się zidentyfikować gen odpowiedzialny za produkcję określonej substancji, mogą go wszczepić bakteriom. Ponieważ rozmnażają się one błyskawicznie, wkrótce zaczynają wytwarzać ogromne ilości owej substancji. W tym celu szczególnie często używa się *E.coli*. Tym sposobem wytwarzana jest *insulina* do leczenia cukrzycy, *hormon wzrostu* dla dzieci z zaburzeniami wzrastania czy interferon (lek stosowany w zakażeniach wirusowych).

Choroby i patogeny

Wiele patogenów wywołuje tzw. *choroby zakaźne*. Określenie choroba zakaźna oznacza, że w chorym organizmie zaczęły się rozwijać kolonie patogenów, takich jak bakterie, wirusy lub grzyby. Ponieważ mnożą się one bardzo szybko, mogą albo bezpośrednio uszkadzać komórki, jak to czynią wirusy, albo uwalniać toksyny uszkadzające komórki.

Każde zakażenie zwykle uaktywnia *system immunologiczny* (odpornościowy) organizmu, który podejmuje walkę z atakującym drobnoustrojem. Wiele objawów chorobowych odczuwanych przez nas jest efektem tej walki — są to gorączka, osłabienie, bóle stawowe.

Czasem infekcja może rozprzestrzenić się w całym organizmie. Nazywamy ją *infekcją uogólnioną*. Przykładem takiej infekcji jest przeziębienie. Czasem znów może zlokalizować się w jednym miejscu. Nazywana jest wtedy *infekcją miejscową*. Jeśli brud dostanie się do miejsca skaleczenia może wywołać infekcję miejscową. Tego rodzaju zakażeń można uniknąć zachowując czystość i higienę.

Tasiemce *żyją w świetle jelita. Dostają się tam wraz z surowym mięsem.*

Wirus ospy *wywołuje częstą kiedyś chorobę – ospę, dziś wyeliminowaną dzięki szczepieniom ochronnym.*

Bakteria cholery. *Szczepienia nie mogą zapobiec skutecznie szerzeniu się cholery.*

Wirus świnki *może wywoływać bardzo nieprzyjemną chorobę zwaną świnką, która głównie dotyczy dzieci. Przenosi się ona z osoby na osobę w kropelkach wody znajdujących się w powietrzu.*

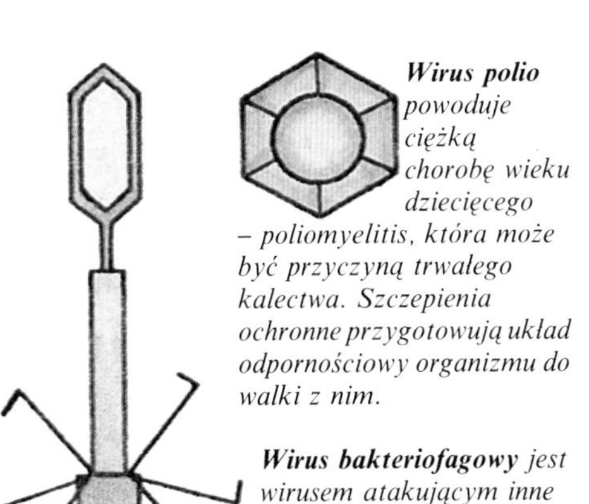

Wirus mozaiki tytoniowej. *Rośliny są też narażone na ataki wirusów. Wirus mozaiki tytoniowej może spustoszyć plantacje tytoniu.*

Wirus polio *powoduje ciężką chorobę wieku dziecięcego – poliomyelitis, która może być przyczyną trwałego kalectwa. Szczepienia ochronne przygotowują układ odpornościowy organizmu do walki z nim.*

Wirus bakteriofagowy *jest wirusem atakującym inne bakterie.*

Pasożyty

Pasożyty, takie jak tasiemce i pełzaki, są uważane za przyczynę wielu chorób jak na przykład biegunka, malaria, śpiączka afrykańska czy toksoplazmoza (choroba przenoszona przez koty). Wszystkie pasożyty są na swój sposób szkodliwe dla swego żywiciela, ale czasami potrafią być też pożyteczne. Niektóre bakterie, na przykład, pomagają w ograniczaniu liczebności innych drobnoustrojów.

ODDYCHANIE I ODŻYWIANIE

W każdej minucie dnia, a nawet kiedy śpisz, twój organizm ciężko pracuje. Twoje płuca oddychają, aby utrzymać odpowiedni poziom tlenu we krwi. Twoje serce pompuje bogatą w tlen krew z płuc do pozostałych części ciała. A różne związki chemiczne rozkładają w żołądku i jelitach zjedzony pokarm i zamieniają go w substancje niezbędne twemu organizmowi.

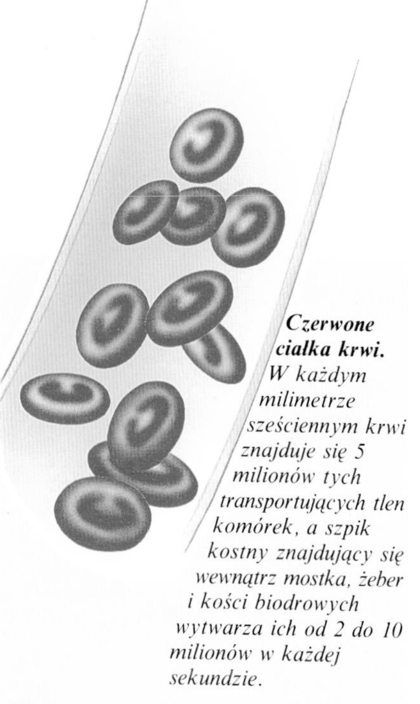

Czerwone ciałka krwi. *W każdym milimetrze sześciennym krwi znajduje się 5 milionów tych transportujących tlen komórek, a szpik kostny znajdujący się wewnątrz mostka, żeber i kości biodrowych wytwarza ich od 2 do 10 milionów w każdej sekundzie.*

KREW

Krew nie jest zwyczajnym czerwonym płynem; jest to zawiesina różnych komórek unoszących się w klarownym, żółtym płynie – *osoczu*. Najliczniejsze są czerwone ciałka krwi, komórki w kształcie guziczków, które transportują tlen dzięki zawartemu w nich szczególnemu rodzajowi białka – *hemoglobinie*. Inny rodzaj komórek krwi to płytki krwi, hamujące krwawienia, na przykład przy skaleczeniu, oraz ogromne białe ciałka krwi zwane *leukocytami*. Ich rolą jest obrona organizmu przed różnymi chorobami. Robią to w różny sposób – granulocyty obojętnochłonne (*neutrofile*) połykają intruzów, a *limfocyty*, pomagają w ich rozpoznawaniu.

ZAOPATRYWANIE ORGANIZMU W PALIWO

Podobnie jak każda maszyna, organizm stale wymaga dowozu „paliwa", podtrzymującego jego funkcje i budulca do zastąpienia zużytych komórek nowymi. Źródłem tych surowców jest powietrze, którym oddychamy i pokarm, który zjadamy. Krew rozprowadza je do każdego zakątka ciała. Zabiera ona też różne zbędne substancje przeznaczone do wydalenia na zewnątrz.

Oddychanie i krew. Przerwanie oddychania oznacza dla organizmu śmierć, gdyż tlen zawarty w powietrzu jest niezbędny do życia każdej komórki. Tak jak ogień może palić się tylko w obecności tlenu, tak komórki potrzebują go, aby „spalić" dostarczone im substancje odżywcze i uzyskać w ten sposób energię potrzebną do życia. Brak tlenu powoduje ich śmierć. Najbardziej wrażliwe są komórki mózgowe – kilkuminutowa przerwa w dostawie tlenu wywołuje ich trwałe uszkodzenie.

W czasie „spalania" substancji odżywczych w komórkach tlen łączy się z atomami węgla w dwutlenek węgla, który jako zbędny jest wydalany przez płuca.

Płuca wyglądają jak wydrążone w środku drzewo z setkami rozgałęziających się dróg oddechowych zwanych *oskrzelikami*. Zakończone one są *pęcherzykami płucnymi* ułożonymi jak kiście winogron. Każdy z nich jest otoczony siatką drobnych naczyń krwionośnych. Podczas wdechu tlen przechodzi z pęcherzyków płucnych do krwi i jest roznoszony po całym ciele, a dwutlenek węgla z krwi do pęcherzyków płucnych i jest wydychany.

CZY WIESZ, ŻE...?

Płuca miałyby powierzchnię kortu tenisowego, gdyby je rozłożyć i spłaszczyć.
Twoje serce potrafi bić od 30 do 200 razy na minutę.
Jeśli dożyjesz 75 lat to:
- wykonasz 600 milionów oddechów
- twoje serce uderzy 3000 milionów razy
- twoje serce przepompuje 200 milionów litrów krwi, wystarczająco dużo, aby nowojorski Central Park zamienić w basen o głębokości 15 m.

Krew płynie tętnicami z prędkością 1 m na sekundę.
Długość twoich naczyń włosowatych wynosi 60 000 km.
Jelita są sześć razy dłuższe niż wynosi twój wzrost i mają długość autobusu.
Żołądek leży poniżej i na lewo od mostka, a nie za pępkiem.

SERCE I KRĄŻENIE KRWI

Serce stale przepompowuje krew przez cały organizm. Wypływa ona z serca poprzez duże naczynia krwionośne zwane *tętnicami*, które rozgałęziają się na małe *tętniczki*, a następnie na drobniutkie naczynia włosowate lub włośniczki (*kapilary*). Powraca ona do serca poprzez żyłki łączące się w żyły. Krew jest bardziej czerwona w tętnicach niż w żyłach, gdyż jest wówczas bogata w tlen.
Tak naprawdę to w organizmie znajdują się dwa układy krążenia krwi, a nie jeden. Każdy z nich zaczyna się i kończy w sercu, które składa się jakby z dwu pomp. Lewa połowa pompuje bogatą w tlen krew z płuc do całego organizmu poprzez *krążenie systemowe*. Mniejsza, prawa połowa serca tłoczy krew przez płuca i z powrotem do lewej połowy serca. Tę część układu krążenia nazywamy *krążeniem płucnym*.

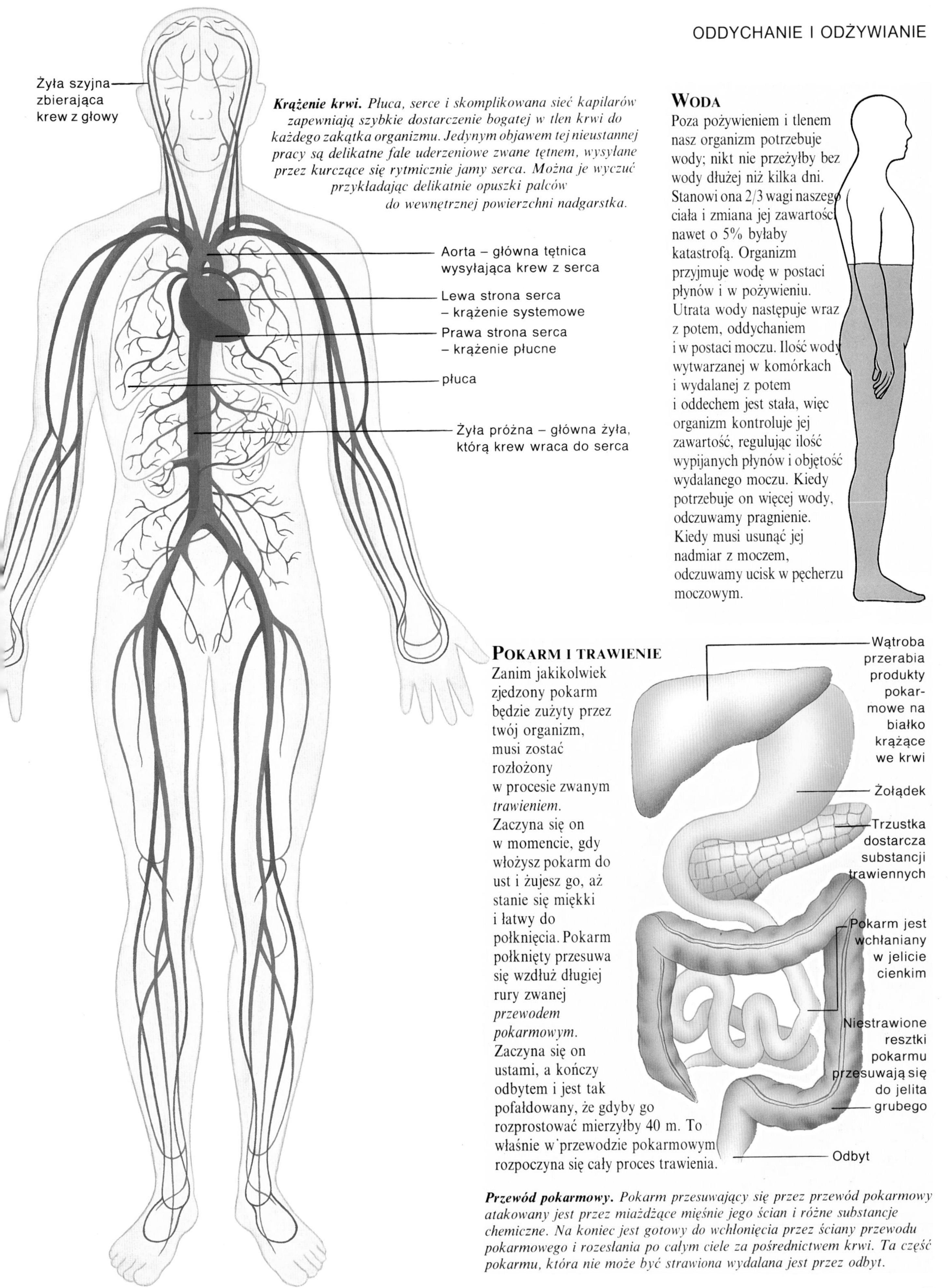

Krążenie krwi. *Płuca, serce i skomplikowana sieć kapilarów zapewniają szybkie dostarczenie bogatej w tlen krwi do każdego zakątka organizmu. Jedynym objawem tej nieustannej pracy są delikatne fale uderzeniowe zwane tętnem, wysyłane przez kurczące się rytmicznie jamy serca. Można je wyczuć przykładając delikatnie opuszki palców do wewnętrznej powierzchni nadgarstka.*

WODA

Poza pożywieniem i tlenem nasz organizm potrzebuje wody; nikt nie przeżyłby bez wody dłużej niż kilka dni. Stanowi ona 2/3 wagi naszego ciała i zmiana jej zawartości nawet o 5% byłaby katastrofą. Organizm przyjmuje wodę w postaci płynów i w pożywieniu. Utrata wody następuje wraz z potem, oddychaniem i w postaci moczu. Ilość wody wytwarzanej w komórkach i wydalanej z potem i oddechem jest stała, więc organizm kontroluje jej zawartość, regulując ilość wypijanych płynów i objętość wydalanego moczu. Kiedy potrzebuje on więcej wody, odczuwamy pragnienie. Kiedy musi usunąć jej nadmiar z moczem, odczuwamy ucisk w pęcherzu moczowym.

POKARM I TRAWIENIE

Zanim jakikolwiek zjedzony pokarm będzie zużyty przez twój organizm, musi zostać rozłożony w procesie zwanym *trawieniem*. Zaczyna się on w momencie, gdy włożysz pokarm do ust i żujesz go, aż stanie się miękki i łatwy do połknięcia. Pokarm połknięty przesuwa się wzdłuż długiej rury zwanej *przewodem pokarmowym*. Zaczyna się on ustami, a kończy odbytem i jest tak pofałdowany, że gdyby go rozprostować mierzyłby 40 m. To właśnie w przewodzie pokarmowym rozpoczyna się cały proces trawienia.

Przewód pokarmowy. *Pokarm przesuwający się przez przewód pokarmowy atakowany jest przez miażdżące mięśnie jego ścian i różne substancje chemiczne. Na koniec jest gotowy do wchłonięcia przez ściany przewodu pokarmowego i rozesłania po całym ciele za pośrednictwem krwi. Ta część pokarmu, która nie może być strawiona wydalana jest przez odbyt.*

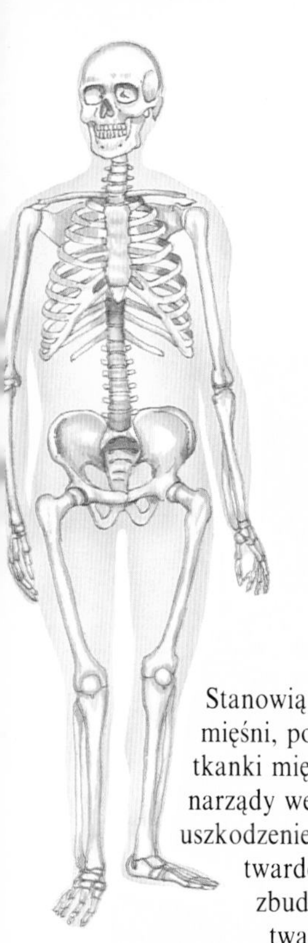

Szkielet. *Bez tego rusztowania z kości nasze ciało byłoby wiotkie jak galareta.*

RUCH I ZMYSŁY

Bieganie, tańczenie, klaskanie, uśmiechanie się i wszystkie inne ruchy jakie wykonujesz zależą od mięśni i kości. Mięśnie to pęczki włókien, które napinają się i rozluźniają, aby poruszać różnymi częściami twego ciała. Kości stanowią sztywne elementy, do których przymocowane są mięśnie. Twoje zmysły dostarczają do mózgu nieprzerwany strumień informacji o otoczeniu.

KOŚCI

Ciało ludzkie zawiera ponad 200 kości. Stanowią one miejsce przyczepu mięśni, podtrzymują skórę i inne tkanki miękkie, ochraniają narządy wewnętrzne przed uszkodzeniem. Są one bardzo twarde i lekkie, gdyż zbudowane są z mieszanki twardych soli mineralnych i elastycznego kolagenu. Bez minerałów kości zginałyby się jak guma, a bez kolagenu kruszyłyby się jak herbatnik. Wnętrze kości wygląda jak gąbka z otworami zawierającymi komórki zwane *osteocytami*. Niektóre kości wypełnione są *szpikiem*, który produkuje nowe komórki krwi.

MIĘŚNIE

W twoim ciele znajdują się dwa rodzaje mięśni: te, których pracę możesz kontrolować nazywamy *dobrowolnymi*, a te, które pracują bez naszej kontroli nazywamy *mimowolnymi*. Potrafimy kontrolować większość *mięśni szkieletowych*, to znaczy te, które poruszają poszczególnymi częściami ciała. Mięśnie, z których zbudowane jest serce, ściany naczyń krwionośnych i przewodu pokarmowego pracują automatycznie, bez naszej kontroli.

Mięśnie szkieletowe zawdzięczają swą siłę długim, cienkim, włókienkowatym komórkom rozciągającym się w nich od końca do końca. Mięśnie składają się z pęczków tych włókien otoczonych wspólną osłonką i przymocowanych końcami do kości przy pomocy twardych włókien zwanych *ścięgnami*. Niektóre mięśnie zawierają jedynie kilkaset takich włókien, inne wiele tysięcy.
Każde włókno mięśniowe zbudowane jest z taśm zwanych *włókienkami mięśniowymi*. Pod mikroskopem taśmy te są prążkowane i dlatego takie mięśnie nazywamy prążkowanymi. Widoczne prążki to właściwie naprzemiennie ułożone włókna dwu substancji – *aktyny* i *miozyny* i to właśnie w nich ukryty jest klucz do siły, którą posiadają mięśnie. Na sygnał wysłany z mózgu włókna miozyny i aktyny zbliżają się do siebie skracając mięsień. Kiedy mięsień skraca się, pociąga kość, wykonując ruch.

Mięśnie mimowolne występują w dwu rodzajach: *sercowy* i *gładkie*. Mięsień sercowy tworzy ściany jam serca. Bije ono automatycznie, a częstość uderzeń dopasowana jest do aktualnych potrzeb organizmu przy pomocy sygnałów chemicznych i nerwowych. Mięśnie

JAK PRACUJĄ MIĘŚNIE

Mięśnie wykonują każdy ruch – od unoszenia brwi do podskakiwania w górę. Robią to w bardzo prosty sposób: kurcząc się zbliżają do siebie dwa punkty, jak na przykład dwie kości. Mogą one tylko kurczyć się, nie mogą natomiast wydłużać się. Tak więc, za każdym razem, kiedy mięsień kurczy się, aby wykonać jakiś ruch, musi później być rozciągnięty do swej wyjściowej długości przez inny kurczący się mięsień. Dlatego wiele mięśni dobranych jest w pary – *zginacz* służący zginaniu stawu i *prostownik* prostujący go. Nie wszystkie mięśnie wywołują ruch, niektóre kurczą się, aby utrzymać jakąś część ciała w określonej pozycji bez ruchu. Napinanie mięśni *izotoniczne* służy wykonywaniu ruchów, napinanie mięśni *izometryczne* utrzymuje jakąś część ciała w bezruchu.

Zginanie ramienia. *Znajdujący się w przedniej części ramienia mięsień dwugłowy jest zginaczem, który zgina rękę w łokciu, znajdujący się z tyłu mięsień trójgłowy jest prostownikiem, który ją prostuje. Kiedy ramię jest wyprostowane, mięsień trójgłowy jest napięty i twardy, podczas gdy mięsień dwugłowy jest rozluźniony i miękki.*

Gdy chcesz zgiąć rękę w łokciu, mózg wysyła sygnały nerwowe do mięśnia dwugłowego nakazujące mu skurcz. Mięsień ten twardnieje, a trójgłowy rozluźnia się. Kiedy prostujesz rękę, trójgłowy napina się, a dwugłowy rozluźnia.

SŁUCH

Ucho zewnętrzne widoczne na boku głowy, skierowuje dźwięk do *przewodu słuchowego.* W *uchu środkowym* dźwięki uderzają w napiętą *błonę bębenkową* wprawiając ją w drżenie. Wywołuje ono grzechotanie trzech malutkich *kosteczek słuchowych.* W *uchu wewnętrznym* znajduje się spiralnie skręcona rurka wypełniona płynem, a zwana *ślimakiem.* Drżenie w kosteczkach słuchowych przenosi się na płyn zawarty w ślimaku wywołując jego falowanie. Fale te poruszają drobniutkimi włoskami pokrywającymi ściany ślimaka. Wzbudza to sygnały przesyłane do mózgu przez nerw słuchowy.

Ucho zewnętrzne
Ucho środkowe
Strzemiączko (kosteczka)
Owalne okienko jest wejściem do ucha wewnętrznego
Ślimak
Ucho wewnętrzne
Błona bębenkowa
Przewód słuchowy
Młoteczek (kosteczka)
Kowadełko (kosteczka)

Ucho. *Dziecko słyszy dźwięki cichsze niż szmer liści (10 decybeli) i głośniejsze niż praca silnika odrzutowego (140 decybeli). Głośne hałasy są odczuwane boleśnie.*

gładkie uczestniczą w pracy narządów wewnętrznych organizmu obkurczając naczynia krwionośne w celu kontrolowania przepływu krwi lub wywołując fale skurczu w przewodzie pokarmowym przesuwające pokarm.

ZMYSŁY

Człowiek dysponuje pięcioma zmysłami, które informują go o tym co się dzieje wokół niego. Są to: wzrok, słuch, dotyk, węch i smak.

Dotyk. Receptory dotyku znajdują się na całej powierzchni ciała. Reagują one na cztery rodzaje bodźców – lekki dotyk, stały ucisk, zimno-ciepło, ból – i wysyłają informacje do mózgu za pośrednictwem nerwów.

Węch wydaje się zależeć od małej plamki *receptorów węchowych* zlokalizowanych wewnątrz nosa. Reagują one na obecność związków chemicznych w powietrzu. Jest ich około 5 milionów i wystarczy im zaledwie kilka cząsteczek jakiejś substancji, aby zidentyfikować zapach.

Smak jest mieszanką różnych odczuć, w tym zapachu. Język posiada wiele różnych receptorów smaku, które reagują na słodki, słony, gorzki i kwaśny smak pokarmu. Receptory słodyczy są najliczniejsze na czubku języka, słonego smaku zaraz za nimi, po obu stronach języka, a gorzkiego i kwaśnego jeszcze dalej za nimi, z tyłu.

CZY WIESZ, ŻE...?

Chodzenie wywołuje nacisk 3500 kg/cm^2 na kość udową.
Wszystkie mięśnie twego ciała mogłyby podnieść ciężarówkę, gdyby pracowały jednocześnie.
Znanych jest ponad 600 mięśni dobrowolnych.
Podczas delikatnego wysiłku układ krążenia może zapewnić dodatkową ilość tlenu i glukozy (cukru), aby podtrzymać pracę mięśni.
Wysiłek beztlenowy to taki, podczas którego mięśnie pracują tak ciężko, że zużywają więcej tlenu niż może im być dostarczone.
Wysiłek tlenowy nie jest tak wytężony i dostarczanie tlenu może być na tyle zwiększone, że spełni zapotrzebowanie mięśni.
Oko posiada 125 milionów pręcików i 7 milionów czopków.

Co widzi oko. *Oko może dostroić ostrość widzenia do każdego przedmiotu: od ziarnka pyłku widzianego z odległości kilku centymetrów do gwiazdy oddalonej o miliardy kilometrów i pracować w różnym oświetleniu.*

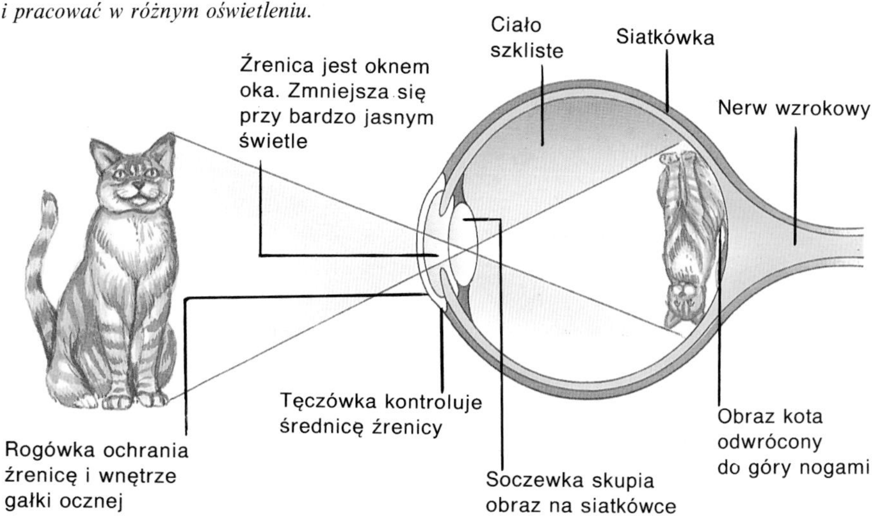

WZROK

Twoje oczy to dwie twarde, małe kulki wypełnione galaretowatą substancją zwaną *płynem szklistym.* Każde oko jest trochę jak kamera wideo. Z przodu znajduje się *soczewka* – czarna kropka pośrodku oka. Rzuca ona obraz na *siatkówkę* wyścielającą tylną ścianę oka. Siatkówka zbudowana jest z milionów światłoczułych komórek zwanych *pręcikami* i *czopkami,* które przekazują obraz do mózgu za pośrednictwem *nerwu wzrokowego.* Pręciki potrafią wychwycić najmniejszy promyk światła, ale nie potrafią odróżniać kolorów. Czopki odróżniają kolory, ale nie są tak czułe na światło jak pręciki i dlatego gorzej widzimy barwy w nocy. W oku znajdują się trzy rodzaje czopków; jedne czułe są na światło czerwone, inne na niebieskie, a jeszcze inne na zielone.

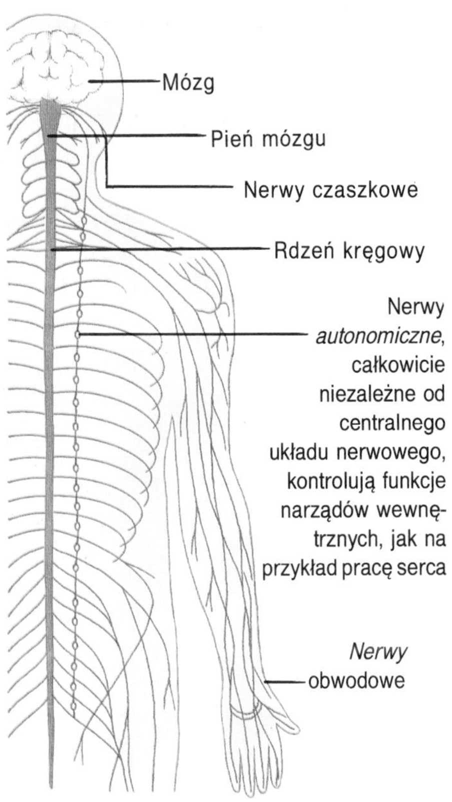

MÓZG I NERWY

Mózg ludzki jest nieprawdopodobnie skomplikowaną siecią wyspecjalizowanych komórek nerwowych. Jest on źródłem naszych myśli i kontroluje niemal wszystkie nasze działania, kontaktując się z resztą ciała poprzez układ nerwowy.

CENTRALNY UKŁAD NERWOWY

System nerwowy organizmu ludzkiego skupia się w *centralnym układzie nerwowym*. Składa się on z mózgu i rdzenia kręgowego, który jest *pęczkiem nerwów* biegnących wzdłuż kręgosłupa. Od centralnego układu nerwowego rozgałęziają się delikatne nitki nerwów oplatających całe ciało. *Nerwy czuciowe* przesyłają do mózgu sygnały z narządów zmysłu: dotyku, smaku, węchu i słuchu informując nas o otaczającym świecie. *Nerwy ruchowe* prowadzą rozkazy do mięśni dotyczące wykonania określonych ruchów.

MÓZG

Mózg ludzki wygląda jak ogromny orzech włoski, z pomarszczoną powierzchnią podzieloną na dwie części. Mózg dorosłego człowieka waży około 1,5 kg i składa się z miękkiej, szarawej substancji. Jego funkcje są bardzo złożone; zapewnia on istotom ludzkim ich inteligencję i właściwą im niepowtarzalność w świecie przyrody. Znajduje się w nim ponad milion *neuronów*, każdy połączony z wieloma innymi w skomplikowaną sieć połączeń. Neurony to bardzo wyspecjalizowane komórki. Ich życie zależy od innych komórek mózgowych zwanych *komórkami Schwanna* odpowiedzialnych za dostarczenie substancji odżywczych. Komórki te zapewniają również prawidłową izolację pomiędzy neuronami, co pozwala na prawidłowe przekazywanie bodźców nerwowych.

Mózg wymaga dobrego ukrwienia zapewniającego dowóz substancji odżywczych i tlenu, niezbędnych do utrzymania jego aktywności. Jeśli dopływ krwi zostanie przerwany choć na kilka sekund, człowiek traci przytomność, a jeśli nie zostanie on natychmiast przywrócony może dojść do trwałego uszkodzenia mózgu.

CZĘŚCI MÓZGU

Na pierwszy rzut oka wszystkie części mózgu wyglądają mniej więcej tak samo. Jednak bliższe zbadanie uświadamia nam, że jest on podzielony na wiele odmiennych obszarów. Topografia mózgu odzwierciedla sposób jego ewolucji – rozwijanie się z *pnia mózgu* usytuowanego na szczycie rdzenia kręgowego. W miarę jego rozwoju budowa staje się coraz bardziej skomplikowana. Można go podzielić na takie główne części jak: *tyłomózgowie, śródmózgowie* i *przodomózgowie.*

Tyłomózgowie. Ta część mózgu kontroluje podstawowe funkcje organizmu jak oddychanie i akcja serca. Czynności te nie wymagają udziału naszej świadomości.

Przodomózgowie. Ważną częścią przodomózgowia jest podwzgórze. W organizmie działa ono jak zegar kontrolny, czuwający nad prawidłowym

KOMÓRKI NERWOWE

Sygnały biegną przez komórki nerwowe jak impulsy energii elektrycznej. Każdy neuron zbudowany jest z ciała komórkowego i długiego nitkowatego włókna. Nerwy zawierają liczne włókna nerwowe, każde izolowane swą własną osłonką. Wewnątrz ciała komórkowego każdego neuronu znajduje się jądro komórkowe kontrolujące aktywność komórki. Włókna nerwowe kończą się siatką delikatnych gałązek zwanych *dendrytami,* które łączą się z dendrytami innych komórek tworząc synapsę — złącze nerwowe. W każdej *synapsie* znajduje się mała luka, przez którą sygnał przenoszony jest do kolejnego neuronu za pośrednictwem przenośnika chemicznego.

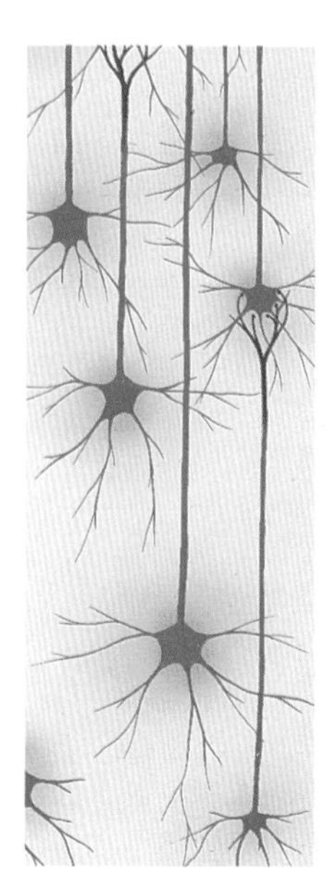
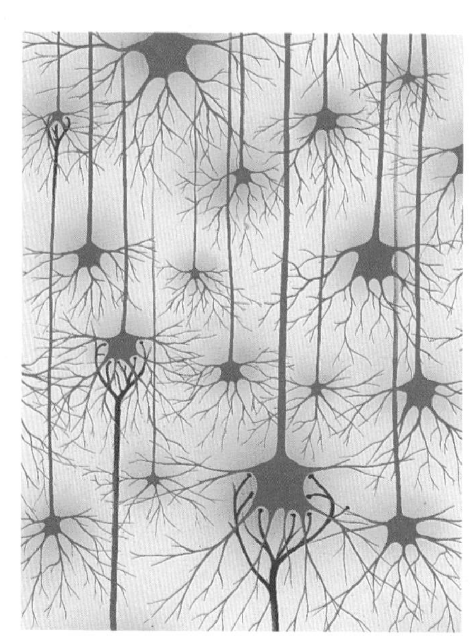

Rosnące ogniwa. *Komórki nerwowe zaczynają obumierać z chwilą narodzenia i nie mogą być zastąpione nowymi. W miarę jak rośniemy i uczymy się, powstają coraz to nowe połączenia między komórkami nerwowymi ułatwiające przepływ informacji. Ilustracja pokazuje fragment mózgu 3-miesięcznego dziecka (dalej po lewej) i ten sam fragment w wieku 24 miesięcy (bliżej po lewej).*

PAMIĘĆ I SPOSTRZEGANIE

Znamy trzy rodzaje pamięci, a każda z nich zatrzymuje różne informacje przez różnie długi czas. *Pamięć obrazowa* polega na szybkim zapamiętywaniu widzianych przez chwilę rzeczy. Na dobrą sprawę nawet nie zdajemy sobie sprawy z jej istnienia. Dopiero tak zwana *pamięć krótkotrwała* dociera do naszej świadomości przechowując informacje przez około 5 minut. *Pamięć długotrwała* przechowuje je przez dni, miesiące, a nawet do końca życia. Mózg zapamiętuje informacje w sposób bardzo wybiórczy. Trwale zapamiętywane są często nawet bardzo krótkotrwałe urazy. Ale żeby na przykład przenieść z pamięci krótkotrwałej do długotrwałej numer telefonu musi on wielokrotnie odebrać taką informację. Niektórzy uczeni uważają, że pamięć krótkotrwała wykorzystuje już istniejące połączenia neuronów, podczas gdy dla celów pamięci długotrwałej muszą powstać zupełnie nowe.

Młoda i stara *(na prawo). Wszystko co widzimy jest interpretowane przez mózg, ale czasem ma on trudności z identyfikacją z powodu dwuznaczności rejestrowanego obrazu. Na tej rycinie, na przykład, czasem widzimy starą kobietę z trzema tylko zębami, a za innym razem młodą kobietę z odwróconą w tył twarzą. Nos starej kobiety, staje się wówczas podbródkiem i twarzą młodej dziewczyny, a oko staruszki okazuje się być uchem młodej kobiety.*

przebiegiem jego codziennych czynności i reagujący na takie odczucia jak głód, pragnienie i senność. Przysadka mózgowa usytuowana jest tuż obok podwzgórza i kontroluje wydzielanie hormonów w organizmie.

Mózg podzielony jest na dwie części lub *półkule mózgu*. Obie one spełniają podobne zadania, jakkolwiek jedna z nich (zwykle lewa) dominuje nad drugą. Obie półkule porozumiewają się między sobą za pośrednictwem nerwów łączących, które tworzą strukturę zwaną spoidłem wielkim mózgu lub ciałem modzelowatym. W mózgu zachodzą bardzo skomplikowane zjawiska odpowiedzialne za pamięć, mowę czy też świadomą kontrolę ruchów. Tam też powstają nasze myśli.

„Pomarszczona" budowa półkul mózgowych zwiększa ich powierzchnię i liczbę zawartych w nich neuronów. Poszczególne części mózgu kontrolują określone funkcje ciała. *Płat potyliczny*, odbiera bodźce wzrokowe, zaś *pole Wernicke'go* w płacie skroniowym bodźce słuchowe, dzięki którym rozumiemy mowę. Czynności ruchowe narządu mowy kontroluje *pole Broca* leżące w przedniej części mózgu.

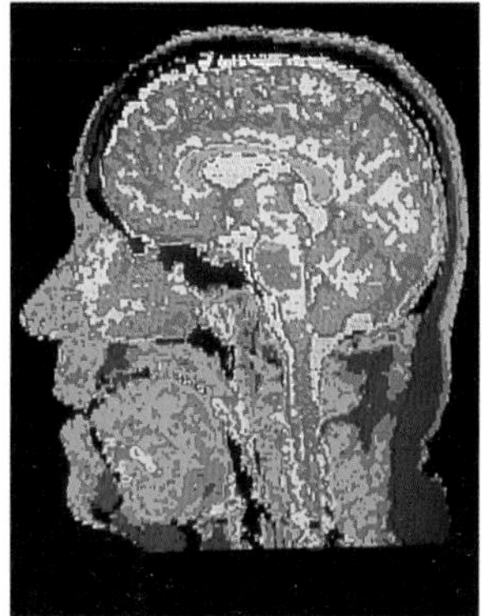

Elektroniczny obraz mózgu. *Obraz mózgu uzyskany przy pomocy rezonansu magnetycznego. Różne barwy oznaczają różną zawartość wody w komórkach.*

PATRZĄC W GŁĄB MÓZGU

Żywy mózg możemy zbadać przy pomocy termografii. Zastosowanie materiałów termoczułych pozwala uzyskać obraz ukazujący miejsca wzmożonego przepływu krwi – cieplejsze, czyli aktywniejsze.

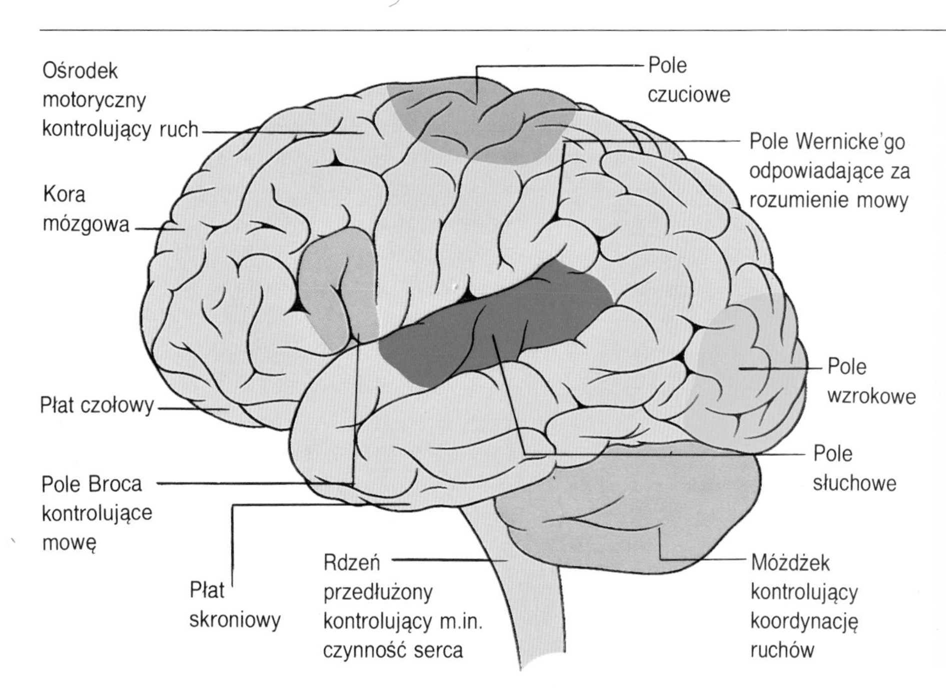

MAPA MÓZGU

W mózgu znajduje się wiele różnych obszarów, z których każdy związany jest z inną funkcją, jak choćby chód czy mowa. Uaktywniają się w chwili wykonywania danej czynności. Uczeni jeszcze nie do końca rozumieją mechanizmy kierujące tymi czynnościami mózgu. Czasem uraz lub choroba mogą uszkodzić jakiś obszar mózgu obejmujący również ośrodki wywołując mniejsze lub większe ubytki w ich funkcjonowaniu. Czasem, jeśli całkowitemu uszkodzeniu ulegnie jakiś niewielki ośrodek, jego funkcja może zaniknąć. Ponadto w mózgu znajdują się jeszcze liczne duże obszary, które wydają się nie mieć ściśle przydzielonych zadań. Niektórzy uczeni uważają, że uczynniają się one stopniowo w miarę starzenia się organizmu.

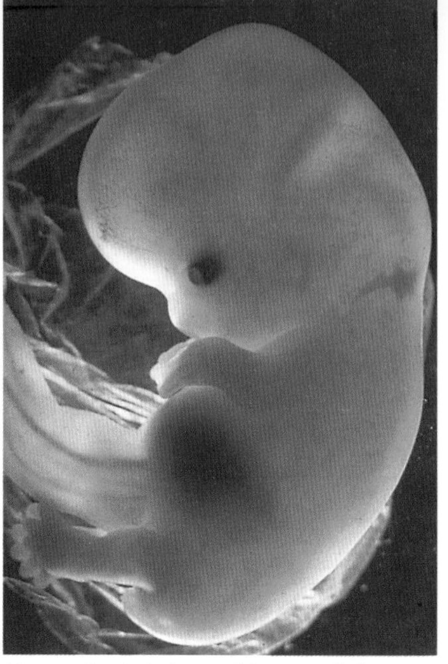

Fotografia siedmiotygodniowego płodu człowieka w macicy matki. Płód ma ok. 3 cm długości oraz wykształcone ręce, nogi, palce u nóg i oczy.

DOJRZEWANIE I CIĄŻA

Życie rozpoczyna się z chwilą zapłodnienia komórki jajowej przez plemnik. Rozwój płodu możliwy jest dzięki wysoko wyspecjalizowanemu układowi rozrodczemu człowieka. Dzieci potrzebują wielu lat dorastania i rozwoju zanim staną się zdolne do przekazywania życia.

OKRES DOJRZEWANIA

Dojrzewanie oznacza zachodzenie takich zmian w organizmie chłopca i dziewczynki, które prowadzą do dojrzałości płciowej. Zegar biologiczny usytuowany w mózgu decyduje, kiedy organizm jest już gotowy do tych zmian i wówczas stymuluje wydzielanie sygnałów chemicznych zwanych hormonami, które wywołują procesy zmieniające chłopców w mężczyzn, a dziewczynki w kobiety.
Hormony płciowe, bo o nich tu mowa, wywołują wiele zmian w organizmie: u dziewcząt pojawia się miesiączka, a chłopcy zaczynają wytwarzać nasienie. Na tym etapie wzrasta wzajemne zainteresowanie sobą chłopców i dziewcząt. Wszystkie przemiany zachodzące w organizmie podczas okresu dojrzewania znane są jako drugorzędne cechy płciowe.

Hormony są niezwykle silnymi związkami chemicznymi regulującymi poszczególne funkcje organizmu ludzkiego. Wytwarzane są w niewielkich ilościach, a przenoszone są przez krew z gruczołów, gdzie powstają, do narządów, których funkcję mają regulować. Zmiany zachodzące w wyglądzie i funkcjonowaniu podczas okresu dojrzewania spowodowane są działaniem hormonów płciowych.

Zmiany te są naturalnym elementem procesu dojrzewania. Na tym etapie rozwoju młodzi ludzie są często jeszcze nieśmiali i czują się niepewnie, gdyż dopiero rozwijają cechy charakteru typowe dla człowieka dorosłego. Nastolatki często przeżywają gwałtowne zmiany nastroju z towarzyszącą im niepewnością i nieśmiałością, ale te problemy emocjonalne są nieuniknionym elementem okresu dojrzewania.

Jest ważne, aby dorastający człowiek zrozumiał procesy zachodzące w jego organizmie.

Dziewczyna musi przyzwyczaić się do fizycznych zmian zachodzących w jej ciele. Kiedy zaczyna *miesiączkować* pojawia się u niej każdego miesiąca krwawienie z pochwy trwające około 5 dni. Nazywamy je *menstruacją* i jest ono spowodowane zmianami zachodzącymi w *macicy*. Podczas miesiączki musi ona używać zewnętrznej podpaski lub wewnętrznego tamponu, które wchłaniają wydalaną krew. Wiele dziewcząt nie odczuwa żadnych przykrych dolegliwości podczas miesiączki, ale niektóre mogą skarżyć się wówczas na bolesne skurcze i drażliwość.

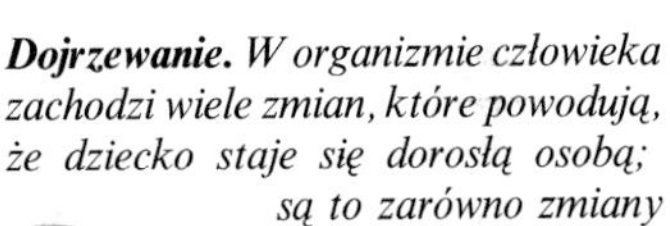

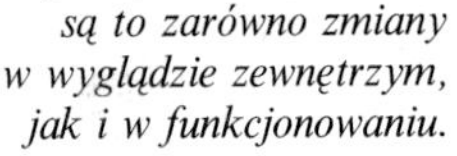

Dojrzewanie. W organizmie człowieka zachodzi wiele zmian, które powodują, że dziecko staje się dorosłą osobą; są to zarówno zmiany w wyglądzie zewnętrzym, jak i w funkcjonowaniu.

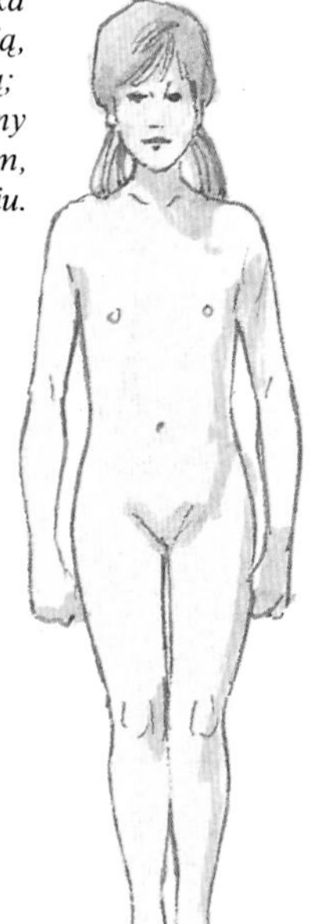

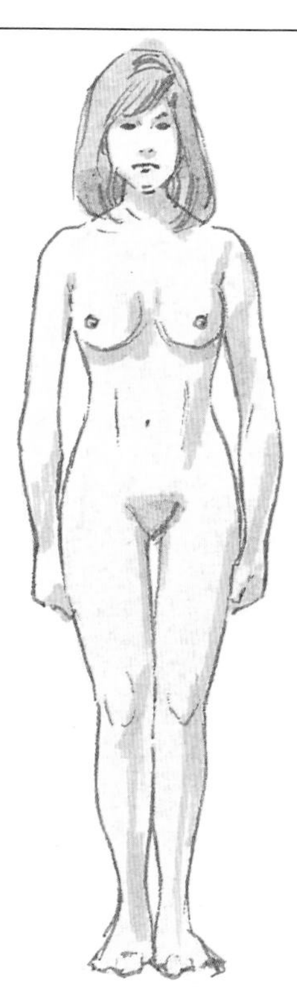

STAJĄC SIĘ KOBIETĄ

Hormony powodują, że ciało dziewczynki zmienia się w ciało dojrzałej kobiety. Biodra stają się szersze, by stworzyć warunki do rozwoju płodu w macicy i porodu przez pochwę. Piersi przekształcają się tak, aby móc produkować mleko dla noworodka. Jajniki uwalniają komórki jajowe. Pojawia się owłosienie pod pachami i w okolicy łonowej.

STAJĄC SIĘ MĘŻCZYZNĄ

Hormony powodują, że ciało chłopca staje się ciałem dojrzałego mężczyzny. Rozwijają się jego mięśnie, powiększają się jądra i członek, który w czasie wzwodu może być wprowadzony do pochwy kobiety, by nasienie dotarło do komórki jajowej. Pojawia się owłosienie na twarzy i całym ciele, a głos staje się niski.

U chłopców zmiany związane z dojrzewaniem zaczynają się rok lub dwa później niż u dziewcząt.

Ich głos obniża się, włosy wyrastają na twarzy i całym ciele, zaczynają wytwarzać nasienie.

Dojrzewające dziewczęta i chłopcy bardzo interesują się swoim rozwojem płciowym i zaczynają poświęcać coraz więcej uwagi płci przeciwnej. Większość młodych ludzi jest bardzo zadowolona z tego, że stają się dorośli. Podejmują z chęcią wyzwanie stopniowego uniezależniania się i odpowiedzialności za swe działania. Popęd płciowy rozwija się i coraz częściej zawiązują się przyjaźnie pomiędzy przedstawicielami odmiennych płci.

Młodzi ludzie gotowi są do przekazywania życia pod koniec okresu dojrzewania. Następuje to w wieku kilkunastu lat. W wielu krajach przepisy prawa decydują, kiedy mogą oni rozpoczynać życie płciowe. W Wielkiej Brytanii tą granicą wieku jest 16 lat. Ważne jest aby każdy zdał sobie sprawę jakie konsekwencje niesie za sobą współżycie płciowe. Ryzyko obejmuje niepożądaną ciążę czy też możliwość zakażenia chorobami przenoszonymi drogą płciową, jak AIDS.

Wiele osób stosuje środki antykoncepcyjne, aby móc czerpać pełną radość ze współżycia płciowego bez obawy o spowodowanie ciąży. Niektóre z tych środków dodatkowo ograniczają szerzenie się chorób.

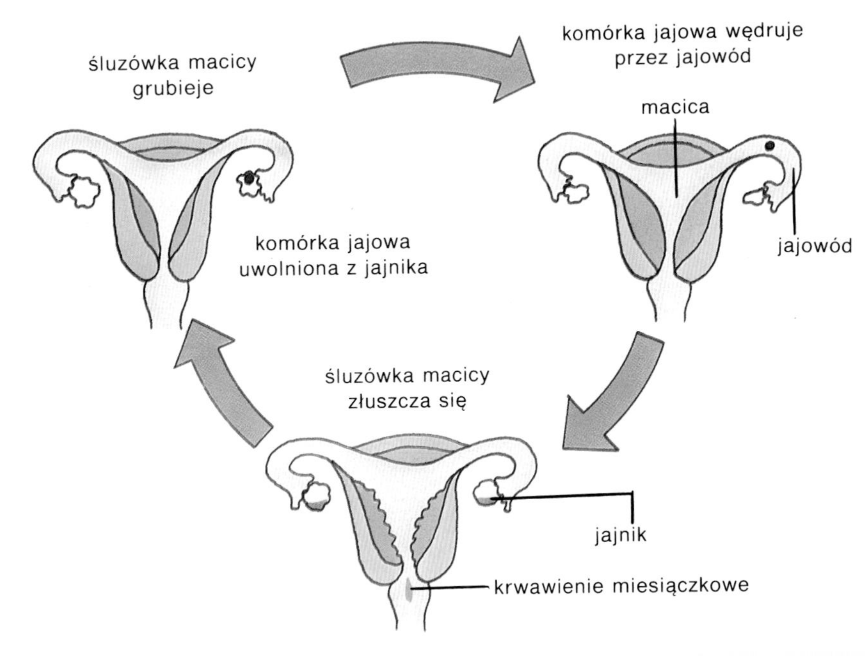

Cykl miesiączkowy człowieka. *Schemat powyżej ukazuje etapy cyklu miesiączkowego. Pojawia się po raz pierwszy, gdy dziewczynka wejdzie w wiek dojrzewania i występuje regularnie aż do około 50 roku życia.*

Cykl miesiączkowy

Co miesiąc w organizmie kobiety zachodzą zmiany przygotowujące go do zapłodnienia i ciąży. Powtarzają się one regularnie dopóki nie nastąpi zapłodnienie lub nie nadejdzie przekwitanie (*menopauza*) oznaczające utratę zdolności rozrodczych kobiety, co następuje zwykle około 50 roku życia.

Komórka jajowa powstaje w jajnikach i tam dojrzewa przez około 4 tygodnie, po czym opuszcza jajnik i przez jajowód dostaje się do macicy. Proces ten jest kontrolowany przez hormony, które jednocześnie przygotowują macicę na przyjęcie komórki jajowej. Jeśli nie nastąpi zapłodnienie, przygotowana wyściółka macicy złuszcza się, wywołując krwawienie miesiączkowe, zwane też okresem. Trwa ono kilka dni i zapoczątkowuje kolejny cykl miesiączkowy, w którym dojrzewa następna komórka jajowa. Jeśli zaś dojdzie do zapłodnienia, wyściółka jamy macicy rozrasta się tworząc *łożysko*, które zapewnia wymianę tlenu i innych substancji między matką a płodem i wydziela hormony, wstrzymujące dalsze cykle miesiączkowe.

***Stosunek płciowy** w przekroju*

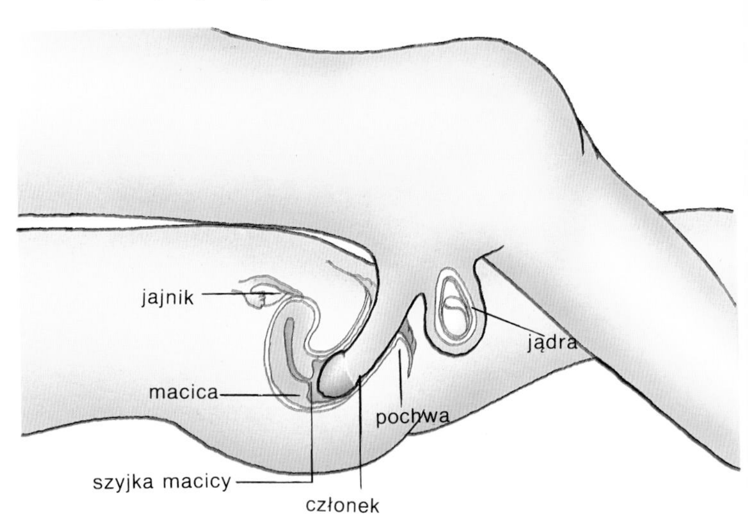

Stosunek płciowy i ciąża

Zapłodnienie komórki jajowej następuje w jajowodach łączących jajniki z macicą. Aby nasienie dostało się do macicy, musi nastąpić stosunek płciowy. Męski członek sztywnieje tak, że może być wprowadzony do kobiecej pochwy. Punktem kulminacyjnym stosunku płciowego jest moment wstrzyknięcia nasienia, lepkiego płynu zawierającego plemniki, do pochwy. Wydalenie nasienia związane jest z bardzo przyjemnymi odczuciami nazywanymi orgazmem. Plemniki wpływają do macicy i dalej do jajowodu. Chociaż w trakcie wytrysku uwalniają się ich miliony, tylko jeden z nich wystarcza do zapłodnienia jaja. Po zapłodnieniu komórka jajowa dzieli się tworząc kulkę zbudowaną z wielu komórek i przemieszcza się do macicy, gdzie dalej rozwija się tworząc płód.

ZWIERZĘTA

Zwierzęta to nie tylko pokryte futerkiem koty czy chomiki, lecz wielka różnorodność rozmaitych stworzeń na całym świecie – około 30 milionów gatunków, od mikroskopijnych pasożytów ludzkiej krwi, po długiego na ponad 30 m wieloryba.

KOLORY I WZORY

Ubarwienie i wzory na ciele zwierzęcym służą wielu celom. Czasem mają przyciągać partnera, jak imponujące upierzenie wielu ptasich samców. Czasem ostrzegają o toksynach w ciele zwierzęcia – jak w przypadku jaskrawych barw pewnych południowoamerykańskich żab. Kiedy indziej znów upodabniają zwierzę do otoczenia, chroniąc je przed drapieżnikami – jest to tzw. *mimetyzm*. Ptaki, które wiją swe gniazda na ziemi, np. lelek kozodój, upstrzone są brązowymi plamkami, by utrudnić nieprzyjaciołom odróżnienie ptaka od opadłych liści. Kameleon zmienia swą barwę całkowicie, upodabniając się do tła.

KRÓLESTWO ZWIERZĄT

Wszystkie żyjące na ziemi organizmy podzielono na pięć królestw. Najbardziej znane to: królestwo zwierząt i królestwo roślin. Rośliny same produkują sobie pożywienie (wykorzystując światło słoneczne, s.57), zwierzęta natomiast muszą je znaleźć w otoczeniu – co oznacza, że większość z nich musi się poruszać.

Zwierzęta rodzą się, rosną i umierają. Poruszają się, jedzą, rozmnażają i odbierają bodźce z otaczającego je świata za pomocą zmysłów.

ŚRODOWISKA EKOLOGICZNE

Zwierzęta żyją niemal wszędzie. Każde ich środowisko to specyficzne warunki danego obszaru i specyficzny zespół egzystujących w nim zwierząt.

Morza pulsują życiem zwierząt, od maleńkich morskich anemonów przyczepionych do skał nadbrzeżnych, poprzez wstężniaki żyjące w głębinach do których nigdy nie dociera światło, aż do ogromnych waleni. Rzeki, strumienie i jeziora również pełne są zwierzęcego życia, między innymi rozmaitych ryb i owadów.

Jeszcze większa różnorodność

ZMYSŁY ZWIERZĄT

Zwierzęta morskie posługują się węchem i smakiem w wykrywaniu pożywienia i niebezpieczeństwa. Wzrok jest mniej ważny ze względu na niewielką przejrzystość wody. Istotne jest natomiast poczucie równowagi – wiele zwierząt posiada proste narządy równowagi zwane *statocystami*.
Dla zwierząt lądowych i powietrznych wzrok jest zmysłem najważniejszym. Zwierzęta polujące, zwłaszcza ptaki łowne, mają bardzo ostry wzrok, umożliwiający im wypatrywanie ofiar z dużej odległości. Ważne są też słuch i węch. Nietoperze „widzą" odbierając echo wydawanych przez siebie wysokich dźwięków.

BEZKRĘGOWCE

Królestwo zwierząt dzieli się na zwierzęta posiadające i nie posiadające kręgosłupa: *kręgowce* i *bezkręgowce*. Bezkręgowce to na ogół stworzenia małe, jak owady – lecz zdarzają się też wielkie kałamarnice, osiągające rozmiary 20m. Część z nich ma ciała miękkie, inne chronią się w twardych pancerzykach. Niektóre tworzą mocne, ruchome pokrywy, zwane *szkieletem zewnętrznym*.

***Skorupiaki** to także kraby, homary i wąsonogi.*

***Owady** to między innymi bąki, mrówki, muchy, pszczoły, osy i pchły.*

***Wielonogi** to między innymi stonogi.*

***Pajęczaki** to pająki, skorpiony i roztocza.*

***Parzydełkowce** to m.in. meduzy i ukwiały.*

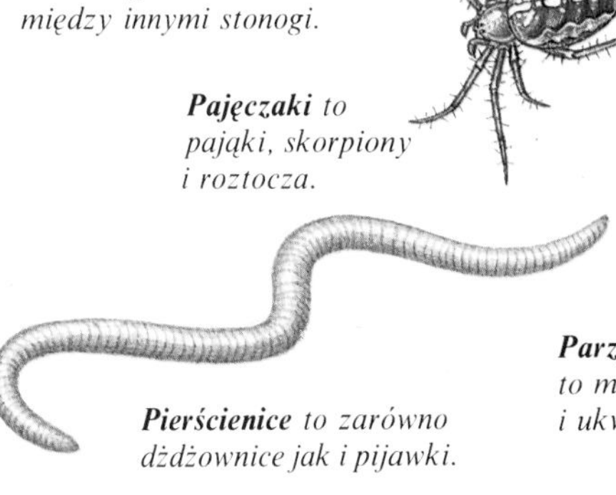

***Pierścienice** to zarówno dżdżownice jak i pijawki.*

zwierząt zamieszkuje lądy. Lasy tropikalne pełne są tysięcy gatunków i rodzajów owadów, ptaków, gadów, ssaków. Zwierzęta mieszkają również w chłodniejszych i suchych lasach, na prerii i w stepie. Żyją także w bardziej ekstremalnych warunkach. Jaki zamieszkują rejony na wysokości ponad 6000 m w chłodzie Himalajów. Owady, pająki i skorpiony funkcjonują doskonale nawet na najgorętszych pustyniach.

Powietrze również ma swą bogatą i zróżnicowaną faunę (zwierzęta) – ptaki, owady a nawet niektóre ssaki. Niestety, działalność człowieka gwałtownie zmniejszyła przestrzenie zamieszkiwane przez zwierzęta. W jej wyniku wiele gatunków niegdyś powszechnych stało się rzadkością albo wyginęło. Co roku wiele gatunków zwierząt znika z powierzchni ziemi na zawsze.

POTOMSTWO

Istotną częścią życia zwierząt jest wydawanie na świat potomstwa. Większość zwierząt jest dwupłciowa – męska i żeńska – co oznacza, że tylko pary złożone z samca i samiczki mogą mieć młode. Nazywa się to *rozmnażaniem płciowym*.

Życie zwierząt nieodłącznie związane jest z wydawaniem na świat potomstwa. U ogromnej większości gatunków rozróżnia się osobniki męskie i żeńskie. Aby mogło dojść do rozmnażania płciowego, męska komórka płciowa – *plemnik* musi połączyć się z komórką żeńską – *jajem*. Zjawisko to nazywa się *zapłodnieniem*. Zapłodnienie może być zewnętrzne (u większości ryb, płazów) lub wewnętrzne (u gadów, ptaków i ssaków). U zwierząt o bardzo niskim stopniu rozwoju może mieć miejsce rozmnażanie *bezpłciowe*. Np. jamochłony, gąbki, pierścienice rozmnażają się przez *pączkowanie* – z ciała jednego osobnika zaczyna wyrastać drugi, z biegiem czasu oddzielający się od macierzystego.

Ssaki *to między innymi lwy, niedźwiedzie, psy, konie, krowy i antylopy.*

Gady *to krokodyle, żółwie, węże, jaszczurki.*

Ptaki *to między innymi mewy, ptactwo wodne i błotne, ptaki drapieżne i śpiewające.*

Płazy *to żaby, ropuchy, traszki i salamandry.*

Ryby *to między innymi łosoś, dorsz, węgorz i rekiny.*

Ssaki *to również delfiny, foki, wieloryby i morsy.*

KRĘGOWCE

Ryby, ptaki, płazy, gady i ssaki są kręgowcami. Wszystkie mają kostny lub chrzęstny szkielet i pokryte są skórą i jej wytworami: włosami, futrem, piórami lub łuskami. Kształty szkieletów są zróżnicowane, składają się na nie najczęściej dwie pary kończyn, kręgosłup i czaszka będąca puszkowatą ochroną dla mózgu i niektórych narządów zmysłów. W jamach ciała znajdują się organy utrzymujące zwierzę przy życiu – serce, płuca i narządy trawienne.

DOBÓR PARTNERA

Naczelne, z wyjątkiem kilku gatunków, łączą się w pary bez względu na porę roku. Jednak u zdecydowanej większości zwierząt zdolności rozrodcze związane są z wiosną. Ciepła pogoda stymuluje produkcję plemników u samców i komórek jajowych u samic. W tym czasie mają miejsce charakterystyczne zachowania zwierząt zwane zalotami. Mogą mieć one bardzo różnorodny charakter. Samiec głuszca słynie z głośnej pieśni godowej. Perkozy w czasie zalotów prezentują sobie wzajemnie kawałki roślin wodnych trzymanych w dziobach – ma to symbolizować zaproszenie do budowy gniazda. Są ptaki, które tańczą przed swoimi partnerami, są też takie, np. pawie, które próbują imponować upierzeniem albo osobliwymi pozami, np. ptak rajski zwisa głową w dół przed samicą.
Istnieją zwierzęta, które swoich partnerów wabią charakterystycznymi zapachami – woń samicy brudnicy nieparki samiec rozpoznaje z odległości około 11 km.

CZY WIESZ, ŻE...?

Samce altanników otaczają swe gniazda o skomplikowanej budowie (altanki) niebieskimi muszelkami i kwiatami a także malują je na niebiesko sokiem jagód – a wszystko to, by zwabić samiczki.
Samce niektórych jaszczurek odbywają bezkrwawe zawody zapaśnicze o samice.
Bąki arktyczne i muchy na Alasce wytrzymują temperaturę – 60°C.
Sowy mają najlepszy słuch wśród ptaków. Słyszą dźwięki, których nie rejestruje ucho człowieka.
Oczy kota pochłaniają 50% światła więcej w porównaniu z ludzkimi – dzięki temu dobrze widzą w nocy.
Lis polarny w lecie jest brązowy, w zimie zaś biały – by być niewidocznym na śniegu.
Płastugi zmieniają w ciągu sekund kolor ciała i wzór, upodabniając się do podłoża.

Prosięta dzika ssą mleko swej matki. We wczesnym dzieciństwie natura wyposaża je w prążkowy kamuflaż.

SSAKI

Ssaki to ponad 8000 żyjących współcześnie zwierząt, bardzo różnych pod względem budowy i biologii. Jedne prowadzą tryb życia lądowy, inne przebywają cały czas w wodzie. Niektóre biegają po otwartej przestrzeni, inne kryją się w poszyciu lasu i norach lub wspinają na drzewa. Są i takie, które zamieszkują lodowe pustkowia Arktyki lub parne tropikalne dżungle. Ich rozmiary są różne – od nie większej od małego palca ryjówki etruskiej po płetwala błękitnego, ogromnego jak jumbo jet.

MLEKO MATKI

Ssaki to jedyne zwierzęta odżywiające swe potomstwo mlekiem. Jest to najdoskonalsze pożywienie dla młodych – wartościowe i ciepłe, zawiera specjalne substancje uodparniające na choroby. Organizm ciężarnej samicy zaczyna produkować mleko w gruczołach mlecznych w okolicach sutków piersiowych i pachwinowych, na spodniej części ciała. Po narodzeniu młode ssą mleko z sutków aż do momentu, gdy są zdolne przyswoić inne pożywienie. Ilość sutków zależy od liczby potomstwa, jaka może przyjść na świat jednocześnie. Przedstawiciele naczelnych, również człowiek, mają po dwa sutki na piersi. Dzik i świnia domowa mogą mieć nawet dwanaścioro dzieci na raz, toteż posiadają siedem lub więcej par sutków. Stekowce nie mają sutków; ich gruczoły mleczne uchodzą bezpośrednio na brzuchu samic – skąd młode zlizują mleko.

TEMPERATURA CIAŁA

Ssaki mogą żyć w tak różnych warunkach, ponieważ są *stałocieplne* (ciepłokrwiste). Oznacza to, że utrzymują stałą temperaturę ciała, co jest warunkiem prawidłowego funkcjonowania organizmu. Zwierzęta *zmiennocieplne*, których temperatura ciała zależy od temperatury otoczenia, np. gady, mogą rozwijać się prawidłowo tylko w odpowiedniej dla nich temperaturze. Ssaki natomiast mogą żyć w każdym klimacie. Tak więc puma, wielki kot amerykański, z powodzeniem utrzymuje się przy życiu zarówno w tropikalnych lasach Peru, jak i śnieżnych równinach Patagonii.

Temperatura ciała człowieka wynosi około 36,6°C (z wyjątkiem stanu choroby); większość ssaków ma temperaturę podobną – lecz trójpalczasty leniwiec zmienia temperaturę ciała od 24,4 do 37,6°C. By utrzymać stałą temperaturę, ssaki muszą często jeść. Dlatego też trudniej im przeżyć na pustyni niż gadom, potrzebującym znacznie mniej pożywienia. By przetrwać zimę, gdy jedzenia jest niewiele, niektóre ssaki zapadają w głęboki sen, zwany *hibernacją*, w czasie którego temperatura ich ciała znacznie się obniża.

NARODZINY

Wszystkie ssaki rozpoczynają życie jako zapłodnione jajo wewnątrz ciała matki, jednak tylko niektóre z nich – *stekowce*, np. dziobak lub kolczatka, składają jaja jak ptaki. Wiele ssaków australijskich (kangury, misie koala, oposy) to *torbacze*, noszące swe młode w uformowanej ze skóry kieszeni. Młode torbacze są tak maleńkie po narodzeniu, że nie mogłyby przeżyć samodzielnie – mały kangurek mierzy zaledwie 1–3 cm. Okres rozwoju młode przechodzą w torbie matki, którą opuszczają dopiero wtedy, gdy są zdolne do samodzielnego życia.

Większość ssaków, w tym psy, świnie i słonie, pozostaje wewnątrz ciała matki do osiągnięcia pełniejszego rozwoju, korzystając z pożywienia niesionego z jej

CZY WIESZ, ŻE...?

Jedna królicza para mogłaby stworzyć rodzinę złożoną z 33 milionów członków, gdyby tylko udało się wyżywić tyle potomstwa.

Żyjący na Madagaskarze lemur palczak ma palce przypominające wykałaczki – posługuje się nimi przy wydobywaniu insektów ze spróchniałych drzew.

Galago – mała afrykańska małpka skacze między drzewami odległymi o 6 m.

Makaki z północnej Japonii nauczyły się utrzymywać ciepło zimą przez kąpiele w gorących źródłach wulkanicznych.

Wielkie uszy słoni i królików pomagają im w chłodzeniu ciała.

Kangur olbrzymi oddaje skoki do 9 m długości.

UTRZYMANIE CIEPŁA, UTRZYMANIE CHŁODU

Mechanizmy biologiczne utrzymują automatycznie ciała ssaków w pożądanej temperaturze, jednak zwierzęta te muszą chronić się przed warunkami ekstremalnymi. Grube futro i warstwy tłuszczu działają jak płaszcz chroniący przed zimnem. Na mrozie większość ssaków zwija się w kłębek, poszukuje schronienia lub drży, wytwarzając ciepło we własnych mięśniach. Człowiek ochładza się przez pocenie. Zwierzęta pokryte futrem poza tym tracą ciepło wywieszając język i dysząc.

***Niedźwiedź polarny** wytrzymuje chłody arktycznej zimy dzięki grubej pokrywie futrzanej i znajdującej się pod nią warstwie tłuszczu.*

krwią. Zwane są *łożyskowcami*, ponieważ pozostające w macicy młode odżywiane jest przez specjalny organ zwany *łożyskiem*, dostarczający wszelkich potrzebnych składników budulcowych.

Ciąża. Wszystkie ssaki rozmnażają się płciowo – samica zachodzi w ciążę jedynie przez *kopulację*, t.j. połączenie dwóch osobników w akcie płciowym, czego skutkiem jest *zapłodnienie* – połączenie się komórek rozrodczych. Okres pomiędzy zapłodnieniem a narodzinami potomstwa, zwany *ciążą*, jest różny u różnych ssaków. Na ogół jednak jest on skorelowany z wielkością zwierzęcia – im większe, tym dłuższa ciąża i mniej liczne potomstwo. Króliki rodzą się już po miesiącu ciąży, jednorazowo do 10 młodych. Żyrafa rodzi się jako jedynaczka po siedemnastu miesiącach ciąży. U słoni afrykańskich ciąża trwa 22 miesiące. Naczelne oraz człowiek znajdują się pośrodku tej skali, rodząc potomstwo po około dziewięciu miesiącach.

W okresie ciąży zachodzą w organizmie samicy zasadnicze zmiany ustępujące stopniowo po porodzie – ulegają przestawieniu czynności niektórych gruczołów wydzielania wewnętrznego, tworzy się łożysko i wytwarza się *siara* – wydzielina gruczołu mlecznego pojawiająca się w ostatnim okresie ciąży. W porównaniu z wydzielanym później mlekiem zawiera ona więcej białka, witamin i ciał odpornościowych.

***Psy** wywieszają język z pyska i ziając pozbywają się nadmiaru ciepła; w ten sposób zapobiegają przegrzaniu organizmu.*

Naczelne

Do naczelnych należą małpy, lemury, palczaki, indrisy, wyraki, lorisowate a również człowiek. Większość z nich przystosowana jest do życia na drzewach, wyposażona w dłonie i stopy zakończone palcami umożliwiającymi chwytanie gałęzi. Małpy człekokształtne (szympans i goryl) są naszymi najbliższymi krewnymi w świecie zwierząt. Ich ciało ma podobny kształt i podobnie jak my, zwierzęta te posiadają długie ramiona zakończone chwytnymi palcami. Niektóre małpy potrafią nawet posługiwać się narzędziami (patykami i kamieniami) w zdobywaniu pożywienia. U małp człekokształtnych brak jest ogona, u innych naczelnych może on być szczątkowy, krótki lub długi. U niektórych naczelnych ogon pełni rolę piątej kończyny.

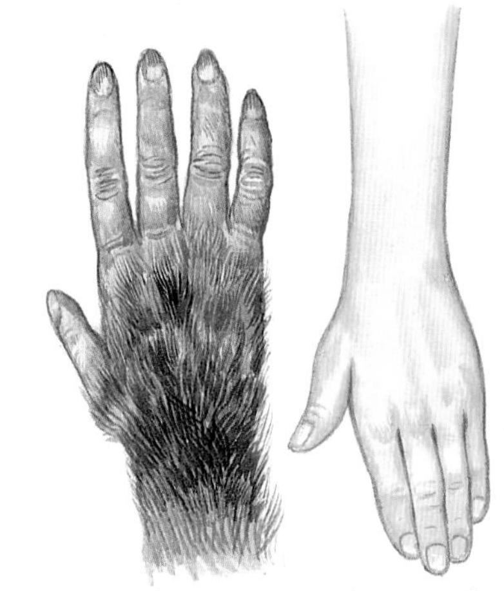

***Naczelne**, jak szympans (po lewej) i człowiek (po prawej), mają ręce wyposażone w cztery palce i kciuk.*

***Goryle** to największe z małp, ważące do 225 kg i osiągające wysokość 2 m. Są przy tym zwierzętami delikatnymi, żywią się liśćmi i pędami roślin. Niezwykle rzadko spotykane goryle górskie żyją tylko w niektórych rejonach Afryki centralnej.*

***Szympansy** przypominają człowieka mimiką twarzy. Zamieszkują lasy i stepy Afryki. Choć śpią w gniazdach na drzewach, większość życia spędzają na ziemi, chodząc na czterech kończynach.*

***Pawiany** mieszkają na ziemi i biegają jak psy na czterech łapach. Mają potężne szczęki wyposażone w ogromne kły.*

SSAKI MAŁE I DUŻE

Największymi ssakami lądowymi są zwierzęta tropikalnej Afryki i Azji – słonie, nosorożce i hipopotamy. Jest ich bardzo niewiele. Najliczniej reprezentowane są zwierzęta niewielkich rozmiarów – myszy, szczury i inne gryzonie (np. króliki). Przedstawicieli myszy domowej jest na świecie więcej niż jakiegokolwiek innego gatunku ssaków – z wyjątkiem człowieka.

KRÓLIKI I ZAJĄCE.

Spotkać je można na całym świecie – swą ekspansję zawdzięczają niezwykłym możliwościom rozrodczym. Królicza samica może mieć 20 młodych rocznie. Zające mieszkają na ogół na powierzchni ziemi, uciekając zwinnie przed napastnikami – zając europejski osiąga prędkość 60 km/h. Młode rodzą się wśród wysokich traw, ich oczy są od razu otwarte a ciało pokryte futrem – zwierzę przygotowane jest do stawienia czoła niebezpieczeństwom życia. Króliki chronią się w skomplikowanym systemie nor, gdzie ukryć się mogą bezpiecznie ślepe i nagie młode.

RYJÓWKI

Są to maleńkie stworzenia podobne do myszy, mają jednak długie pyszczki i bardzo krótkie łapki. Ryjówka etruska jest jednym z najmniejszych ssaków na świecie, nie większym od małego palca człowieka. Te ruchliwe, nerwowe zwierzątka zjadają w ciągu doby dwa razy więcej pożywienia niż wynosi masa ich ciała. Niektóre są tak lękliwe, że odgłos pioruna może je przyprawić o śmierć. Gdy ryjówki spotkają się na polowaniu, wydają ostry pisk przypominający głos nietoperza i przystępują do krwawej walki. Młode ryjówki podążają najczęściej w rządku za swą matką, trzymając ząbkami zadek poprzednika.

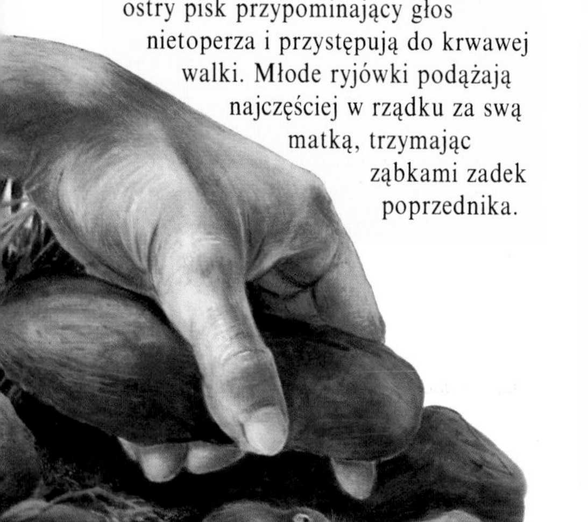

GRYZONIE

Na świecie istnieje więcej gatunków gryzoni niż wszystkich innych ssaków razem – około 1800 rodzajów. Od innych niewielkich ssaków odróżniają je mocne zęby. Wszystkie mają z przodu po dwie pary ostrych jak brzytwa siekaczy do gryzienia orzechów i jagód oraz garnitur zębów trzonowych do miażdżenia pożywienia, ukryty pod policzkami. Zęby siekacze rosną im jak paznokcie, przez całe życie. Odpowiednią długość zapewnia im ciągłe ścieranie przy gryzieniu.

Gryzonie obejmują największą ilość gatunków żyjących zwierząt. Są wśród nich szczury, myszy, wiewiórki, bobry jeżozwierze, świnki morskie.

Wiewiórki i bobry. Wiewiórki są wielkości myszy lub szczura, mają wielkie, puszyste ogony i żyją na drzewach. Znane są z jesiennego gromadzenia zapasów orzechów na zimę. Istnieją wiewiórki – polatuchy, które dzięki posiadaniu fałdu skórnego rozpościerającego się pomiędzy przednimi a tylnymi kończynami mogą wykonywać skoki na odległość nawet 50 m. Bobry należą do największych gryzoni. Prowadzą ziemno-wodny tryb życia. Budują zapory wodne ze ściętych, za pomocą zębów, niewielkich drzew, aby utrzymać odpowiednio wysoki poziom wody. Swoje nawodne domki zwane żeremiami budują z chrustu i mułu.

Jeżozwierze i świnki morskie. Jeżozwierze występują w Azji, Afryce i południowej części Europy. Włosy mają częściowo zamienione w kolce będące wspaniałą bronią – łatwo obłamują się i pozostają w ciele napastnika. Jeżozwierze mieszkają w norach ziemnych, które same bardzo sprawnie wykonują, lub korzystają z naturalnych schronień.

Świnki morskie to południowo-amerykańskie gryzonie, popularne jako zwierzątka domowe. W warunkach naturalnych zamieszkują jamy na obrzeżach lasów; są aktywne zarówno w dzień, jak i w nocy. Są znacznie bardziej ruchliwe od świnek udomowionych. Kapibary podobne są do świnek morskich, jednak ich rozmiary każą uznać je za największe z gryzoni – ważą do 50 kg. Żyją w dużych grupach na brzegach rzek, chroniąc się przed jaguarami i innymi drapieżnikami w wodzie.

SZCZURY I MYSZY

Są najpopularniejszymi ze wszystkich gryzoni. Żaden inny ssak nie przystosował się lepiej do życia w środowisku ludzkim. Nie ma chyba miasta na świecie, w którym by one nie żyły. Uważane są za szkodniki, jako że żywią się płodami rolnymi i uszkadzają budynki mieszkalne, budując przejścia i tunele. Szczur wędrowny jest w stanie przegryźć nawet metal, by dobrać się do spiżarni. Co gorsza, szczury są roznosicielami zarazków groźnych chorób: tyfusu i dżumy.

***Szczury** osiągają długość do 50 cm.*

***Myszy i szczury** mają długie, cienkie ogony, wyraźnie zaznaczone nosy, wąsy i czarne oczy.*

Słonie

Słonie są największymi ssakami lądowymi. Osiągają wysokość prawie 4 m a ich waga często przekracza 7000 kg. Mają nosy połączone z górną wargą – trąby, którymi chwytają gałęzie, liście, owoce i pędy – i wkładają do pyska. Wciągają wodę, by przenieść ją do pyska albo oblać całe ciało dla ochłody. Przy przechodzeniu przez głębokie rzeki uniesiona nad głową trąba umożliwia oddychanie. Wielkie uszy, którymi słonie się wachlują, służą dla ochłody – z dużej powierzchni ucieka więcej ciepła. Ogromne ciosy słoni stały się, niestety, przyczyną masowego zabijania tych zwierząt przez myśliwych. W całej Afryce żyje dziś nie więcej jak pół miliona słoni. Istnieją dwa gatunki słoni: afrykański i azjatycki (indyjski). Rysunek przedstawia rodzinę słoni afrykańskich. Są one większe od indyjskich, mają większe uszy i kły. Na czubku trąby słonia afrykańskiego znajdują się dwa „palce", zwiększające chwytność tego dziwnego narządu; słonie azjatyckie mają taki palec tylko jeden.

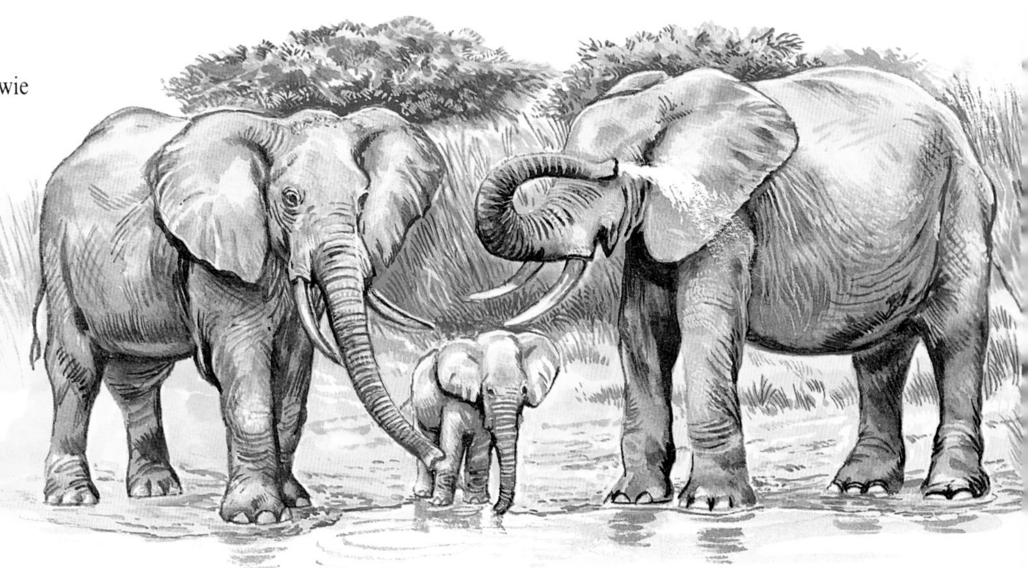

Nosorożce i hipopotamy

Nosorożce to ogromne, pokryte grubą skórą zwierzęta zamieszkujące Afrykę i południową Azję. Na głowie posiadają jeden lub dwa rogi zbudowane z włókien substancji rogowej (wytwór skóry). Czarne i białe nosorożce afrykańskie oraz mniejszy nosorożec sumatrzański mają po dwa rogi; nosorożce indyjskie i jawajskie – po jednym. Niektórzy wierzą, że róg nosorożca ma magiczne właściwości – wiara ta jest przyczyną masowego zabijania nosorożców, którym grozi całkowite wyginięcie. Hipopotamy są wielkimi stworzeniami o walcowatym ciele i krótkich kończynach żyjącymi w Afryce. Mają ogromne głowy i pyski największe ze wszystkich ssaków świata. Ziewający hipopotam otwiera paszczę tak szeroko, że mógłby połknąć owcę – żywi się on jednak tylko pokarmem roślinnym. Dnie spędza na taplaniu się w wodzie lub błocie, a żeruje najczęściej nocą. Oczy, uszy i nos hipopotama znajdują się na wyniosłościach na wierzchu głowy, dzięki czemu hipopotam widzi i słyszy, choć niemal cały zanurzony jest w wodzie.

***Nosorożce**, zabijane przez łowców rogów, należą do zwierząt zagrożonych wyginięciem.*

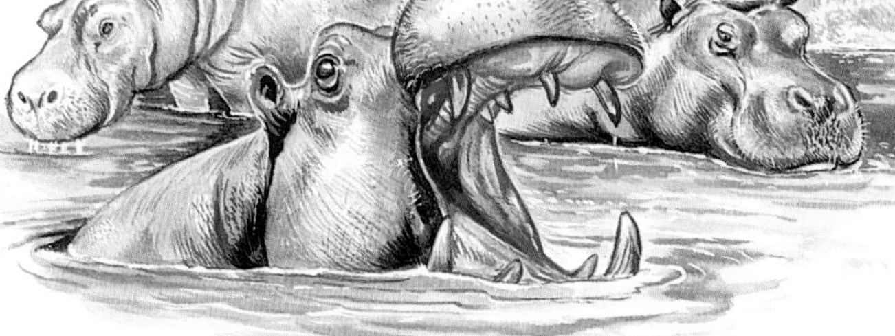

***Hipopotamy** większość życia spędzają w wodach i rozlewiskach.*

CZY WIESZ, ŻE...?

Słoń indyjski żyje ponad 70 lat.

Róg białego nosorożca osiąga długość ponad 1.5m.

Ciosy słonia rosną do długości niemal 3.5m.

ŚRODOWISKA EKOLOGICZNE SSAKÓW

Ssaki to zwierzęta o wielkich zdolnościach adaptacyjnych, każdy z gatunków ma jednak własne, najodpowiedniejsze dla niego środowisko – każdą krainę geograficzną z kolei, od głębin oceanów po spiekotę pustyń, zamieszkuje wiele różnych gatunków ssaków.

SSAKI LATAJĄCE

Nie tylko ptaki latają. Latać potrafią także nietoperze, których niektóre gatunki dorównują najlepiej latającym ptakom. Nietoperze śpią we dnie, wisząc głową w dół. W nocy wylatują na poszukiwanie pożywienia; orientują się w ciemnościach wydając serie wysokich dźwięków. Sposób, w jaki dźwięki te odbijają się od ciał owadów, skał i innych przeszkód, pozwala nietoperzom na dokładne określenie ich położenia. Są to jedyne ssaki zdolne do rzeczywistego lotu; tak zwane latające wiewiórki pomimo nazwy wykonują tylko długie skoki.

GDZIE ŻYJĄ SSAKI

Miejsce zamieszkania ssaków zależy od wielu czynników, między innymi ilości i rodzaju potrzebnego im pożywienia, sposobu ich poruszania oraz schronienia. Do najważniejszych czynników należy klimat i szata roślinna.

Uczeni dzielą świat na pięć krain zoogeograficznych; każdą z nich zamieszkuje charakterystyczna fauna (zwierzęta). Regiony nie zawsze pokrywają się z geograficznym podziałem świata. Kraina holarktyczna obejmuje północną Azję, Europę i Amerykę Północną. Kraina subtropikalna to Ameryka Środkowa i Południowa. Kraina etiopska obejmuje południowe kraje arabskie i całą Afrykę z wyjątkiem jej północnych krańców. Kraina orientalna to Indie, Chiny i Azja południowo–wschodnia. Do krainy australoazjatyckiej należy Australia, Nowa Gwinea, Nowa Zelandia i południowa Indonezja. W krainach tych rozwinęły się różne gatunki ssaków, przystosowanych do specyficznego klimatu i roślinności. Tak więc wśród traw krainy etiopskiej Afryki żyją ssaki inne niż na subtropikalnych terenach Ameryki Południowej. Duże zwierzęta, jak antylopy i żyrafy (patrz niżej) zamieszkują afrykańskie sawanny. Ssaki pampasów południowej Ameryki – tamtejsza odmiana jelenia i gryzoń kapibara – są mniejsze. Podobnie drapieżniki afrykańskie to lwy i lamparty, a amerykańskie – poza dużym jaguarem, to znacznie mniejsza puma oraz małe lisy i skunksy.

SSAKI SAWANNY

Tropikalne tereny trawiaste Afryki zwane sawanną zamieszkują najciekawsi przedstawiciele dzikiej zwierzyny. Spotkać w nich można wielkie stada trawożernych – zebr, bawołów, różnych gatunków antylop (gazeli, gnu i in.). Polują na nie lwy, gepardy i lamparty. Żyją tu również większe ssaki: nosorożce, słonie i żyrafy, nie wspominając o wielu gatunkach ptaków, między innymi strusiach.

Długa szyja żyrafy *umożliwia jej sięganie koron drzew niedostępnych dla innych zwierząt.*

Impala *zwykle spokojna, potrafi jednak szybko uciekać przed lwem.*

Pasy na ciele ***zebry*** *pomagają ukryć się wśród traw.*

Lwy *polują na różne zwierzęta roślinożerne.*

SSAKI MORSKIE

Wiele ssaków żyje w morzach. Foki, morsy i słonie morskie pokryte są futrem, pod którym znajduje się gruba warstwa tłuszczu. Wieloryby, delfiny i morświny tworzące grupę waleni nie posiadają futra – jedynie gruba warstwa tłuszczu chroni je od zimna. Wiele z nich zalicza się do najinteligentniejszych i najbardziej pojętnych ze wszystkich zwierząt. Związane są całkowicie z wodą, nie mogąc jednak oddychać rozpuszczonym w niej tlenem, muszą co jakiś czas się wynurzyć. Niektóre z nich, jak *zębowce*, mają zęby. Inne jak *fiszbinowce* zębów nie posiadają – zamiast nich mają specjalne sita zwane fiszbinami – odżywiają się przecedzając przez nie małe, podobne do krewetek skorupiaki (kryl).

Foki, lwy morskie i morsy są silnymi, zręcznymi pływakami, które w odróżnieniu od waleni mogą żyć na lądzie. Poruszają się na nim kołysząco i niezgrabnie. Wiosną i latem tysiące fok tłoczy się na wybrzeżach, by dać życie potomstwu.

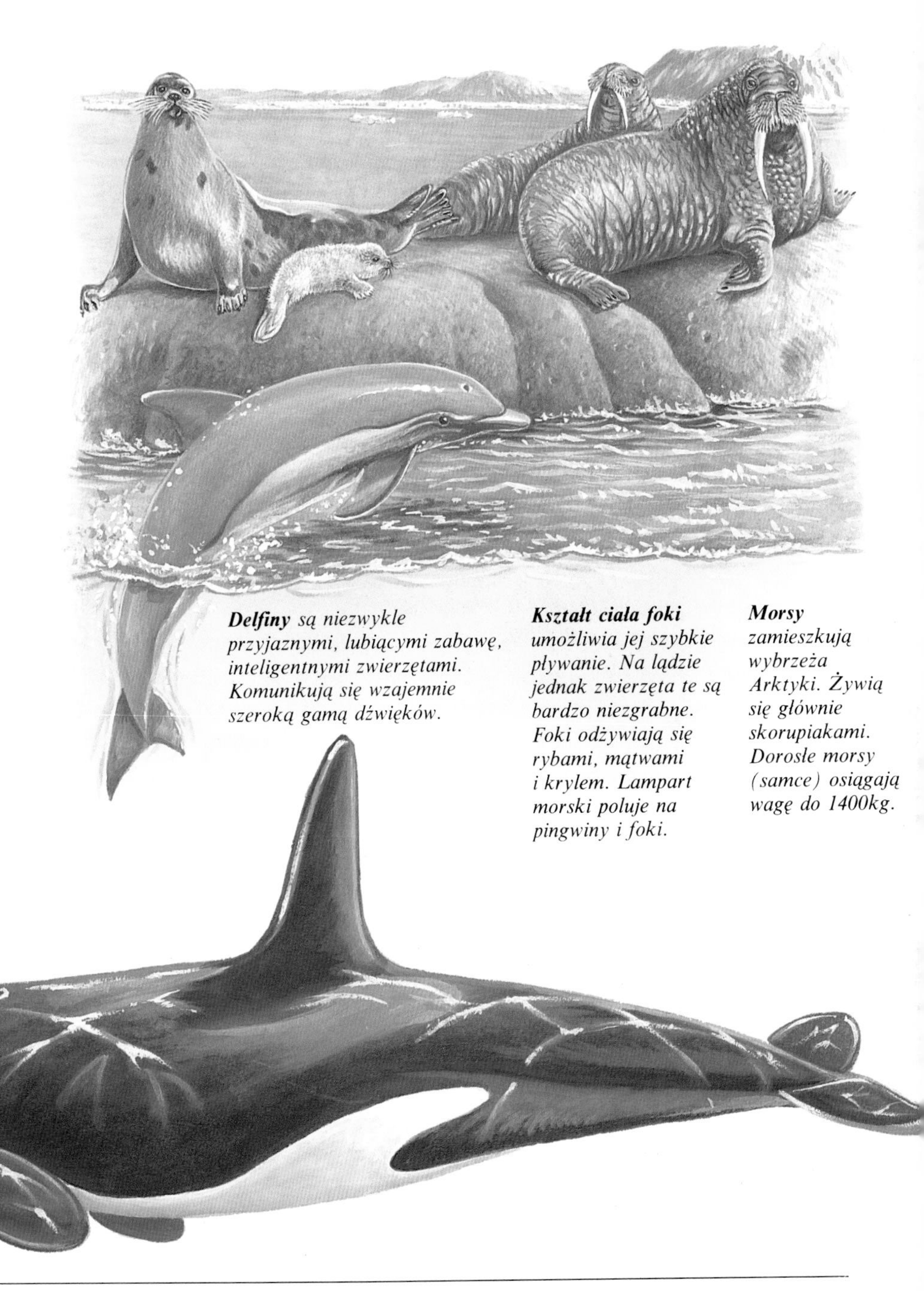

Delfiny *są niezwykle przyjaznymi, lubiącymi zabawę, inteligentnymi zwierzętami. Komunikują się wzajemnie szeroką gamą dźwięków.*

Kształt ciała foki *umożliwia jej szybkie pływanie. Na lądzie jednak zwierzęta te są bardzo niezgrabne. Foki odżywiają się rybami, mątwami i krylem. Lampart morski poluje na pingwiny i foki.*

Morsy *zamieszkują wybrzeża Arktyki. Żywią się głównie skorupiakami. Dorosłe morsy (samce) osiągają wagę do 1400kg.*

Orki *i inne drapieżne walenie są groźnymi łowcami fok, morświnów i pingwinów a także ryb. Atakują nawet młode płetwale błękitne, największe z żyjących na ziemi zwierząt.*

SSAKI PUSTYNI

Pustynia jest niezwykle trudnym dla ssaków terenem egzystencji. Sucha i na ogół niezwykle gorąca, zamieszkiwana jest jednak przez nieliczne, dobrze do jej warunków przystosowane ssaki. Adaks – wielka antylopa z Sahary czerpie wodę z pożywienia i nigdy nie pije jej bezpośrednio. Kanguroszczury oszczędzając wodę, czasem piją własny mocz. Brak schronienia może również być problemem dla ssaków pustyni, zwłaszcza że po gorącym dniu temperatura spada tam znacznie w nocy. Niektóre ssaki, jak małe gryzonie – cokory ałtajskie, pozostają całe życie pod ziemią. Małe zwierzątko afrykańskie – aperea – w ciągu dnia chowa się wśród skał, wychodząc z nich tylko rankami i wieczorem.

Wielbłąd *magazynuje zapasy w postaci tkanki tłuszczowej w garbie. Jego ogromny żołądek pomieścić może wielkie ilości trawy i wody, gdy tylko jest okazja go napełnić. Gatunki wielbłądów: jednogarbne dromadery oraz dwugarbne baktriany.*

Jaszczurki *mogą przetrwać na pustyni, kryjąc się przed upałem dnia i zużywając jak najmniej energii.*

Lis pustynny *żyje na pustyniach północnej Afryki, kryjąc się w norach i polując jedynie w nocy. Jego wielkie uszy pomagają w ochładzaniu ciała.*

POŻYWIENIE SSAKÓW

Życie ssaków uzależnione jest od istnienia innych organizmów żywych – aby żyć, muszą jeść – niektóre żywią się głównie roślinami, niektóre zaś polują. Mamy więc ssaki roślinożerne, mięsożerne (drapieżniki) oraz wszystkożerne (odżywiające się zarówno pokarmem roślinnym jak i zwierzęcym).

ŁAŃCUCH POKARMOWY
Ponieważ wszystkie zwierzęta uzależnione są od innych form życia, każdy gatunek stanowi element nie kończących się łańcuchów, w których kolejne ogniwa są konsumentami poprzednich. W jednym z takich łańcuchów gąsienica zjada liść, ją z kolei zjada ptak, na którego z kolei poluje lis; kiedy lis zdechnie, bakterie pomogą rozłożyć jego ciało na substancje proste, pobierane przez rośliny. Gdy zależności te zostaną zachwiane, ucierpią wszystkie ogniwa łańcucha. Po zniszczeniu roślin, na których żerują gąsienice, wyginą także ptaki a potem lisy.

ROŚLINOŻERCY

Niektóre ssaki roślinożerne są bardzo wybredne. Miś koala na przykład je wyłącznie liście dwunastu gatunków eukaliptusa. Niektóre ssaki, jeśli nie mają wyboru, jedzą wszystko. Na ogół preferują trawy bądź liście, pędy i gałązki drzew i krzewów.

Najpopularniejszymi roślinożercami są nieparzystokopytne (konie, nosorożce, tapiry) oraz parzystokopytne (patrz niżej). Nieparzystokopytne to duże zwierzęta trawożerne, o długich, zakończonych kopytem kończynach, które umożliwiają rączą ucieczkę wśród traw przed polującymi na nie drapieżnikami (nie dotykają przy tym piętami podłoża).

DRAPIEŻCY I OWADOŻERCY

Niektóre zwierzęta miesożerne, jak hiena, żywią się głównie padliną i szczątkami pozostawionymi przez innych, większość jednak poluje, używając wyostrzonych zmysłów do tropienia ofiary, siły i zwinności do jej chwytania oraz ostrych zębów i pazurów do zabijania. W porównaniu z roślinami mięso jest bogatsze odżywczo – w związku z tym, w odróżnieniu od jedzących bezustannie zwierząt roślinożernych, mięsożercy muszą po posiłku odpocząć, aby zebrać siły do następnego polowania.

Większość drapieżców należy do rodziny psów lub kotów. Do psów zaliczamy wilki, szakale i kojoty. Niedźwiedzie należą również do zwierząt drapieżnych chociaż są w zasadzie wszystkożerne, a niektóre z nich zdecydowanie preferują pokarm roślinny.

Zwierzęta owadożerne prócz owadów żywią się najczęściej także

CZY WIESZ, ŻE...?

Najmniejsze ryjówki tracą – z powodu małych rozmiarów – ciepło tak gwałtownie, że muszą spożywać codziennie ilość pożywienia równą dwukrotnej wadze swego ciała.

Australijski mrówkożer workowaty ma 52 zęby – czyli najwięcej ze wszystkich ssaków – a co dziwniejsze, wcale ich nie używa, jedząc termity, które połyka w całości.

Gazele południowoafrykańskie przemierzały niegdyś równiny Afryki południowej w stadach ciągnących się na 150 km i liczących ok.100 mln sztuk.

Okapi z D.R. Konga jest jedynym żyjącym krewnym żyrafy. Jego język jest tak długi, że okapi może oblizać sobie oczy.

Słonie zjadają ponad ćwierć tony pożywienia dziennie.

Nietoperze – wampiry żywią się krwią, głównie ssaków, zdarza się też, że atakują ludzi.

__Jelenie__ żywią się głównie liśćmi. Podobnie jak krowy, są przeżuwaczami. Corocznie zrzucają poroże.

__Bizony__ należą do wielkiej rodziny parzystokopytnych, wraz z krowami i antylopami. Mają wielkie rogi, których używają czasami do obrony.

PARZYSTOKOPYTNE
W odróżnieniu od koni, nosorożców i tapirów, zwierzęta te mają dwudzielne racice. Są wśród nich świniokształtne, oraz przeżuwacze. Nazwa przeżuwacze pochodzi od tego, że pokarm po wstępnym przetrawieniu w żołądku zwanym żwaczem, wraca do pyska i jest powtórnie przeżuwany

Niedźwiedzie brunatne, *do których zalicza się również grizli, zamieszkują północną Europę, Azję oraz północnozachodnią Amerykę.*

innymi bezkręgowcami,a czasem nawet maleńkimi kręgowcami, nie są jednak prawdziwymi myśliwymi jak psy i koty. Są na ogół niewielkie, mają wydatne pyszczki i ostre zęby – jak ryjówki, jeże i krety.

ZWIERZĘTA WSZYSTKOŻERNE

Większość ssaków korzysta zarówno z roślinnego jak i zwierzęcego źródła pożywienia. Niedźwiedzie – z wyjątkiem polarnych – jedzą niemal wszystko. Jednak tylko naczelne (patrz s.25) a wśród nich człowiek, są naprawdę wszystkożerne.

DZIKIE ZWIERZĘTA W NIEBEZPIECZEŃSTWIE

Tygrysy szablozębne, pokryte futrem mamuty i włochate nosorożce (s.109) należą do wielu gatunków dziś już wymarłych. Ekolodzy ostrzegają, że działalność człowieka może być przyczyną zagłady kolejnych zwierząt. Utrzymują oni, że co roku kilka gatunków znika bezpowrotnie z powierzchni ziemi. Jednak uczeni najbardziej obawiają się wymierania coraz większej ilości wszystkich zwierząt w związku ze znikaniem roślinności służącej im za pokarm. Szeroko znany jest problem pandy olbrzymiej. Zwierzę to zamieszkuje lasy niewysokich gór w zachodnich Chinach – pozostało już zaledwie niespełna 500 przedstawicieli tego gatunku. Bambus, którym się panda żywi zakwita co 30 lat; rośliny tej pozostało tak niewiele, że jeśli zdarzy jej się nie zakwitnąć w odpowiednim czasie, panda zostanie pozbawiona pożywienia. Zagrożone są także australijskie misie koala – nie tylko z powodu dużej wrażliwości na choroby i nieustannych polowań kłusowników chcących zdobyć miękkie futro koali, lecz także wskutek wycięcia wielu drzew eukaliptusowych. Zarówno eukaliptus, jak i miś koala, są dziś objęte ścisłą ochroną.

Koala *wygląda jak niedźwiadek, należy jednak do torbaczy noszących młode w kieszeni.*

Panda wielka *ma na przednich łapach specjalną poduszeczkę zwaną „szóstym palcem", służącą do trzymania bambusowych pędów. Bambus nie jest pożywny. Panda musi zjeść go bardzo dużo – na jedzenie poświęca 10–12 godzin dziennie.*

WIELKIE KOTY

Lwy, tygrysy, lamparty i jaguary należą do rodziny kotów – zwane są wielkimi kotami. Spotkać je można na wszystkich kontynentach z wyjątkiem Australii. Są groźnymi myśliwymi, podkradającymi się cicho do zwierzyny łownej i skaczącymi na nią z zasadzki lub ścigające ofiarę w błyskawicznej pogoni. Ostrymi pazurami zadają jej straszliwe ciosy, po czym uśmiercają ją za pomocą ostrych niczym brzytwa zębów. Wielkie koty polują na ogół w pojedynkę, z wyjątkiem lwów, żyjących w niewielkich grupach rodzinnych. Łowy są zadaniem lwic, polujących na antylopy, zebry,a nawet młode żyrafy.

Samce lwów *wyróżniają się wielkimi grzywami. Każde rodzinne stado ma tylko jednego samca, który pożywia się przed samicami i młodymi. Kiedy młody samiec dorasta, musi stoczyć walkę z przywódcą, po której pokonany opuszcza stado.*

Gepard *jest najszybszym ssakiem – biega z prędkością 100 km/h.*

PTAKI

Od szybujących wysoko orłów po nurkujące w przestworzach jerzyki, ptaki są władcami powietrza, wzbijającymi się do lotu z tą samą łatwością, z jaką ryba pływa w morzu. Od wszystkich innych zwierząt odróżnia je niezwykła szata – pióra. Nie wszystkie ptaki latają, wszystkie jednak mają pierze.

***Pisklęta** wielu gatunków ptaków wykluwają się zupełnie bezradne. Jeszcze przez długi czas rodzice muszą je karmić, pielęgnować i strzec przed niebezpieczeństwem. Ptaki owadożerne, aby dostarczyć swemu potomstwu odpowiednie ilości pożywienia, muszą czasami wykonywać w ciągu godziny 25 lotnych wypadów. Każdego dnia pisklęta sikory bogatki zjadają 400 owadzich larw. Większość piskląt rośnie bardzo szybko. Pisklę rudzika po wykluciu waży około 2 g, a po upływie 11 dni osiąga już połowę wagi dorosłego ptaka. Pisklęta innych gatunków bezpośrednio po wykluciu się opuszczają gniazdo, wędrując z matką w poszukiwaniu pokarmu.*

PIÓRA

Upierzenie nie tylko chroni ptaki od chłodu, lecz także umożliwia im (z wyjątkiem kilku zaledwie) latanie. Pióra są bardzo lekkie, ich włókna połączone systemem haczyków sprawiają, że skrzydła są w stanie unieść ptasie ciało w powietrze. Strzyżyk ma około 1000 piór, łabędź ponad 20 000.

Rzędy piór pokrywają całe ptasie ciało. Wzdłuż brzegu skrzydła znajdują się pióra zwane lotkami. Rozróżniamy lotki I rzędu – dłoniowe, II rzędu – przedramieniowe oraz III rzędu – ramieniowe. Pozostała część skrzydła pokryta jest piórami okrywowymi.

Każdy rodzaj piór ma swój szczególny wzór i ubarwienie, po którym najczęściej rozpoznajemy gatunki ptaków.

Niektóre z nich, jak strzyżyk, mają kolor brązowy, chroniący przed bystrym okiem drapieżników. Inne, np. papugi i pawie, skrzą się całą gamą kolorów.

DZIOBY

Zamiast pyszczków ptaki mają dzioby, które pełnią w ich życiu rozmaite funkcje. Można z ich pomocą budować

PTAKI MIEJSKIE I OGRODOWE

Wiele małych ptaków, jakie spotykamy w miastach, zamieszkiwało niegdyś pola i lasy. Gdy aktywność człowieka ograniczyła ich naturalne środowiska, przystosowały się do życia miejskiego i w ogrodach. Niektóre ptaki drapieżne – sokół, pustułka, puszczyk – również zaadaptowały się do życia w mieście. Większość ptaków miejskich należy do wielkiej grupy wróblowatych. Składa się na nią ponad 5000 różnych gatunków – bardzo różnej wielkości, a ich nogi zakończone są czterema palcami, z których jeden jest przeciwstawny, co umożliwia wygodne siadanie na gałęziach. Większość wróblowatych wije gniazda – od prostych, przypominających filiżankę gniazd drozdów i kosów, po bardziej pracochłonne siedziby sikorek ogoniastych – raniuszków.

***Gołębie miejskie**, pochodzą od dzikiego gołębia skalnego.*

***Sroka** jest notorycznym złodziejem błyszczących przedmiotów, które ukrywa lub zakopuje w ziemi.*

***Rudzik** to jeden z najpopularniejszych ptaków ogrodowych.*

***Wróble domowe** wiją gniazda we wnękach ścian budynków. Ich dzioby służą do łuskania ziarna.*

***Szpaki** w dzień na polach poszukują pożywienia, by na noc powrócić do miejskich siedzib.*

***Strzyżyki** to najmniejsze ptactwo Europy, są bardzo ruchliwe, w nieustannej krzątaninie poszukują owadów.*

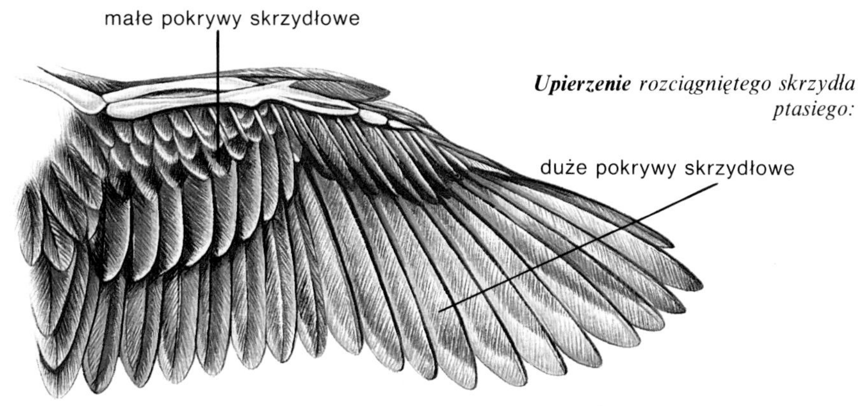

***Upierzenie** rozciągniętego skrzydła ptasiego:*

gniazda, tłuc orzechy, łapać owady, wydobywać robaki z bagna. Kształt dzioba zależy zwłaszcza od pożywienia danego gatunku. Ptaki drapieżne mają mocne, zakrzywione dzioby, umożliwiające rozrywanie mięsa. Dzioby kaczek są szerokie i płaskie – służą do wyławiania pożywienia z wody. Ptaki odżywiające się ziarnem, mają dzioby w kształcie obcążków. Jerzyki i inne jaskółki mają rozchylone dzioby umożliwiające chwytanie owadów w locie.

JAJA I GNIAZDA

W odróżnieniu od ssaków, ptaki nie rodzą swego potomstwa – składają jaja otoczone twardą skorupką, a następnie wysiadują je, ogrzewając ciepłem własnego ciała, do momentu gdy rozwiną się w nich młode. Embriony piskląt rosną odżywiając się żółtkiem jaja, a w odpowiednim momencie przebijają dziobami skorupę i wychodzą na świat. Większość ptaków składa jaja w gniazdach. Sroki, sójki i wiele innych wije gniazda w koronach drzew, z małych gałązek.

Ptaki z rodziny gajówek budują gniazda wśród traw. Jaskółki brzegówki kopią norki na piaszczystych wybrzeżach. Rudziki gnieżdżą się w każdym dostępnym zagłębieniu – odpowiadają im szpary w ścianach, dziuple, wypróchniałe pnie.

Po wykluciu się z jaj większość piskląt jest naga i bezbronna; pisklęta szybko się rozwijają, a ich ciała porasta drobne, delikatne pierze – puch. Pozostają w gniazdach, otrzymując pożywienie od rodziców aż do momentu, kiedy nauczą się latać i staną się zdolne do samodzielnego życia.

***Południowoamerykański kondor olbrzymi** jest największym ptakiem latającym, rozpiętość jego skrzydeł dochodzi do 3 m. Kondory żywią się padliną lub umierającymi zwierzętami, czasem jednak atakują zwierzęta zdrowe.*

***Bielik** poluje na ryby rzeczne. Jest narodowym symbolem amerykańskim [jak orzeł przedni polskim – przyp. tłum.].*

Białe upierzenie głowy sprawia, że nieraz ptak wydaje się „łysy".

***Sowy** – jak ta płomykówka – polują nocą, lokalizując zwierzynę (najczęściej myszy) za pomocą wyostrzonego wzroku i słuchu. Latają cicho niczym duchy.*

***Sępy** nie polują, lecz krążą nad ziemią w poszukiwaniu padłych lub umierających zwierząt.*

***Drzemliki** i inne sokoły przyuczane są często do startu na polowanie z ramienia człowieka (sokolnika).*

PTAKI DRAPIEŻNE

Wiele z najwspanialszych ptaków to drapieżcy, polujący na inne ptaki, ryby i niewielkie ssaki. Są świetnymi szybownikami, o doskonałym, ostrym wzroku, silnych szponach i mocnych, haczykowatych dziobach. Znamy około 280 gatunków ptaków drapieżnych, wśród nich sokoły, orły i sępy. Niektóre z nich są bardzo rzadkie, ponieważ intensywna uprawa roli pozbawiła je naturalnych łupów, a także dlatego, że są atrakcyjnym trofeum dla myśliwych i kolekcjonerów jaj. Ptaki drapieżne składają tylko jedno, co najwyżej dwa jaja na raz, nie są więc w stanie szybko się rozmnażać. Kondor kalifornijski na przykład, jeden z największych znanych ptaków, należy do najrzadziej spotykanych dziś gatunków, a jego przetrwanie w warunkach naturalnych stoi pod znakiem zapytania.

Wędrówki ptaków – migracje. *Późnym latem lub jesienią, gdy warunki środowiskowe zaczynają się pogarszać, wiele ptaków opuszcza swe tereny lęgowe i przenosi się na inne, tam gdzie znajdują lepsze warunki życia. W miejscach bardzo niekiedy odległych, ale zaspokajających ich potrzeby pokarmowe, ptaki przebywają miesiące zimowe. Niektóre ptaki – np. śpiewające i ptaki drapieżne – wędrują samotnie, inne – np. szpaki, gołębie przelatują bardzo licznymi stadami. Żaden z ptaków nie przelatuje kręgu polarnego. Rybitwa popielata (na rysunku) przelatuje aż 40 000 km – z Arktyki do Antarktyki – w poszukiwaniu słońca.*

Mewy *to ptaki morskie, mimo że wiele z nich spędza większość czasu na lądzie, żywiąc się odpadami.*

JAK LATAJĄ PTAKI

Pióra, skrzydła oraz lekkie, puste kości doskonale przysposabiają ptaki do latania. Poruszają się one w powietrzu w dwojaki sposób: ślizgają się w nim, trzymając skrzydła nieruchomo oraz wzbijają się w powietrze, poruszając skrzydłami w górę i w dół. Prędkość lotu to średnio 40–100 km/godz., czasem jednak, w niebezpieczeństwie lub na polowaniu, ptaki latają niezwykle szybko. Sokół wędrowny nurkuje za zdobyczą z prędkością 130 km/godz. Najszybszym lotnikiem jest jerzyk (odmiana jaskółki), osiągający prędkość ponad 160 km/godz.

Lot ślizgowy jest dla ptaka mniejszym wysiłkiem niż wzbijający – ptaki spędzające dużo czasu w przestworzach wykorzystują najczęściej tę właśnie technikę. Umożliwiają ją duże skrzydła – małe skrzydełka nie są w stanie unosić ptaka długo na jednakowej wysokości. Ptaki drapieżne wyposażone są najczęściej w takie właśnie wielkie skrzydła, na których zawisają w powietrzu, wypatrując ofiary. Mają je także czaple i bociany. Albatrosy, petrele i burzyki mają długie, wąskie skrzydła, na których wznoszą się z prądami ciepłego powietrza. Ptaki często wykorzystują

PTAKI MORSKIE

Wiele gatunków ptaków zamieszkuje tereny nadmorskie. Większość z nich ma połączone błoną palce umożliwiające pływanie, odporne na wilgoć upierzenie i ostre dzioby do chwytania śliskich ryb. Albatrosy, burzyki i petrele spędzają całe niemal życie ponad morzem, lądując tylko w porze gniazdowania. Wszystkie są wspaniałymi lotnikami, zdolnymi pokonywać ogromne odległości, a także świetnymi nawigatorami. Wywieziony z Walii do miejsca odległego od gniazda o 5000 km w USA i tam wypuszczony, burzyk powrócił do gniazda już po 12 dniach. Głuptaki, kormorany i petrele są mistrzami nurkowania.

PTAKI WODNE

Miliony ptaków zamieszkuje w pobliżu wód bieżących i stojących, korzystając z bogactwa okolicznego życia roślinnego i zwierzęcego. Wiele z nich, np. kuliki i brodźce krwawodziobe, mają długie nogi przystosowujące je do brodzenia w płytkiej wodzie. Inne, jak ostrygojady, posługują się długimi, ostrymi dziobami, poszukując pożywienia w mule i piasku. Kaczki, gęsi i łabędzie – mają połączone błoną palce i długie, zwinne szyje, pozwalające na zaglądanie głęboko pod wodę.

Zimorodki *latają nad wodą i nurkują, by wyłowić rybę, którą podrzucają i połykają od głowy.*

Czaple, bociany i flamingi *są dużymi ptakami o dziobach przystosowanych do odcedzania pokarmu z wody.*

Maskonury *gnieżdżą się w wyrytych przez siebie norach.*

Łabędzie *to największe ptaki wodne; żywią się pokarmem roślinnym czasami uzupełniając go drobnymi zwierzętami wodnymi.*

Pelikany *zagarniają ryby za pomocą wyposażonych w specjalne worki dziobów.*

Najpopularniejszą kaczką *w Europie jest kaczka krzyżówka.*

Gęsi *pożywiają się często wśród traw; w locie tworzą klucze w kształcie litery V, czyniąc przy tym mnóstwo hałasu.*

takie wznoszące prądy, by szybować powoli, obniżając lot aż do chwili, gdy natrafią na następny, wynoszący strumień ciepłego powietrza. Pokonują tą metodą ogromne odległości, nie poruszając nawet skrzydłem. Celują w tym zwłaszcza albatrosy, które nie lądują nawet przez kilka dni.

Lot wznoszący. Większość ptaków porusza w locie skrzydłami – nawet te szybujące używają tego sposobu latania, by wzbić się z ziemi w powietrze. Pracują przy tym silne mięśnie ptasiej klatki piersiowej. Przy ruchu skrzydeł w dół lotki zwierają się w szczelną płaszczyznę, odpychając powietrze ku dołowi i do tyłu, a ciało ptaka przesuwa się w górę i ku przodowi. Ruch skrzydeł w górę, przy lotkach rozwartych, umożliwia przepływ powietrza pomiędzy nimi i kolejny zamach wznoszący. Ptaki takie jak sępy poruszają skrzydłami wolno. Kolibry zaś uderzają skrzydełkami tak często (ponad 50 razy na sekundę), że zdają się znikać w zawirowaniu powietrza.

__Tukany__ zamieszkują lasy Południowej Ameryki, w poszukiwaniu owoców i owadów przebijają się swymi potężnymi dziobami przez gęste listowie.

__Ary__ to hałaśliwe papugi o zakrzywionych dziobach, którymi są w stanie skruszyć nawet twarde orzechy brazylijskie.

__Kolibry__ zawisają w powietrzu i za pomocą długich dziobków spijają nektar kwiatów.

Ptaki tropików

Wiele z najpiękniejszych ptaków świata mieszka w lasach tropikalnych. Na Nowej Gwinei i w Australii spotyka się rajskie ptaki i lirniki o charakterystycznych, wspaniałych ogonach. W Ameryce Południowej żyją bajecznie ubarwione bławatniki, tukany i ponad 300 gatunków maleńkich kolibrów. We wszystkich lasach tropikalnych występują głośne, kolorowe papugi – ara, kakadu i papużki faliste. Nie wszystkie ptaki terenów tropikalnych są tak kolorowe; pełne owadów zarośla tropikalnych lasów zamieszkują również skromne dzioborożce, garncarze i cukrzyki.

Ptaki nielatające

Nie wszystkie ptaki potrafią latać. Pingwiny używają swych krótkich, krępych skrzydeł do pływania. Strusie (w tym emu i nandu), kazuary i kiwi chodzą wszędzie piechotą. Strusie biegają z prędkością dochodzącą do 60 km/godz., a więc tak, jak najlepsze konie wyścigowe. Ptaki nielatające są na ogół bardzo duże, a ich nieproporcjonalnie małe skrzydła służą jedynie zachowaniu równowagi. Łączy się je często w jedną grupę zwaną bezgrzebieniowcami, choć uczeni wciąż spierają się o łączące te zwierzęta pokrewieństwo.

Doskonale przystosowane do zimna __pingwiny__ zamieszkują tereny, gdzie przez pół roku panuje dojmujący chłód i ciemność nocy.

__Kiwi__ spotyka się jedynie na Nowej Zelandii; rozmiarami przypominają kurę domową; żywią się owadami i jagodami, głównie nocą.

__Emu__ to wyjątkowo ciekawy ptak. Żywi się owocami i owadami i znany jest z tego, że połyka każdy dostępny przedmiot.

__Kazuary__ to zapalczywe, agresywne ptaki, aktywne zwłaszcza nocą, żyjące w Australii i Nowej Gwinei.

__Strusie__ są największymi ptakami na świecie, osiągającymi wysokość prawie 2,5 m i wagę do 150 kg.

__Pingwiny__ wytrzymują niezwykle surowe warunki, zamieszkując wielkimi koloniami wybrzeża Antarktydy. Są zwinnymi pływakami; odpychają się w wodzie skrzydłami niczym wiosłami, a błoniaste stopy służą im za ster. Zapuszczają się też w głąb lądu, człapiąc niezgrabnie po lodzie.

GADY

Gady to zwierzęta o skórze pokrytej łuskami – krokodyle, jaszczurki, żółwie i węże. Należą do najstarszych lądowych kręgowców, spotykanych w cieplejszych rejonach na całym świecie, w środowisku wodnym i lądowym. Gady są szczególnie dobrze przystosowane do życia na pustyni.

JASZCZURKI

Jaszczurki to najbardziej zróżnicowana grupa gadów – znamy około 3700 ich gatunków. Większość z nich zamieszkuje tereny tropikalne i subtropikalne, spotkać je można w bardzo wielu różnych środowiskach. Są więc jaszczurki lądowe, żyjące na drzewach, w wodzie a nawet jaszczurki latające. Największa jaszczurka to waran z Komodo, osiągający długość 3 m. Do najmniejszych należą niektóre gekony nie przekraczające 3 cm.

Jak większość gadów, jaszczurki są szybkimi, zwinnymi łowcami. Często jednak pozostają przez całe godziny na słońcu w kompletnym bezruchu. Niektóre gatunki jaszczurek mają zdolność autotomii czyli samorzutnego odrzucania części ogona w sytuacji zagrożenia. W zależności od gatunku rana zabliźnia się lub ogon odrasta (nawet do normalnej wielkości). Podobnie do większości gadów, samice jaszczurek składają jaja i zagrzebują je w ziemi lub ukrywają pośród skał, gdzie zostają aż do wylęgu.

CZY WIESZ, ŻE...?

Przypominająca baśniowego smoka jaszczurka australijska, pokryta groźnie wyglądającymi kolcami, nosi łacińską nazwę *Moloch horridus*, lecz jest w rzeczywistości zupełnie niegroźnym zwierzęciem.

Kameleony łowią owady, wyrzucając gwałtownie długi, lepki język na czas nie dłuższy jak 0,04 sekundy.

Najbardziej jadowitym wężem lądowym jest australijski tajpan. W jego gruczołach jadowych znajduje się trucizna zdolna zabić 200 ludzi.

Żółwie dożywają sędziwego wieku. Jeden z wielkich żółwi znalezionych na Mauritiusie w 1766 r. żył jeszcze 152 lata.

Wielkie żółwie lądowe zabierane były przez marynarzy na pokłady żaglowców jako żywe zapasy mięsa potrzebnego w dalekich podróżach.

GORĄCO I ZIMNO

Często nazywa się gady zwierzętami zimnokrwistymi. Nie oznacza to, że ich krew zawsze jest chłodna, lecz że przyjmuje temperaturę otoczenia. Temperatura ciała zwierząt stałocieplnych (ssaków) pozostaje zawsze taka sama, niezależnie od warunków zewnętrznych – muszą one jednak odżywiać się regularnie, by ten stan utrzymać. Gady mogą się zadowolić niewielką ilością pożywienia, zmuszone są jednak wciąż poszukiwać chłodnych lub ciepłych miejsc, unikając zbytniego nagrzania lub wychłodzenia. Ich tryb życia uzależniony jest więc od otoczenia.

Gady spędzają całe godziny wygrzewając się na słońcu, gromadząc energię do polowania. Co jakiś czas zdobywają pożywienie, odpoczywają przez chwilę w cieniu i znów wracają na słońce. Większość gatunków jest aktywnych w ciągu dnia, część jednak poluje nocami (np. nocne gekony i niektóre węże).

W chłodnej porze roku gady funkcjonują tylko w południe, najcieplejszą porę dnia. W klimacie gorącym kryją się w cieniu, wychodząc tylko w chłodzie wieczoru.

ŁUSKOWATA SKÓRA

Gady sprawiają czasem wrażenie wilgotnych, jednak ich skóra jest zupełnie sucha. Jej zadaniem jest utrzymać wilgoć we wnętrzu ciała zwierzęcia – spełnia je tak dobrze, że

ŻÓŁWIE

Żółwi nie sposób pomylić z innymi stworzeniami: ich ciało okryte jest pancerzem kostnym i rogowymi płytkami. Część grzbietowa nazywana jest karapaksem a brzuszna plastronem. W zbroi tej są dwa otwory: jeden na głowę i przednie łapy, drugi na ogon i łapy tylne. Pancerz tworzy tak bezpieczne schronienie, że żółwie nie mają potrzeby szybkiego przemieszczania. Większość żółwi zamieszkuje ciepłe rejony globu, jednak tam gdzie zimy są znacznie chłodniejsze zapadają w sen zimowy. Żółwie żyją zarówno na lądzie, jak i w wodzie. Największym żółwiem lądowym jest żółw olbrzymi, osiągający długość 1,5 m; największy z żółwi wodnych to żółw skórzasty, dochodzący do 2,5 m długości i ważący ponad 800 kg. Żółwie żywią się pokarmem roślinnym i zwierzęcym, nie mają zębów, lecz rogową płytkę umożliwiającą odgryzanie kęsów pokarmu.

***Żółwie greckie i mauretańskie**, odkąd stały się popularnymi zwierzętami domowymi, są bardzo rzadko spotykane w warunkach naturalnych.*

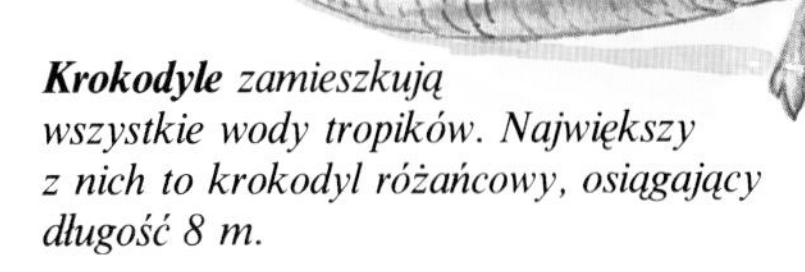

***Krokodyle** zamieszkują wszystkie wody tropików. Największy z nich to krokodyl różańcowy, osiągający długość 8 m.*

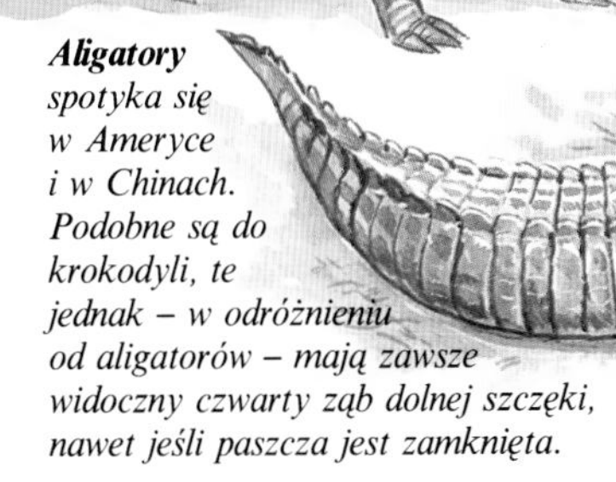

***Aligatory** spotyka się w Ameryce i w Chinach. Podobne są do krokodyli, te jednak – w odróżnieniu od aligatorów – mają zawsze widoczny czwarty ząb dolnej szczęki, nawet jeśli paszcza jest zamknięta.*

gady najlepiej ze wszystkich zwierząt znoszą warunki pustynne. Niektóre gatunki jaszczurek mogą w pewnym stopniu zmieniać kolor skóry. Jest to istotne zwłaszcza dla zapewniania bezpieczeństwa oraz w okresie godowym. Kameleony zmieniają kolor skóry, by upodobnić się do otoczenia i ukryć przed drapieżnikami.

W przeciwieństwie do ssaków, gady rosną przez całe życie – u jaszczurek i węży martwy naskórek co jakiś czas jest zrzucany. Ponieważ u węży wylinka zrzucana jest w całości i zachowuje wzór skóry, panuje błędne przekonanie, że węże zmieniają skórę na nową.

Krokodyle i aligatory

Do krokodyli należą: aligatory, kajmany i krokodyle właściwe. Stworzenia do nich podobne zamieszkiwały ziemię już 200 milionów lat temu. Są to najbliższe dinozaurom zwierzęta, które przetrwały do naszych czasów.

Żyją w ciepłych wodach płynących i bagnach tropikalnej Afryki, Azji, Australii i Ameryki. Polują na przychodzące do wodopoju zwierzęta, czekając na nie nieruchomo w wodzie. Porywają gwałtownie ofiarę i wciągają do wody, gdzie topią i rozrywają ją ogromnymi szczękami.

Zachowanie krokodyli zależy w pewnym stopniu od pogody. Rankiem podpływają do brzegu i wygrzewają się w słońcu. Gdy robi się zbyt gorąco, zanurzają się w wodzie, by ochłodzić się przed kolejną, popołudniową kąpielą słoneczną.

Węże

Są to długie, smukłe, beznogie gady. Większość gatunków żyje w ciepłych rejonach, kilka znosi jednak warunki panujące za kołem podbiegunowym. Nie posiadając odnóży do przytrzymania ofiary, węże radzą sobie w inny sposób. Dusiciele, jak pyton, owijają się wokół schwytanego zwierzęcia i zaciskają pętle, pozbawiając ofiarę oddechu. Węże jadowite, np. kobra, zabijają zwierzęta trującym jadem. Substancję tę wytwarzają węże w specjalnych gruczołach (zwanych gruczołami jadowymi) i wprowadzają do ciała ofiary poprzez zęby jadowe. Rozróżniają za pomocą wzroku, słuchu lub węchu. Nie mają uszu, jednak są w stanie rozróżnić dźwięki odbierając wibracje podłoża.

***Boa dusiciel** zabija ofiarę, zamykając ją w uścisku aż przestanie oddychać. Boa osiągają długość do 5,5 m; niektóre dusiciele są jeszcze większe. Anakonda może osiągać prawie 10 metrów długości.*

***Jaja.** Jak wszystkie gady, młode węże wykluwają się z jaj. U niektórych gatunków jaja rozwijają się wewnątrz ciała matki. Większość jednak składa jaja i ukrywa je w dziuplach drzew, pod kamieniami lub zbutwiałymi resztkami roślin, które wydzielając ciepło, ułatwiają inkubację. Matka nie troszczy się na ogół więcej o potomstwo. Do wyjątków należą pytony, których samice otaczają jaja swoim ciałem i ogrzewają je.*

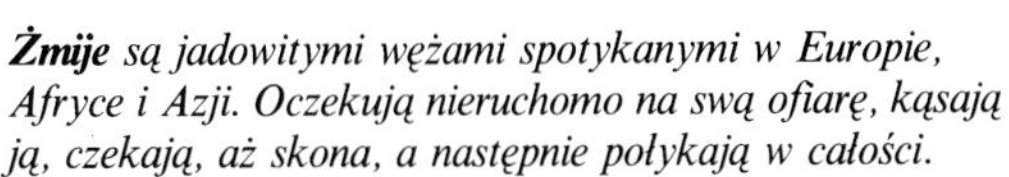

***Żmije** są jadowitymi wężami spotykanymi w Europie, Afryce i Azji. Oczekują nieruchomo na swą ofiarę, kąsają ją, czekają, aż skona, a następnie połykają w całości.*

***Grzechotnik** to jadowity wąż amerykański. Grzechotka to luźno połączone pierścienie zeschniętego naskórka na końcu ogona.*

Aksolotl *zachowuje przez całe życie formę kijanki i jako taka żyje 25 lat.*

PŁAZY

Płazy to zwierzęta takie jak żaby, ropuchy, traszki i salamandry, prowadzące ziemnowodny tryb życia. Większość z nich zaczyna życie jako stworzenia wodne – larwy (kijanki), wylęgające się ze skupiska jaj zwanych skrzekiem. Wkrótce wyrastają im kończyny i rozwijają się płuca umożliwiające oddychanie powietrzem – mogą więc żyć również na lądzie. Ważnym narządem oddychania u płazów jest również bogato wyposażona w gruczoły, naga i wilgotna skóra.

WIECZNIE MŁODE

Niektóre płazy w ogóle nie rosną – pozostają przez całe życie w formie kijanki – aksolotla, osiągając jednak zdolność rozmnażania. Najbardziej znanym przykładem takiego płaza jest aksolotl, zamieszkujący w jeziorach wokół miasta Meksyk. W wodach tych brakuje dostatecznej ilości jodu, bez którego nie może dojść do metamorfozy kijanki, rosną więc one po prostu większe.

W eksperymencie polegającym na wstrzyknięciu takim kijankom potrzebnej dawki jodu okazało się, że rozwinęły się one w dorosłe osobniki salamandry tygrysiej.

Odmieniec jaskiniowy to inny płaz pozostający kijanką przez całe życie. Zamieszkuje ciemne jaskinie Słowenii i nie jest w stanie przeistoczyć się w osobnika dorosłego – uważa się go za relikt przeszłości, pamiątkę z czasów kiedy płazy dopiero zaczynały wychodzić na ląd.

ŻYCIE NA ZIEMI I W WODZIE

Płazy określane są często słowem „ziemnowodne", co doskonale oddaje tryb ich życia. Rozpoczynają je jako pływający w wodzie skrzek, które (w odróżnieniu od gadzich) nie mogłyby przetrwać na suchym podłożu – wyschłyby, ponieważ nie są zabezpieczone przed odparowaniem wody.

Jaja nie zawierają wystarczającej ilości potrzebnego embrionom pokarmu, toteż wkrótce wykluwają się z nich kijanki, wyposażone w skrzela zewnętrzne i prowadzące całkowicie wodny tryb życia, odżywiające się żarłocznie i szybko rosnące. Po jakimś czasie kijankom wyrastają nogi, a skrzela zamieniają się w płuca – po tej metamorfozie stają się osobnikami dorosłymi, zdolnymi do życia na lądzie.

Dorosłe płazy nie są jednak w stanie żyć bez wody. W przeciwieństwie do gadów, wyposażonych w nie przepuszczającą wody skórę, nie dopuszczającą do wysuszenia ciała nawet w gorącym klimacie, płazy tracą przez skórę dużo wody – muszą więc pozostawać zawsze w środowisku wilgotnym.

RODOWÓD PŁAZÓW

Do końca epoki dewonu, około 360 mln lat temu, ryby były jedynymi kręgowcami. Potem pojawiły się, ewoluując z form rybich, których płetwy zamieniły się w odnóża, a skrzela w płuca – pierwsze płazy. Z czasem zaczęły wychodzić na ląd.

Praprzodkowie płazów różnili się

CZY WIESZ, ŻE...?

Żaba kokoa produkuje truciznę znacznie silniejszą od jakiegokolwiek węża. Jest to betrachotoksyna – 0,0003 mg tej substancji zabija człowieka.
Północnoamerykańska żaba Acris gryllus skacze na odległość 1,8 m – jest to 36-krotna długość jej ciała (to tak, jakby człowiek był w stanie skoczyć ponad 60 m w dal).
Ropucha łopatonoga kopie tak szybko za pomocą swych przypominających szufle kończyn, że zdaje się zapadać pod ziemię.
Meksykańska żaba hełmowa radzi sobie z suszą wspinając się na drzewo i ukrywając w niewielkiej dziupli, której wlot zatyka wyrostkiem kostnym na swej głowie.
Paradoksalna żaba południowoamerykańska zmniejsza się, przemieniając się z kijanki w osobnika dorosłego.
Największy płaz, salamandra olbrzymia, osiąga 1,8 m długości.

TRASZKI I SALAMANDRY

Wyglądem przypominają jaszczurki, należą jednak do płazów – ich życie zaczyna się w stadium larwalnym w wodzie, a jego część dorosła przebiega w podmokłych lasach. Traszki żyją w klimacie umiarkowanym. Na zimę zasypiają pod pniami zwalonych drzew i kamieniami. Z nadejściem wiosny podążają do rzek, strumieni, stawów i jezior, by odbyć gody i złożyć skrzek. Salamandry większą część życia spędzają na lądzie.

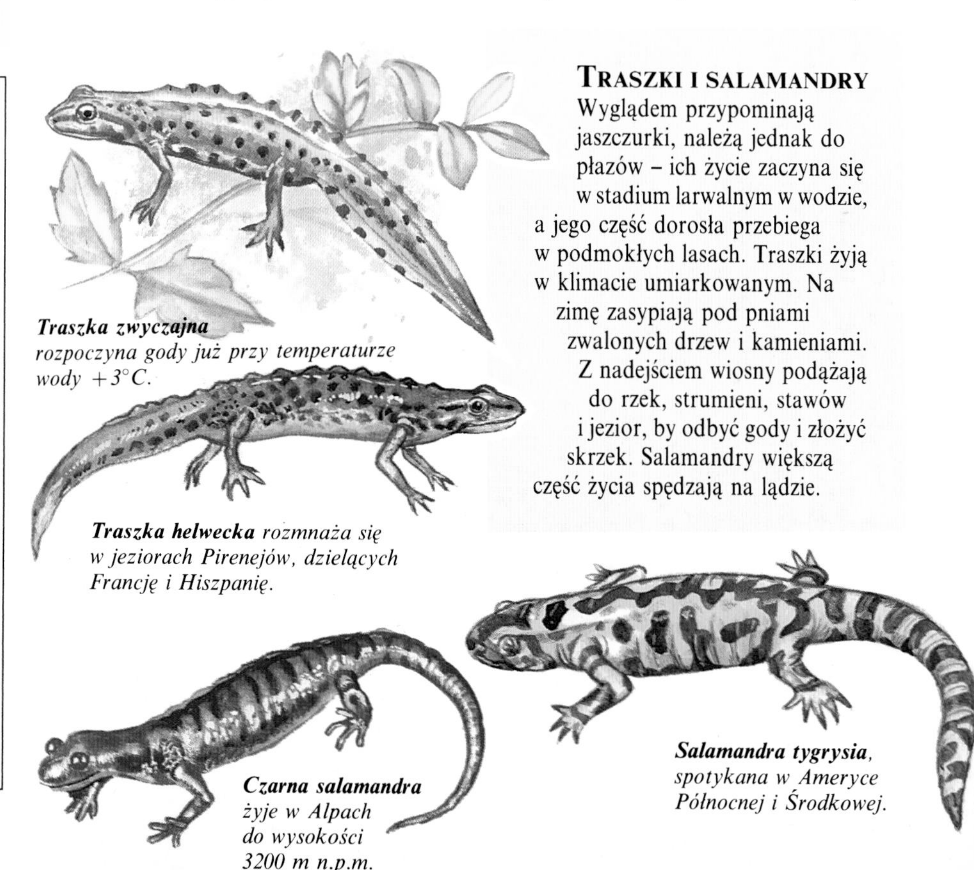

Traszka zwyczajna *rozpoczyna gody już przy temperaturze wody +3°C.*

Traszka helwecka *rozmnaża się w jeziorach Pirenejów, dzielących Francję i Hiszpanię.*

Czarna salamandra *żyje w Alpach do wysokości 3200 m n.p.m.*

Salamandra tygrysia, *spotykana w Ameryce Północnej i Środkowej.*

znacznie od płazów dzisiejszych. Byli znacznie więksi i przypominali raczej gładkoskóre skrzyżowanie jaszczurki z rybą. Jak współczesne salamandry i traszki, owe wczesne płazy posiadały ogony – pozostałość przystosowania do życia w wodzie. Żaby i ropuchy straciły ogony, co ułatwiło im poruszanie się na lądzie.

Uczeni uważają, że stworzenia te wyłoniły się wskutek stopniowego wysychania mórz dewońskich, zamieniających się w bagna i uniemożliwiających funkcjonowanie rybom. Ryby, które nabyły umiejętność oddychania powietrzem, miały większe szanse na przetrwanie; ich płetwy zamieniły się stopniowo w kończyny kroczne.

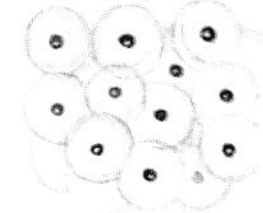

***Zarodki**, otoczone galaretowatą substancją odżywczą.*

***Po tygodniu** ze skrzeku wykluwają się kijanki, które przytwierdzają się do roślin.*

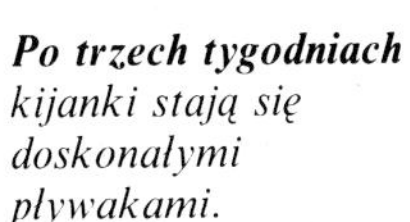

***Po trzech tygodniach** kijanki stają się doskonałymi pływakami.*

***W siódmym tygodniu** kijankom wyrastają tylne odnóża.*

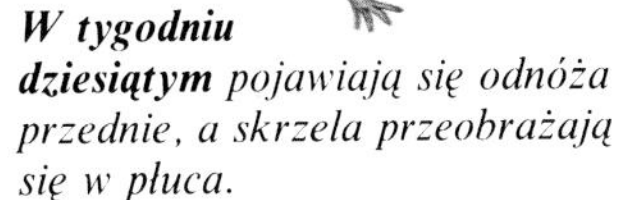

***W tygodniu dziesiątym** pojawiają się odnóża przednie, a skrzela przeobrażają się w płuca.*

***Po jedenastu tygodniach** odnóża znacznie rosną, natomiast ogon wchłania się.*

***W czternastym tygodniu** przemianę można uznać za całkowicie dokonaną.*

OD JAJA DO ŻABY

Wszystkie płazy przechodzą w rozwoju przeobrażenie – metamorfozę, co oznacza, że ich forma młodociana nie jest podobna do dorosłego osobnika danego gatunku. Przedstawiona obok metamorfoza żaby zwyczajnej jest charakterystyczna dla większości gatunków płazów.

ŻABY I ROPUCHY

Zwierzęta te nie mają ogonów w swej dorosłej postaci, a mocne kończyny tylne pomagają im skakać na dalekie odległości. Silne kończyny przednie służą do amortyzacji lądowania. Żaby są lepszymi skoczkami, jednak ropuchy lepiej przystosowały się do życia na lądzie – mają grubszą, pokrytą brodawkami skórę lepiej zatrzymującą wilgoć. Zarówno żaby, jak i ropuchy są mięsożerne, zdolne do chwytania szybko poruszających się owadów za pomocą długich, lepkich języków. Same uciekają skokami przed prześladowcami, a niektóre gatunki bronią się przed napastnikami trucizną wydzielaną przez gruczoły w skórze. Jej moc uzależniona jest od gatunku.

***Rzekotki drzewne** mieszkają głównie na drzewach i wykorzystują wodę znajdującą się w zagłębieniach liści w celu złożenia skrzeku.*

***Żaba zwyczajna**, jak wszystkie inne żaby, posiada parę wyłupiastych oczu, którymi ocenia odległości przy skokach i polowaniu na owady.*

***Ropucha zwyczajna** wyrzuca białą truciznę z gruczołów ślinowych.*

***Niektóre żaby** i ropuchy mają bardzo osobliwy sposób opiekowania się swym potomstwem. Np. samiec pętówki babienicy (z rodziny ropuszek) po złożeniu przez samicę jaj na lądzie, wsuwa do skrzeku tylne kończyny i odpowiednimi ruchami powoduje owinięcie się sznurów skrzeku wokół nóg. Następnie chowa się do kryjówki, gdzie następuje rozwój jaj. Samiec żaby Darwina po złożeniu przez samicę jaj bierze je do pyska i ruchami języka wtłacza je do worka rezonansowego, który od tego momentu pełni rolę torby lęgowej. Tu odbywa się rozwój żabek aż do zupełnego przeobrażenia.*

Bezpieczne kolory Niektóre ryby są jasno ubarwione jaskrawymi plamkami, kolor większości to jednak kamuflaż, umożliwiający ukrycie się w otoczeniu.

RYBY

Ryby są zwierzętami zamieszkującymi niemal wszelkie wody Ziemi – rzeki, jeziora i oceany. Istnieje ponad 21 000 różnych gatunków ryb – więcej jak wszystkich pozostałych kręgowców razem: od maleńkiej, zaledwie ośmiomilimetrowej babki karłowatej, po piętnastometrowego rekina wielorybiego. Dzieli się je na trzy gromady: *bezszczękowce* (najprymitywniejsze kręgowce), *ryby chrzęstne* (rekiny, żarłacze) i *ryby kostne* (najliczniejsza grupa kręgowców).

Ubarwienie ryb

Wielu rybom zagraża nieustanne niebezpieczeństwo ze strony innych ryb i ptaków, przybierają więc kolory utrudniające drapieżcom rozróżnienie ich od otoczenia. Grzbiet ryby zamieszkującej pełne morza jest najczęściej błękitny jak powierzchnia wody, podczas gdy okoń rzeczny znaczony jest smugami utrudniającymi zauważenie go pośród zarośli wodnych. Większość ryb może nieznacznie zmieniać ubarwienie w zależności od koloru otoczenia, a niektóre z nich pochodzące z wód tropikalnych potrafią szybko zmieniać kolory.

ODDYCHANIE

Ryby przystosowane są do życia w wodzie. Oddychają skrzelami wykorzystując rozpuszczony w niej tlen. Niektóre ryby mogą oddychać powietrzem atmosferycznym. Skrzela zbudowane są z czterech najczęściej rzędów płytek, umieszczonych z tyłu głowy ryby, w komorze skrzelowej. By zaczerpnąć tlenu, ryba wciąga do nich wodę przez pysk, następnie skrzela przyswajają rozpuszczony w wodzie tlen; potem duże łuski skrzelowe uwalniają wodę.

PŁYWANIE

Większość ryb ma długie ciała o opływowych kształtach, pozwalających zwinnie ślizgać się w masach wody. Zazwyczaj ryba wyposażona jest w co najmniej jedną, długą płetwę grzbietową, dużą płetwę ogonową i płetwę odbytową na podbrzuszu oraz dwie pary płetw przednich: piersiową i brzuszną.

Ryba pływa zginając ciało i poruszając ogonem na boki. Chcąc się zatrzymać, sterować albo

Rekiny i płaszczki

Rekiny to najniebezpieczniejsze ryby morskie. Znamy ponad 250 ich rodzajów – niektóre to zwierzęta całkiem małe, wszystkie jednak są groźnymi drapieżnikami o pyskach wypełnionych rzędami ostrych jak brzytwa zębów. Na szczęście, większość z nich żeruje na rybach, a tylko kilkanaście gatunków jest niebezpiecznych dla człowieka.

Szkielety rybie zbudowane są na ogół z substancji kostnej. Rekin ma szkielet chrzęstny, a więc podatny na zginanie, brak mu również pokrywy skrzelowej, którą zastępują szczeliny – na ogół pięć po każdej stronie.

Płaszczki mają, podobnie jak rekiny, szkielety chrzęstne, choć kształtem różnią się od nich znacznie. Są szerokie i płaskie, ich płetwy piersiowe rozkładają się niczym skrzydła samolotu. Oczy umieszczone są z wierzchu głowy, cienki ogon często zawiera kolce jadowe. Oddychają, wciągając wodę przez dwa otwory na wierzchu głowy.

Żarłacz ludojad jest najgroźniejszym ze wszystkich rekinów. Osiąga długość 9 m i może połknąć człowieka niemal w całości.

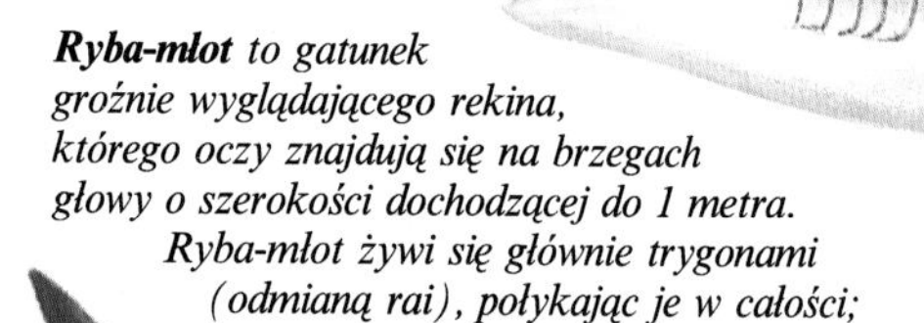

Ryba-młot to gatunek groźnie wyglądającego rekina, którego oczy znajdują się na brzegach głowy o szerokości dochodzącej do 1 metra. Ryba-młot żywi się głównie trygonami (odmianą rai), połykając je w całości;

Zęby rekina Większość rekinów posiada liczne rzędy dużych, ostrych zębów, wyrastających z silnych szczęk – z ich pomocą zwierzęta te mogą przegryźć niemal wszystko. Kiedy zewnętrzne zęby zużyją się lub wyłamią, na ich miejsce wysuwa się kolejny rząd.

przemieścić w górę lub w dół, używa płetw piersiowych i brzusznych. Płetwa grzbietowa utrzymuje ciało w równowadze.

Szybko pływające, silne miecznik i tuńczyki mają długie, półksiężycowato wycięte płetwy ogonowe i ostro zakończone płetwy piersiowe. Ryby pływające wolniej mają płetwy krótsze i zaokrąglone.

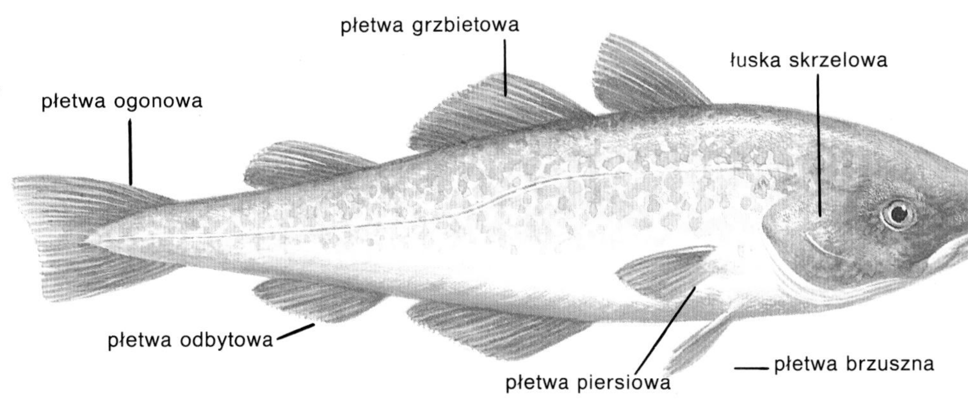

Łuski, skrzela i płetwy. *Kształt ciała większości ryb jest wydłużony i opływowy. Skórę pokrywają nachodzące na siebie łuski; po obu stronach głowy znajdują się dwie duże łuski skrzelowe; liczne płetwy ułatwiają rybom pływanie. Większość ryb ma zestaw płetw podobny do przedstawionego na ilustracji dorsza.*

Utrzymywanie się w wodzie. Wiele ryb wyposażonych jest w specjalne pojemniki powietrza – pęcherze, bez których musiałyby pływać aktywnie przez cały czas, by nie zatonąć. Rekiny i płaszczki nie mają pęcherzy, pogrążają się więc coraz głębiej, gdy tylko przestają płynąć.

Niczym powietrze kamizelki ratunkowej, utrzymujące człowieka na powierzchni wody, pęcherz pomaga rybie utrzymać określoną głębokość. Gdy ryba wpływa głębiej, ciśnienie wody zmniejsza objętość gazu w pęcherzu; ryba uzupełnia potrzebną ilość gazu, wytwarzając go we krwi. Kiedy zaś wypływa bliżej powierzchni, zbędny gaz zostaje wydzielony na zewnątrz. Czynnościami tymi steruje automatycznie system nerwowy ryby (str. 17).

Niektóre gatunki ryb wykorzystują pęcherz także w inny sposób – może on służyć jako rodzaj płuca. Uwięzione w mule po wyparowaniu wody w porze suchej, ryby rzek tropikalnych oddychają dzięki takiej możliwości powietrzem atmosferycznym. Niektóre zębacze wydają za pomocą pęcherzy dźwięki podobne do dud. Kilka gatunków komunikuje się wydawanymi przez pęcherze odgłosami.

CZY WIESZ, ŻE...?

Długowąs senegalski może oddychać powietrzem dzięki posiadanemu narządowi nadskrzelowemu. Dzięki temu może wędrować lądem z jeziora do jeziora.

Latające ryby mogą przemieszczać się nad wodą na odległość ponad 400 m, unosząc się do 6 m ponad falami.

Południowoazjatycka ryba – strzelczyk poluje na owady, spluwając w ich kierunku strumieniami wody na wysokość 1 m.

Szkaradnica ma kolce tak trujące, że jeden z nich jest w stanie uśmiercić człowieka w ciągu kilku minut.

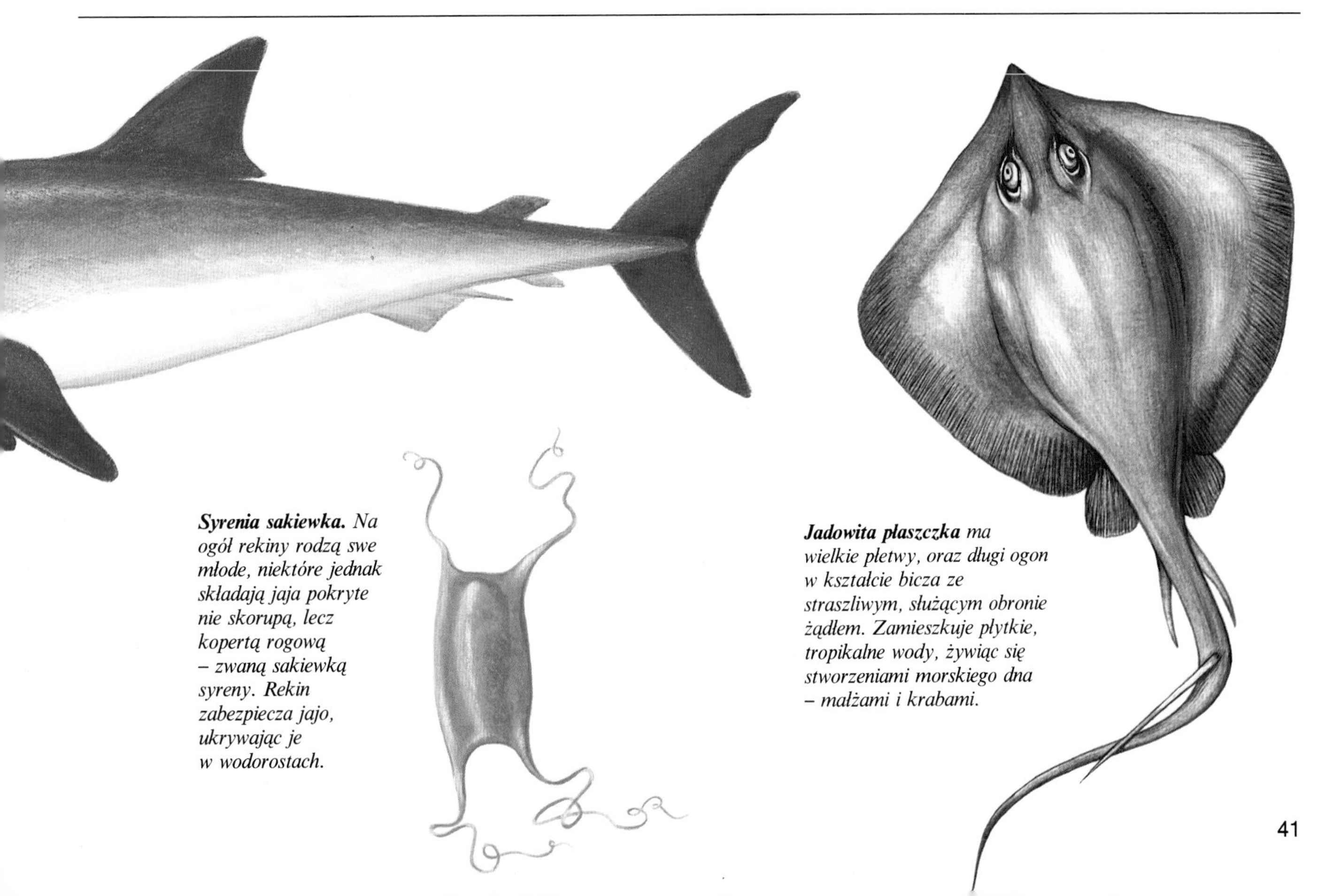

Syrenia sakiewka. *Na ogół rekiny rodzą swe młode, niektóre jednak składają jaja pokryte nie skorupą, lecz kopertą rogową – zwaną sakiewką syreny. Rekin zabezpiecza jajo, ukrywając je w wodorostach.*

Jadowita płaszczka *ma wielkie płetwy, oraz długi ogon w kształcie bicza ze straszliwym, służącym obronie żądłem. Zamieszkuje płytkie, tropikalne wody, żywiąc się stworzeniami morskiego dna – małżami i krabami.*

Ryby trzonopletwe *zwane są często żywymi skamielinami – niegdyś uważano, że wymarły przed 70 milionami lat, ale złowienie żywych latimerii u wybrzeży Afryki w latach trzydziestych obaliło te teorie.*

MINOGI I ŚLUZICE

Pierwszymi kręgowcami były ryby bez łusek i szczęk. Pojawiły się na Ziemi ponad 450 mln lat temu. Dziś pozostały ich tylko dwa rodzaje: minogi morskie i śluzice. Minogi są długie i cienkie, mieszkają w morzach, lecz wpływają w górę rzek na tarło. Pasożytują na innych rybach, przyczepiając się do nich rogowymi zębami. Ich pyski przypominają mięsiste krążki, otoczone ostrymi zębami, które przegryzają skórę ofiary i umożliwiają wysysanie jej krwi. Śluzice są smukłe, podobne do węgorzy żerują na śniętych (zdechłych) rybach – wgryzają się do ich wnętrza i pożerają wszystko, pozostawiając jedynie skórę i ości.

CZY WIESZ, ŻE...?

Ryby mruki z afrykańskiej rzeki Kongo mają pyski przypominające trąbę słoniową, którą wysysają pożywienie z mulistego dna. Orientują się w przestrzeni za pomocą impulsów elektrycznych.

Węgorz elektryczny może wyemitować impuls o napięciu 400 woltów.

Okoń głębinowy składa się niemal wyłącznie z pyska, za pomocą którego może połknąć dwukrotną objętość własnego ciała (jego żołądek jest rozciągliwy).

Samogłów oceaniczny składa na raz ponad 50 000 jaj.

Samce matronicy są maleńkie w porównaniu z samicami. Przyczepiają się do nich zębami i pozostają niemal niewidoczne na ich wielkim ciele.

RYBY MORSKIE

Blisko dwie trzecie wszystkich ryb żyje w morzu – niektóre w wodach tropikalnych, gdzie jest zawsze ciepło, inne w wodach o temperaturze umiarkowanej, nie za ciepłej i nie za zimnej. Na takich wodach, na północny wschód od Ameryki Północnej, znajdują się największe łowiska śledzia i dorsza. Duże, najszybciej pływające ryby żyją blisko powierzchni wody otwartych oceanów, daleko od lądów. Mogą one przemieszczać się na ogromne odległości, by złożyć ikrę lub znaleźć pożywienie. Tuż pod powierzchnią wody żeruje też wiele mniejszych ryb. Płaszczki i węgorze są rybami przydennymi. W głębinach żyją też dziwaczni przedstawiciele rybiej społeczności – wędkarze; nazwano je od jasnego, zwisającego przed pyskiem wyrostka, wabiącego inne ryby, które stają się ich ofiarami (przypomina to błyszczącą przynętę używaną przez wędkarzy).

Plastuga *większość życia spędza leżąc na boku na dnie morza.*

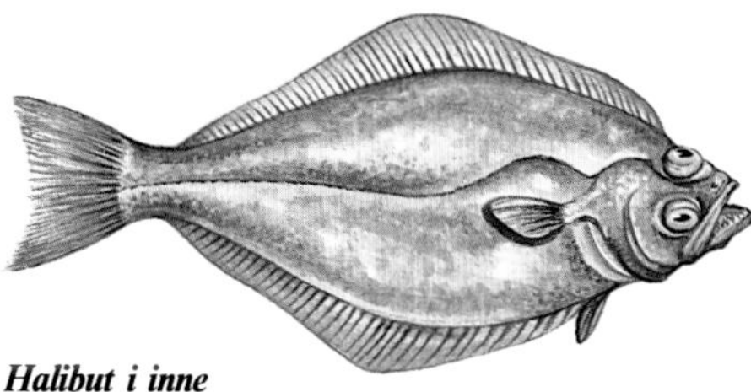

Halibut i inne plastugi *mają obydwoje oczu po tej samej stronie ciała.*

Makrela, *jest jednym z najszybszych pływaków morskich.*

RYBY TROPIKALNE

Ciepłe wody mórz tropikalnych, zwłaszcza płytkie okolice raf koralowych, obfitują w ryby. Piękne, bogato ubarwione ryby (np. ryba-motyl i anioł morski) żyją na rafach koralowych Oceanu Indyjskiego i Pacyfiku oraz wokół Karaibów. W wodach tych czają się również groźni myśliwi (barakudy, mureny, rekiny) oraz jadowite skrzydlice i szkaradnice. Na grzbiecie skrzydlic znajdują się liczne kolce jadowe, zawierające bardzo niebezpieczne trucizny. Jady niektórych ryb tropikalnych mogą być bardzo niebezpieczne dla człowieka.

Ryba garbikowata *zamieszkuje wody ciepłe i tropikalne.*

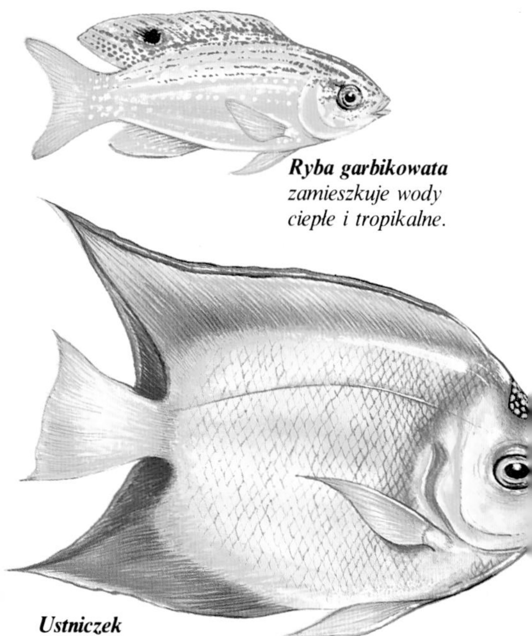

Ustniczek *ma pyszczek umożliwiający dobywanie skorupiaków ze szczelin.*

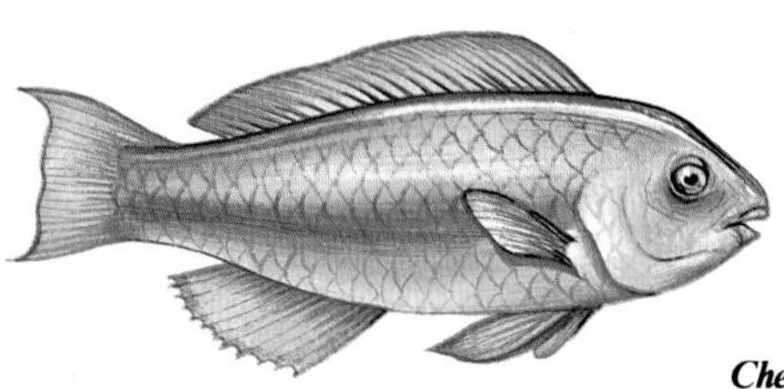

Ryba papuzia *ma ostry „dziób", pomocny w odżywianiu koralami.*

Chetonik *żywi się czubkami pączków koralowców.*

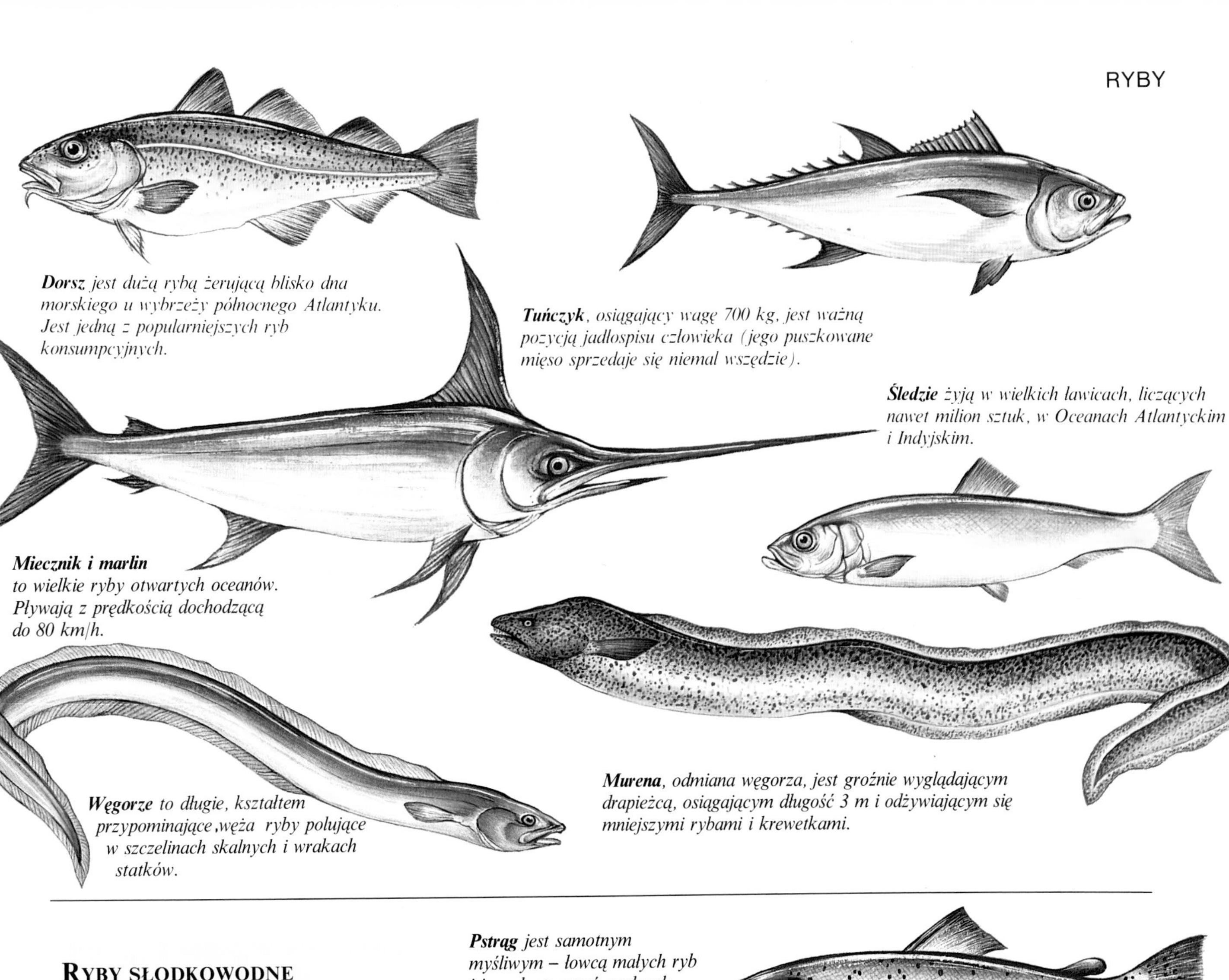

Dorsz *jest dużą rybą żerującą blisko dna morskiego u wybrzeży północnego Atlantyku. Jest jedną z popularniejszych ryb konsumpcyjnych.*

Tuńczyk*, osiągający wagę 700 kg, jest ważną pozycją jadłospisu człowieka (jego puszkowane mięso sprzedaje się niemal wszędzie).*

Śledzie *żyją w wielkich ławicach, liczących nawet milion sztuk, w Oceanach Atlantyckim i Indyjskim.*

Miecznik i marlin *to wielkie ryby otwartych oceanów. Pływają z prędkością dochodzącą do 80 km/h.*

Murena*, odmiana węgorza, jest groźnie wyglądającym drapieżcą, osiągającym długość 3 m i odżywiającym się mniejszymi rybami i krewetkami.*

Węgorze *to długie, kształtem przypominające węża ryby polujące w szczelinach skalnych i wrakach statków.*

Ryby słodkowodne

Ryby można spotkać w każdym niemal strumieniu, stawie i jeziorze świata. Kilka gatunków – np. łosoś i węgorz – prowadzi życie częściowo słodko- a częściowo słonowodne. Większość ryb słodkowodnych nie jest jednak w stanie przeżyć w warunkach morskich. Niektóre, jak pstrągi i lipienie, wolą bystre wody górskich strumieni, wypływających z kredowych skał. W rzekach wolno płynących mieszkają liny, wzdręgi i karpie, w zaroślach kryją się drapieżne szczupaki. Ławice ryb odżywiają się planktonem bądź polują na przysiadające na powierzchni owady, zaś leszcze i brzany zbierają larwy insektów, robaki i mięczaki z zarośli dennych.

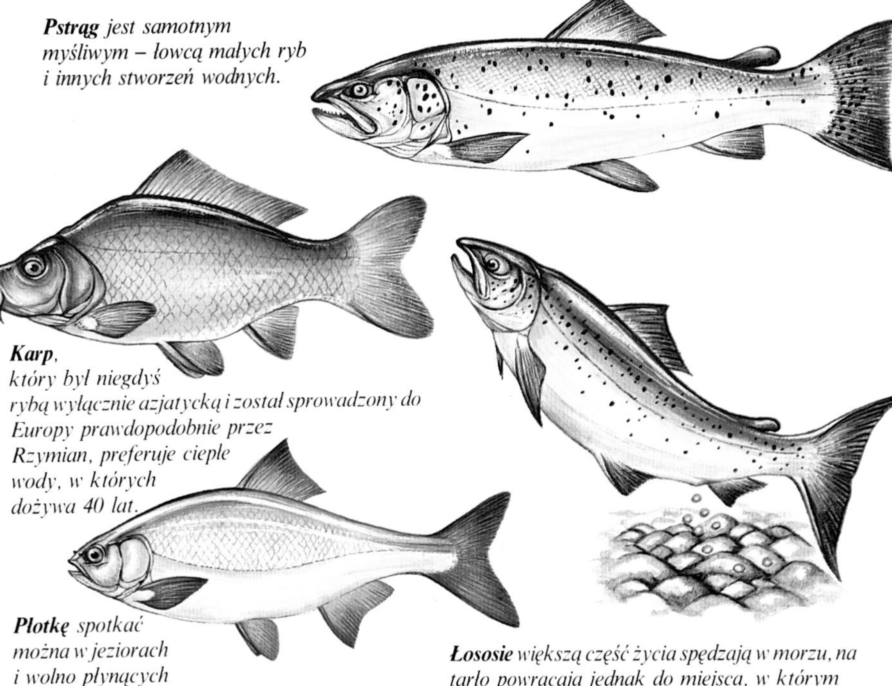

Pstrąg *jest samotnym myśliwym – łowcą małych ryb i innych stworzeń wodnych.*

Karp*, który był niegdyś rybą wyłącznie azjatycką i został sprowadzony do Europy prawdopodobnie przez Rzymian, preferuje ciepłe wody, w których dożywa 40 lat.*

Płotkę *spotkać można w jeziorach i wolno płynących rzekach.*

Łososie *większą część życia spędzają w morzu, na tarło powracają jednak do miejsca, w którym wykluły się z ikry. Płyną w górę rzek, pokonując bystry nurt, przeskakując wodospady i inne przeszkody. Dotarlszy na miejsce, samice łączą się z samcami, by złożyć w piasku ikrę, a następnie płyną w dół rzeki, gdzie umierają. Łososie ze względu na bardzo delikatne i smaczne mięso uznawane są za wykwintne danie na całym świecie.*

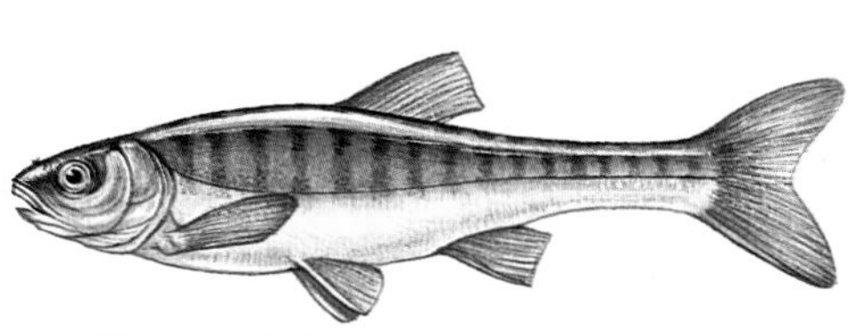

Piskorz *to jedna z mniejszych ryb słodkowodnych, rzadko przekraczająca 90 mm długości. Jego wielkie ławice spotykane są często w górnym biegu czystych rzek.*

Okoń *jest drapieżnikiem jezior i wód wolno płynących; kryje się w gęstwie ich zarośli, czekając na zdobycz.*

ZWIERZĘTA HODOWLANE

Kotlety wieprzowe i befsztyki, masło i mleko, buty i wełniane swetry – wszystko to pochodzi od zwierząt hodowanych przez człowieka: bydła, owiec, kóz, świń i kur. Wszystkie one są potomkami dzikich przodków – zmieniły się jednak od momentu, kiedy ludzie zaczęli je udomawiać, 10 000 lat temu. Zapewniały człowiekowi stałe źródło mięsa, mleka, jaj, futra, wełny i skór. Rolnicy dokarmiali zwierzęta, by rosły większe i dawały więcej mięsa i mleka. Dziś istnieje wiele gatunków i ras zwierząt domowych, każda z odmian charakteryzuje się jakimiś pożądanymi własnościami.

OWCE I KOZY

Należą do pierwszych udomowionych przez człowieka 10 000 lat temu zwierząt. Hoduje się je niemal wszędzie: od wielkich stad biegających po równinach australijskich, po małe gospodarstwa w odległych górskich regionach. Owce hoduje się na mleko i mięso oraz na wełnę. Niekóre gatunki dostarczają wełny szorstkiej, doskonałej do produkcji dywanów, inne – np. merynosy – dają miękką wełnę odzieżową. Owce i kozy doskonale znoszą suche, górskie warunki nie tylko dzięki pokrywającej je wełnistej sierści, ale też dzięki mocnym szczękom, zdolnym szczypać twardą, krótką trawę.

POŻYWIENIE I PASZA

Na świecie żyje dziś dwa razy więcej zwierząt hodowlanych niż ludzi – razem około 14 bilionów. Potrzebują one ponad 3 bilionów hektarów ziemi do wypasu – jest to dwukrotny obszar ziemi objętej zasiewami. Zwierzęta żywią się trawą i innymi niejadalnymi dla człowieka roślinami, tak więc wypasa się je w rejonach gorących i suchych oraz w górach, gdzie nie udają się uprawy. W wielu miejscach zwierzęta karmione są zbożami – jedzą ponad 40% światowych zbiorów. W bogatszych krajach świata liczba ta dochodzi do 75%. Krowa musi zjeść 10 kalorii w ziarnie, by dać 1 kalorię mięsną; wielu ludzi uważa, że hodowanie wielkich ilości bydła niszczy światowe zasoby ziemi uprawnej – gdyby hodowane na niej ziarno spożywane było przez ludzi a nie zwierzęta, pomogłoby to rozwiązać problem głodu.

WSPÓŁCZESNA HODOWLA INWENTARZA

W XX wieku w bogatszych krajach świata zaszła wielka zmiana w sposobach hodowli. Zwierzęta zapładniane są w sposób sztuczny, przez inseminatorów. Zbierają oni

BYDŁO

Pierwsze okazy bydła pochodzą od tura i zostały udomowione około 9000 lat temu. Dziś żyją na świecie biliony przedstawicieli różnych gatunków bydła. Prócz mięsa bydło dostarcza także mleka, przetwarzanego na masło, sery i jogurt oraz skór. Woły zaprzęga się do pługów i wozów jako siłę pociągową. Zwierzę pełni tę funkcję przez około 10 lat. Po corocznym urodzeniu cielęcia krowa daje mleko przynajmniej dwa razy dziennie przez 10 miesięcy. Doi się ją często za pomocą specjalnych, podłączonych do wymion maszyn. Ponieważ mleko jest tym lepsze, im lepsze pożywienie krowy, wypasa się ją na łąkach o soczystej trawie. Większość samców hodowanych jest na mięso. Odżywia się je tak, by jak najszybciej rosły i odstawia do rzeźni,gdy tylko osiągną wymaganą wagę.

Krowy Jersey i Guerns *dają dosk nałe mleko*

Bydło Charolais *hodowane jest na mięso – szybko osiąga spore wymiary i wagę ciała.*

Bydło górskie *jest bardzo wytrzymałe na surowe, chłodne warunki.*

Zebu *dobrze znosi gorący klimat Afryki i Indii.*

spermę samców, przechowują zamrożoną, a w odpowiednim momencie wstrzykują samicom do macicy. Oznacza to, że jeden byk może spłodzić tysiące cieląt, nawet po swej śmierci. Inżynieria genetyczna bada sposoby ulepszania i uzyskiwania nowych gatunków (s.13).

W nowoczesnych gospodarstwach rolnych stosuje się często środki farmakologiczne, nie tylko do szczepienia zwierząt przeciw chorobom. Zwierzętom podaje się stałe dawki antybiotyków, hormonów i innych środków chemicznych, by jak najszybciej rosły. Na świecie pojawiają się głosy protestu przeciwko takiemu traktowaniu zwierząt, które sprawia im niepotrzebny ból.

Fabryki rolne Wiele gospodarstw hodowlanych przekształciło się w wielkie fabryki, gdzie zwierzęta, trzymane w specjalnie urządzonych budynkach, poddane są ścisłemu nadzorowi i rosną szybciej. Wielu ludzi sądzi, że jest to okrutne, jednak farmerzy argumentują, iż jest to jedyny sposób produkowania wielkich ilości mięsa i innych produktów potrzebnych człowiekowi.

Ptactwo domowe

Zaliczamy do niego ptaki hodowane na jaja, mięso i pierze, takie jak kury, indyki, kaczki i gęsi. Kury chodzą po podwórku, drapią ziemię w poszukiwaniu larw owadów i ziarna – i składają jaja (na ogół jedno lub dwa dziennie) w chatkach zwanych kurnikami.
W Europie i Ameryce Północnej kury są najczęściej hodowane na farmach, gdzie umieszcza się je w rzędach klatek i odżywia, zaopatruje w wodę oraz zbiera jaja w sposób całkowicie zautomatyzowany. Kury, nawet te swobodnie chodzące po podwórku, dobrze znoszą tłok.

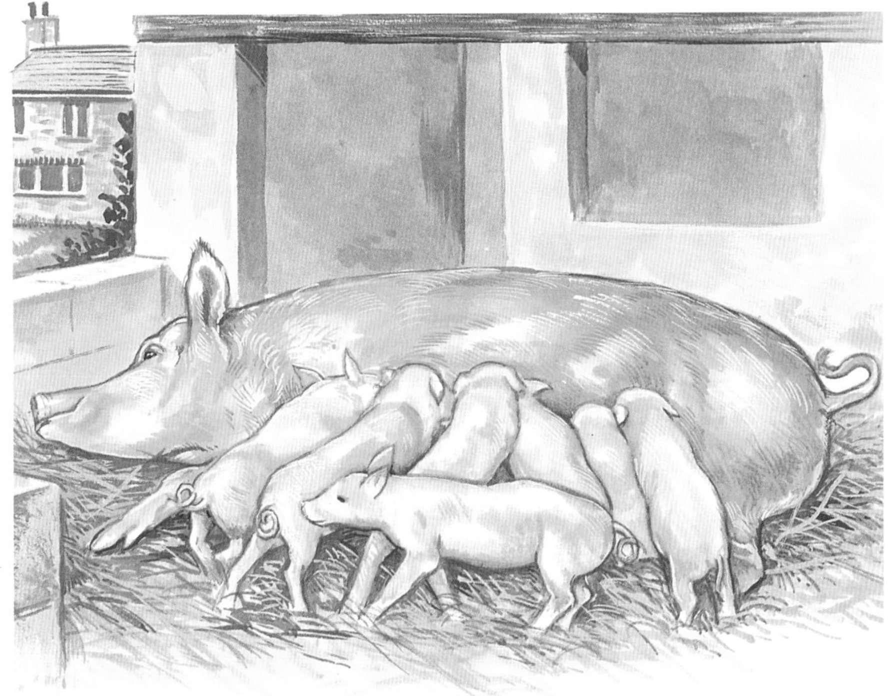

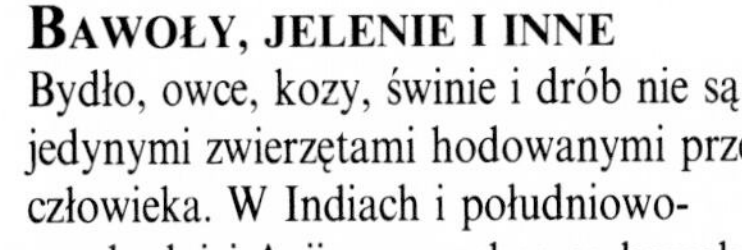

Bawoły, jelenie i inne

Bydło, owce, kozy, świnie i drób nie są jedynymi zwierzętami hodowanymi przez człowieka. W Indiach i południowo-wschodniej Azji powszechne są bawoły hodowane częściowo na mleko i mięso, a także jako siła pociągowa. W Afryce, Azji i Ameryce Południowej osły i muły dźwigają i przenoszą ładunki oraz obracają żarnami młynów. Jeleń był dotąd atrakcyjnym obiektem polowań – dziś również często bywa hodowany. Renifery są wielkimi jeleniami zamieszkującymi chłodne regiony Eurazji i Ameryki Północnej. Udomowiono je 1500 lat temu w Laponii i na Syberii, gdzie wykorzystywano ich siłę do transportu, mięso i mleko na pożywienie oraz skóry na odzież.

Świnie

Hoduje się je na mięso i skóry. Włosy świń wykorzystuje się do produkcji pędzli malarskich. Niegdyś świnie pasły się w lasach, ryjąc ściółkę w poszukiwaniu robaków, korzeni i pędów. Dziś świnie w Europie i Ameryce Północnej hodowane są w wielkich gospodarstwach – fabrykach produkcji masowej, gdzie żywi się je specjalnymi mieszankami paszowymi powodującymi szybki przyrost masy.

CZY WIESZ, ŻE...?

Przeciętna europejska krowa daje w ciągu 10 miesięcy prawie 5 000 litrów mleka (dziennie wynosi to 16 l)
Kury z ferm hodowlanych składają 250 jaj rocznie.
Mieszkaniec Stanów Zjednoczonych zjada rocznie około 110kg mięsa rocznie; Brytyjczyk – około 75kg; Chińczyk około 23kg; w Indiach spożywa się zaledwie 1.1kg mięsa rocznie na osobę.

ZWIERZĘTA DOMOWE

Człowiek raduje się towarzystwem zwierząt od tysięcy lat. Ponad 12 000 lat temu zaczął korzystać z pomocy psów na polowaniach. Od tego czasu przystosował do mieszkania w swoich siedzibach koty, ptaki, konie, świnki morskie i wiele innych zwierząt – niektóre ze względu na ich przyjacielski charakter, inne z uwagi na ciekawy wygląd.

PTAKI

Kolorowo upierzone i pięknie śpiewające, ptaki były zawsze bardzo popularne. Papugi okazały się zdolne do naśladowania mowy ludzkiej; bardzo gadatliwa żako – papuga afrykańska może nauczyć się ponad 800 słów. Całkowicie udomowione zostały jedynie większe ptaki (najczęściej wodne). Ptaki małe (np. kanarki i papużki faliste) muszą być trzymane w klatkach. Papużki faliste pochodzą z Australii. W warunkach dzikich gniazdują w dziuplach drzew. Przodkiem domowych kanarków był dziki kanarek pochodzący z Wysp Kanaryjskich. Jasny kolor ich piór jest wynikiem selektywnej hodowli.

TROSKA O ZWIERZĘTA DOMOWE

Niektóre ze zwierząt domowych, jak koty i psy, zostały udomowione bardzo dawno – one są najlepszymi przyjaciółmi człowieka. Inne, łapane na wolności, są najczęściej umieszczane w klatkach. Tysiące papug dostaje się co roku w sieci łowców; sprzedaje się je w sklepach zoologicznych. Dzikie zwierzęta nie są nigdy szczęśliwe z tak radykalnej zmiany środowiska.

Zarówno te udomowione, jak i dzikie, zwierzęta żyjące z człowiekiem wymagają troskliwej opieki. Ich właściciele muszą znać się na odżywianiu, pielęgnacji i wychowaniu. Psy powinny być szkolone, by nie zagrażać innym ludziom i nie brudzić na ulicach.

RODOWODY

W ciągu stuleci wyhodowano liczne odmiany rasowe zwierząt – zwłaszcza psów i kotów. Każda z nich charakteryzuje się uwypukleniem pewnych pożądanych cech, różniąc się znacznie zarówno od innych ras, jak i od dzikich przodków. Wszystkie psy mogą mieć potomstwo niezależnie od pochodzenia rasowego samca i samicy, należą bowiem do tego samego gatunku. Szczeniaki nierasowe nazywa się mieszańcami (kundlami). Najcenniejsze psy i koty pochwalić się mogą rodowodami, wymieniającymi ich przodków – ich lista jest rękojmią czystości rasy. Niezwykle popularne są wystawy połączone ze współzawodnictwem rasowych psów i kotów.

CZY WIESZ, ŻE...?

Miniaturowe teriery Yorkshire ważą często mniej niż 500 g.

Najcięższym psem jest bernardyn, ważący do 90 kg.

Według niektórych naukowców nazwa spaniel pochodzi od słowa Spain, oznaczającego w języku angielskim Hiszpanię.

Nazwa chihuahua pochodzi od meksykańskiego stanu Chihuahua. Uczeni sądzą, że Aztekowie uważali te psy za święte.

Pies płci żeńskiej nazywany jest suką, a grupa psów – sforą.

Nazwa umaszczenia kotów tabby pochodzi prawdopodobnie od dzielnicy Attab w Bagdadzie, dzisiejszej stolicy Iraku, która zasłynęła w średniowieczu z produkcji specjalnego gatunku jedwabiu.

PSY

Pies domowy jest potomkiem dzikich wilków i szakali – chociaż tylko owczarek niemiecki przypomina je wyglądem. Człowiek wyhodował ponad 400 ras psów – od wielkich chartów afgańskich, po maleńkie chihuahua. Nie wszystkie psy służą wyłącznie przyjemności i rozrywce. Wiele z nich wykonuje różne prace – pilnuje stada, strzeże własności i służy za przewodnika niewidomym. Całe grupy ras takich jak wyżły, charty i teriery wyhodowane zostały do polowań – zwane są psami myśliwskimi.

***Spaniele** są psami domowymi i myśliwskimi.*

***Teriery** wyhodowano jako rasę myśliwską. Ilustracja przedstawia Cairn teriera.*

***Jamniki** są świetnymi norowcami.*

NIEZWYKŁE ZWIERZĘTA DOMOWE

Ludzie hodują w swych siedzibach wszystkie niemal zwierzęta; obok psów, kotów i ptaków także pchły i słonie. Większość ludzi woli stworzenia łagodne i przyjacielskie; są i tacy, którzy lubią zwierzęta niebezpieczne: jadowite węże (np. kobry) i pająki (jak czarna wdowa), agresywne psy (np. bullterriery) a nawet wielkie koty i niedźwiedzie. Każde niemal zwierzę można hodować jako domowe, nie zawsze jest to jednak łatwe, zwłaszcza że rzadkością są książki informujące o tym, jak to robić właściwie. Rzadkie zwierzęta są również schwytane na wolności i z pewnością wolałyby pozostać w warunkach naturalnych.

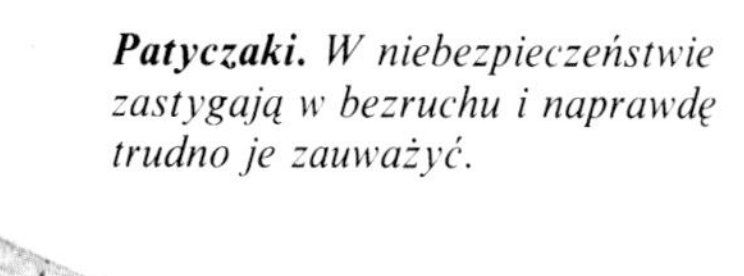

Patyczaki. *W niebezpieczeństwie zastygają w bezruchu i naprawdę trudno je zauważyć.*

Węże pończoszniki *są w domu znacznie bezpieczniejsze od boa dusiciela i pytona oraz jadowitej kobry.*

Żółwie wodne i lądowe *stały się popularnymi zwierzętami domowymi, tak jednak niewiele pozostało ich na wolności, że zaprzestano ich odłowu.*

Chomik syryjski

KOTY

Pierwszym udomowionym kotem był kot afrykański, otoczony specjalną czcią przez Egipcjan tysiące lat temu. Dzisiejsze koty wciąż nawiązują do zachowań swych dzikich przodków. Są wspaniałymi myśliwymi, silnymi i zwinnymi, o wyostrzonych zmysłach i ostrych pazurach – polują na myszy i ptaki. W odróżnieniu od większości psich ras, są znacznie bardziej niezależne od właściciela.

Na świecie żyje ponad 500 milionów kotów, wśród nich przedstawiciele dziesiątek różnych ras, od pospolitych kotów dachowych, po cenne okazy kotów syjamskich o niebieskich oczach, błękitnych kotów rosyjskich, pokrytych miękkim, szarym futrem z odcieniem błękitu, czy koty abisyńskie o żółtych oczach i brązowawym futrze.

Kocie potomstwo *Większość kotek gotowa jest do wydania na świat młodych już w dziesiątym miesiącu życia – wiele kotek domowych właściciele poddają operacjom, by nie rodziły kociąt. Ciąża kotki trwa około 9 tygodni; jednorazowo rodzi się od 2 do 5 młodych, czasem więcej (zdarzało się i 19). Koty rodzą się bezbronne – ślepe i głuche. Dość szybko zaczynają słyszeć, ale ich oczy pozostają zamknięte przez ponad tydzień a dopiero po dwóch tygodniach kocięta zaczynają pełzać. W pierwszych tygodniach życia małe kotki odżywiają się wyłącznie mlekiem matki, ssąc jej sutki. Potem, „odstawione", zaczynają jeść pożywienie stałe. W miesiąc po tym kotka może już myśleć o kolejnym potomstwie.*

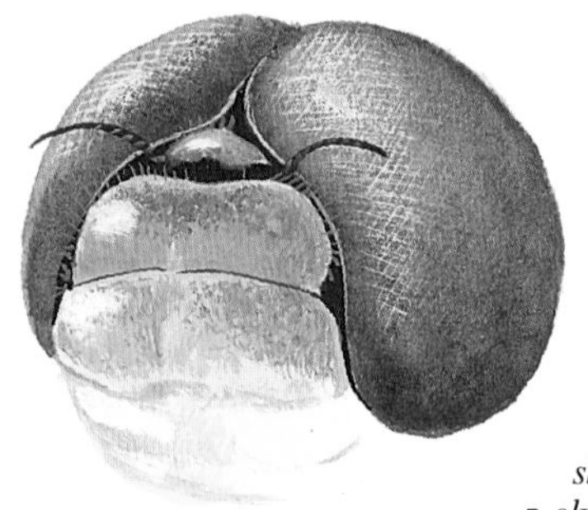

Oczy ***ważki*** *składają się z około 30 000 ommatidiów, dzięki czemu ważki należą do najlepiej widzących owadów.*

OWADY

Owady są małe – lecz jest ich więcej niż wszystkich innych zwierząt razem. Pojawiły się jeszcze na długo przed dinozaurami. Znamy ponad 1 000 000 gatunków owadów, od maleńkich muszek owocowych po ogromne chrząszcze. Owady mają wielkie zdolności adaptacyjne – spotykane są na całej kuli ziemskiej, w najgorętszych i najchłodniejszych miejscach.

OCZY I CZUŁKI

Dorosłe owady wyposażone są w parę oczu złożonych. Są to narządy o bardzo skomplikowanej budowie, złożone z pojedynczych jednostek – ommatidiów. Ich liczba w jednym oku może sięgać kilkudziesięciu tysięcy. Im więcej ommatidiów, tym lepszy wzrok. Oczy owadów przystosowane są do widzenia z niewielkiej odległości. Są one zdolne do rozróżniania najmniejszych szczegółów niewidocznych dla oka ludzkiego, lecz jedynie wtedy, gdy przedmiot jest blisko oka.

Czułki to pierwsza para członowatych wyrostków ciała owada, na których znajdują się różne narządy zmysłów. Można powiedzieć, że owady słyszą, węszą, a także dotykają czułkami.

U niektórych gatunków ciem czułki są duże i działają jak bardzo czułe anteny.

BUDOWA OWADÓW

Owady mają na ogół sześć odnóży i ciało podzielone na trzy części: głowę, tułów i odwłok. Każda z nich pokryta jest sztywnym pancerzykiem, zwanym szkieletem zewnętrznym – owady nie potrzebują już innego. Pancerzyk tworzy się z substancji zwanej chityną i składa z około 20 pierścieni, które zrastają się w jedną całość lub pozostają rozdzielone, umożliwiając ruchy ciała.

W odróżnieniu od szkieletu wewnętrznego – kości, szkielet zewnętrzny nie rośnie. Owad zrzuca go i zastępuje nowym, większym, w procesie linienia. Liniejący owad wyczołguje się ze starej powłoki i pompuje swój nowy pancerzyk, aby osiągnął właściwy kształt i wymiar, zanim ten stwardnieje na powietrzu.

Głowa Głowa owada różni się znacznie od głów innych zwierząt; jej główne części to: część gębowa, oczy i czułki.

Owady żywią się niemal wszystkim – innymi owadami, roślinami, krwią, nektarem, papierem, drewnem, a nawet potem. Kształt otworu gębowego zależy od sposobu odżywiania owada – owady przeżuwające pożywienie (pszczoły, karaluchy i koniki polne) mają po

Przekrój owada, *ukazujący system oddechowy, obieg krwi i układ trawienny.*

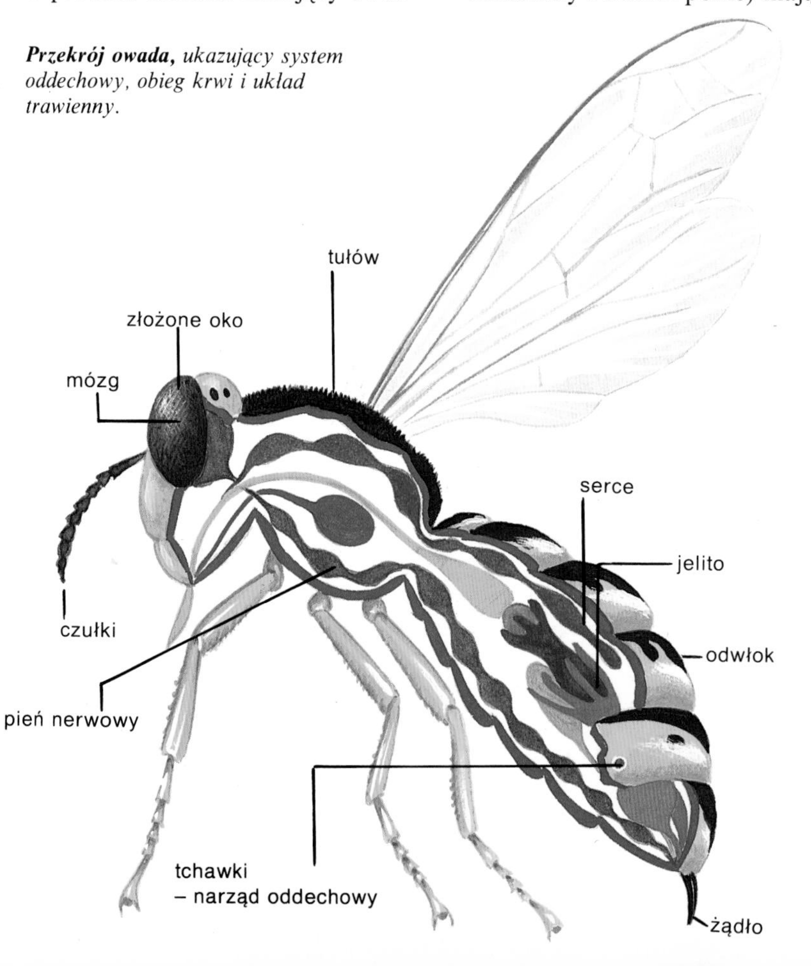

CZY WIESZ, ŻE...?

Najdłuższym owadem świata jest wielki patyczak indonezyjski, osiągający 330 mm długości.
Najmniejszym na świecie owadem jest południowoamerykański chrząszcz Trichocella nana dorastający do 0,25 mm.
Niektóre gatunki mrówek z rodzaju Atta z Ameryki Południowej żywią się grzybami z gnijących liści, które znoszą do swych gniazd.
Mrówka może unieść ciężar przekraczający 50-krotnie wagę jej ciała (to tak, jakby człowiek podniósł ciężarówkę!).
Pchła skacze na wysokość 300 mm (porównując wielkość ciała, człowiek jak ona zbudowany skakałby 200 m w górę).
Ciało samicy termita nabrzmiewa do rozmiarów 1000 razy większych od normalnych przed złożeniem jajeczek.
Niektóre owady mogą przetrwać w stanie zamarzniętym.

dwie pary żuwaczek. Owady wysysające soki roślin albo krew zwierząt (pluskwa domowa, muchy i motyle) posługują się długą rurką przypominającą słomkę do drinków, zwaną kłujką lub trąbką.

Tułów Jest środkową częścią ciała owada, wyposażoną w silne mięśnie poruszające odnóżami i skrzydłami, wyrastającymi po obu jego stronach. Pchły i koniki polne mają długie, silne kończyny tylne do dalekich skoków. Odnóża pszczół wyposażone są w torebki, do których owady te zbierają pyłek kwiatów. Większość dorosłych owadów posiada skrzydła i może fruwać. Muchy i komary mają po dwa skrzydła; niektóre owady mają ich cztery.

Odwłok Odwłok, tylna część ciała owada, zawiera układ trawienny i narządy płciowe. W odwłokach niektórych samic znajduje się także specjalny organ zwany pokładełkiem, służący do składania jaj w ziemi, drzewie, nasionach a nawet pod skórą zwierząt. Pokładełko osy, pszczoły i mrówki zamieniło się w zawierające truciznę żądło.

Krew i krążenie Owady nie posiadają płuc, jak ssaki. Do oddychania służą im narządy zwane tchawkami. Tlenu nie rozprowadza krew, do miejsc gdzie jest potrzebny dochodzi on bezpośrednio z tchawek. Krew transportuje tylko substancje odżywcze, jej kolor może być zielony, czerwony, żółty – może też być przezroczysta.

Cykl życiowy

Dorosłe i młode ssaki są do siebie dość podobne – owady zaś zmieniają się tak bardzo, że rzadko kiedy łatwo jest zgadnąć, że w istocie jest to to samo stworzenie. Ich życie zaczyna się od jaja, z którego rozwijają się na jeden z trzech sposobów.
Rybiki, skoczogonki i inne bezskrzydłe rozwijają się według wzoru najprostszego. Za każdym linieniem są większe i wyglądają tak samo.
Inaczej rzecz się ma z konikami polnymi i jętkami. Młode, zwane nimfami, wyglądem przypominają osobniki dorosłe, są jednak bezskrzydłe. Po kilku miesiącach wyrastają im skrzydła – początkowo małe, powiększają się wraz z każdym linieniem.
Owady takie jak motyle, bąki i muchy zmieniają się zdecydowanie – z jaja w larwę, potem poczwarkę lub kokon, wreszcie postać dorosłą. Zmiany te nazywamy przeobrażeniem zupełnym; przedstawia je tablica na s.50. Larwy różnych owadów noszą różne nazwy. Larwa motyla to gąsienica, pszczoły – czerw, chrabąszcza – pędrak.

Linienie *Rosnący owad pozbywa się swego poprzedniego pancerzyka, pozostając w nowym, utworzonym pod spodem.*

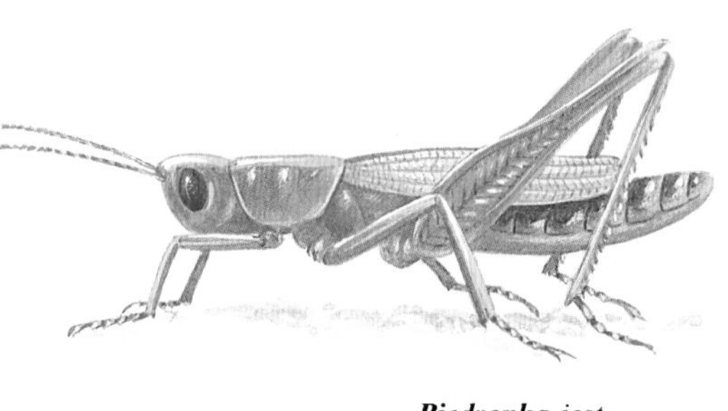

Konik polny *„gra" pocierając odnóżami o złożone skrzydełka.*

Modliszka *to duży owad drapieżny, zawdzięczający swą nazwę zwyczajowi składania razem przednich odnóży jakby do modlitwy, w oczekiwaniu na łup.*

Biedronka *jest chrząszczem żywiącym się mszycami, dzięki czemu jest bardzo pożyteczna.*

Osy *mają szczególnie wąskie „talie". Samice porażają ofiary za pomocą żądła w odwłoku.*

Chrząszcze *stanowią najliczniejszy rząd owadów. Składa się nań około 250 000 gatunków.*

Jelonek, *jeden z największych chrząszczy, jest drapieżnikiem, jego rogi służą jednak głównie do walk z innymi przedstawicielami gatunku.*

Systematyka owadów

Owady występują w zadziwiająco wielkiej różnorodności kształtów, wielkości i kolorów. Co roku uczeni odkrywają tysiące nowych gatunków i uważają, że do rozpoznania pozostały ich jeszcze miliony. Owady podzielone są na rzędy. Motyle i ćmy należą do Lepidoptera, chrząszcze do Coleptera, a muchy i komary do Diptera.

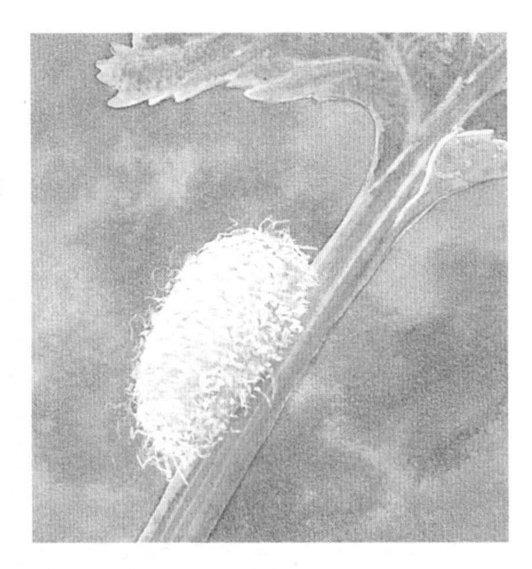

MOTYLE I ĆMY

Motyle i ćmy należą do najpiękniejszych owadów. Podziwiamy ich lot, gdy trzepoczą mieniącymi się kolorami, wielkimi skrzydłami. Rząd motyli i ciem, Lepidoptera (Łuskoskrzydłe) jest największą i najbardziej zróżnicowaną grupą owadzią, obejmującą ponad 100 000 gatunków.

JEDWAB

Ponad 2000 lat temu Chińczycy odkryli, że niektóre gąsienice produkują cienką, jasną nić, z której można tkać jeden z najpiękniejszych materiałów, jedwab. Wypływa ona jako ciecz z gruczołów pod otworem gębowym, by na powietrzu zgęstnieć w jedwabny sznureczek, którym gąsienica owija się w kokon przed przepoczwarzeniem. Większość gąsienic wytwarza nitki krótkie i łączy je ze sobą; jedwabnik morwowy owija się pojedynczą nicią osiągającą długość 1 km. Odzyskuje się ją przez zmiękczenie kokona w gorącej wodzie; poczwarka przy tym ginie. Jedwabników nie spotyka się dziś w warunkach naturalnych; hodowane są na specjalnych farmach, gdzie sadzi się morwę, której liście służą jako pokarm. Choć wyprodukowano już sztuczny jedwab, naturalna tkanina nadal jest bardzo ceniona.

CZY WIESZ, ŻE...?

Motyle Caligo eurilochus z Hondurasu mają na tylnych skrzydłach imitację głowy; atakujące ją ptaki pozostawiają prawdziwą głowę w spokoju.

Samce niektórych tropikalnych ciem drażnią czułki samiczek szczoteczkami włosków odwłoka tuż przed kopulacją.

Pewne trujące ćmy wydają charakterystyczne dźwięki ostrzegające nietoperze, że nie są dla nich dobrym pokarmem. Inne ,,jadalne'' ćmy naśladują te dźwięki i tak oszukują polujące na nie nietoperze.

Największym motylem jest Thysania agryppina, którego skrzydła dochodzą do 30 cm rozpiętości.

Motyle spijają nektar z kwiatów za pomocą trąbki.

MOTYL CZY ĆMA?

Motyle i ćmy spotyka się w przeróżnych miejscach na całym świecie. Największa ich różnorodność zamieszkuje lasy tropikalne, lecz znaleźć je można także na polach, łąkach, w lasach, na pustyniach i w wysokich górach tuż przy granicy wiecznych śniegów. Do najmniejszych należy niebieski karzeł afrykański o rozpiętości skrzydeł nie przekraczającej 1cm. Jednym z największych jest ćma cesarska z Gór Atlas, osiągająca 30 cm rozpiętości skrzydeł.

Rozróżnienie pomiędzy motylami i ćmami nie jest dokładne – można jednak wymienić kilka znaczących różnic. Motyle mają na ogół jasno ubarwione skrzydła i latają głównie za dnia. Ich ciała są wąskie, nie pokryte włosem; mają parę zawiniętych czułków. Ćmy są stonowane kolorystycznie, a ich aktywność przypada na porę zmierzchu i noc. Ich ciała są masywne, pokryte włoskami, a czułki proste. Odpoczywający motyl składa skrzydła prostopadle do podłoża, ćma natomiast – równolegle.

ŁUSKOWATE SKRZYDŁA

Lepidopterans zawdzięczają nazwę maleńkim łuskom pokrywającym ich

1 ***Jajeczko*** *Niektóre motyle składają na raz 300 jaj, inne – tylko jedno, najczęściej na liściach roślin, by zapewnić larwom pożywienie.*

2 ***Larwa*** *Gąsienica żarłocznie przegryza swój szlak przez liście. W miarę wzrastania kilka razy lenieje zrzucając starą, nie rosnącą powłokę.*

CYKLE ŻYCIOWE

Niewiele owadów zmienia się tak bardzo, jak motyle i ćmy: ich życie rozpoczyna się w jajeczku, z którego wykluwa się larwa zwana *gąsienicą*. Jest ona bardzo żarłoczna i rośnie szybko, pochłaniając wielkie ilości liści. Po osiągnięciu odpowiedniego wzrostu gąsienica przygotowuje sobie schronienie zwane *kokonem*, w którym zamyka się, jakby zasypiając. Wewnątrz kokona zachodzi wielka zmiana – *metamorfoza*, przeobrażenie w ćmę lub motyla, który kruszy schronienie poczwarki i wylatuje na świat.

3 ***Poczwarka*** *Gąsienica ćmy wije kokon z jedwabiu; zwiesza się z gałązki lub liścia, tworząc miękką poczwarkę, która szybko wytwarza wokół siebie twardą skorupkę – w niej zachodzi metamorfoza.*

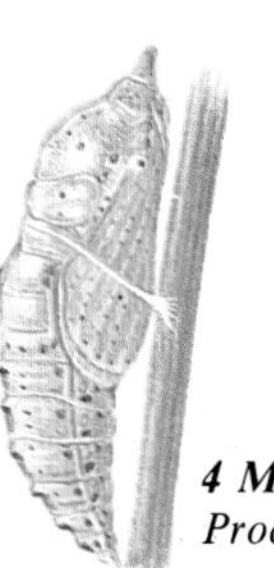

4 ***Metamorfoza*** *Proces przemiany poczwarki w dorosłego motyla trwa od kilku dni do 1 roku. Przeobrażona poczwarka przebija kokon lub skorupę i rozwija skrzydła.*

5 ***Owad dorosły*** *Skrzydła są z początku wilgotne i pomarszczone, wkrótce jednak schną i rozprostowują się na słońcu. Po godzinie motyl gotowy jest do lotu.*

skrzydła (z greckiego *lepis* – łuska i *pteron* – skrzydło). Gdy dotkniemy skrzydło motyla, łuski te zaczną opadać niczym pył. To one właśnie nadają skrzydłom jaskrawe kolory; pod nimi skrzydła motyli są przezroczyste jak skrzydła innych owadów.

Kolor skrzydeł ma czasem odcień maskujący, kryjący motyla przed drapieżnikiem. Brązowawe ćmy są niemal niewidoczne, gdy śpią na drzewach podczas dnia.

Czasem jaskrawe kolory mają za zadanie ostrzegać zwierzęta o truciźnie zawartej w ciele motyla – bądź sprawiać wrażenie, że ta trucizna tam się znajduje. W taki sposób pokłoniec osiniec naśladuje barwy monarcha. Niektóre skrzydła motyli mają plamki przypominające oczy. Zapalając znienacka swe „oczy" motyl sowi z południowoamazońskiej dżungli odstrasza drapieżniki.

Kolory skrzydeł wabią partnera. Skrzydła wielu lepidopterans płci męskiej mają prócz jaskrawych barw specjalne gruczoły zapachowe.

Wędrówki motyli

Motyle nie wyglądają na potężnych lotników, lecz niektóre gatunki, np. rusałka osetnik, pokonują ogromne odległości, uciekając przed zimą. Monarch (powyżej) jest może jeszcze lepszym przykładem. Każdej jesieni wielkie chmary tych motyli opuszczają tereny północno-wschodnie Ameryki Północnej i lecą 3200 km na południe, by spędzić zimę w górach Meksyku. Zadziwiające jest, że żaden z poszczególnych osobników tych owadów nigdy w swym życiu nie podróżował. Monarchy żyją tylko sześć tygodni i od pokoleń przylatują wiosną na północ, z nieprawdopodobną, szczegółową orientacją – do konkretnego drzewa!

Monarchy w zimie. *Gdy po długiej wędrówce monarchy docierają w wysokie góry Meksyku, gromadzą się w ogromnych ilościach na drzewach „opatulając" je od pnia do wierzchołka. Dopiero wiosną roje motyli opuszczają ciepłe schronienie i odlatują na północ.*

Gatunki motyli i ciem

Motyle to jedna z 24 rodzin łuskoskrzydłych; większość z nich to ćmy – np. zawisaki. Niemniej, istnieje 17 700 znanych gatunków motyli, jak np. powszelatkowate czy omacnicowate. Największą grupą są motyle dzienne, obejmującą prawie 6000 rodzajów – w tym rusałkę admirała. Czasami zwane są one motylami szczotkonogimi – ze względu na owłosienie krótkich, przednich odnóży, którymi lokalizują pokarm. Powszelatkowate nie są prawdziwymi motylami, mają pękate, owłosione ciała i haczykowate czułki, jak ćmy. Pomimo swej urody wiele gatunków jest tępionych. Stanowią one duże zagrożenie dla lasów i roślin uprawnych (np. bielinek kapustnik).

Pazie *spotyka się na całym świecie, najpopularniejsze są jednak w tropikach, gdzie osiągają 25cm rozpiętości skrzydeł.*

Ćma zawisak *pochodzi z południowo-wschodniej Azji i lata głównie w nocy.*

Rusałka pawik *jest szczotkonogiem. Na jaskrawo ubarwionych skrzydłach ma cztery przypominające oczy plamki, których zadaniem jest odstraszać drapieżców.*

Gąsienice modraszka ariona *wytwarzają słodki płyn zwany rosą miodową.*

Ćma trociniarka kasztanówka *lata nocą i trzepocze się często wokół latarni ulicznych, zwabiona ich światłem.*

Rusałka admirał *jest wielkim podróżnikiem. Niektóre motyle przelatują nad Atlantykiem w ciągu 12 dni.*

Motyle *cieszą oczy swoimi pięknymi kolorami. Mają jasnopomarańczowe brzegi skrzydeł.*

PAJĄKI, SKORPIONY, ROBAKI I ŚLIMAKI

Oprócz owadów, świat zamieszkuje wiele innych małych stworzeń. Są to pełzające po ziemi ślimaki, żyjące w niej dżdżownice i wiele innych. Niektóre należą wraz z owadami do wielkiej grupy małych zwierząt zwanej stawonogami, obejmującej również pająki i inne pajęczaki, krocionogi (wije) i stonogi.

Sieć pajęcza *rozpięta pomiędzy gałęziami lub innymi nieruchomymi przedmiotami, przecinająca trasę lotu owadów, przybiera piękne kształty. Nie jest prawdą, że pająki zjadają starą i co noc budują nową pajęczynę.*

JAK POLUJĄ PAJĄKI

Różne gatunki pająków mają różne sposoby chwytania zdobyczy. Wiele z nich tka nić – pajęczynę. Utworzone z niej sieci mogą mieć rozmaite kształty, od prostych nitek rozpiętych w zakamarkach i otworach, po wielkie, centralne kompozycje przypominające delikatną firankę. Pajęczyna jest najczęściej kleista, by łatwiej chwytały się w nią owady.
Tarantule miażdżą ofiarę mocnymi szczękami – większość pająków używa jednak do jej uśmiercania bądź oszołomienia trucizny. Ukąszenie niektórych pająków (np. czarnej wdowy) może być niebezpieczne dla człowieka. Nie wszystkie pająki zastawiają pajęczynowe pułapki. Niektóre chwytają łup, zarzucając nań pajęczynę. Pewne australijskie pająki budują skomplikowane domki - pułapki. Są również pająki, które wyczekują zdobyczy, a następnie skaczą na nią z odległości.

PAJĘCZAKI

Są to małe, ruchliwe stworzenia, przypominające owady – mają one jednak osiem, a nie sześć odnóży a ich ciała są dwudzielne. Pajęczaki dysponują także parą „ramion" (pedipalps) oraz dwoma zębami jadowymi (chelicerae). Znamy ponad 70 000 gatunków pajęczaków z różnych rzędów (pająków, skorpionów, kleszczy, roztoczy, kosarzy, zaleszczotków).

Pająki spotyka się w zakamarkach całego świata. Liczne wśród bogatej roślinności, żyją również w jaskiniach i najgłębszych kopalniach, a także wysoko w górach. Pająki polują najczęściej na owady oraz inne stawonogi; kilka wielkich gatunków (ptaszników i tarantuli) żywi się także jaszczurkami i małymi gryzoniami. W odróżnieniu od innych zwierząt drapieżnych, pająki nie mają na ogół dobrego wzroku. Posiadają najczęściej osiem prostych oczu (innych od złożonych oczu owadów) i polują „nasłuchując" wibracji podłoża, odbieranych odnóżami. Wyjątkami są dobrze widzące skakuny i pogońcowate.

Kleszcze i roztocza są maleńkie, bywają jednak bardzo szkodliwe, roznosząc zarazki chorób wśród ludzi, roślin i zwierząt. Kleszcze odżywiają się krwią, przebijając skórę i infekując organizm na którym pasożytują zarazkami tyfusu plamistego i zapalenia opon mózgowych. Roztocza żywiące się sokami roślin uszkadzają drzewa owocowe i rośliny szklarniowe. Niektóre, gdy znajdą się na ciele człowieka, powodują swędzenie skóry, a unosząc się z kurzem przyczyniają się do ataków astmy. Roztocza pełnią też bardzo pożyteczną rolę, zajmując się

ŻYCIE W GLEBIE

Gleba jest jednym z najbogatszych w życie środowisk, pełnym maleńkich stworzeń. Uczeni szacują, że pod każdym hektarem pastwisk żyje około 2,5 miliona pająków oraz 25 milionów owadów i 1500 milionów roztoczy, a gdyby zważyć wszystkie zamieszkujące pod ziemią dżdżownice, ich masa okazałaby się większa od chodzących po niej owiec. Wszystkie te stworzenia odgrywają ogromną rolę w kształtowaniu struktury gleby i przetwarzaniu znajdujących się w niej składników. Dżdżownice przekopujące ziemię umożliwiają dopływ tlenu w jej głąb, a także wpływają na jej strukturę przez jedzenie jej i wydalanie. Bakterie pomagają w przetworzeniu obumarłej materii roślinnej i zwierzęcej w czerpane przez korzenie roślin składniki.

Kolczasty pająk *z Ameryki Południowej.*

Kulanki *przegryzają się przez twarde gałązki i liście. Są skorupiakami, podobnie jak kraby morskie.*

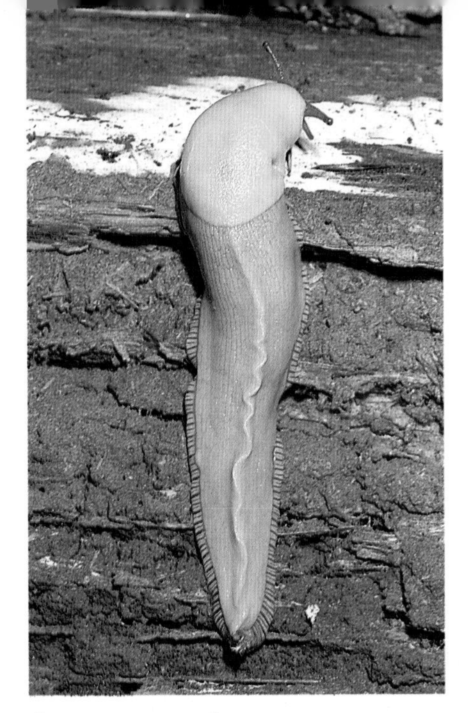

Ślimak bananowy. *Ślimaki bezskorupowe żerują w nocy. Żywią się korzonkami i liśćmi, dlatego uznane są za szkodniki.*

Skorpiony

Skamieniałe skorpiony odnaleziono w skałach datowanych na 400 milionów lat wstecz; dziś żyje ich około 1200–1300 gatunków, większość w ciepłych krajach, najczęściej w lasach tropikalnych – niektóre przystosowały się do warunków pustynnych. Podobnie jak pająki, skorpiony mają osiem odnóży, ich narządy chwytne, nogogłaszczki, rozwinęły się w wielkie szczypce. Długie, wygięte ogony skorpionów zakończone są żądłem z trucizną, używaną do porażania większej zdobyczy. Jad niektórych skorpionów (meksykańskich skorpionów z rodzaju Tityus oraz afrykańskich z rodzaju Androctonus) może zabić człowieka.

***Skorpion** wyczuwa zbliżanie się ofiary dzięki wibracjom podłoża; rozrywa ją za pomocą kleszczy.*

rozkładaniem szczątków na składniki odżywcze gleby. Np. roztocza kurzu domowego są w stanie odżywiać się martwą skórą.

KROCIONOGI I STONOGI

Są to długie, giętkie stworzenia o wielu parach odnóży. Stonogi mają tych odnóży stosunkowo niewiele – z każdego segmentu ciała wyrasta po jednej parze; krocionogi mogą ich mieć nawet 200. Stonogi to drapieżniki o silnych szczękach, pożerające owady, robaki i larwy. Większość krocionogów to saprofity, odżywiające się szczątkami roślin.

ŚLIMAKI

Ich ciała są miękkie i wodniste. Część z nich chroni twarda skorupka (muszla), połączona na stałe z grzbietem zwierzęcia. Przestraszony ślimak chowa się cały do muszli. Ślimaki – te z muszlami i bez – są gastropodami, „brzuchonogami": sprawiają wrażenie, jakby ślizgały się na własnym brzuchu. Ślizganie to ułatwia wydzielanie śluzu, który znaczy ślad pochodu ślimaka.

CZY WIESZ, ŻE...?

Największym pająkiem jest Theraphosa leblondi, południowoamerykański ptasznik. Rozpiętość jego odnóży osiąga 26cm

Pająk Cyclosa z Azji Południowo-Wschodniej oszukuje inne drapieżniki, maskując resztki swych ofiar, by wyglądały jak pająki.

Wielkie szare ślimaki bezskorupowe zachodniej Europy odbywają długie gody; zaczynają się one od ponad godzinnych obrotów na gałęzi, potem zwieszają się z niej na długiej nici śluzu, wreszcie łączą na czas od 7 do 24 godzin.

***Ślimaki ogrodowe wstężyki** wychodzą z ukrycia na żer po deszczu, gdy jest wilgotno. Spokrewnione są z tysiącami gatunków zwierząt wodnych, ich narządem oddechowym są jednak na ogół płuca.*

***Ściółka powierzchniowa** tętni życiem jak cała gleba. Bakterie, grzyby, robaki, ślimaki i setki różnych stawonogów żywią się zawartymi w niej szczątkami roślin, zamieniając je w użyźniającą glebę próchnicę.*

***Dżdżownica** wije się między grudkami ziemi, ściągając partie segmentów, z których jest zbudowana. By przesunąć się do przodu, przepuszcza ziemię przez wnętrze swego ciała (łyka i wydala).*

***Stonogi** polują nocą pośród opadłych liści i gałązek, zabijając ofiary trucizną wydzielającą się na czubkach kleszczy.*

FAUNA MORSKA

Płytkie morza i rejony przybrzeżne kryją wiele pięknych, fascynujących stworzeń – anemonów, rozgwiazd, krabów, homarów i innych – wiele z nich żyje w basenach zasilanych jedynie wodą wysokich przypływów.

ROZGWIAZDY

Rozgwiazdy są łatwe do rozpoznania – kształtem przypominają gwiazdę, mają najmniej pięć ramion. Otwór gębowy znajduje się na spodniej stronie ciała. W bruździe na środkowej linii ramion znajdują się nóżki, wyposażone w komórki zmysłowe i zakończenia nerwowe. Nóżki służą też do pełzania i chwytania zdobyczy. Rozgwiazdy są mięsożerne – żywią się przede wszystkim skorupiakami i małżami.

KORALE, UKWIAŁY, MEDUZY

Korale występują wyłącznie w postaci *polipów*, wytwarzając dookoła siebie, a również wewnątrz ciała szkielety z węglanu wapnia. Na szkieletach wzrastają coraz to nowe pokolenia polipów koralowych, nawarstwiając się w olbrzymie niekiedy skały – rafy koralowe. Istnieją trzy typy raf: *przybrzeżne* – przylegające bezpośrednio do lądu, *barierowe* – oddzielone od brzegu pasami wody i *zatokowe* – tzw. *atole*.

Atole są najczęściej kształtu pierścieniowatego i otaczają lagunę o wodzie spokojnej o odrębnym życiu.

Ukwiały przytwierdzają się do podłoża podeszwą, którą mogą przesuwać się po nim.

Meduzy – pływają spokojnie w toni wodnej. Korale, ukwiały i meduzy należą do grupy jamochłonów zwanych *parzydełkowcami*. Charakterystyczną ich cechą jest posiadanie parzydełek – zaczepno-obronnej broni, umiejscowionej na czułkach, często wyposażonej w bardzo silny jad.

WZDŁUŻ WYBRZEŻA

Każdy brzeg morski ma własną szatę roślinną i faunę przystosowaną do panujących na nim warunków. Wybrzeże, mokre od fal, zalewane dwa razy na dobę słoną wodą a następnie osuszane przez słońce i wiatr – stwarza skrajnie trudne warunki życia.

Wybrzeża piaszczyste wyglądają często na zupełnie niezamieszkałe, pod gładką powierzchnią piasku żyje jednak wiele stworzeń; między jego ziarnami szukają schronienia przed wysuszającym wiatrem i słońcem oraz głodnymi drapieżnikami maleńkie kraby, piaskówki, przegrzebki i strzykwy zwane „ogórkami morskimi". Niektóre z nich czerpią pożywienie z wody morskiej w czasie przypływu, inne żywią się cząsteczkami organicznymi znajdowanymi wśród piasku.

Wzdłuż najdalszej linii przypływów często spotkać można zmieraczki, żerujące na wyrzuconych przez morze wodorostach. Są to małe skorupiaki, podobne nieco do żółtych kulek, mają jednak silne odnóża tylne, pomagające w ucieczce przed niebezpieczeństwem.

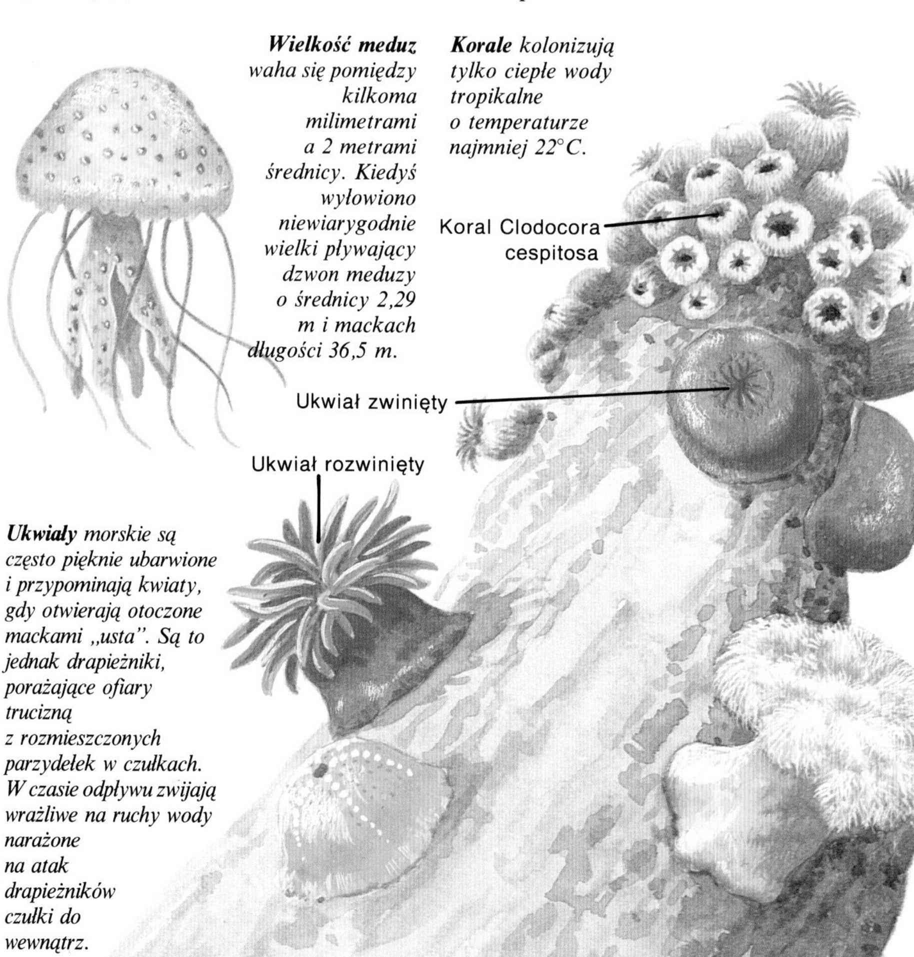

***Wielkość meduz** waha się pomiędzy kilkoma milimetrami a 2 metrami średnicy. Kiedyś wyłowiono niewiarygodnie wielki pływający dzwon meduzy o średnicy 2,29 m i mackach długości 36,5 m.*

***Korale** kolonizują tylko ciepłe wody tropikalne o temperaturze najmniej 22°C.*

***Ukwiały** morskie są często pięknie ubarwione i przypominają kwiaty, gdy otwierają otoczone mackami „usta". Są to jednak drapieżniki, porażające ofiary trucizną z rozmieszczonych parzydełek w czułkach. W czasie odpływu zwijają wrażliwe na ruchy wody narażone na atak drapieżników czułki do wewnątrz.*

Wybrzeża skaliste Najbujniejsze życie kwitnie w miejscach osłoniętych od uderzeń fal skałami i roślinnością. Do skał przyboju przyczepiają się ślimaki, zamykające się w muszlach przy odpływie.

Na wielu skalistych wybrzeżach widać wówczas wysoko na linii przypływu setki małych pobrzeżków, ślimaków żywiących się mikroskopijnymi roślinami. Poniżej, w załomach skalnych, ujrzymy pąkle, przybrzeżki i czaszołki. Każdy z nich powraca zawsze na to samo miejsce i przywiera do niego ze swą owalną skorupką. Gęste kolonie małżów również oczekują tu na powrót fali, by otworzyć muszle i wpuścić niosącą pożywienie wodę.

Między skałami znajdziemy kolonie kolorowych gąbek, galaretowatych mszywiołów i mięczaków, znajdujących wśród ukwiałów miejsca dające im bezpieczne schronienie. Żyją tam też drapieżniki, np. kraby i rozgwiazdy, żywiące się małżami i ślimakami.

***Ośmiornice** nazwę zawdzięczają ośmiu mocnym mackom wyposażonym w przyssawki, którymi chwytają łup – zazwyczaj kraby i langusty.*

Mięczaki

Po stawonogach, takich jak owady, mięczaki są największą grupą w królestwie zwierząt. Mają twarde muszle, w których kryją miękkie ciała; żyją na ogół w wodzie, najczęściej morskiej. Można je podzielić na siedem rzędów, są wśród nich brzuchonogi (np. ślimaki i skałoczepy), małże (małże, sercówki, ostrygi), głowonogi takie jak ośmiornice i mątwy. Głowonogi to zwierzęta o najbardziej złożonej wśród bezkręgowców budowie. Są też z nich największe. Kałamarnica olbrzymia osiąga długość 6 m, a macki wydłużają jej ciało o kolejne 10 m.

***Mątwa** nie ma skorupy, lecz wapienny szkielet zewnętrzny. Przestraszona, wyrzuca przed siebie czarny tusz, który kryje ją przed drapieżnikami (podobnie chronią się inne dziesięcionogi).*

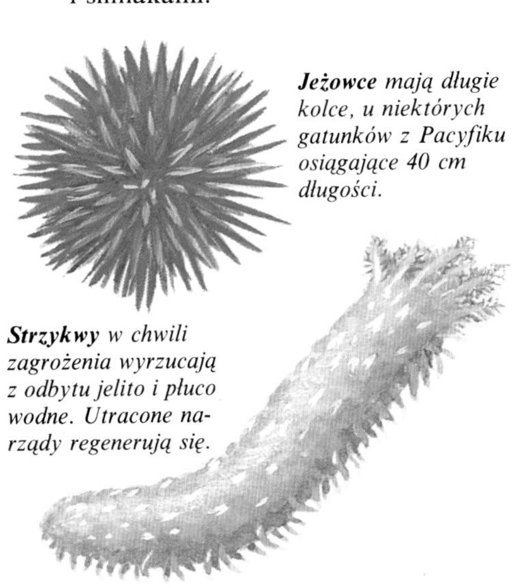

***Jeżowce** mają długie kolce, u niektórych gatunków z Pacyfiku osiągające 40 cm długości.*

***Strzykwy** w chwili zagrożenia wyrzucają z odbytu jelito i płuco wodne. Utracone narządy regenerują się.*

***Strzykwy, jeżowce i rozgwiazdy** należą do typu bezkręgowców, zwanego szkarłupniami. Jeżowce występują przeważnie na dnie płytkich mórz. Segmenty ich skorup często znajdowane są na brzegach. Jeżowce wyposażone są w liczne nóżki, którymi przytwierdzają się do podłoża. Gęba znajduje się na spodniej stronie ciała i jest wyposażona w liczne ząbki. Strzykwy nie posiadają skorupy. Ciało ich okryte jest worem skórno-mięśniowym.*

Skorupiaki

Żyje ich w morzach ogromna liczba gatunków, od maleńkich „pchełek" morskich i dafni po pąkle, krewetki, kraby i langusty. Większość zamieszkuje akweny nigdy nie opuszczane przez wodę. Są to dziesięcionogi (*Decapoda*) – mają po 10 odnóży, których pierwsze stanowi często para mocnych szczypiec – kleszczy. Kraby i langusty chroni mocny pancerz; rak pustelnik, który tego pancerza jest pozbawiony, wykorzystuje pustą muszlę ślimaka. Para czułków na głowie i wysunięte na szypułkach oczy pomagają im w polowaniu. Wielkie, mocne kleszcze służą do przytrzymywania i rozrywania zdobyczy. Brzegi jednego z kleszczy homara są na ogół gładkie – ten jest narzędziem miażdżącym, drugiego zaś zaostrzone – służy on do cięcia. Samce kraba mrugacza mają jedne wielkie kleszcze, którymi wabią partnerki.

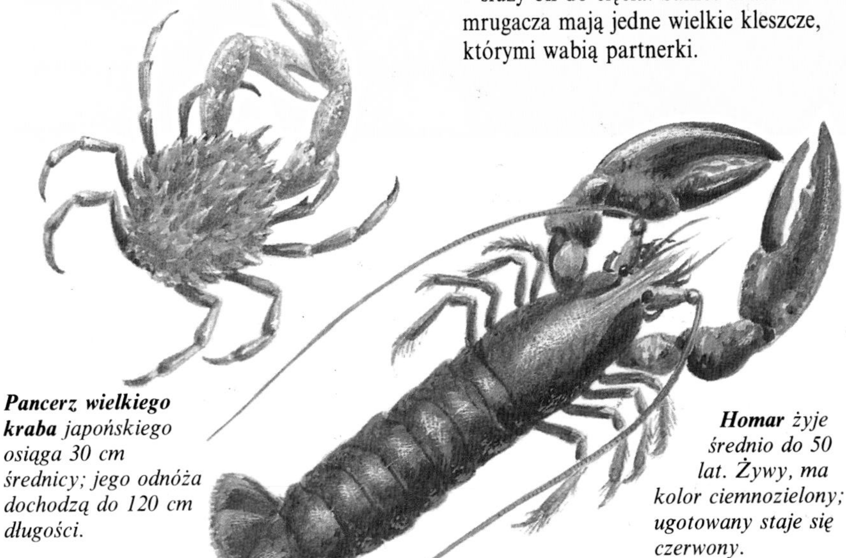

***Pancerz wielkiego kraba** japońskiego osiąga 30 cm średnicy; jego odnóża dochodzą do 120 cm długości.*

***Homar** żyje średnio do 50 lat. Żywy, ma kolor ciemnozielony; ugotowany staje się czerwony.*

ROŚLINY

Świat porasta ponad 275 000 różnych gatunków roślin, od maleńkiego planktonu, widocznego jedynie pod szkłem mikroskopu, po wielkie, rosnące do 100 metrów wysokości drzewa. Rosną niemal wszędzie – na lądzie i w morzu, na równinach i na szczytach gór, a nawet na pustyniach i śnieżnych pustkowiach. 40% lądów pokrytych jest lasami i trawami.

Łodyga

Łodyga podtrzymuje liście i kwiaty rośliny. Doprowadza także wodę, składniki mineralne i odżywcze od korzeni do liści i w kierunku odwrotnym. Woda z rozpuszczonymi w niej minerałami transportowana jest z korzeni naczyniami wiązki przewodzącej zwanymi *ksylemem*; od liści produkty fotosyntezy odprowadzają naczynia *floemu*.
Wiele roślin ma łodygi zielone i giętkie – zwane są one *roślinami zielnymi*, jako że większość z nich to zioła, takie jak mięta czy bazylia. Rośliny drzewiaste (drzewa i krzewy) mają sztywne, zdrewniałe, pokryte korą łodygi; jest w nich więcej ksylemu niż w roślinach zielnych.
Z łodygi wyrasta *główny pęd* rośliny, rosnący zawsze w górę. *Pędy boczne* wyrastają z głównego w miejscach zwanych węzłami. Niektóre pędy boczne stają się odnogami również rozrastającymi się na boki. Z innych wyrastają liście i kwiaty.

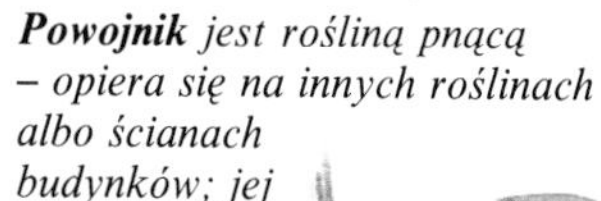

***Powojnik** jest rośliną pnącą – opiera się na innych roślinach albo ścianach budynków; jej własna łodyga nie mogłaby udźwignąć całej rośliny.*

Zarodniki i nasiona

Pierwszymi roślinami lądowymi były grzyby, porosty, mchy, wątrobowce, skrzypy i paprocie. Ich budowa była dość prosta, a wyrastały z maleńkiej komórki zwanej zarodnikiem (str. 65). 300 milionów lat temu rośliny takie zdominowały Ziemię.
Większość roślin wyrasta nie z zarodnika, lecz z nasienia.
W odróżnieniu od roślin prymitywnych, nasienne złożone są na ogół z następujących części: łodygi, korzeni, liści i kwiatów. Istnieje ponad 250 000 *gatunków* roślin nasiennych; 700 z nich to *nagozalążkowe* (iglaste i cykasy – patrz str. 64), reszta to *okrytozalążkowe* (str. 60–61).

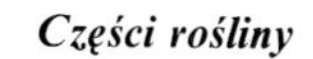

Części rośliny

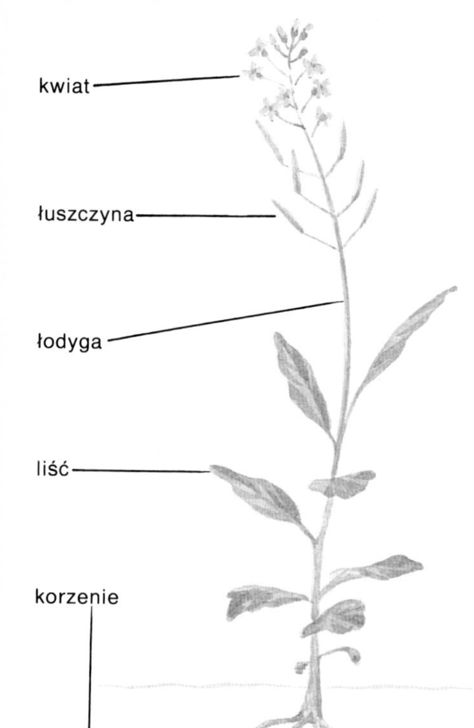

Korzenie

Korzenie są podziemną (bądź podwodną) częścią rośliny. Przytwierdzają roślinę do podłoża, pobierają wodę i składniki mineralne na materiał budulcowy.
Korzenie niektórych roślin, np. buraka, magazynują substancje odżywcze.
Gdy roślina zaczyna rosnąć, z nasionka wysuwa się korzonek, szybko rozgałęziający się w korzenie boczne; wierzchołki przebijających się przez glebę korzeni chroni *czapeczka*.
Niektóre rośliny, jak trawy, mają dziesiątki niewielkich korzeni, rozrastających się we wszystkich kierunkach. Taki system korzeniowy nazywamy *wiązką*.

Marchewka ma gruby korzeń główny, z którego odgałęzia się niewiele bocznych – jest to system *korzenia* palowego. Na każdym korzeniu znajdują się małe wyrostki zwane włośnikami, zwiększające powierzchnię absorbcyjną korzenia.
Niektóre rośliny nie są zdolne do samodzielnego odżywiania się – korzystają z produktów wytwarzanych przez inne rośliny. Są to pasożyty. Jemioła jest pasożytem drzew.
Nieliczne rośliny pnące, jak bluszcz, wypuszczają korzenie zarówno w głąb ziemi, jak i wysoko ponad nią. Za ich pomocą przytwierdzają się do drzew, ścian i płotów.

Liście i kwiaty

Liście wykorzystują promienie słoneczne do produkcji substancji odżywczych, potrzebnych roślinie do wzrostu. Częściej są płaskie, by zwracając się do słońca absorbować jak najwięcej jego promieniowania (rys. po prawej). Każdy liść przytwierdzony jest do łodygi ogonkiem zwanym *szypułką*. Płaską część liścia nazywamy *blaszką*. Kwiaty to części roślin kwitnących, z których powstają nasiona – te z kolei dają początek innym roślinom (str. 60).

***Liść dębu** jest liściem pojedynczym – ma tylko jedną blaszkę.*

***Liść brzozy białej** ma, jak wszystkie liście, system naczyń pełniący rolę ramki, na której rozpięta jest płaszczyzna liścia; ale również doprowadza on wodę i odprowadza wyprodukowane w liściu substancje odżywcze.*

***Liść orzecha włoskiego** należy do złożonych – do jednej szypułki przytwierdzone jest wiele blaszek.*

***Korzenie roślin uprawnych**, których wykorzystywana jest część podziemna, nie zawsze są właściwymi korzeniami. Jest tak w przypadku buraka i marchwi , lecz ziemniaki są bulwami podziemnych łodyg a cebula – wiązką podziemnych liści.*

Odżywianie roślin

W przeciwieństwie do zwierząt, rośliny same produkują sobie pożywienie, absorbując promienie słoneczne w procesie zwanym *fotosyntezą*. Energia słoneczna pozwala roślinom wytwarzać z wody i zawartego w powietrzu dwutlenku węgla substancje odżywcze. Fotosynteza zachodzi głównie w liściach, których miękisz zawiera dwa szczególne rodzaje komórek: *palisadowe* i *gąbczaste*. W każdej z nich znajduje się maleńka cząsteczka – *chloroplast*, zawierająca *chlorofil*, substancję nadającą liściom zielony kolor.

Dwutlenek węgla dostaje się do rośliny przez komórki *aparatu szparkowego* na spodniej stronie liścia. Wodę dostarcza z korzenia łodyga. Chlorofil pochłania promienie słońca i zamienia wodę w wodór i tlen. Wodór łączy się z węglem, tworząc cukier, a tlen ulatnia się przez szparki.

Wytworzone w ten sposób cukry transportuje system naczyń.

W miejscu przeznaczenia przetwarzane są w tłuszcze i skrobię albo spalane w procesie *oddychania* rozpadają się na dwutlenek węgla i wodę.

Rośliny i woda

Bez wody rośliny nie mogłyby żyć. Pozbawione jej szybko więdną. Woda stanowi dwie trzecie prawie wszystkich roślin; niektóre wodorosty zawierają jej 98%. Woda wypełnia komórki, z których zbudowana jest roślina (str. 8), czyniąc je sprężystymi, jak nadmuchany powietrzem balon.

Woda dla rośliny jest jak krew dla człowieka – z nią rozprowadzane są rozpuszczone gazy, sole mineralne i składniki odżywcze. Może przesączać się między komórkami w procesie zwanym *osmozą*; prowadzona jest rurkami ksylemu – rozgałęziające się naczynia widoczne na powierzchni liścia to właśnie ksylem.

Rośliny tracą nieustannie wodę przez odparowywanie poprzez szparki. Im więcej wody roślina wyparowuje, tym więcej musi jej pobrać, wciągając ją przez rurki ksylemu (niczym człowiek napój przez słomkę) i prowadząc od systemu korzeniowego do liści.

Fotosynteza – proces produkcji substancji odżywczych przez rośliny zielone.

CZY WIESZ, ŻE...?

Najstarszą rośliną na świecie jest krzew głogu rosnący w Nowej Anglii – liczy on sobie przynajmniej 10 000 lat.

Najdłuższą rośliną świata jest liana, wspinająca się na drzewa do wysokości 150 metrów.

Są rośliny radzące sobie w pustynnych warunkach Afryki rosnąc pod ziemią, spod której wystawiają liście na słońce jedynie przez małe otwory.

Ziarna pyłku są widoczne tylko pod mikroskopem. Zdjęcie przedstawia pyłek cisu.

NASIONA I OWOCE

Nie tylko kwiaty ogrodowe i polne, lecz każde zioło, zboże, krzew i drzewo to roślina okrytozalążkowa (okrytonasienna), czyli kwitnąca. Wiele jest pięknych kwiatów – nie powstają one jednak dla ozdoby. Rośliny kwitnące wytwarzają specjalne części, w których wydają nasiona i owoce – z nich mogą wyrosnąć nowe rośliny.

ZAPYLENIE

By mogło powstać nasienie z zalążkiem nowej rośliny, pyłek pręcików musi znaleźć się na znamieniu słupka. Niektóre rośliny są *samopylne*, to znaczy, że pyłek zapyla słupek tej samej rośliny, z której pochodzi. Inne są *obcopylne*, co oznacza, że tylko pyłek innej rośliny tego samego gatunku może zapylić słupek danej rośliny.
Pyłek może być przenoszony z wiatrem, na ciele owadów (np. pszczół) i ptaków, a nawet nietoperzy. W lasach tropikalnych do zapylenia przyczyniają się szczególnie kolibry. Pszczoły wabione są przez kwiaty pięknym kolorem i słodko pachnącym nektarem. Spijając nektar, owad przenosi pyłek z pręcika na słupek tego samego bądź innego kwiatu.

MĘSKIE I ŻEŃSKIE

Podobnie jak zwierzęta, kwiaty mają części męskie i żeńskie. Nasiona powstają w wyniku połączenia *komórki rozrodczej* męskiej z żeńską.

Pośrodku kwiatu znajduje się jego żeńska część – sztywny *słupek*. Wokół niego znajdują się giętkie *pręciki* – część męska. Wierzchołek słupka to *znamię*; na czubkach pręcików znajdują się woreczki zwane *pylnikami*, zawierające męskie komórki rozrodcze (*pyłek*). By powstało nasienie, ziarno pyłku musi znaleźć się na znamieniu słupka – nazywamy to zapyleniem. Pyłek przesuwa się wewnątrz słupka, napotykając w *zalążni* (sercu kwiatu) na jajeczko – żeńską komórkę rozrodczą, z którą się łączy. Z połączonych komórek powstaje nasienie, a zalążnia twardnieje i zamienia się w owoc.

LIŚCIENIE NASIENNE

Wyrastająca z nasienia roślina kwitnąca ma najpierw jeden lub dwa grube liście – są to liścienie (patrz ROZWÓJ ROŚLINY). Rośliny są *jedno-* i *dwuliścienne*. Trawy, zboża, palma daktylowa, tulipany i żonkile są roślinami jednoliściennymi. Wiele innych kwiatów wraz z drzewami i warzywami to rośliny dwuliścienne.

Rośliny każdej z tych dwóch grup rozwijają się nieco inaczej. Łodygi dwuliściennych są grubsze i mocniejsze, często zdrewniałe (str. 56); łodygi jednoliściennych rosną szybko, pozostają jednak miękkie i giętkie. Liście dwuliściennych są szerokie i unaczynione siatkowo, jednoliścienne mają wąskie, długie liście z równoległymi naczyniami, a ich kwiaty są często rozczłonkowane.

CZY WIESZ, ŻE...?

Największym kwiatem jest pachnąca lilia indonezyjska, osiągająca średnicę do 1 m i wagę 7 kg.

Największe nasiona to orzechy rosnącej na Seszelach palmy, ważące nawet 20 kg.

Najmniejsze nasiona mają storczyki – milion nasion tych roślin waży zaledwie 0,3 mg.

Orchidee mogą zamknąć w jednej kapsule ponad 2 000 000 nasion.

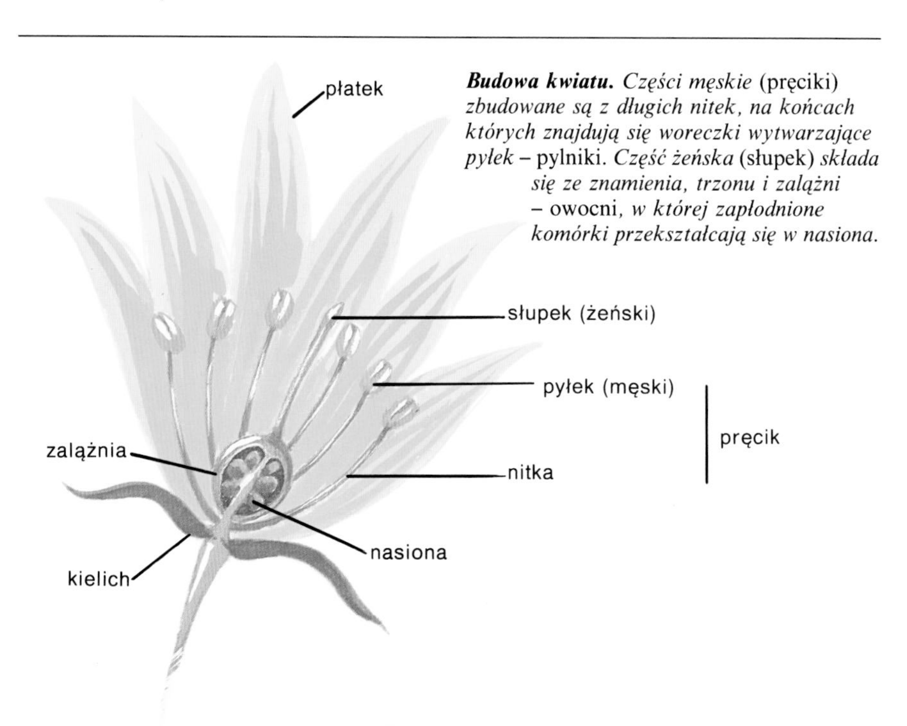

Budowa kwiatu. *Części męskie* (pręciki) *zbudowane są z długich nitek, na końcach których znajdują się woreczki wytwarzające pyłek* – pylniki. *Część żeńska* (słupek) *składa się ze znamienia, trzonu i zalążni* – owocni, *w której zapłodnione komórki przekształcają się w nasiona.*

Owoce i nasiona

Owoce mogą przybierać wiele kształtów i wymiarów. Niektóre, jak pomarańcze, banany i pomidory, są miękkie i soczyste – pestki miąższu to nasiona. Inne (np. żołędzie i orzechy laskowe) mają twarde, suche łupiny. Owoce grochu, fasoli i innych roślin strączkowych, miękkie i suche, zamknięte są w strąku. Soczyste owoce takie jak jagody (w tym winogrona) i cytrusy nazywane są *owocami prawdziwymi*, ponieważ powstają z całej zalążni. Jabłka i gruszki to *owoce rzekome*, na które składa się także rozrośnięte dno kwiatowe. Tylko skórka jabłka jest owocnią. Śliwki i czereśnie to *pestkowce*: nasienie zawarte jest w twardej łupinie. Do pestkowców należy też orzech włoski.

Rozsiewanie nasion

Jeśli rośliny mają się rozprzestrzeniać, nasiona muszą być rozrzucane bądź przenoszone z miejsca na miejsce. Nasiona przemieszczają się w różny sposób. Niektóre z nich są tak lekkie, że unoszą się z wiatrem – nasiona traw przenoszone są na odległość kilku kilometrów. Niektóre nasiona, np. palmy kokosowej, przenosi woda. Orzechy mogą przepłynąć tysiące kilometrów przez oceany, zanim zostaną wyrzucone na brzeg.
Wiele owoców i nasion przenoszą owady, ptaki i inne zwierzęta – dzięki temu, że jedzą one miąższ owoców, a nasiona przyczepiają się do ich ciała. Niektóre rośliny po prostu wyrzucają nasiona, rozsypując je po okolicy.

***Niektóre nasiona** przenoszone są przez zwierzęta, przyczepione do ich sierści. Przytulia i rzep mają maleńkie haczyki, czepiające się kociego futra.*

***Ptaki odżywiające** się miąższem owoców łatwo je znajdują dzięki jasnym kolorom. Twarde nasiona nie ulegają strawieniu; wydalone, gotowe są do kiełkowania.*

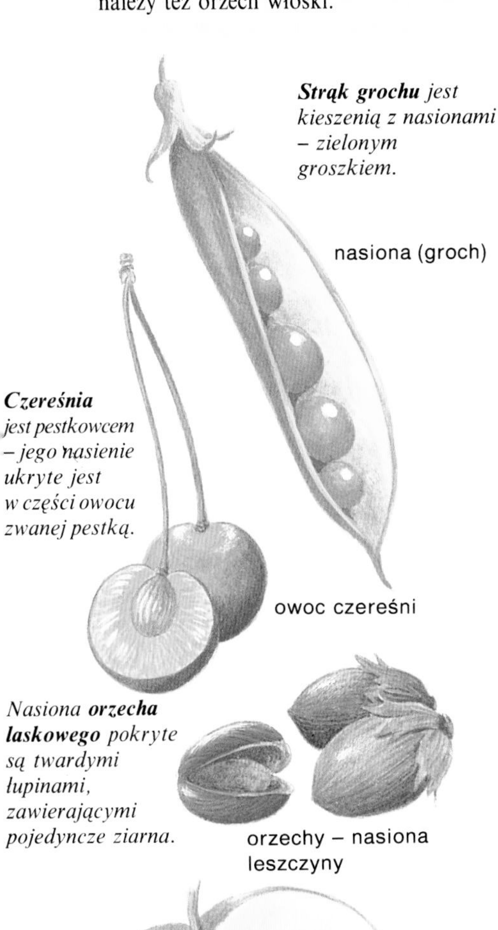

***Strąk grochu** jest kieszenią z nasionami – zielonym groszkiem.*

***Czereśnia** jest pestkowcem – jego nasienie ukryte jest w części owocu zwanej pestką.*

*Nasiona **orzecha laskowego** pokryte są twardymi łupinami, zawierającymi pojedyncze ziarna.*

***Nasiona jawora** mają skrzydełka ułatwiające im unoszenie się z wiatrem.*

***Nasiona mniszka lekarskiego** unoszą się na puszystych spadochronach.*

Rozwój rośliny

Każde z opuszczających owocnię nasion zawiera zarodek nowej rośliny (kiełek) i zasób substancji odżywczych potrzebny do jego rozwoju. Nasiona nie mogą jednak wykiełkować w niesprzyjających warunkach. Niezbędna im jest woda i odpowiednia temperatura. Nasiona maku mogą przeleżeć w ziemi przez wiele lat, zanim przewracający skiby pług wyniesie je na powierzchnię, gdzie mogą wykiełkować.
Z nasienia wyrasta najpierw korzeń i zielony pęd. *Korzeń zarodkowy* wrasta w ziemię, a *pęd* rośnie do góry, ku słońcu. Pierwszymi liśćmi rośliny są zieleniejące *liścienie* nasion. Wkrótce wyrasta im łodyga i pojawiają się *liście właściwe*. Rosną tylko części roślin zwane *merystemami*. Znajdują się najczęściej na czubkach pędów i korzeni, tak więc kiedy kiełkuje nowa roślina, jej pęd i korzeń przybierają raczej na długości niż grubości. Jest to *wzrost pierwotny*. Następnie niektóre rośliny pogrubiają swe pędy albo rozrastają się w różnych kierunkach.

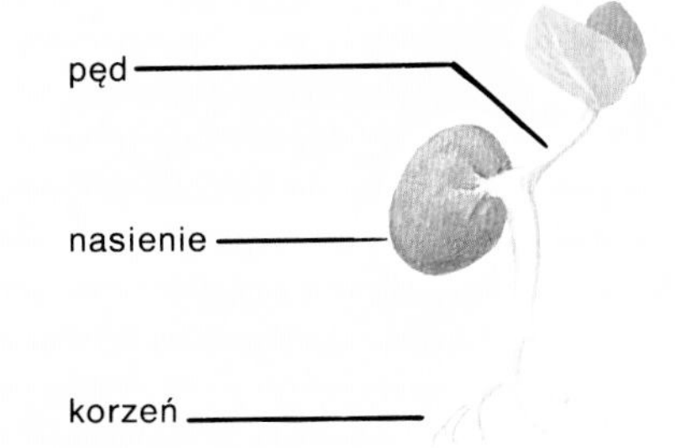

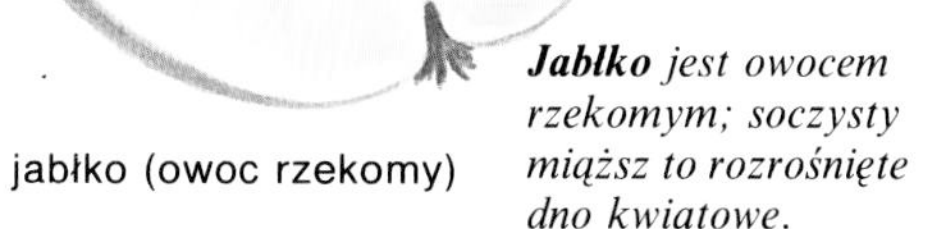

***Jabłko** jest owocem rzekomym; soczysty miąższ to rozrośnięte dno kwiatowe.*

KWIATY OGRODOWE I DZIKIE

Wszystkie kwiaty rosły niegdyś dziko. W ciągu wieków ogrodnicy zaadaptowali je do warunków ogrodowych, selekcjonując nasiona i krzyżując gatunki, by otrzymać pożądane cechy roślin – np. proste łodygi bądź czerwone kwiaty. W ten sposób mamy dziś ponad milion rodzajów kwiatów ogrodowych. Tymczasem wiele kwiatów dziko rosnących występuje coraz rzadziej, cofając się przed wkraczającym na teren ich siedzib człowiekiem.

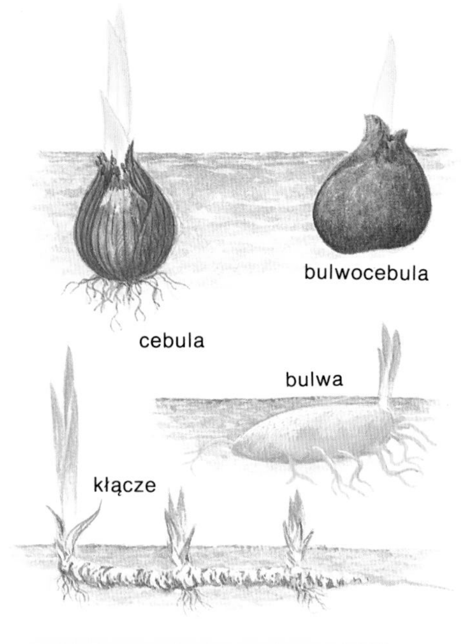

BULWY, CEBULE, BULWOCEBULE I KŁĄCZA

Wiele roślin trwałych rozrasta się nie tylko z nasion, lecz również z części korzenia lub łodygi – nazywa się to *rozmnażaniem wegetatywnym*.
W ten sposób wyrastają ze starej łodygi rośliny takie jak łubin. Z upływem lat łodygi przestają rosnąć i obumierają w centrum, pozostawiając dookoła wieniec oddzielnych roślin. Irysy wyrastają z grubych, rozrastających się pod ziemią łodyg – *kłączy*. Niekiedy kłącza kończą się zgrubieniami zwanymi *bulwami*. Takimi bulwami są ziemniaki, które jadamy na obiad. Krokusy wyrastają ze zgrubień zwanych *bulwocebulami*, a tulipany z *cebul*. Cebule podobne są do bulw, powstały jednak z warstw liści, a nie z napęczniałego kłącza, co wykazuje ich budowa. Zimą bulwy i cebule są *magazynami pokarmowymi* – spichrzami roślin. Wiosną wyrastają z nich nowe pędy.
Rośliny rozmnażają się również za pomocą długich *łodyg płożących* się po ziemi lub pod nią – *kłączy*.

CZY WIESZ, ŻE...?

Najdłużej czekać trzeba na kwiat andyjskiej *Puya raimondii*. Roślina ta kwitnie po 150 latach – potem ginie.

Kwiaty pewnej odmiany storczyka wyglądają jak samice os – przyciągają więc samce, które pomagają w zapylaniu.

Stapelia przyciąga muchy zapachem gnijącego miejsca; z tego powodu ten sukulent nazywany jest „gnijącym kwiatem".

CYKLE ŻYCIOWE

Kwiaty ogrodowe i dziko rosnące oraz inne rośliny zielne dzielą się na cztery główne typy: trwałe, dwuletnie, roczne i efemerydy.

Rośliny efemeryczne żyją bardzo krótko – kiełkują, kwitną i obumierają w ciągu kilku tygodni. Jednakże, jako że cykl ten może zachodzić kilka razy w ciągu sezonu, rośliny te szybko się rozrastają. Do efemeryd należy wiele roślin pustynnych i chwastów – np. starzec zwyczajny.

Rośliny roczne: ich cykl wegetacyjny (od kiełkowania, wzrostu, przez kwitnienie, rozrzucanie nasion – po zamieranie) zamyka się w obrębie sezonu rocznego. Ich nasiona oczekują czasem w ziemi kilka lat na sposobne do kiełkowania warunki (str. 59). Do roślin tych należą ostróżki, także niektóre zioła, groch i zboża.

Rośliny dwuletnie żyją dwa lata. Pierwszego roku wypuszczają wieniec liści oraz tworzą pod ziemią bulwę lub korzeń spichrzowy – magazyn pokarmu, którego zadaniem jest przetrwanie zimy. Wiosną roślina wypuszcza łodygę, na której latem pojawiają się kwiaty. Do tej grupy należą naparstnice i wiele warzyw.

Rośliny trwałe żyją przez wiele lat. Zimę pomaga im przetrwać zgromadzony w podziemnych bulwach pokarm. Roślinami trwałymi są laki, chryzantemy, stokrotki oraz wiele innych kwiatów ogrodowych.

Pochodzące z Azji ***rododendrony*** *to jedne z najwspanialszych krzewów.*

Magnolia *należy do najstarszych hodowanych przez człowieka krzewów.*

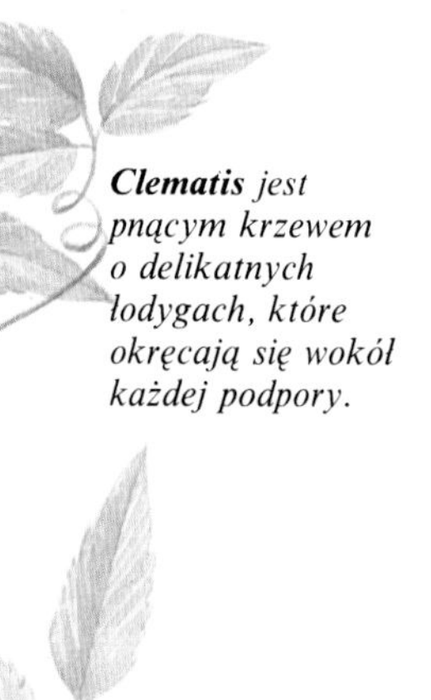

Clematis *jest pnącym krzewem o delikatnych łodygach, które okręcają się wokół każdej podpory.*

KRZEWY

Krzewy są mniejsze od drzew, zamiast pojedynczego pnia mają koronę gałęzi wyrastającą tuż nad ziemią. W miejscach zimnych i suchych krzewy bywają po prostu mniejszymi wersjami drzew. Krzewy umiarkowanej strefy klimatycznej zrzucają liście, podobnie jak drzewa. Krzewy wiecznie zielone, jak ostrokrzew kolczasty i rododendron, zachowują liście przez cały rok.

Kwiaty ogrodowe

Od tysięcy lat człowiek hoduje w ogrodach rośliny dla ich pięknego zapachu, koloru i kształtów. W wyniku długiej, żmudnej pracy *ogrodników* powstały tysiące gatunków i nowych odmian o szczególnych kształtach, barwie, zapachu i wytrzymałości - różnych od tych, które cechowały ich dzikich przodków. Dzika róża ma małe, delikatne, różowe lub białe kwiaty o kilku zaledwie płatkach - kwiaty róż ogrodowych są wielkie, mięsiste, o licznych płatkach w kolorach od pąsowej czerwieni po blady błękit. Róża dzika ma na ogół mniej kwiatów od ogrodowych, za to więcej liści.

***Łubin** to duża, kolorowa roślina ogrodowa, powszechna na zachodzie Stanów Zjednoczonych.*

***Dzwonek kanterberyjski** to jedna z odmian dzwonka ogrodowego.*

***Goździki** popularne są jako kwiaty cięte, ponieważ mają dużą trwałość.*

***Szałwia** jest rośliną dwuletnią o aromatycznych liściach, mającą właściwości lecznicze; rośnie często na obrzeżach ogrodów.*

***Róże** to lubiane wszędzie krzewy kwitnące. Występują w 13 000 różnych odmian.*

Kwiaty dzikie

Rozrastające się osiedla ludzkie pozostawiają coraz mniej miejsca dla dzikiej roślinności - niektóre rośliny spotykane są dziś bardzo rzadko. Część z nich, by nie zniknęła zupełnie, objęta jest ochroną prawną; przykładem jest tu storczyk pantofelek damy, rosnący w Anglii jedynie w Yorkshire. Dzikie kwiaty, zwane polnymi, rosną w terenie w różnych miejscach i zestawach. Wrzosowiska pełne są fioletowego wrzośca, żółtego kolcolistu i szkarłatnego kurzyśladu. Na łąkach spotyka się wśród źdźbeł trawy kwiaty jaskra, stokrotki, koniczyny i niezapominajki. W lasach rosną dzwonki okrągłolistne, pierwiosnki i jaskółcze ziele. Skały terenów nadmorskich są siedzibą zawciągu pospolitego i mikołajka; komonica kwitnie wśród traw na klifach.

***Storczyk pantofelek damy** jest jednym z wielu kwiatów zagrożonych wyginięciem.*

***Barwinek madagaskarski** rośnie na terenach tropikalnych, nie tylko na Madagaskarze. Stał się jedną z ulubionych roślin domowych.*

Olbrzymie sekwoje kalifornijskie należą do największych drzew na świecie. Jedna z nich, nazwana General Sherman, liczy sobie 83 m wysokości, a jej korona ma średnicę 11 m (jak cztery ustawione koło siebie ciężarówki). Drewna z niej wystarczyłoby na zbudowanie 40 domów – albo na wyprodukowanie 5 mld zapałek!

DRZEWA

Drzewa mają bardzo zróżnicowane rozmiary – od karłowatej wierzby mierzącej kilka centymetrów po wybujałe do wysokości drapaczy chmur sekwoje. Ogólnie jednak należą do największych roślin kwitnących. Lasy zajmują na świecie obszar niemal 40 milionów kilometrów kwadratowych – rosną w nich drzewa iglaste oraz liściaste, jak dęby i buki, o szerokich, płaskich blaszkach liściowych.

DREWNO

Człowiek ścina wiele drzew, by uzyskać wszechstronny surowiec, z którego zrobić można niemal wszystko – od kija krykietowego po dom. Drewno może być miękkie i twarde.

Drewno miękkie dają najczęściej drzewa iglaste, jak sosna, świerk, jodła i modrzew. Stanowią one 75–80% naturalnego drzewostanu północnej Azji, Europy i Stanów Zjednoczonych. Ogromne tereny zostały zamienione przez człowieka na plantacje, gdzie posadzono szybko rosnące drzewa szpilkowe, przeznaczone na drewno. Drzewo twarde pochodzi z drzew liściastych (np. dębu); większość z nich rośnie w rejonach tropikalnych. Czas ich wzrostu jest na ogół bardzo długi – ponad sto lat. Tak więc w miarę wycinania tych drzew lasy ulegają wyniszczeniu.

CZY WIESZ, ŻE...?

Korzenie dzikiego figowca południowoafrykańskiego rozrastają się w ziemi w promieniu 120 m.

Pewne cierniowe drzewo australijskie ma okrągłe nasiona, w których mrówki często robią otwory, a wiatr wydobywa z nich posępny gwizd.

Najszybciej rosnącym drzewem jest tropikalna karagana *Albizia falcata*. Jeden z okazów tego gatunku urósł 10 m w ciągu 13 miesięcy.

Wierzby i olchy mogą ostrzegać inne drzewa przed atakiem gąsienic, wydzielając specjalne substancje chemiczne w powietrze.

LIŚCIE

Po liściach można rozpoznać gatunek drzewa. Jawor ma na przykład liście w kształcie trójdzielnej gwiazdy, zaś orzech włoski rosnące w pękach liście języczkowate.

Opadanie liści. Wiele drzew liściastych zrzuca liście w określonej porze roku. W tropikach drzewa pozbywają się liści na początku pory suchej; w klimacie umiarkowanym (pomiędzy obszarami tropikalnymi a arktycznymi) liście drzew opadają na jesieni.

W regionach klimatu umiarkowanego, gdy dni stają się coraz krótsze i chłodniejsze, chlorofil (str. 57) – zielony barwnik liści – rozpada się. Ustępuje miejsca żółciom, czerwieniom, purpurze i brązom – wspaniałym barwom jesieni. U nasady ogonka każdego liścia narasta w poprzek tkanka *abscyzyjna*, rodzaj blizny – w końcu liść odpada.

Drzewa wiecznie zielone zachowują liście przez cały rok. Liście żyją do czterech lat i często pokryte są ciemną, woskowatą skórką.

KWIATY

Niektóre drzewa, jak orzech włoski, mają duże, okazałe kwiaty; kwiaty dębu i jesionu są tak drobne, że trudno je zauważyć. Drzewa zapylane przez zwierzęta (str. 58) mają na ogół kwiaty duże, łatwo zauważalne i przyciągające uwagę. Wiatropylne mają kwiaty znacznie mniejsze (s.63) Kwiaty wielu z nich

PNIE DRZEW

Na przekroju pozostałego po ściętym drzewie pnia ujrzeć można koncentryczne linie, zwane *pierścieniami wzrostu* – wykazują, ile drzewo przybrało na grubości każdego roku. Ciemniejsza granica każdego z pierścieni przypada na zimowe zahamowanie wzrostu. Licząc pierścienie można określić wiek drzewa. Ciemniejsze, martwe wnętrze drzewa zwane jest twardzielem. Bledsze warstwy wokół niego to *biel*, przewodzący rurkami ksylemu soki z korzeni do liści. Zewnętrzna warstwa to *miazga*, zawierająca merystemy wzrostowe i *floem*, transportujący produkty fotosyntezy. Od zewnątrz pień chroni *kora*, zbudowana z materii korkowej. Na jej spodzie jest warstwa miazgi z merystemami umożliwiającymi wzrost kory.

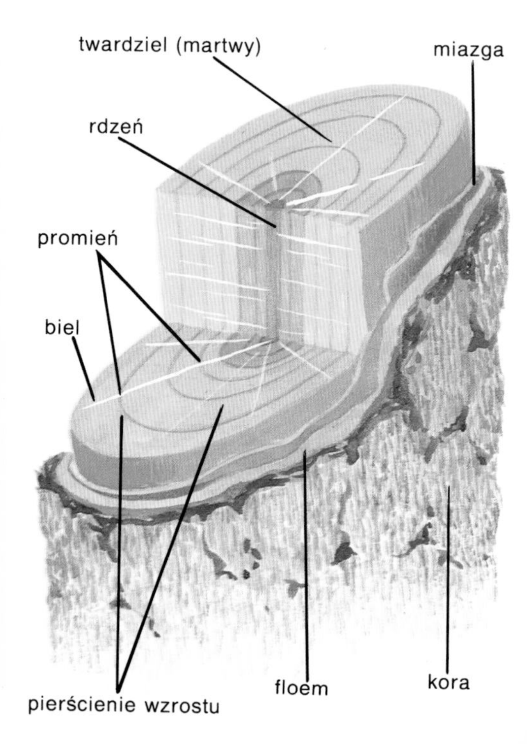

tworzą gęsto powiązane pęki zwane baziami. Nie mają one płatków, ich pylniki (str. 58) wystawione są bezpośrednio na wiatr. Kleiste znamiona słupków gotowe są do zapylenia przez najlżejszy podmuch.

NASIONA I OWOCE

Od momentu zapylenia w owocniach rozwijają się nasiona. Owoce drzew mogą być miękkie jak śliwki albo twarde jak orzechy.

Wysokie drzewa wystawione są na wiatr, a ich nasiona mają specjalne, przystosowane do przenoszenia przez podmuch, nasiona. Nasiona wiązów przypominają latające talerze, nasiona klonów wyposażone są w skrzydełka, a wierzb – spadochrony.

Wewnątrz miękkich owoców znajduje się często twarda pestka nasienia. Zjadający owoc ptak pozostawia pestkę nienaruszoną, gotową do dania początku nowemu drzewu. Twarde i suche owoce, jak orzechy i żołędzie, są często zakopywane przez zwierzęta przygotowujące sobie zapasy na zimę (np. wiewiórki). Nie wykorzystane – kiełkują na wiosnę.

LASY TROPIKALNE

Lasy tropików to środowiska najróżnorodniejszej roślinności świata. W lasach strefy umiarkowanej rzadko kiedy rośnie więcej jak dwanaście różnych gatunków drzew, w tropikalnych – na jednym hektarze znaleźć można ich ponad sto. Roślinność lasów tropikalnych układa się piętrowo. Nad koronami większości drzew górują pojedyncze, wysokie okazy sięgające 60 m wysokości. Pod nimi rozpina się baldachim utworzony przez korony gęsto rosnących, prostych drzew wysokich na 30–50 m. W pogrążonym w półmroku piętrze poniżej tego dachu splątanych liści i gałęzi rosną młode drzewa i krzewy. Po pniach drzew wspinają się liany i pnącza (wśród nich także storczyki i paprocie) – dążąc do uzyskania dostępu do światła słonecznego.

DRZEWA MAŁE I DUŻE

Drzewo rozpoznać można po kształcie korony. Szeroka kopuła dębu odróżnia się nawet z bardzo daleka od przypominającej włócznię topoli. Kształt drzewa zależy jednak w pewnym stopniu od czynników takich jak ekspozycja na wiatr – w górach czy na nadmorskich klifach. Wówczas gatunek rozpoznaje się po kształcie liści, pąków i gałązek, kolorze i fakturze kory albo po kwiatach i owocach.

Klon *rośnie w chłodniejszych regionach półkuli północnej, zwłaszcza w Azji. Przed zrzuceniem liści na zimę zamienia się we wspaniały, czerwonozłoty bukiet. Tereny Nowej Anglii w Stanach Zjednoczonych słyną z jesiennych klonów. Przedstawiony na ilustracji klon norweski należy do najwyższych przedstawicieli tego gatunku – osiąga wysokość 30 m.*

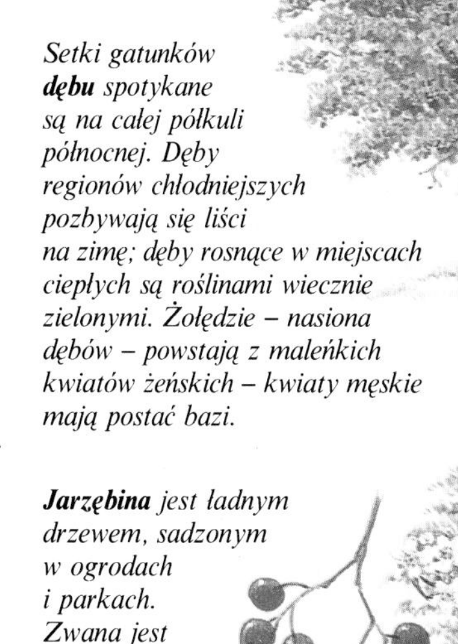

Setki gatunków ***dębu*** *spotykane są na całej półkuli północnej. Dęby regionów chłodniejszych pozbywają się liści na zimę; dęby rosnące w miejscach ciepłych są roślinami wiecznie zielonymi. Żołędzie – nasiona dębów – powstają z maleńkich kwiatów żeńskich – kwiaty męskie mają postać bazi.*

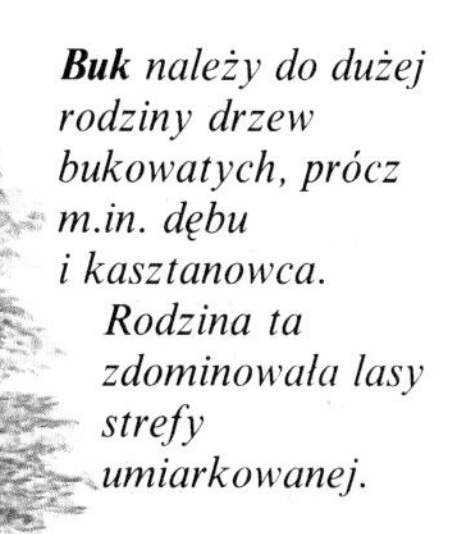

Jarzębina *jest ładnym drzewem, sadzonym w ogrodach i parkach. Zwana jest także jesionem górskim, jako że w górach rośnie najwyżej ze wszystkich rdzennie europejskich drzew. Wiosną pokrywa się kremowobiałymi pękami kwiatów. Czerwone korale – kiście jesiennych jagód – smaczne są w konfiturze jako dodatek do mięs.*

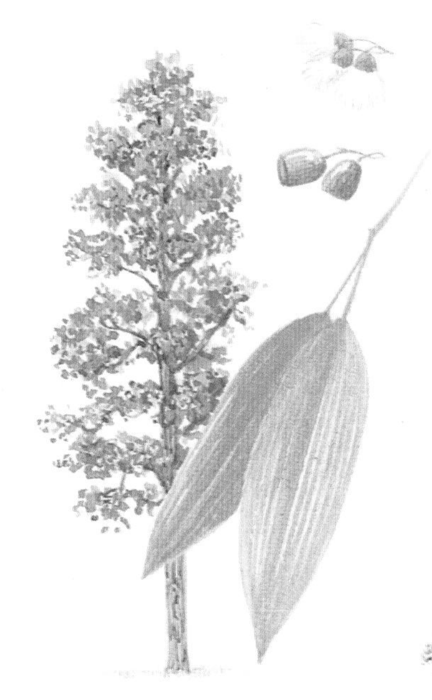

Eukaliptus *rośnie w Australii i na Tasmanii. Wszystkie jego odmiany są wiecznie zielone; należy do rodziny mirtowatych. Niektóre odmiany osiągają wysokość zaledwie 1 m, inne rosną do 90 m. Wiele z nich ścina się na drewno. Liście błękitnego eukaliptusa tasmańskiego dostarczają olejku, który jest cennym medykamentem, a także stosuje się go w rafinacji ropy naftowej.*

Buk *należy do dużej rodziny drzew bukowatych, prócz m.in. dębu i kasztanowca. Rodzina ta zdominowała lasy strefy umiarkowanej.*

Sosna dostarcza żywicy do produkcji terpentyny.

Modrzew to jedyne drzewo iglaste zmieniające liście.

Świerk sitkajski dostarcza drewna na dobre gatunki papieru.

Cedr libański daje twarde, pachnące drewno.

Iglica uprawiana jest na drewno.

Daglezja przekracza 75 m wysokości.

Sosny austriackie służą jako wiatrochrony.

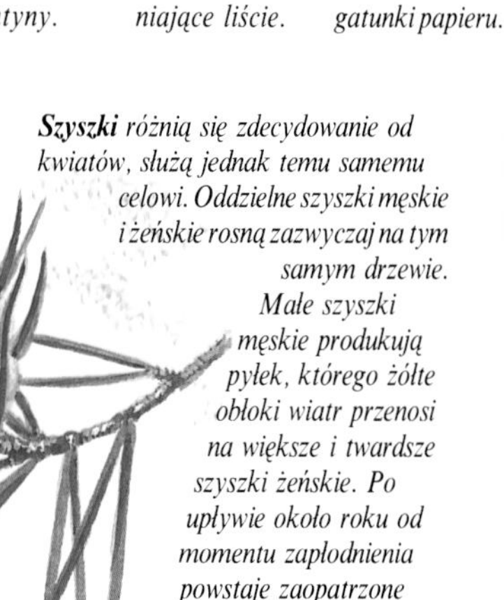

Szyszki różnią się zdecydowanie od kwiatów, służą jednak temu samemu celowi. Oddzielne szyszki męskie i żeńskie rosną zazwyczaj na tym samym drzewie. Małe szyszki męskie produkują pyłek, którego żółte obłoki wiatr przenosi na większe i twardsze szyszki żeńskie. Po upływie około roku od momentu zapłodnienia powstaje zaopatrzone w skrzydełko nasienie – wkrótce unosi je wiatr.

Drzewa iglaste i cykasy

Drzewa iglaste i spokrewnione z nimi cykasy (sagowce) i miłorzęby należą do najstarszych roślin – pojawiły się na Ziemi ponad 275 mln lat temu. Tworzą rodzinę nagozalążkowych (nagonasiennych), których nasiona umieszczone są w szyszkach. Drzewa te są najczęściej wysokie, zawsze zielone (z wyjątkiem modrzewia); rosną często w rejonach chłodnych i górskich. Cykasy są tropikalnymi roślinami przypominającymi z wyglądu palmy. Miłorząb to wysokie drzewo chińskie.

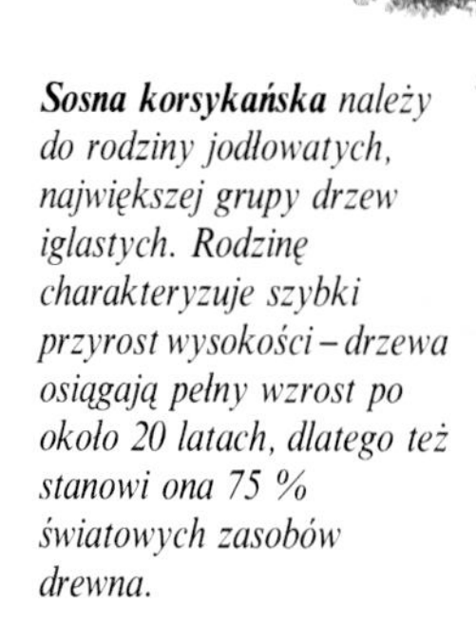

Sosna korsykańska należy do rodziny jodłowatych, największej grupy drzew iglastych. Rodzinę charakteryzuje szybki przyrost wysokości – drzewa osiągają pełny wzrost po około 20 latach, dlatego też stanowi ona 75 % światowych zasobów drewna.

Lasy i tereny zalesione

Ogromne tereny chłodniejszych rejonów świata porastają lasy szpilkowe – zwłaszcza w Kanadzie i na Syberii, gdzie północna tajga rozciąga się na przestrzeni tysięcy kilometrów. W lasach tych rosną drzewa różnych gatunków, wśród nich świerk, sosna, jodła i modrzew. Drzewa iglaste są gęste i ciemne; pod drzewami rośnie niewiele innych roślin.

Tereny nieco cieplejsze porastały niegdyś lasy liściaste, większość z nich została jednak wytrzebiona.

Tam, gdzie przetrwały, odróżniają się swym różnorodnym charakterem od monotonii lasów iglastych. Rośnie w nich dąb, jesion, brzoza, klon, jawor, wiąz, olcha i orzesznik. Dominują tam buki lub dęby (stąd: dąbrowa i bukowina). Lasy liściaste nie są tak gęste jak bory szpilkowe, pod drzewami rośnie więc wiele różnych roślin.

Lasy iglaste są najczęściej gęste i ciemne, zwłaszcza tam, gdzie gęste świerki zagłuszają inne rośliny. W grubej warstwie opadłych szpilek żyją grzyby i bakterie, a na samych drzewach – mchy i porosty. Jeśli ogień wypali część lasu, porośnie ona najpierw brzozami. Po 60 latach zwyciężą jednak sosny, które powoli będą wysiewać się wśród brzóz.

Spód liścia paproci *pokryty jest zgrubieniami, w których roślina wytwarza zarodniki.*

MCHY I POROSTY

Nie wszystkie rośliny powstają z nasion. Mchy, wątrobowce, widłaki, skrzypy i paprocie należą do roślin rozmnażających się przez zarodniki (*spory*). Są to pierwsze rośliny lądowe, które porosły Ziemię około 400 milionów lat temu.

ROŚLINY NIŻSZE

Mchy i paprocie lubią wilgotne, ocienione miejsca – często pokrywają dywanami skały i drzewa podmokłych terenów leśnych oraz parnych lasów tropikalnych.

Mchy i wątrobowce tworzą grupę *bryofitów*. Większość zielonych roślin tej grupy porasta kilkumetrowej grubości *płatami* ściany, skały i pnie. W odróżnieniu od większości innych roślin, nie mają one prawdziwych korzeni – wodę czerpią z powietrza za pomocą łodyg i maleńkich, przypominających korzonki nitek zwanych *nibykorzeniami*.

Skrzypy i widłaki należą do rodziny paprotników. 300 milionów lat temu paprotniki osiągały wysokość 40 m. Dziś są znacznie mniejsze. W odróżnieniu od mchów, mają korzenie i prymitywne liście oraz łodygę z naczyniami prowadzącymi wodę i substancje odżywcze.

Paprocie, oczywiście, również są paprotnikami. Ich liście różnią się od liści roślin nasiennych. Niektóre paprocie są maleńkie, o liściach nie przekraczających 1 cm długości – wyglądem przypominają mchy. Wielkie paprocie tropikalne rosną do wysokości 25 m. Ich wysokie łodygi z koronami liści u szczytu podobne są do palm.

Mech Polytrichum *(powyżej). Żółte kapsułki sporów są otwarte z jednej strony. Potrącający kapsuły wiatr wytrząsa z nich spory niczym pieprz z pieprzniczki.*

Mech Sphagnum *(poniżej) rośnie na bagnach. Nasiąka wodą, której ilość dochodzi do 25-krotnej wagi suchej rośliny. Jest głównym składnikiem torfu.*

MCHY I WĄTROBOWCE

Są to rośliny ziemnowodne, niczym płazy wśród zwierząt. Potrzebują nie tylko mnóstwa wilgoci w powietrzu – najlepszymi warunkami do ich rozwoju jest częściowe zanurzenie w wodzie. Dlatego właśnie mchy i wątrobowce rosną na brzegach rzek i strumieni. Mimo to, mchy mogą przetrwać bez wody całe tygodnie.

Rozwój mchów i wątrobowców jest dwustopniowy. Zwie się *przemianą pokoleń*. Pierwszym etapem jest połączenie komórki męskiej, powstałej w komorze zwanej *plemnią*, z żeńską – komórki męskie, gdy dojrzeją, przepływają niczym kijanki do kubeczkowatych rodni żeńskich.

Po połączeniu komórki męskiej i żeńskiej zaczyna się drugie stadium – z jajeczka wyrasta *sporofit*. Na jego czubku znajduje się maleńki pojemnik z tysiącami sporów. Po pewnym czasie pojemnik pęka, wyrzucając spory, które, jeśli upadną w odpowiednim miejscu, dają początek nowym męskim i żeńskim łodyżkom i cykl może zacząć się od początku.

PAPROCIE

Paprocie lubią miejsca wilgotne i ocienione. Większość rośnie na ziemi, niektóre jednak – na liściach i łodygach innych roślin.

Podobnie jak mchy, paprocie rozwijają się dwustopniowo. Najpierw w *rodniach* – grudkowatych pojemnikach na spodzie liści – powstają spory; następnie, jeśli warunki sprzyjają, w miejscu gdzie padają spory, wyrastają z nich męskie i żeńskie *przedrośla*. Jest to stadium drugie. Kiedy przedrośla męskie zostaną obmyte wodą deszczową, produkowane przez nie komórki męskie płyną do żeńskich.

Z połączonych komórek wyrasta nowa paproć, a przedrośle obumiera.

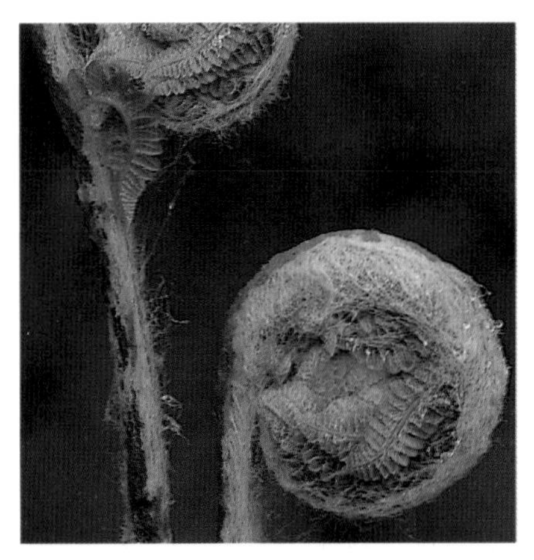

Liście paproci. *Młode liście paproci zawinięte są jak kij pasterski. W miarę wzrostu rozwijają się, tworząc pióropusze lub duże, płaskie liście. Na dojrzałym liściu pojawiają się brązowe punkciki sporangiów, grupujących zarodniki (spory).*

Tęgoskór. *Rozmnażanie niektórych grzybów przez spory dokumentuje wyraźnie niniejsza fotografia – wyrzucane, wyglądają jak smużka dymu.*

GRZYBY

Grzyby kapeluszowe i różnokolorowe pleśnie należą do wielkiej grupy organizmów zwanej grzybami. Oprócz grzybów jadanych przez człowieka istnieją śmiertelnie trujące. Niektóre pasożytują na roślinach i zwierzętach, powodując choroby – z innych produkuje się antybiotyki. Drożdże powodują, że rośnie chleb i fermentuje piwo.

ROZMNAŻANIE GRZYBÓW

Niektóre grzyby rozrastają się przez grzybnię. Inne rozmnażają się przez *spory*, maleńkie komórki, z których wyrastają nowe grzyby. W grzybie jadalnym zarodniki znajdują się na spodniej stronie kapelusza. Podobnie jak mchy, grzyby rozmnażają się w procesie przemiany pokoleń (str. 65). W pierwszym pokoleniu powstają komórki męskie i żeńskie (*gametofity*); pokolenie drugie daje spory, z których wyrosnąć może nowy grzyb.

WYKORZYSTANIE INNYCH ORGANIZMÓW

Chociaż rosną na ziemi jak rośliny, grzyby nie są prawdziwymi roślinami, ponieważ nie mają chlorofilu i nie są w stanie produkować pożywienia same dla siebie. Dlatego też większość z nich pasożytuje na innych roślinach i zwierzętach.

Grzyby żyją z rozkładu substancji organicznych. *Pasożyty* korzystają z żywych organizmów; *saprofity* wykorzystują martwe szczątki roślinne i zwierzęce. Obydwie te grupy odżywiają się, wydzielając specjalne substancje chemiczne zwane enzymami, które zapoczątkowują proces rozkładu. Z gnijących organizmów grzyby wchłaniają substancje odżywcze i mineralne.

Enzymy niektórych grzybów wykorzystywane są w serach pleśniowych – inne mogą uczynić zwykły, stary chleb trującym.

Z CZEGO ZBUDOWANY JEST GRZYB

Grzyby składają się z setek nitek podobnych do bawełnianych, zwanych *strzępkami*, które wchłaniają i przyswajają substancje odżywcze z podłoża, na którym żyją. Strzępki rozprzestrzeniają się w splątanych, wydłużonych kłębkach pod ziemią lub wewnątrz tkanek rośliny czy zwierzęcia, na którym pasożytują.

Czasami strzępki zrastają się, tworząc owocniki, czasem tworzą kolonie maleńkich szpileczek, jak pleśń na gnijącym owocu.

GRZYBY TRUJĄCE

Jedynie 10 z 10 000 grzybów znajdowanych w Europie jest naprawdę trujących, choć wiele innych nie nadaje się do jedzenia. Te trujące są jednak tak niebezpieczne, że najlepiej nie jeść grzybów, co do których nie mamy całkowitej pewności, że są jadalne. Niektóre grzyby trujące, jak muchomor, ostrzegają swym jaskrawym kolorem. Muchomor sromotnikowy jest podobny do pieczarki, a jest śmiertelnie trujący.

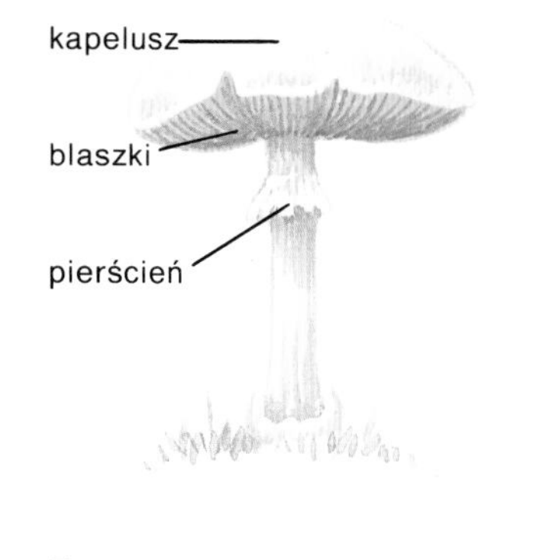

Pieczarka *wyrasta z podziemnego kłębka strzępków zwanego grzybnią. Na wierzchu owocnika ma ona warstwę ochronną zwaną kapeluszem, pod którym znajdują się cieniutkie blaszki. Między nimi powstają spory (zarodniki) – dojrzały grzyb wytwarza w ciągu krótkiego życia około 16 000 milionów zarodników.*

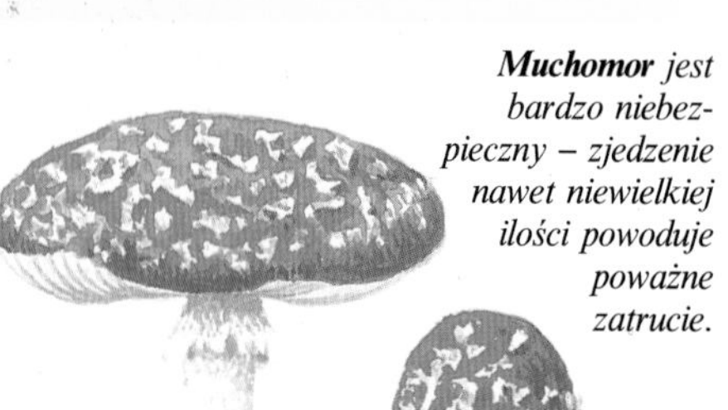

Muchomor *jest bardzo niebezpieczny – zjedzenie nawet niewielkiej ilości powoduje poważne zatrucie.*

Ta polna pieczarka *jest dziś hodowana w celach spożywczych.*

Pierścień *wokół trzonu grzyba jest pozostałością po otwarciu kapelusza.*

Ciemne zarodniki *tego grzyba zdają się kapać jak atrament. Inne, ciemne od spodu grzyby są trujące.*

GLONY

Glony pojawiły się jako jedne z pierwszych organizmów na świecie – jakieś 3500 milionów lat temu. Jest ich dziś wiele rodzajów. Pomimo niewielkich na ogół rozmiarów, należą do najważniejszych przejawów życia – dostarczają pożywienia zwierzętom, począwszy od krewetki, a na wielorybie skończywszy oraz zaopatrują wodę w tlen.

ROŚLINA CZY ZWIERZĘ?
Istnieje wiele gatunków glonów, od jednokomórkowych po łańcuchy wodorostów osiągające długość 60 m. Niektóre żyją w wodzie słodkiej, inne wolą morską, jeszcze inne podmokłe bagna, wilgotne pnie drzew i drewniane płoty – są i takie, które żyją wewnątrz małych, przezroczystych zwierząt. Najmniejsze pływają swobodnie, jak zwierzęta, inne przytwierdzają się do jednego miejsca, jak rośliny.

Glony są tak zróżnicowaną grupą, ich przedstawiciele mogą żyć na tak wiele różnych sposobów, że wielu uczonych wyłącza je z królestwa roślin i umieszcza w oddzielnym królestwie zwanym *Protoctista*. Najstarsze i najprostsze glony to sinice; zaklasyfikowano je jako bakterie (*cyanobacteria*).

Barwy glonów. Jedną z przyczyn, dla których glony są tak istotne dla życia na Ziemi, jest fakt, że zawierają one chlorofil (str. 57), umożliwiający przyswajanie energii słonecznej. Jest to zielony barwnik. Glony jednak nie zawsze są zielone. W przypadku większych wodorostów, jest on stłumiony przez inne pigmenty (czerwień i brąz). Zielone glony spotykane są najczęściej w wodach słodkich, gdzie tworzą długie nici, jak *Spirogyra* o płaskich, przypominających liście blaszkach, zwanych plechą. Czerwone glony spotykane są w ciepłych morzach.

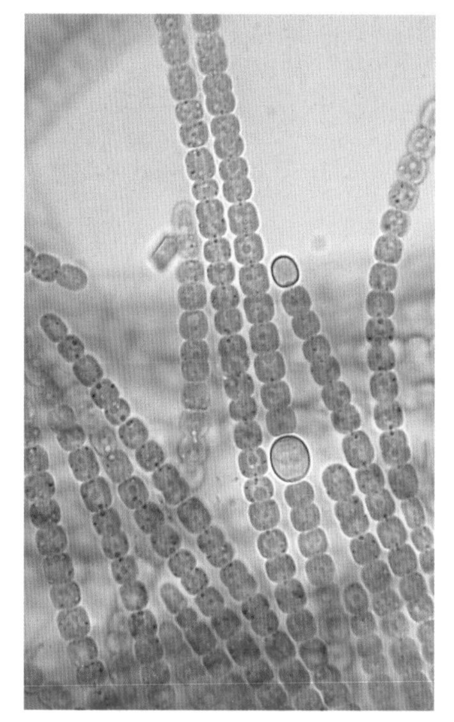

***Okrzemki** (powyżej) są małymi organizmami morskimi zawierającymi żółtawo zabarwiony chlorofil. Niektóre żyją w wielomiliardowych koloniach w wodzie morskiej, inne zamieszkują podwórkowe kałuże wiejskie i podmokłe tereny. Są zbyt małe, by dojrzeć je pojedynczo gołym okiem; ich kolonie często tworzą brązowawą, falującą linię na powierzchni wody. Od ponad miliona lat ich krzemionkowe szkieleciki odkładają się na dnie mórz, gdzie uformowały warstwę o grubości dochodzącej do 300 m. Pozostałe na lądach, z których cofnęło się morze, znajdowały niegdyś zastosowanie przy oczyszczaniu wełny, dziś pomagają odbarwiać ropę i benzynę.*

***Wodorosty** rosną na ogół w wodach płytkich, łatwo dostępnych dla światła słonecznego. Największe wodorosty – brunatnice – rosną na głębokości 15–20 m. Przypominające kształtem paprocie glony czerwone wolą głębokość 30–60 m. Wodorosty płytkich wód narażone na uderzenia fal, są mocno przytwierdzone do skał.*

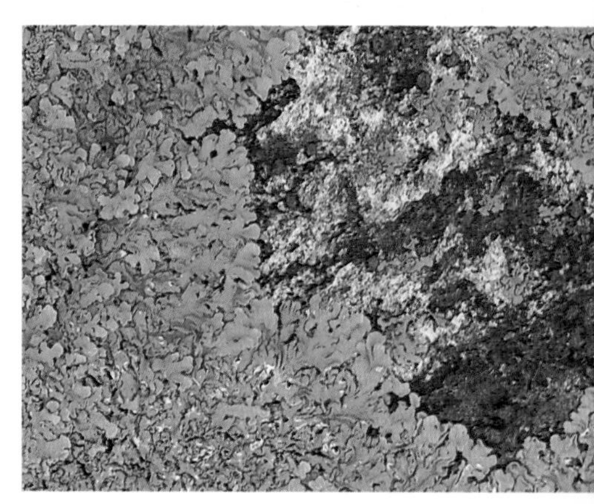

***Porosty** (powyżej) to znamienna wspólnota (symbioza) grzybów i glonów. Glony są maleńkimi, zielonymi kuleczkami, produkującymi pożywienie dla grzybów. Grzyby tworzą wokół glonów ochronną otoczkę i zatrzymują wodę. Niektóre porosty są głównym pożywieniem reniferów Arktyki. Pomarańczowy porost Xanthoria parietina, na zdjęciu, rośnie na wiejskich dachach. Porosty są bardzo wrażliwe na zanieczyszczenie powietrza i nie pojawiają się nigdy w miejscach brudnych.*

ROŚLINY UPRAWNE

Rośliny są podstawowym źródłem pożywienia (zboża na chleb, fasola) większości ludzi. Światowe obszary objęte uprawami obejmują terytorium półtora raza większe od powierzchni Stanów Zjednoczonych.

ZIARNO

Zboża takie jak pszenica, ryż, kukurydza, owies, jęczmień i żyto są głównym źródłem pożywienia człowieka. Są to odmiany traw – zazwyczaj spożywamy ich nasiona (ziarno), słomę dostają zwierzęta w postaci *kiszonek*. Ziarno pszenicy mielone jest najczęściej na mąkę, wykorzystywaną do wyrobu mnóstwa rzeczy, od chleba po makaron – stanowi ono podstawę wyżywienia około 35% ludności świata. Istnieje ponad 30 odmian pszenicy. Pszenicę jarą zasiewa się na wiosnę, a zbiera wczesną jesienią. Pszenica ozima siana jest jesienią i daje plon latem następnego roku. W Azji większość ludzi żywi się głównie ryżem, rosnącym na zalanych wodą polach. Ryż daje plony nawet trzy razy w roku. Kukurydza jest pożywieniem zarówno człowieka, jak i zwierząt przez niego hodowanych.

CYKL UPRAW

By zboża dały wysokie plony, muszą być posiane i zebrane w odpowiednich porach roku. Zbyt wczesny zasiew może być przyczyną zniszczenia młodych roślin przez późne przymrozki; zbyt późny może uniemożliwić roślinom prawidłowe dojrzewanie. Dla wyhodowania pszenicy jarej należy zaorać pole wczesną wiosną, by ziemia gotowa była do przyjęcia ziarna. *Siewnik rzędowy* umieszcza odmierzoną ilość nasion na określonej powierzchni i przysypuje je warstwą ziemi, chroniącą przed ptakami i zapewniającą prawidłowe ukorzenienie się nowo wschodzącej roślinki. Latem zboże wymaga doglądania i ewentualnych oprysków chemicznych, chroniących przez szkodnikami i chorobami. Gdy późnym latem pszenica dojrzewa, zbiera się ziarno – np. za pomocą wielkiej, wieloczynnościowej maszyny zwanej *kombajnem* (po prawej).

STAROŻYTNE I WSPÓŁCZESNE GOSPODARSTWA ROLNE

Uprawę roli zapoczątkowały ludy Środkowego Wschodu ponad 10 000 lat temu. Niemal jednocześnie zaczęto uprawiać zboża w różnych częściach świata, m.in. na Dalekim Wschodzie, w Indiach i Ameryce, zwanej dziś Łacińską.

Zboża ówczesne bardzo były podobne do dzisiejszych – pszenicy, jęczmienia, owsa. Te same gatunki były jednak uprawiane w inny sposób w różnych miejscach. Rolnictwo tradycyjne opierało się na orce niewielkich pól przez ludzi korzystających z pomocy zwierząt; uprawy wymagały cyklicznego ugorowania ziemi (pozostawiania bez zasiewów, by uniknąć wyjałowienia). W Afryce i Azji wciąż uprawia się zboża w ten właśnie sposób.

W Ameryce Północnej i Europie rolnicy stosują dziś coraz więcej maszyn do orki i zbioru plonów na wielkich, objętych jednostajną uprawą polach. Każdy cal ziemi wykorzystany jest również pod uprawę warzyw i owoców – w szklarniach i sadach. Ziemia zachowuje żyzność dzięki ogromnym ilościom nawozów sztucznych i nie potrzebuje odpoczynku. Nazywa się to uprawą intensywną.

ZIELONA REWOLUCJA

Około 40 lat temu rolnicy Ameryki Północnej i Europy Zachodniej zaczęli odchodzić od tradycyjnych zbóż, stosując *wysoko wydajne odmiany* ryżu, pszenicy i kukurydzy. Pozwalają one osiągnąć wysokie plony przy mniejszym nakładzie pracy – żniwa mogą się odbywać nawet dwa lub trzy

Mechanizacja rolnictwa. *Niegdyś rolnicy używali na polu wyłącznie siły mięśni – człowieka, konia i wołu. Dziś rolnictwo Stanów Zjednoczonych Ameryki i Europy Zachodniej jest wysoce zmechanizowane. Niewielu ludzi potrzeba do obsługi nawet ogromnych gospodarstw – mają oni do dyspozycji nie tylko traktory ciągnące pług, lecz i siewniki, maszyny do wiązania słomy oraz pakowania ziarna i przygotowywania kiszonki.*

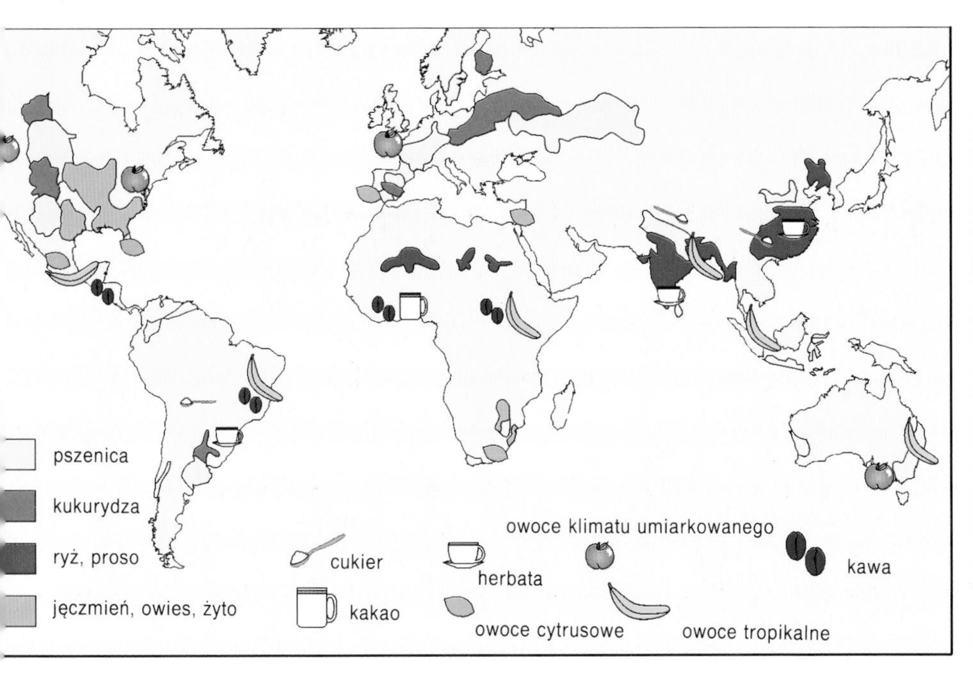

Światowe rejony uprawne

Gatunki hodowanych przez rolników roślin zależą od gleby, klimatu oraz rodzaju produkcji rolnej w danym kraju. Kasawa nie nadaje się do zmechanizowanej uprawy; jej zaletą jest to, że rośnie w suchym klimacie afrykańskim. Zboża rosną na całym świecie, zwłaszcza w klimacie umiarkowanym. Europa jest wiodącym producentem ziemniaków, jęczmienia i żyta; Azja jest terenem 90% światowych upraw ryżu i batatów oraz dużych ilości pszenicy, sorga i fasoli. Ameryka Północna produkuje niemal połowę światowych zbiorów kukurydzy.

razy do roku. Zboża te wypróbowano w różnych krajach – dawały tak wysokie plony, że obszar nimi zasiewany rozszerzał się tak szybko, że proces ten nazwano *zieloną rewolucją*. W Indiach między rokiem 1960 a 1970 zbiory wzrosły dwukrotnie. W Europie jeden hektar ziemi jest dziś w stanie wyżywić 10 razy więcej ludzi niż przed stu laty.

Zielona rewolucja była tak wielkim sukcesem, że zaczęto uważać ją za klucz do likwidacji problemu głodu na świecie. Przy zastosowaniu osiągnięć biochemii i inżynierii genetycznej (str. 11) można uzyskać miliony identycznych roślin, rosnących jednocześnie do tej samej wysokości, wielkości i kształtu.

Ograniczenia rewolucji. Wysokie plony uzyskać można tylko tam, gdzie stosuje się dostateczne nawadnianie pól, pestycydy i maszyny. Dlatego właśnie rozwiązanie wszystkich problemów żywnościowych okazało się iluzją. Im człowiek więcej chce uzyskać od ziemi, tym więcej musi o nią dbać. Dzisiejsi rolnicy używają 10 razy więcej nawozów azotowych niż 40 lat temu – często tylko wielkie przedsiębiorstwa są w stanie podołać związanym z tym wydatkom. Nic dziwnego, że np. w Stanach Zjednoczonych kilka zaledwie wielkich spółek zajmuje się uprawą większości ziemi.

CZY WIESZ, ŻE...?

Spośród tysięcy roślin jadalnych uprawianych jest tylko 100 gatunków.

Rolnictwo Japonii i Anglii ma 7 razy większą wydajność z hektara od nigeryjskiego.

Rolnicy japońscy osiągają wysokie plony ziarna, stosując średnio 372 kg nawozów sztucznych na hektar – 65 razy więcej od Nigeryjczyków.

Na świecie zbiera się co roku ponad (w milionach ton): 500 pszenicy; 470 ryżu, 450 kukurydzy; 300 ziemniaka; 172 jęczmienia; 110 fasoli; 120 manioku; 100 batatów; 75 owsa i żyta.

Największym osiągniętym plonem z hektara było ponad 13 ton zboża.

Plony jako wartość wymienna

Większość ludności Trzeciego Świata żyje z rolnictwa, produkując głównie na potrzeby własne i rodziny. Najlepsze tereny uprawne znajdują się na ogół w rękach bogatych farmerów, którzy sprzedają plony z upraw za granicę. Produkują niemal wszystko – od trzciny cukrowej i bananów, poprzez używki (np. kawę i herbatę), po bawełnę i jutę. Wielu ludzi w Trzecim Świecie (zwłaszcza w Ameryce Południowej) pracuje na takich wielkich plantacjach. Niektóre biedniejsze kraje, jak Nikaragua, zapewniają sobie w taki sposób podstawowy udział w wymianie międzynarodowej.

***Zbiór winogron** we francuskim regionie Bourgogne (po lewej).*

***Zbiór kawy** w Arusha w Tanzanii (powyżej).*

ZIOŁA I PRZYPRAWY

Od wieków zioła i przyprawy używane są jako medykamenty oraz środki podkreślające walory potraw. W starożytności wierzono w ich nadprzyrodzoną moc, często stosowano je więc w rozmaitych ceremoniach i rytuałach.

ZIELARSTWO

Lecznicze właściwości ziół znano już bardzo dawno; jeszcze pod koniec XVIII wieku lekarze stosowali głównie zioła w leczeniu chorób. Uczeni publikowali grube dzieła, wyliczające własności tysięcy roślin. Spisywano je po łacinie – ziołolecznictwo nie było powszechnie dostępne. Mikołaj Culpeper (1616–1654) napisał po angielsku *Zielnik*, dając jako pierwszy dostęp do terapii ziołowej niemal każdemu, kto umiał czytać.

HANDEL KORZENIAMI

Starożytni Chińczycy, Egipcjanie, Grecy i Rzymianie wysoko cenili zioła i przyprawy korzenne w medycynie i kuchni. Poszukiwanie nowych przypraw było jednym z głównych celów pierwszych wypraw odkrywczych do dalekich krajów.

Przyprawy (zwane często korzeniami), dodawane do monotonnej diety, urozmaicały pożywienie oraz zabezpieczały je przed psuciem. Doceniano również aromatyczne właściwości korzeni i ziół. Dodawane do olejków, likwidowały zapachy wydzielane przez ludzkie ciało.

Handel korzeniami był niezwykle dochodowy. Fenicjanie należeli do pierwszych kupców wyspecjalizowanych w handlu korzeniami, ziołami i perfumami. Wiele miast europejskich, zwłaszcza Wenecja, zawdzięcza swój niebywały rozkwit właśnie handlowi przyprawami. Wenecjanie zabierali na statki przewożące jedwab coraz większe ilości pieprzu, imbiru, gałki muszkatołowej i goździków, które miały trafić na stoły bogaczy. Ceny przypraw rosły. Pieprz nazywano w basenie Morza Śródziemnego czarnym złotem; wymieniano go jak pieniądz. W niektórych krajach kupcy płacili

ZIOŁA PRZYPRAWOWE

Zioła nadają pożywieniu ciekawy zapach i smak. Pomagają też w trawieniu, mimo że dodaje się je na ogół w niewielkich ilościach. Wiele surowych ziół zawiera cenne składniki odżywcze. Nać pietruszki jest ważnym źródłem witaminy C, inne zawierają witaminę B, karoten (zamieniany w procesie trawienia w witaminę A), potas, wapno i żelazo, ułatwiające trawienie i niezbędne do prawidłowego funkcjonowania organizmu.

***Oregano**, stosowano jako przyprawę, lek na gardło oraz do barwienia płótna.*

***Koper** włoski podnosi smak potraw rybnych; pomaga też przezwyciężyć kłopoty żołądkowe.*

***Liście laurowe** zdobiły skronie atletów, bohaterów i poetów rzymskich. Należą do rodziny drzew i krzewów zwanej laurami.*

***Bazylia** dodawana jest do dań z pomidorów. W starożytnej Grecji uważano ją za „królową przypraw".*

***Mięta** nadaje potrawom i napojom smak świeżości. Zmieszana z cynamonem odstrasza mole.*

***Rozmaryn** jest rośliną śródziemnomorską, jego nazwa pochodzi z łacińskiego* ros marinus – *rosa morska. Uważano, że poprawia pamięć.*

***Szałwię**, podobnie jak wiele ziół, uważa się za leczniczą. Jej naukowa nazwa* Salvia *znaczy „zdrowy".*

***Szczypiorek** stosuje się w daniach, gdzie potrzeba łagodnego, cebulowego zapachu.*

***Czosnek** to jedna z najstarszych przypraw. Budowniczowie egipskich piramid uważali, że czosnek dodaje im sił.*

***Tymianek**, obok pietruszki i liści laurowych, jest podstawowym składnikiem uniwersalnej mieszanki przyprawowej zwanej* bukietem garni.

***Pietruszka** należy do najpowszechniej stosowanych przypraw – zarówno smakowych i zapachowych, jak i ozdobnych.*

podatki w ziarnach pieprzu.

W XV wieku ekspedycje, które doprowadziły do wielkich odkryć geograficznych, otworzyły drogi morskie do handlu korzennego. Handel przynosił ogromne zyski – w 1504 r. Vasco da Gama (1469–1524) przywiózł do Europy 5000 ton pieprzu i 35 000 cetnarów przypraw, zarabiając na nich czterystokrotnie.

Wieki XVI i XVII były świadkami wojen o tereny stanowiące bramę Azji, prowadzonych w celu uzyskania dostępu do handlu korzeniami. Uznawane za luksus w Europie, przyprawy te były powszechnie używane w Azji jako dodatek smakowy do potraw zbożowych i konserwant mięsa. Często łączono ze sobą różne zioła i przyprawy, stosując ich mieszanki do różnych dań. Niektóre indyjskie curry zawierały około 30 różnych składników.

WŁAŚCIWOŚCI LECZNICZE

Wiele ziół i przypraw znanych jest z właściwości antyseptycznych – przez stulecia stosowano je jako środek zapobiegający chorobom. Gdy uprawą i przechowywaniem ziół zajęli się mnisi, klasztory stały się ośrodkami medycznymi. Wielu ziołom przypisywano właściwości magiczne.

W średniowieczu uważano, że hyzop i czosnek odstraszają czarownice i inne złe duchy. W Europie Wschodniej czosnek miał chronić przed wampirami – ludzie nosili jego wianki wokół szyi.

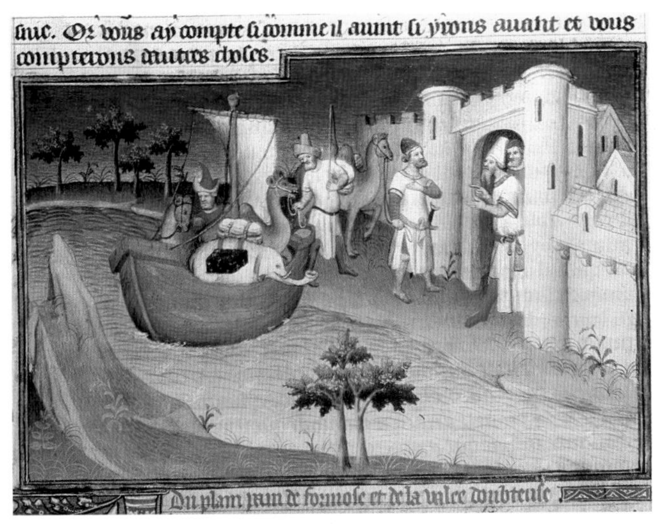

Dawni kupcy. *Marco Polo (1254–1324) był jednym z pierwszych Europejczyków, jacy przybyli na dwór wielkiego cesarza mongolskiego Kubilaj Chana. Marco Polo spędził 17 lat na podróży do Chin, przyczyniając się do otwarcia szlaków handlowych pomiędzy Europą i Orientem (Dalekim Wschodem).*

STAROŻYTNI EGIPCJANIE

Przyprawy zawsze były poszukiwane – od wieków są one przedmiotem lukratywnego handlu. Starożytni Egipcjanie importowali wiele przypraw korzennych, ziół i olejków zapachowych z Babilonii i Indii. Anyż, kozieradka, kminek, opium i szafran stosowano w kuchni, medycynie, produkcji perfum i kosmetyków. Aromatyczne olejki służyły do powstrzymywania rozkładu ciał zmarłych, które balsamowano przed pochowaniem.

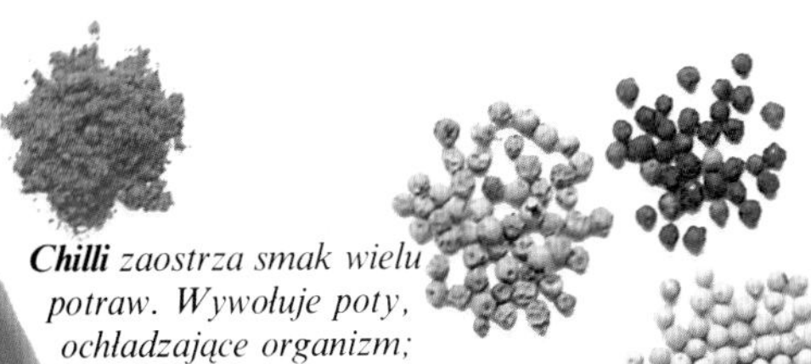

Chilli *zaostrza smak wielu potraw. Wywołuje poty, ochładzające organizm; używana jest często w krajach o gorącym klimacie.*

Pieprz *występuje w dwóch rodzajach. Pieprz czarny to suszone, niedojrzałe owoce; pieprz biały to owoce dojrzałe, pozbawione zewnętrznej skórki.*

Szafran *jest bardzo drogi – na jeden kilogram tej przyprawy przypada 400 000 ręcznie zbieranych kwiatów krokusa.*

Gałka muszkatołowa *to aromatyczne nasienie drzewa. Świeża, otoczona jest mięsistymi płatkami kwiatu – nadają one aromat niektórym piwom oraz służą do konserwowania żywności.*

Cynamon *pochodzi z kory drzewa. Zdziera się ją, gdy jest jeszcze mokra, oczyszcza i suszy, a następnie zwija jak najściślej.*

Anyżek *gwiaździsty pochodzi od dalekowschodniego drzewa, które potrzebuje ponad 15 lat, by wyprodukować aromatyczne owoce.*

Goździki *to suszone kielichy kwiatów dużego, azjatyckiego drzewa. Są doskonałą przyprawą, pomagają także na ból zębów.*

Kolendra *jest dość nieprzyjemnie pachnącą rośliną, zanim wyda swe ciekawie pachnące nasiona.*

Kminek *jest silnym specyfikiem ułatwiającym trawienie, używanym zwłaszcza w Indiach.*

Imbir *pochodzi z systemu korzeniowego wysokiej, trawopodobnej rośliny. Zbiera się go po kwitnieniu i gotuje, jeśli nie zostanie użyty w kuchni w ciągu kilku dni.*

Kardamon, *dodany do kawy, był – jako roślina rzadka i kosztowna – oznaką gościnności na Bliskim Wschodzie.*

ZIOŁA KWITNĄCE

Jadalne kwiaty przydają wielu potrawom zapachu i barwy. Do stosowanych od dawna w kuchni kwiatów ogrodowych należą lilie, dzikie róże, nagietki i malwy. Ich płatki nadają sałatkom charakterystyczny kolor. Młode liście i małe, purpurowe kwiatki ogórecznika dodaje się do letnich napojów chłodzących.

ASTRONOMIA

Astronomia to nauka o całej przestrzeni kosmicznej poza atmosferą ziemską – nie tylko o tysiącach gwiazd, które widzimy mrugające na niebie w pogodną noc, lecz o niezliczonych miliardach niewidocznych gwiazd, planet, komet, chmur pyłu, galaktyk, niewidzialnych fal promieniowania i wszystkich pozostałych zjawiskach we wszechświecie.

Obserwowanie gwiazd

Głównym problemem astronomii jest to, że normalnie widzimy gwiazdy jedynie przez mgłę atmosfery ziemskiej. Gwiazdy mrugają dlatego, że powietrze porusza się w atmosferze. Dlatego więc obserwatoria zakłada się wysoko w górach, gdzie powietrze jest czyste i suche. Zamieszczona powyżej fotografia obserwatorium została wykonana, gdy pozostawiono otwartą przesłonę aparatu fotograficznego na kilka godzin. Jasne pierścienie wyznaczają drogę gwiazd po niebie.

Co widzimy?
Najjaśniejszym obiektem na nocnym niebie jest Księżyc. Poza nim na niebie jest pięć planet, dostatecznie jasnych, by były widzialne – są to Wenus, Mars, Jowisz, Saturn i Merkury. Większość pozostałych punktów na niebie to gwiazdy. Około 6000 gwiazd świeci na tyle jasno, że są widoczne gołym okiem – 3000 z południowej połowy świata i 3000 z północnej. Najjaśniejszą gwiazdą jest Syriusz. Bardzo jasne są również Kanopus i Wega.

Jasność gwiazd. Już 150 lat przed naszą erą astronom grecki, Hipparkus, podzielił gwiazdy na sześć grup ze względu na jasność. Gwiazda pierwszej wielkości jest sto razy jaśniejsza niż gwiazda szóstej wielkości. Astronomowie nadal posługują się tym systemem, ale ponieważ teraz obserwujemy o wiele więcej gwiazd za pomocą teleskopów, istnieje więcej grup wielkości. Najjaśniejszej gwieździe, Syriuszowi, przypisuje się wielkość minus 1,46; Kanopus posiada wielkość minus 0,72. Dobra lornetka ukazuje gwiazdy dziewiątej wielkości; mały teleskop – gwiazdy dziesiątej wielkości.

Odległość gwiazd. Niektóre gwiazdy wydają się jasne tylko dlatego, że są położone względnie blisko. Żeby stwierdzić, jak jasna jest gwiazda,

Biegun nieba
Pn
Zodiak, gwiazdy w ekliptyce
Drogi gwiazd na nocnym niebie
Ekliptyka – roczna droga Słońca przez niebo
Płd

Sfera niebieska

Jeśli przyglądać się dostatecznie długo, gwiazdy sprawiają wrażenie, jakby poruszały się po niebie wielkim kołem. Gwiazdy przesuwają się bardzo szybko, ale są tak odległe, że wydają się stać w jednym miejscu. Widziane przez nas ruchy są spowodowane obrotem Ziemi. Kiedy wiruje z zachodu na wschód, widzimy jak gwiazdy poruszają się ze wschodu na zachód.

Wygląda to tak, jak byśmy pozostawali w rozległej, wirującej kuli z gwiazdami wymalowanymi od wewnątrz. Tę kulę nazywa się sferą niebieską. Cały układ gwiazd wiruje co 23 godziny i 56 minut wokół biegunów nieba, położonych bezpośrednio nad biegunami ziemskimi. Widzimy zatem tę samą grupę gwiazd, ukazującą się nad horyzontem co noc o 4 minuty wcześniej. Co dzień Słońce zajmuje nieco inne położenie względem gwiazd w wyniku ruchu Ziemi wokół Słońca.

Słońce porusza się do tyłu względem gwiazd, po drodze zwanej *ekliptyką*. W ciągu roku przebiega całą sferę niebieską.

trzeba ustalić jej odległość (z prawej strony). Odległości te są ogromne. Alfa Centauri, gwiazda położona najbliżej Słońca, jest oddalona o 41 bilionów km – gdyby nasz układ słoneczny był ziarnkiem maku, Alfa Centauri byłaby oddalona o 5 m. Astronomowie obliczają odległość na podstawie czasu, jakiego potrzebuje światło na pokonanie danej odległości.

Światło potrzebuje 1,28 sek., by dotrzeć do nas z Księżyca, 1,2 godz., by dotrzeć do nas z Saturna i ponad 4 lata, by dotrzeć z Alfa Centauri. Tak więc Alfa Centauri znajduje się o 4,3 *lat świetlnych* od nas. Jednak Alfa Centauri jest tylko jedną gwiazdą w naszej galaktyce, zwanej Drogą Mleczną, i chociaż galaktyka Drogi Mlecznej jest rozległa – liczy 100 000 lat świetlnych – jest tylko jedną z miliardów galaktyk w przestrzeni kosmicznej. Najdalsza odnaleziona galaktyka znajduje się od nas o 10 miliardów lat świetlnych. To oznacza, że oglądamy ją nie taką, jaką jest teraz, lecz taką, jaką była 10 miliardów lat temu, ponad 5 miliardów lat przed powstaniem Ziemi!

Mierzenie odległości

Kiedy Ziemia krąży wokół Słońca, bliskie gwiazdy zdają się poruszać nieznacznie w porównaniu z bardziej oddalonymi – im bliższa gwiazda, tym bardziej się porusza. Mierząc ruch gwiazdy względem gwiazd w tle, możemy ustalić jej odległość. Nazywamy to *paralaksą*. Ale operacja ta dotyczy tylko bliskich gwiazd. W przypadku odległych gwiazd porównujemy kolor i jasność. Spodziewamy się, że gwiazdy o określonym kolorze będą posiadały określoną jasność (str. 75). Jeśli gwiazda jest bledsza, niż się spodziewaliśmy, oznacza to, że jest bardzo odległa.

Przy odległych galaktykach obserwujemy *czerwone przemieszczenie* – tzn. sposób w jaki ich światło czerwienieje przy oddalaniu się, podobnie jak zwiększa się hałas zbliżającego się samochodu. Z tego, co wiemy o wszechświecie (str. 80) im są czerwieńsze, tym szybciej się poruszają i tym są odleglejsze.

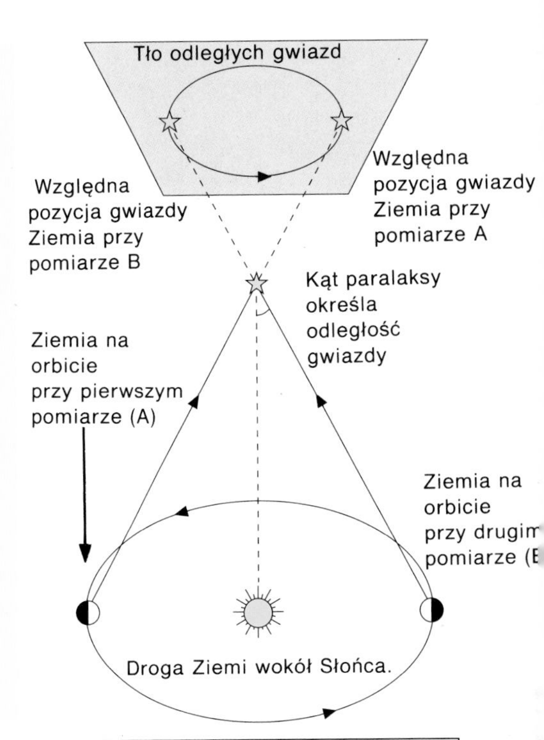

CZY WIESZ, ŻE...?

W kopalni w USA 1600 m pod ziemią znajduje się ogromny zbiornik płynu czyszczącego, odgrywający rolę „teleskopu". Może on wykrywać *neutrina* – subatomowe cząsteczki tak małe, że mogą przejść na wylot przez Ziemię, które wchodzą w reakcję z atomami chloru w płynie czyszczącym, wytwarzając maleńkie, lecz wykrywalne błyski światła.

Rok świetlny to 9 460 000 000 000 km.

Odległość paralaksy podaje się w parsekach. Jeden parsek to 3,26 roku świetlnego.

Teleskopy kosmiczne

Dawniej astronomowie mogli obserwować niebo tylko za pomocą oczu. Dziś astronomowie dysponują szerokim wyborem teleskopów i sprzętu obserwacyjnego. Teleskopy *optyczne* składają się z soczewek i zwierciadeł, które powiększają odległe obiekty, by mógł je obserwować astronom lub by można je było zarejestrować na fotografii lub w komputerze. Większość teleskopów w obserwatoriach to teleskopy *odbijające*, których krzywe zwierciadła działają powiększająco. Żeby widzieć wyraźniej i na dalszą odległość, obserwatoria konstruują większe zwierciadła albo łączą mniejsze. Teleskopy optyczne wychwytują jedynie światło, widzialne promieniowanie gwiazd, ale istnieje również promieniowanie niewidzialne. Teleskopy *na podczerwień* i teleskopy *radiowe* wychwytują promieniowanie o falach dłuższych niż widzialnego światła. Teleskopy *na ultrafiolet, promienie Roentgena* i *promieniowanie gamma* wychwytują promieniowanie o falach krótszych niż światło widzialne. Każdy z nich dostarcza astronomowi nieco innych informacji o odległych obiektach w przestrzeni.

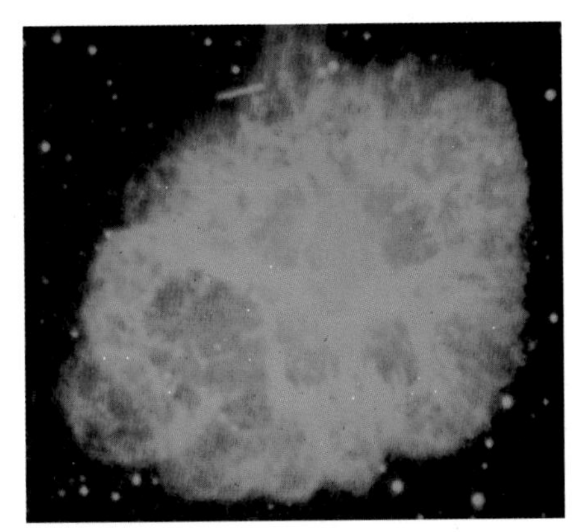

Obraz optyczny. *Fotografia Mgławicy Kraba. Są to pozostałości po eksplozji ogromnej gwiazdy, supernowej. Świadkiem eksplozji byli chińscy i japońscy astronomowie w 1054 r. n.e.*

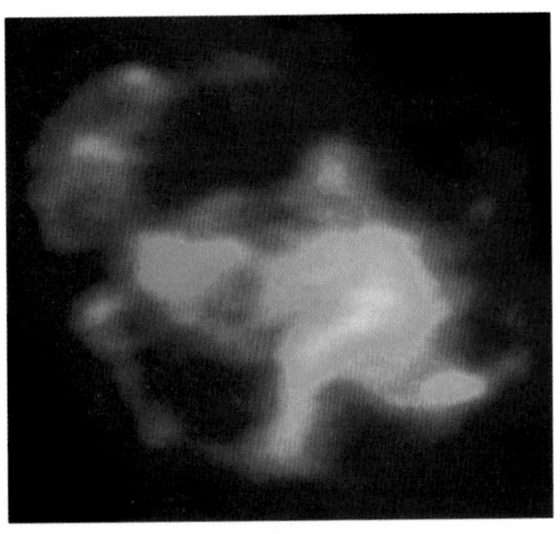

Obraz radiowy Mgławicy Kraba. *Teleskopy radiowe ukazały, że niektóre galaktyki (str. 79), nazywane radiowymi, są o wiele większe, niż ukazują to teleskopy optyczne.*

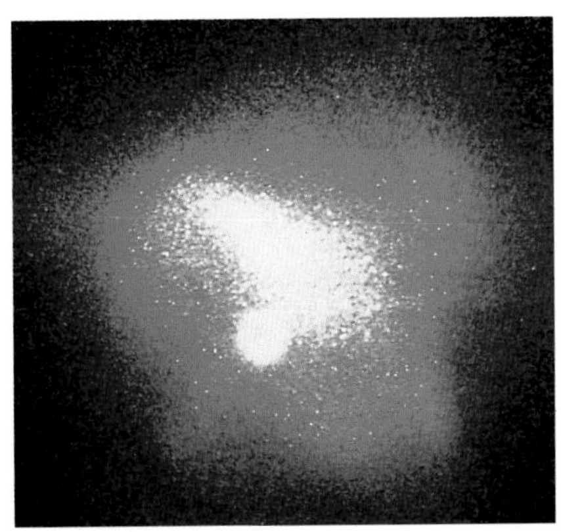

Obraz roentgenowski Mgławicy Kraba. *Fale Roentgena nie przechodzą przez atmosferę, więc teleskopy roentgenowskie umieszcza się na satelitach. Ten obraz pochodzi z satelity Einstein.*

Pierwszy człowiek na Księżycu

21 lipca 1969 roku astronauta Neil Armstrong opuścił pojazd księżycowy statku kosmicznego *Apollo 11*, który kilka godzin wcześniej wylądował na powierzchni Księżyca. Miliony ludzi na całym świecie usłyszały jego słowa: „Dla człowieka to jeden mały krok, a dla ludzkości ogromny krok naprzód". Wkrótce potem dołączył do niego Buzz Aldrin. Był to jeden z najważniejszych momentów w historii badania przestrzeni kosmicznej. Po raz pierwszy istoty ludzkie postawiły stopę w innym świecie.

BADANIA PRZESTRZENI KOSMICZNEJ

Era badania przestrzeni kosmicznej rozpoczęła się w 1957 roku, kiedy Związek Radziecki umieścił na orbicie pierwszy statek kosmiczny, *Sputnik 1*. Był to początek wielu nowych przygód ludzkości. W ich wyniku astronauci wylądowali na Księżycu, a także wysłano sondy do innych planet.

Pierwszy kosmonauta

Sputnik 1 był satelitą bez człowieka. Pierwszym człowiekiem, który wyruszył w przestrzeń kosmiczną był Rosjanin, Jurij Gagarin. W kwietniu 1961 okrążył raz Ziemię w statku kosmicznym *Wostok-1*. Wczesne sukcesy Rosjan zmobilizowały Stany Zjednoczone do przyspieszenia realizacji programu badań przestrzeni kosmicznej i w latach sześćdziesiątych pokonano kolejne trudności w podboju kosmosu. W 1965 roku amerykańska sonda kosmiczna, *Mariner 4*, przesłała na Ziemię wykonane z bliskiej odległości fotografie Marsa. W 1966 roku nastąpił kolejny przełom w badaniu przestrzeni kosmicznej, kiedy rosyjska sonda, *Łuna 9*, dokonała miękkiego lądowania na Księżycu i przesłała pierwsze zdjęcia powierzchni księżycowej.

W trzy lata później, 21 lipca 1969 roku, amerykańscy astronauci Neil Armstrong i Edwin „Buzz" Aldrin jako pierwsi ludzie postawili nogę na Księżycu. Ich pierwsze kroki oglądali widzowie telewizyjni na całym świecie.

Rakiety i komputery

Rozwój nowej techniki kosmicznej umożliwił też nagły rozkwit aktywności w przestrzeni. Silniki rakietowe powstały wiele lat wcześniej, ale dopiero w końcu lat pięćdziesiątych zyskały dostateczną moc, żeby przezwyciężyć przyciąganie ziemskie i dotrzeć do innych rejonów Układu

W przestrzeń kosmiczną i z powrotem

Wahadłowiec jest przeznaczony do wielokrotnych podróży pomiędzy Ziemią a przestrzenią kosmiczną. Przewozi pasażerów i ładunki. Pierwszy wahadłowiec został umieszczony w przestrzeni kosmicznej przez Stany Zjednoczone w 1981 roku. Wahadłowiec, którego właściwa nazwa brzmi STS (system transportu kosmicznego) składa się z trzech części. Orbiter to pojazd, który przewozi pasażerów i towar lub ładunek. Istnieją również dwa solidne bustery (pojazdy nośne) rakiety (SRBs),

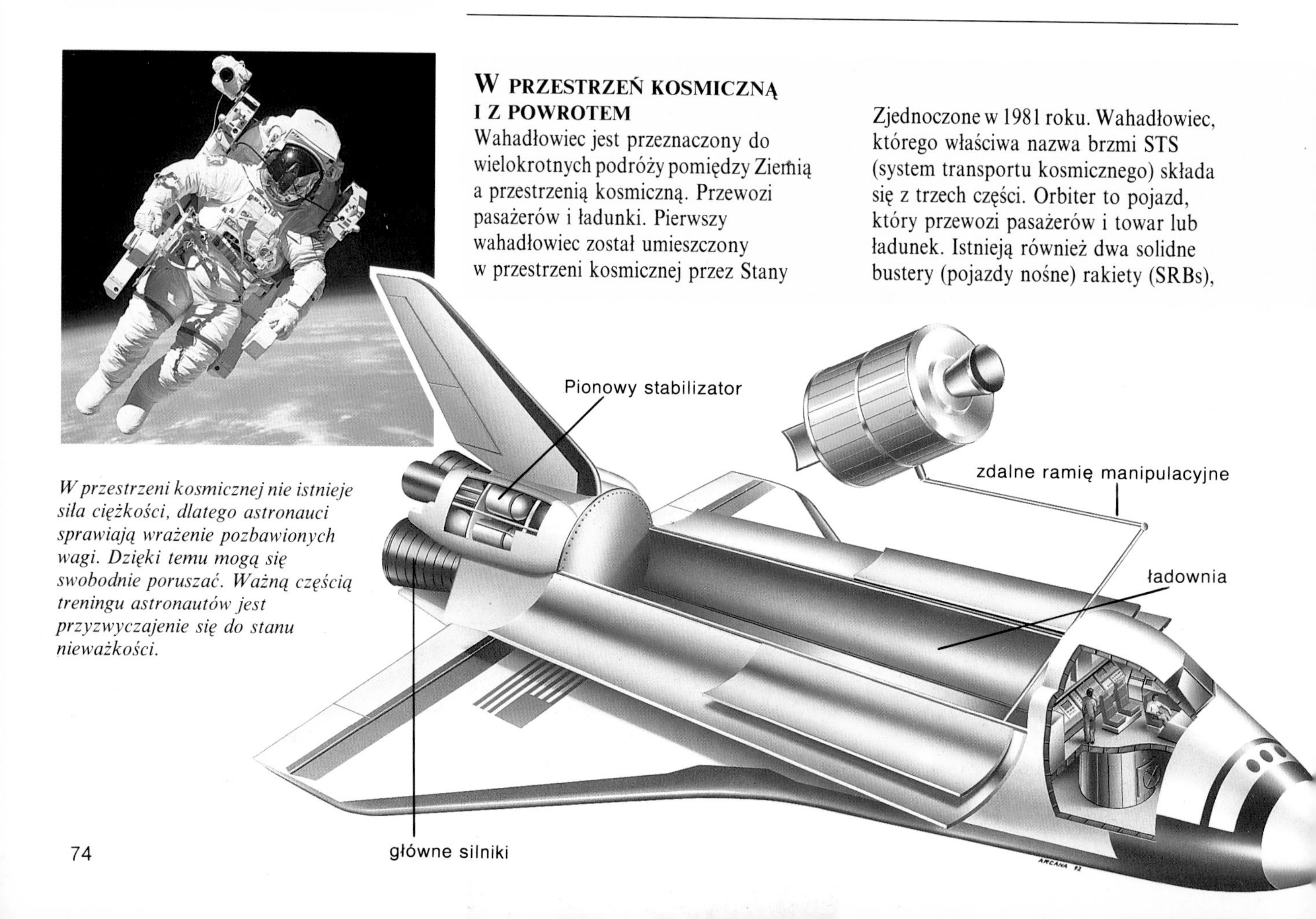

W przestrzeni kosmicznej nie istnieje siła ciężkości, dlatego astronauci sprawiają wrażenie pozbawionych wagi. Dzięki temu mogą się swobodnie poruszać. Ważną częścią treningu astronautów jest przyzwyczajenie się do stanu nieważkości.

Słonecznego. Drugim wynalazkiem, który umożliwił podbój przestrzeni kosmicznej był komputer. Umieszczenie statku kosmicznego na orbicie, kierowanie jego lotem i sprowadzenie go z powrotem na Ziemię wymaga złożonych obliczeń, które często trzeba korygować w trakcie lotu. Tylko komputer mógł dokonywać tak złożonych obliczeń z wystarczającą szybkością.

Sondy kosmiczne

Do dziś ponad 200 mężczyzn i kobiet podróżowało w przestrzeni kosmicznej, niektórzy przez kilka dni, inni przez kilka miesięcy. Ale loty załogowe to tylko jedna strona badań przestrzeni kosmicznej. Wiele bardzo ważnych lotów przeprowadzono wykorzystując statki nie kierowane przez człowieka, wyposażone w urządzenia do przesyłania na Ziemię obrazu telewizyjnego i informacji naukowych. Stopniowo te sondy kosmiczne podróżowały do coraz dalszych rejonów Układu Słonecznego. W 1974 roku sonda *Mariner 10* przeleciała w pobliżu Merkurego, planety najbliższej Słońcu, dostatecznie blisko, by przekazać na Ziemię wyraźne, szczegółowe fotografie. W dwa lata później dwie bezzałogowe sondy *Viking* wylądowały na Marsie. Wszystkie planety Układu Słonecznego, oprócz Plutona, zostały sfotografowane. Inne bezzałogowe sondy wykroczyły poza Układ Słoneczny i nigdy nie powrócą.

Laboratoria w przestrzeni

Inne badania przestrzeni kosmicznej prowadzono bliżej Ziemi. Obejmują one umieszczanie na orbicie stacji kosmicznych, gdzie przeprowadza się badania naukowe. Te stacje kosmiczne, takie jak amerykańska *Skylab* i rosyjska *Mir*, pozostają w przestrzeni kosmicznej i mogą być odwiedzane przez astronautów, stanowiąc coś w rodzaju „kosmicznych hoteli". Innym ekscytującym wynalazkiem jest *wahadłowiec* (patrz poniżej), który stanowi pierwszy krok w kierunku regularnych podróży pasażerskich w przestrzeni kosmicznej i ewentualnych pierwszych pozaziemskich osiedli zamieszkiwanych przez człowieka.

VOYAGER

Program z sondą kosmiczną *Voyager* został rozpoczęty przez Stany Zjednoczone w 1977 roku. Celem tego programu był lot sondy obok czterech planet Układu Słonecznego i ich sfotografowanie: Jowisza, Saturna (powyżej), Urana i Neptuna. Pośród niespodzianek odkrytych przez *Voyagera 1* i *2* znalazły się „księżyce", czyli satelity Jowisza i Saturna, których wcześniej nie zdołano zaobserwować. Innym odkryciem było to, że Jowisz ma wokół siebie pierścień gazu. *Voyager 2* przeleciał również obok Urana i Neptuna, a teraz podróżuje poza obrębem Układu Słonecznego.

które opadają na spadochronie do morza. Pojazd wykorzystuje się po raz drugi. Trzecią częścią jest zewnętrzny zbiornik paliwa, który spala się w atmosferze. Orbiter, który dociera na orbitę mocą własnego napędu, jest podobny do samolotu pasażerskiego. Posiada własny zapas powietrza, toteż pasażerowie i załoga nie muszą nosić kombinezonów kosmicznych. Orbiter ma trzy pokłady położone jeden nad drugim. Na górze znajduje się pokład sterowniczy, z którego kieruje się orbiterem. Poniżej znajduje się mała kuchenka i miejsca do spania. Najniższy pokład zawiera wyposażenie. Członkowie załogi mogą opuścić orbiter, żeby wykonywać różne zadania w przestrzeni kosmicznej. Poruszają się w MMU (zestaw manewrujący sterowany przez człowieka), który posiada własne zasilanie tlenem i gazowe dysze odrzutowe, pozwalające poruszać się astronautom w przestrzeni kosmicznej. Kiedy orbiter wkracza ponownie w ziemską atmosferę, opór powietrza zmniejsza jego prędkość do tego stopnia, że może on wylądować na specjalnym pasie.

TELESKOP HUBBLE'A

Teleskop Kosmiczny Hubble'a (poniżej), został nazwany na cześć amerykańskiego astronoma Edwina Hubble, który znalazł się w centrum ambitnego planu umieszczenia teleskopu w przestrzeni kosmicznej. Chodziło o to, żeby teleskop na orbicie wykonywał wspaniałe fotografie bez zakłóceń atmosfery ziemskiej. Niestety, jego wada konstrukcyjna spowodowała, że jakość fotografii pozostawiała wiele do życzenia, niemniej dokonał wielu cennych odkryć.

CZY WIESZ, ŻE...?

Pierwszą żywą istotą, która okrążyła Ziemię, był rosyjski pies, Łajka. Została ona wystrzelona w Sputniku 2 w listopadzie 1957 i żyła przez tydzień w przestrzeni kosmicznej. Niestety, nie było sposobu, żeby sprowadzić ją na Ziemię.

Pierwszym Amerykaninem, który okrążył Ziemię, był astronauta, John Glenn. Dokonał trzech okrążeń Ziemi w kosmicznej kapsule Friendship 7 w 1962.

Największą grupę ludzi wysłanych jednocześnie w przestrzeń kosmiczną stanowiła ośmioosobowa załoga wahadłowca kosmicznego w październiku 1985. Pozostawali oni w przestrzeni kosmicznej przez siedem dni.

Najgorszy wypadek w historii badań przestrzeni kosmicznej zdarzył się w styczniu 1986. Siedmiu członków załogi, w tym dwie kobiety, zginęło, kiedy wahadłowiec kosmiczny Challenger eksplodował w 73 sekundy po starcie.

GWIAZDY

Kilka tysięcy gwiazd mrugających do nas na nocnym niebie to tylko maleńka cząstka wszystkich rozrzuconych we wszechświecie. Astronomowie szacują, że istnieje ponad kilkaset miliardów gwiazd. Podobnie jak Słońce są to ogromne ogniste kule rozgrzanego gazu.

GWIAZDOZBIORY

Starożytni astronomowie zauważyli, że niektóre gwiazdy tworzą na niebie wzory i nadali każdemu układowi nazwę, taką jak Wielka Niedźwiedzica, Orion i Łowca (po lewej i powyżej). Obecnie astronomowie rozpoznają 88 gwiazdozbiorów i nadają jaśniejszym gwiazdom w każdym z nich grecką literę, taką jak alfa lub beta. Tak więc najjaśniejszą gwiazdą w gwiazdozbiorze Centaura jest Alfa Centauri.

DLACZEGO GWIAZDY ŚWIECĄ

Gwiazdy świecą, ponieważ płoną. W głębi atomy wodoru łączą się tworząc hel. Ta reakcja termojądrowa wytwarza tyle energii, że temperatura we wnętrzu gwiazdy wynosi niekiedy miliony stopni, co sprawia, że powierzchnia jasno się żarzy. Będzie się ona żarzyć, emitować światło, ciepło, fale radiowe i inne rodzaje promieniowania, dopóki nie zostanie zużyty cały wodór.

OLBRZYMY I KARŁY

Większość gwiazd posiada takie rozmiary jak Słońce, tzn. średnicę 1,4 miliona km. Ale *gwiazdy-olbrzymy*, takie jak Aldebaran są 20 do 100 razy większe. *Nadolbrzymy* są ogromne. Antares jest 330 razy większy od Słońca, a w systemie podwójnych gwiazd Epsilon Auriga można spotkać gwiazdę o średnicy 3000 milionów km. Gdyby tę gwiazdę wyobrazić jako piłkę futbolową, Słońce miałoby rozmiary ziarnka soli. Istnieją również maleńkie gwiazdy. Niektóre *gwiazdy-karły* są mniejsze od Ziemi. *Gwiazdy neutronowe* mogą liczyć tylko 15 km średnicy, a mimo to zawierać tyle masy, co Słońce. Są tak gęste, że łyżeczka od herbaty ich masy może ważyć kilka ton.

ŚWIATŁO GWIAZD

Gwiazdy są tak odległe, że wyglądają jak punkciki światła nawet przez najbardziej silny teleskop. Ale możemy dowiedzieć się o nich więcej, studiując ich barwę.

Jeśli światło gwiazdy przejdzie przez pryzmat (str. 161), ulega rozszczepieniu na barwną tęczę, zwaną widmem. Różne substancje płonąc emitują różne widma. Bardzo gęste gazy, jak te we wnętrzu gwiazdy, emitują nieprzerwaną sekwencję barw, zwaną widmem

PÓŁNOCNA PÓŁKULA

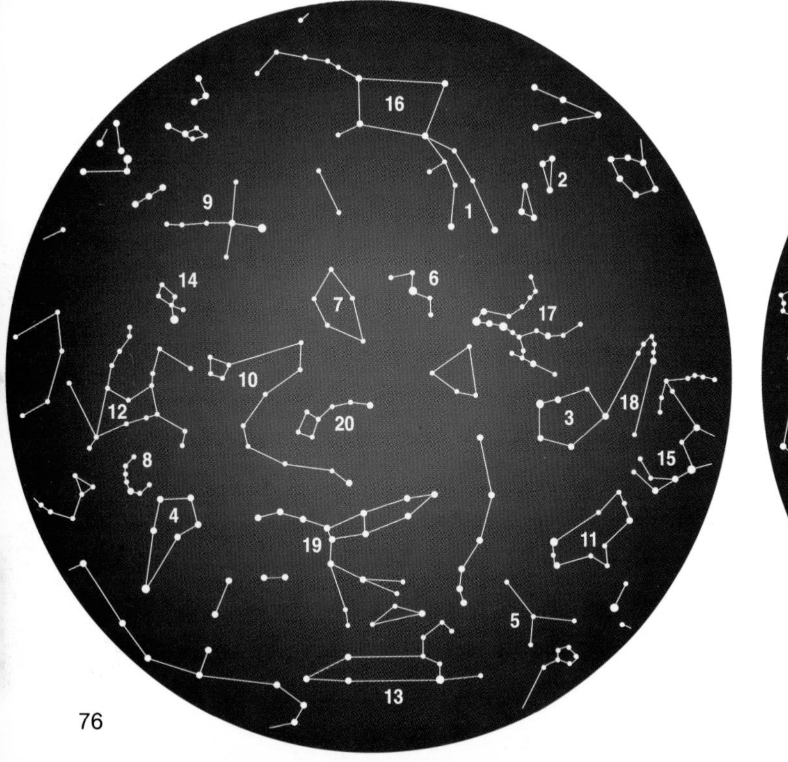

POŁUDNIOWA PÓŁKULA

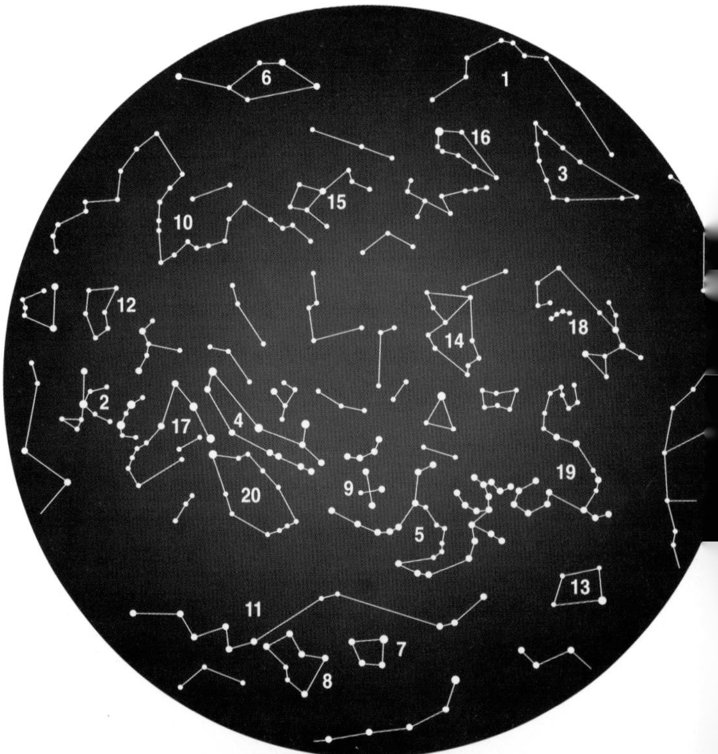

ciągłym. Gazy o niskiej gęstości, znajdujące się przy powierzchni gwiazdy, emitują wąskie pasma barw, zwane *widmem emisyjnym*. Wzorzec pasma mówi nam, które gazy zostały wyemitowane.

Widma ukazują również, jak gorąca jest gwiazda. Podobnie jak stal w piecu żarzy się czerwono, a potem – gdy stanie się bardziej rozgrzana – biało, tak gorące gwiazdy o temperaturze ponad 35 000°C są białe lub białoniebieskie; chłodniejsze gwiazdy (3000°C) są czerwonawe.

Gorące i jasne, chłodne i blade. Na początku XX w. astronomowie Henry Russell i Ejnar Hertzsprung sporządzili wykres porównujący barwę gwiazd z ich jasnością (w absolutnej wielkości, str. 73). Odkryli, że im bielsze i cieplejsze są gwiazdy średniej wielkości, tym jaśniej płoną; im są czerwieńsze i chłodniejsze, tym bladziej się żarzą. Takie gwiazdy nazywa się *gwiazdami ciągu głównego*, ponieważ tworzą eleganckie pasmo na wykresie. Z olbrzymami, nadolbrzymami, karłami i gwiazdami neutronowymi sytuacja jest nieco bardziej złożona.

PÓŁNOCNA PÓŁKULA

1. Andromeda
2. Baran
3. Woźnica
4. Wolarz
5. Rak
6. Kasjopea
7. Cefeusz
8. Korona Północna
9. Łabędź
10. Smok
11. Bliźnięta
12. Herkules
13. Lew
14. Lutnia
15. Orion
16. Pegaz
17. Perseusz
18. Byk
19. Wielka Niedźwiedzica
20. Mała Niedźwiedzica

POŁUDNIOWA PÓŁKULA

1. Wodnik
2. Pies
3. Koziorożec
4. Kil
5. Centaur
6. Wieloryb
7. Kruk
8. Puchar
9. Krzyż Południa
10. Erydan
11. Wąż wodny
12. Zając
13. Waga
14. Paw
15. Feniks
16. Ryby
17. Rufa
18. Strzelec
19. Skorpion
20. Żagiel

ŻYCIE GWIAZDY

W całym wszechświecie gwiazdy rodzą się i umierają. Najbardziej masywne gwiazdy świecą jasno, ale żyją tylko około dziesięciu milionów lat. Takie gwiazdy jak nasze Słońce żyją około dziesięciu miliardów lat – zatem Słońce ma już za sobą połowę swojego życia. Obserwując wszystkie gwiazdy na niebie, każdą w innym okresie jej historii, astronomowie odkryli, jak powstaje gwiazda. Zależy to od rozmiaru gwiazdy. Umierając, najmniejsze gwiazdy stają się czarnymi karłami, nie czerwonymi olbrzymami czy nadolbrzymami. Największe gwiazdy kończą jako czarne dziury. Średnie gwiazdy stają się białymi lub czarnymi karłami albo przekształcają się w supernową i gwiazdy neutronowe.

Gwiazdy rozpoczynają *swoje życie jako chmury pyłu i gazu zwane mgławicami. Bryłki pyłu i gazu przyciągają się wzajemnie własną siłą ciężkości.*

Wszystkie bryłki *tworzą ciemne plamy (ciemne mgławice). Siła ciężkości skupia je jeszcze ściślej, a ciśnienie sprawia, że gaz w centrum jest bardzo gorący.*

Kiedy temperatura w centrum *dojdzie do 10 mln °C, zaczyna się reakcja termojądrowa, gdy atomy wodoru łączą się razem tworząc hel. Gwiazda zaczyna świecić.*

Wodór w jądrze *zostaje prawie zużyty, lecz otaczający gaz nadal płonie i gwiazda powiększa się do wielkości zimnego czerwonego olbrzyma. Duże gwiazdy rosną w nadolbrzymy, mniejsze kurczą się do rozmiarów białych karłów.*

We wnętrzu nadolbrzyma *ciśnienie może scalić nawet ciężkie cząsteczk tworząc żelazo. W tym momencie gwiazda zapada się w ciągu sekundy, a potem eksploduje przekształcając się w supernow*

W przypadku większości gwiazd *ciepło we wnętrzu wypycha gaz na zewnątrz tak silnie, jak siła ciężkości wciąga go do środka, w związku z czym gwiazda staje się trwała.*

Mgławica Dumbbell *to mgławica planetarna, rozległa chmura gazu, która unosi się z powierzchni umierającego czerwonego olbrzyma. Ta mgławica rozszerzała się z prędkością 27 km na sekundę przez ostatnie 50 000 lat, a jej średnica wynosi ponad trzy lata świetlne.*

Supernowa *może zapaść w pulsar, gwiazdę neutronową, która pulsuje promieniowaniem jak latarn morska obracając się ok. 30 razy na sekundę.*

Bardzo wielka gwiazda *może zapaść się z taką siłą, że nic jej nie powstrzyma. Siła ciężkości nabiera takiej mocy, że wessane zostaje nawet światło, tworząc czarną dziurę.*

JAK POWSTAŁ WSZECHŚWIAT

Naukowcy uważają, że wszechświat powstał w wyniku wybuchu około 15 miliardów lat temu. W pewnej chwili istniała niewyobrażalnie mała, niezwykle gorąca kula; w chwilę później powstał wszechświat po największej w historii eksplozji – Wielkim Wybuchu. Eksplozja była tak gigantyczna, że uczestnicząca w niej materia nadal pędzi we wszystkich kierunkach z oszałamiającą prędkością.

Wielki Wybuch. *Wszechświat powstał w trakcie ogromnej eksplozji, zapoczątkowanej fantastycznym nabrzmieniem które dokonało się w ułamku sekundy*

NA POCZĄTKU

Nikt nie wie dlaczego pojawił się Wielki Wybuch, ale naukowcy stawiają hipotezy, co stało się potem.
W chwili swego powstania wszechświat był maleńką gorącą kulą, wielokrotnie mniejszą od atomu. W środku znajdowało się wszystko, co było potrzebne do utworzenia wszechświata, chociaż materia i siły nie przypominały tych, które znamy dzisiaj. Nagle zaczęła ona pęcznieć jak balon.

Ułamek sekundy później, kiedy była jeszcze mniejsza niż piłka futbolowa i miała temperaturę dziesięciu miliardów miliardów miliardów stopni Celsjusza, siła ciężkości oszalała. Zamiast wiązać rzeczy, jak to się dzieje dzisiaj, siła ciężkości rozsadziła małe uniwersum, ciskając nim z fantastyczną szybkością i nadymając je tysiąc miliardów miliardów miliardów razy w czasie krótszym od sekundy! Naukowcy nazywają tę zdumiewającą ekspansję inflacją. Inflacja uformowała przestrzeń, w której mogły się kształtować materia i energia.

Powstanie materii

Wyłaniający się wszechświat zaczął się wychładzać, a wtedy powstała materia oraz podstawowe siły takie jak elektryczność. Nie istniały atomy, lecz kwarki i elektrony (str. 151). Istniała również *antymateria* – lustrzane odbicie materii. Kiedy spotkają się materia i antymateria, niszczą się nawzajem; przez chwilę los wszechświata zależał od ich walki. W tej walce uległa zniszczeniu niemal cała materia i antymateria, lecz zostało nieco materii. Tyle pozostało jej do dzisiaj – jest to maleńka cząstka tego, co było.

Po tytanicznym boju inflacja uległa zatrzymaniu, ale jej pęd sprawił, że wszechświat do dziś pędzi na wszystkie strony, a żar gigantycznej eksplozji można wykryć do dziś pod postacią rozchodzącego się w przestrzeni promieniowania mikrofalowego (str. 161). Większość naukowców jest zgodnych, że *tło promieniowania mikrofalowego* stanowi dobry dowód na to, iż rzeczywiście nastąpił Wielki Wybuch.

Kiedy inflacja skończyła się, siła ciężkości zaczęła działać normalnie, i wkrótce z tej chaotycznej masy powstał najprostszy atom, atom wodoru. W ciągu trzech minut atomy wodoru zlały się, tworząc hel. W niedługim czasie wszechświat wypełniły wirujące obłoki wodoru i helu.

Powstanie galaktyk. Po mniej więcej milionie lat gazy we wszechświecie ścięły się jak zsiadłe mleko w długie, cienkie pasma, między którymi znajdowały się rozległe ciemne dziury. Te pasma stopniowo skupiły się w galaktyki i gwiazdy.

To siła ciężkości skupiła obłoki gazu w pasma, jednak dla naukowców wciąż pozostaje zagadką, jak to się stało. Zgodnie z ich obliczeniami, siła ciężkości nie mogła działać dostatecznie szybko. Ich obliczenia byłyby poprawne, gdyby świat zawierał 100 razy więcej materii niż zawiera. Tak więc niektórzy naukowcy sądzą, że wszechświat składa się głównie z *zimnej ciemnej materii*, której nie widzimy.

Ale nawet ciemna materia nie wyjaśnia, czemu gazy uległy w ogóle skupieniu. Niektórzy naukowcy wierzą zatem, że wszechświat musiał być na początku nieco bryłowaty. W 1992 roku satelita Badacz Kosmicznego Tła wykrył słabe fale w tle mikrofalowym, które wskazują na to, że mogło tak być.

OD WIELKIEGO WYBUCHU DO WIELKIEGO KOLAPSU

Astronomowie obserwujący odległą przestrzeń kosmiczną widzą galaktyki pędzące od nas we wszystkich kierunkach z oszałamiającą prędkością. Im dalej znajdują się galaktyki, tym szybciej zdają się poruszać. Większość astronomów żywi przekonanie, że oznacza to, iż wszechświat ulega ekspansji.

Jeżeli jednak ulega ekspansji, czy będzie ona trwała wiecznie? Niektórzy naukowcy sądzą, że tak. Nazywa się to

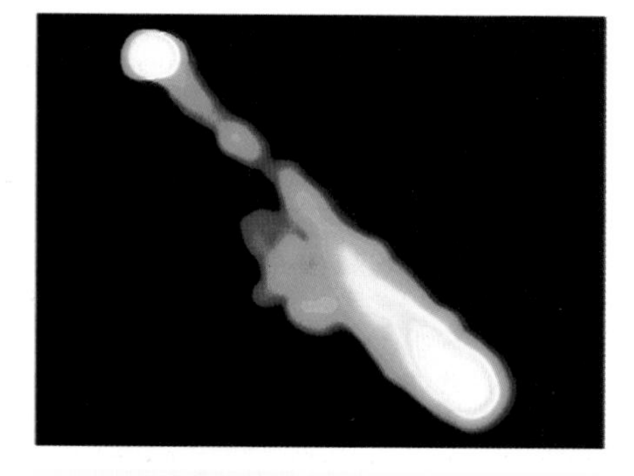

CZARNE SERCE GALAKTYKI

Kwazary to najbardziej intensywne źródła energii we wszechświecie. Są tak jasne jak 100 galaktyk, a jednak nie większe od naszego Układu Słonecznego. Znajdują się o miliardy lat świetlnych od nas, ale emitują sygnały radiowe, które łatwo wychwycić. Ponieważ są tak odległe, naukowcy sądzą, że powstały w okresie młodości wszechświata. Kiedy powstały galaktyki, ogromne ilości gazu zostały wessane w ich centrum tworząc czarną dziurę (str. 77). Kwazary to energia gazu, który ruchem spiralnym dostaje się do wnętrza.

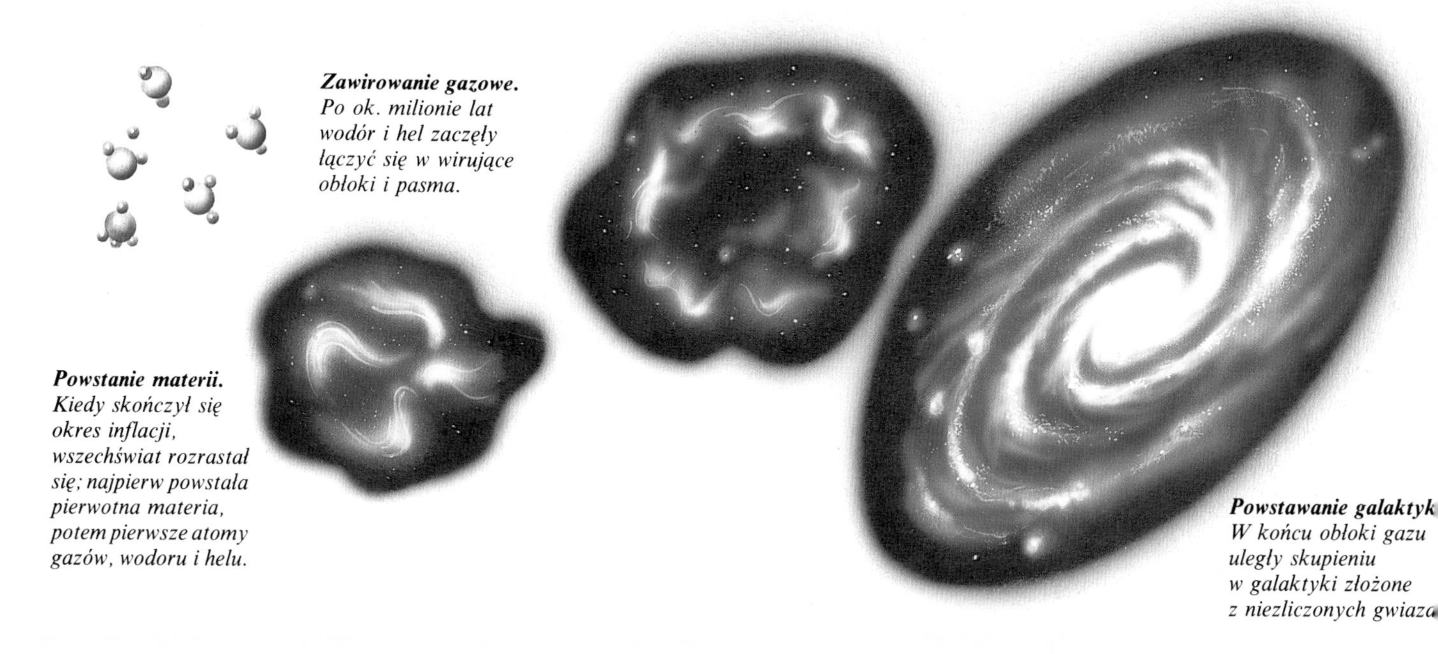

Zawirowanie gazowe. *Po ok. milionie lat wodór i hel zaczęły łączyć się w wirujące obłoki i pasma.*

Powstanie materii. *Kiedy skończył się okres inflacji, wszechświat rozrastał się; najpierw powstała pierwotna materia, potem pierwsze atomy gazów, wodoru i helu.*

Powstawanie galaktyk *W końcu obłoki gazu uległy skupieniu w galaktyki złożone z niezliczonych gwiaz*

koncepcją otwartego wszechświata. Inni twierdzą, że siła ciężkości hamuje już tę ekspansję. Jeśli rzeczywiście istnieje mnóstwo ciemnej materii (rysunek po lewej), jej połączona siła ciężkości może zahamować całkowicie ekspansję. Kiedy zniknie cały pęd, siła ciężkości może skupić ponownie galaktyki.

Gdyby do tego doszło, siła ciężkości galaktyk skupiłaby je z rosnącą prędkością i wszechświat skurczyłby się tak, jak gdyby nastąpiła odwrotność Wielkiego Wybuchu. W końcu miliardy galaktyk skupiłyby się razem, a wszechświat skończyłby się w Wielkim Kolapsie, tak jak zaczął się Wielkim Wybuchem.

Nikt nie potrafi sobie wyobrazić, co mogłoby nastąpić po Wielkim Kolapsie. Niektórzy wierzą, że gdyby cała energia wszechświata została ściśnięta do rozmiarów piłki tenisowej, podczas Wielkiego Kolapsu wszechświat przeszedłby ponownie Wielki Wybuch, i wciąż ulegałby ekspansji i kontrakcji.

Nie wszyscy astronomowie zgadzają się z koncepcją czy to Wielkiego Wybuchu, czy to Wielkiego Kolapsu. Niektórzy twierdzą, że wszechświat zawsze wyglądał podobnie i wcale się nie powiększa. Argumentują, że wciąż powstają nowe galaktyki zastępujące te, które się od nas oddalają. Taki wszechświat jest zawsze w stanie równowagi i nie ma początku ani końca.

Przestrzeń i czas

W 1676 roku Ole Roemer wykazał, dlaczego zaćmienie księżyców Jowisza było dostrzegalne dziesięć minut później – stało się tak dlatego, że światło potrzebowało tyle czasu, by do nas dotrzeć. Nie dostrzegamy zjawisk w tym samym momencie, w którym zachodzą. Jeśli patrzymy na gwiazdę odległą o 5 miliardów lat świetlnych, widzimy ją taką, jaka była 5 miliardów lat temu. Z innego miejsca widziana jest w innym czasie. Czas wydarzeń zależy od tego, gdzie się znajdujemy. W 1905 roku Albert Einstein wykazał w swojej *szczególnej teorii względności*, że czas może płynąć szybciej lub wolniej, zależnie od miejsca, w którym znajduje się obserwator. Im wolniej idziemy, tym szybciej zdaje się jechać mijający nas samochód. Einstein stwierdził, że nic nie porusza się szybciej niż światło, porusza się ono zawsze z tą samą prędkością, bez względu na to, gdzie jesteśmy lub jak szybko się poruszamy. Coś, co mijałoby nas z prędkością światła, zdawałoby się rozciągać; coś, co zbliżałoby się do nas, zdawałoby się kurczyć. W ten sam sposób, czas kurczy się lub rozciąga.

Galaktyki

We wszechświecie istnieją niezliczone układy gwiazd zwane *galaktykami*. Nasze Słońce jest jedną z 200 miliardów gwiazd w naszej Galaktyce, galaktyce Drogi Mlecznej (po prawej). Największe galaktyki powstały prawdopodobnie w ciągu miliarda lat od Wielkiego Wybuchu. Mniejsze galaktyki powstają nadal.

Jedna z koncepcji zakłada, że galaktyki powstały jako pasma gazu w okresie młodości wszechświata; skupiły się one w miliardy maleńkich plamek. Każda

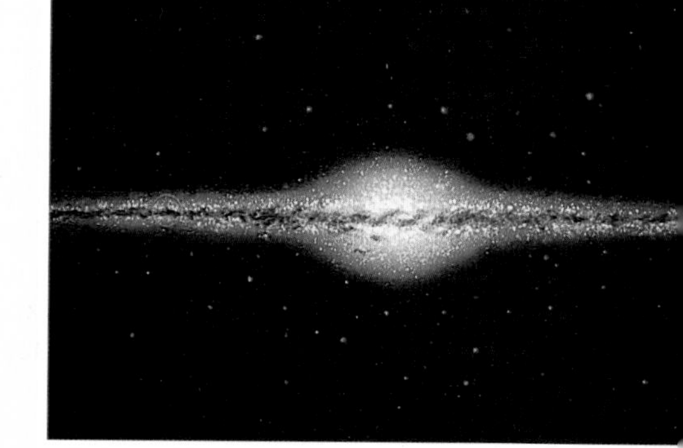

plamka stała się gwiazdą, a ich siła ciężkości skupiła je w galaktyki.

Największe galaktyki to *ogromne elipsy* w kształcie kuli zawierające ponad 1000 miliardów gwiazd. Wszystkie galaktyki powstały z wirujących obłoków pyłu. Ogromne obłoki wirujące bardzo szybko utworzyły piękne *spiralne galaktyki*, a gaz dostał się ruchem wirowym do ich wnętrza. Galaktyka Sombrero (po lewej) to galaktyka spiralna, chociaż widzimy ją tylko z boku.

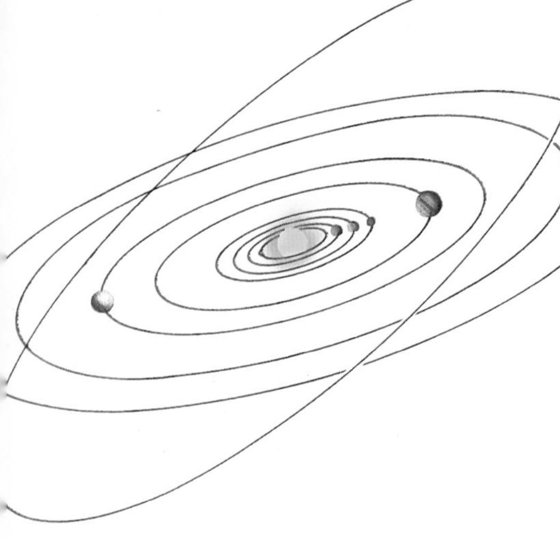

UKŁAD SŁONECZNY

Ziemia jest jednym z dziewięciu dużych ciał niebieskich zwanych planetami, które krążą bezustannie wokół Słońca. Wokół Słońca, poza planetami i ich księżycami, krążą też inne ciała – meteory, komety itp. Wszystkie one tworzą razem Układ Słoneczny.

KRĄŻĄCE PLANETY

Wszystkie planety poza Plutonem *orbitują* (poruszają się) wokół Słońca w ten sam sposób i w tej samej płaszczyźnie. Orbita Plutona umieszczona jest pod pewnym kątem; czasem zbliża się on do Słońca bardziej niż Neptun. Im odleglejsza jest planeta, tym dłuższa jej droga wokół Słońca: Merkury pokonuje tę drogę w 88 dni, Ziemia w 365,256 dnia, Plutonowi zabiera to prawie 250 lat. Jak stwierdził w XVII wieku astronom Johannes Kepler, orbity nie mają kształtu kół, lecz tworzą *elipsy*, stanowiące rodzaj owalu.

PLANETY

Blisko Słońca krążą cztery małe skaliste planety: Merkury, Wenus, Ziemia i Mars. Dalej w przestrzeni kosmicznej są położone cztery giganty złożone głównie z gazu – Jowisz, Saturn, Uran i Neptun. Pluton znajduje się jeszcze dalej.

Merkury jest położony tak blisko Słońca, że jest prawie niewidoczny. Kamery filmowe statku kosmicznego *Marinera 10* ukazały nagą planetę z kraterami, górami, graniami i dolinami, podobną do Księżyca. Ponieważ nie ma tam atmosfery, temperatura wzrasta do 400 °C lub spada do −180 °C.

Wenus znajduje się najbliżej Ziemi i jest bardzo jasna, gdyż pokrywają ją chmury odbijające światło słoneczne. Te chmury zakrywają powierzchnię, ale wysłany na Wenus statek kosmiczny dokonał tam wielu odkryć.

Mars jest znany jako „Czerwona Planeta", z powodu czerwonawego pyłu pokrywającego rozległe obszary jego powierzchni, pociętej kraterami, szczelinami i ogromnymi wulkanami wysokości do 25 km. Być może na Marsie poza lodem tworzącym polarne czapy lodowe znajduje się woda. *Mariner 9* i *Viking 1* oraz *Viking 2* ukazały rozległe obszary wymyte przez powódź.

Jowisz jest tak wielki, że gdyby był wydrążony zmieściłoby się w nim 1300 Ziem. Wiruje tak szybko (raz na dziesięć godzin), że wybrzusza się na równiku. Wokół niego znajduje się delikatny pierścień pyłu, a jego powierzchnię pokrywają pasy kłębiących się obłoków. Charakterystyczną jego cechą jest Wielka Czerwona Plama, utworzona przez szalejącą w atmosferze burzę o rozległości 24 000 km. Jowisz ma 16 księżyców.

JAK POWSTAŁ UKŁAD SŁONECZNY

Przed pięcioma miliardami lat Układ Słoneczny był prawdopodobnie wirującym obłokiem gazu i pyłu. Stopniowo centrum chmury uległo kondensacji w protogwiazdę (str. 77), która zapadła się tworząc Słońce. Następnie gaz skupiał się w podobny sposób, tworząc zewnętrzne planety – Jowisza, Saturna, Urana i Neptuna – z których każda posiadała małe twarde jądro otoczone gazem. Skaliste, wewnętrzne planety – Merkury, Wenus, Ziemia i Mars – mogły powstać podobnie, skupiając się w twardą materię, z której została uwolniona większość gazów. Ale materiał, z którego powstały mógł też pochodzić z protogwiazdy Słońca, a następnie ulec skupieniu w małe skalne bryłki nazwane *plantezymale*.

Ten opis powstania Układu Słonecznego jest zmodyfikowaną wersją teorii zwanej hipotezą mgławic, po raz pierwszy sformułowaną przez Pierre Laplace'a w 1796 roku.

***Jowisz** to największa z planet: ma średnicę 142 800 km. Potrzebuje prawie 12 lat na okrążenie Słońca w odległości 778 milionów km, ale obraca się co 9,8 godziny, co oznacza, że porusza się z prędkością ponad 45 000 km/godz. Posiada zaledwie jedną czwartą gęstości Ziemi, ponieważ złożony jest głównie z gazu.*

***Merkury** posiada średnicę 4878 km i okrąża Słońce w ciągu 88 dni w odległości 58 milionów km, obracając się, co 58,65 dni.*

***Wenus** ma średnicę 12 104 km i okrąża Słońce w ciągu 225 dni w odległości 108 milionów km, obracając się co 243 dni. Kręci się w przeciwną stronę niż inne planety.*

***Ziemia** ma średnicę 12 756 km i okrąża Słońce w ciągu 365,25 dni w odległości 149,6 milionów km, obracając się co 23,93 godziny. Księżyc obraca się co 27,3 dnia.*

***Mars** ma 6787 km średnicy i okrąża Słońce w ciągu 687 dni w odległości 228 milionów km, obracając się co 24,62 godziny. Posiada nieco mniejszą gęstość niż Ziemia.*

Saturn ze swymi szerokimi, barwnymi pierścieniami i pofałdowaną powierzchnią jest najbardziej widowiskową z wszystkich planet. Pierścienie składają się z milionów maleńkich pokrytych lodem fragmentów skał. Gdyby można było przeciąć Saturn na pół, znaleźlibyśmy małe, skaliste jądro, otoczone cienką warstewką płynnego wodoru, a dalej grubą warstwą wodoru w postaci gazowej. Saturn ma do 21 księżyców, największy z nich, Tytan, jest niemal połowy wielkości Ziemi.

Uran to ogromna gazowa planeta złożona z wodoru i helu z pokrytym lodem, skalistym jądrem. Temperatura przy powierzchni może spaść do −214 °C. Krążąc wokół Słońca przechyla się on dziwnie na bok. Przez wiele lat jeden z jego biegunów wskazuje niemal na Słońce.

Neptun to bladoniebieski dysk z szerokimi pasmami chmur i Wielką Ciemną Plamą podobną do Wielkiej Czerwonej Plamy Jowisza. Ma osiem księżyców i układ pierścieni.

Pluton to mała, pokryta lodem planeta ze skały i metanu. Posiada nieco mniejszego partnera o nazwie Charon.

OBSERWACJE WENUS

Atmosfera Wenus składa się głównie z dwutlenku węgla, w którym unoszą się chmury kwasu siarkowego. Ta gęsta atmosfera sprawia, że ciśnienie przy powierzchni jest 90 razy większe od ziemskiego i tworzy „efekt cieplarniany" (str. 99), podnosząc temperaturę powierzchniową do 470 °C.

Sondy kosmiczne przesłały na Ziemię obrazy ukazujące równiny, rozległe obszary wyżyn i głębokie doliny, tworzące rozpadliny na powierzchni Wenus. Fotografia poniżej została wykonana przez komputer z map radarowych wykonanych przez sondę *Magellan*. To zdjęcie ukazuje, że powierzchnia Wenus została ukształtowana przez ruchy tektoniczne podobnie jak na Ziemi (str. 90).

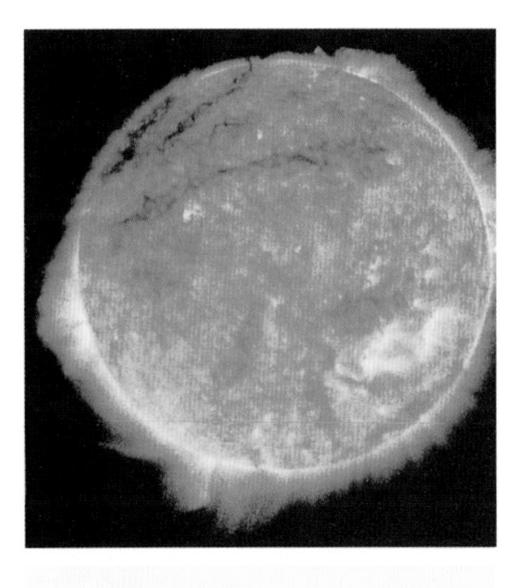

SŁOŃCE

Słońce to olbrzymia kula gazów – w trzech czwartych tworzy ją wodór, w jednej czwartej – hel. Olbrzymie ciśnienie w centrum Słońca doprowadza do połączenia atomów wodoru w reakcji nuklearnej, która podnosi temperaturę do 15 milionów stopni Celsjusza. Ciepło wydobywa się na powierzchnię Słońca w plamach zwanych *granulami*. W niektórych miejscach na powierzchni znajdują się ciemne plamy zwane *plamami słonecznymi*, których intensywność wzmaga się przeciętnie co 11 lat. Czasem ogromne języki rozgrzanego wodoru przypominające płomienie, wystrzelają na 100 000 km. Nazywa się je *protuberancjami*. *Rozbłyski* słoneczne to energia wydzielająca się na Słońcu.

PAS PLANETOID

Pomiędzy Marsem a Jowiszem znajduje się pas orbitujących kawałków skały zwanych *asteroidami*, *planetoidami* lub *planetkami*. Wokół Słońca krążą też miliardy maleńkich bryłek zwanych *meteorami*. Wiele dostaje się do atmosfery ziemskiej i spala się; nieliczne większe spadają na Ziemię. Czasem *komety* złożone głównie z lodu kierują się ku Słońcu z krawędzi Układu Słonecznego. Niektóre mijają Słońce i powracają do przestrzeni kosmicznej, ale niektóre zostają uwięzione w pobliżu Słońca. Kometa Halley'a jest widoczna co 76 lat.

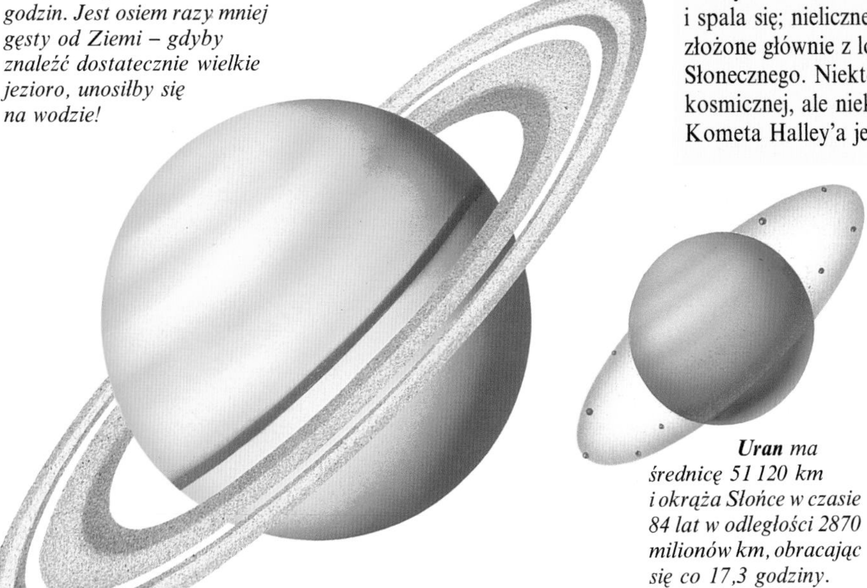

***Saturn** ma średnicę 120 420 km i okrąża Słońce w ciągu 30 lat w odległości 1427 milionów km, obracając się co 10,6 godzin. Jest osiem razy mniej gęsty od Ziemi – gdyby znaleźć dostatecznie wielkie jezioro, unosiłby się na wodzie!*

***Uran** ma średnicę 51 120 km i okrąża Słońce w czasie 84 lat w odległości 2870 milionów km, obracając się co 17,3 godziny.*

***Neptun** ma średnicę 49 500 km i okrąża Słońce w czasie 165 lat w odległości 4497 milionów km, obracając się co 19,2 godziny.*

***Pluton** jest najmniejszą planetą – ma 2280 km średnicy i okrąża Słońce w czasie 250 lat w przeciętnej odległości 5900 milionów km, obracając się co 6,4 dni.*

PLANETA ZIEMIA

Ziemia jest tylko niewielką błękitną kulą w bezmiarze przestrzeni kosmicznej, wirującą z prędkością 1600 km/godz. i pędzącą przez ciemność z szybkością 100 000 km/godz. w trakcie swej wędrówki wokół Słońca.

OKRĄGŁA ZIEMIA

Widziany z ziemi horyzont jest prosty i płaski, nietrudno więc stwierdzić, dlaczego ludzie uważali Ziemię za płaską. Dopiero jeśli lecimy samolotem lub patrzymy z przestrzeni kosmicznej, widzimy, że jest ona zakrzywiona. Ale starożytni Grecy stwierdzili, że Ziemia jest okrągła już 2400 lat temu. Widzieli, jak okręty stopniowo znikają, żeglując poza horyzont. Podróżnicy żeglujący na północ lub na południe opowiadali im, jak gwiazdy spadają za nimi poniżej horyzontu. Arystoteles (384-322 p.n.e.) zauważył, że cień Ziemi na Księżycu w fazie zaćmienia jest okrągły.

KSIĘŻYC

Ziemia podróżując w przestrzeni kosmicznej nie jest całkowicie osamotniona; krąży wokół niej Księżyc. Inne planety też mają księżyce, ale nasz Księżyc jest bardzo duży w porównaniu z Ziemią – liczy jedną czwartą jej średnicy (3476 km). Nie posiada własnego światła, lecz odbija światło Słońca tak skutecznie, że jest nocą wystarczająco jasny, by móc skąpać Ziemię w bladobiałej poświacie. Okrąża Ziemię w ciągu 27,3 dnia i obraca się wolno wokół własnej osi, by odsłaniać nam wciąż tę samą stronę. Fotografie ze statków kosmicznych ukazały, że druga strona Księżyca jest podobna do strony widzianej przez nas.

SZEROKOŚĆ I DŁUGOŚĆ

Każde miejsce na świecie można wyznaczyć bardzo dokładnie za pomocą prostej siatki geograficznej, na którą składają się długość i szerokość geograficzna. *Równoleżniki* to wiele linii opasujących kulę ziemską równoległych wobec równika (linii przebiegającej w połowie Ziemi). Szerokość geograficzną podaje się w stopniach na północ i na południe od równika, aż do 90 stopni. O miejscach w pobliżu biegunów mówimy, że znajdują się w strefie podbiegunowej; o miejscach w pobliżu równika – że są położone w strefie podzwrotnikowej. Szerokość geograficzną podajemy w stopniach, gdyż pozycję każdej linii wyznacza się poprzez wyrysowanie linii ze środka Ziemi. Szerokość geograficzna

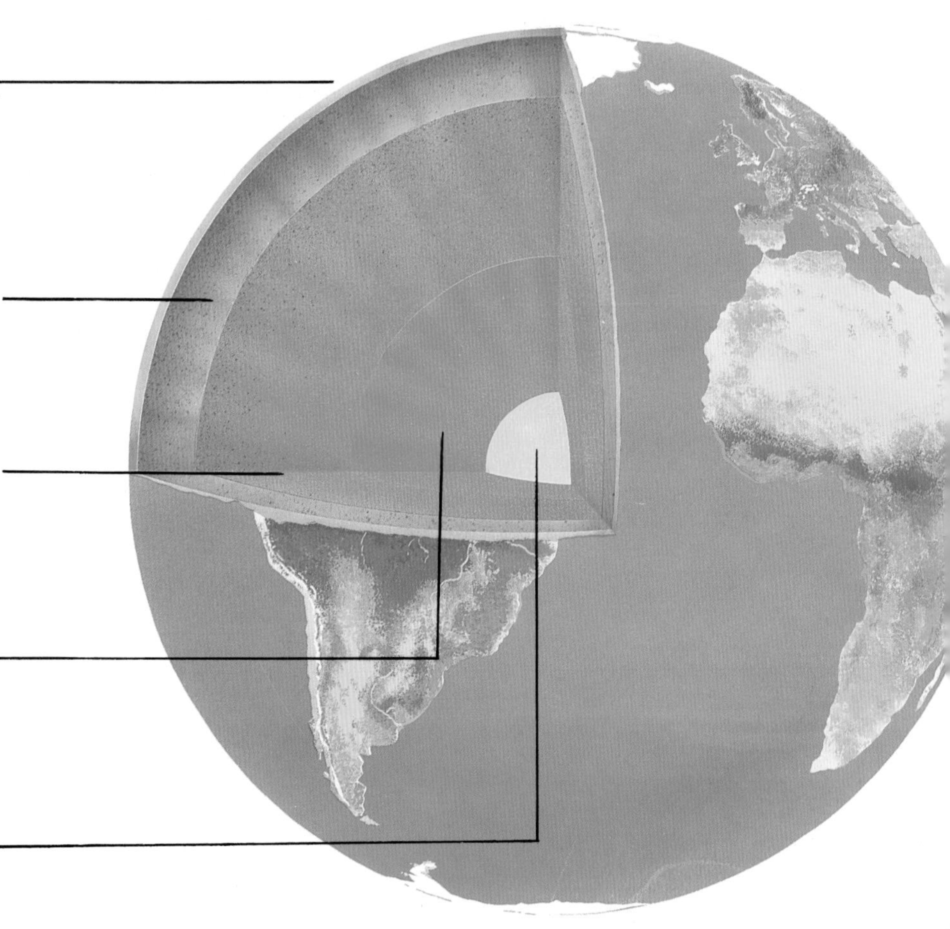

Skorupa ma grubość 40 km pod kontynentami i 6 km pod oceanami. Jej wierzchnia pokrywa tworzy powłokę wokół Ziemi nazywaną litosferą, pociętą na gigantyczne fragmenty zwane płytami tektonicznymi (str. 90).

Górny płaszcz składa się z innych skał niż skorupa. Wierzchnia warstwa to twarda litosfera, której głębokość wynosi ok. 100 km. Pod nią znajduje się warstwa gorącej, powoli płynącej, rozżarzonej skały, czyli *magmy* zwanej astenosferą.

Solidna dolna warstwa, czyli mezosfera rozpoczyna się od 200 km i sięga w głąb do 1900 km. Temperatura wzrasta od 2250°C na powierzchni tej warstwy do 4500°C przy jądrze.

Zewnętrzne jądro stanowi prawdopodobnie roztopiony metal, głównie żelazo i nikiel. Sięga ono głębokości ok. 5150 km.

Wewnętrzne jądro stanowi prawdopodobnie metal, podobnie jak w zewnętrznym jądrze, ale ciśnienie jest tak wielkie, że pozostaje on w stanie stałym, chociaż temperatura dochodzi do 7000°C.

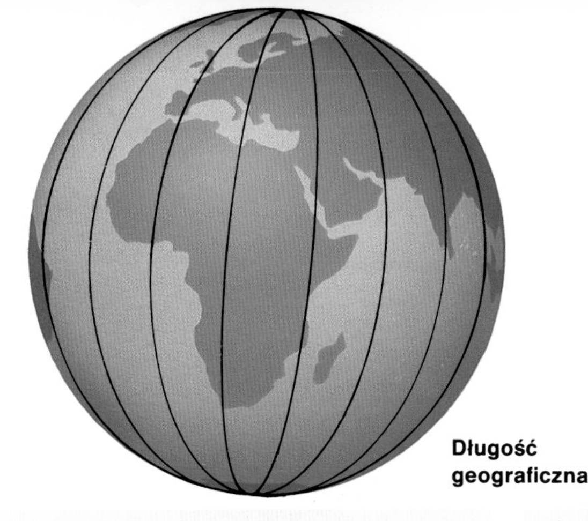

Linie szerokości i długości geograficznej (po lewej) wyrysowane wokół kuli ziemskiej pozwalają na bardzo dokładne określenie położenia w każdym punkcie Ziemi.

Atmosfera Ziemi (po prawej) staje się coraz cieńsza w wyższych warstwach, układając się w wyraźne warstwy, aż zanika w pustce przestrzeni 500–1000 km nad ziemią.

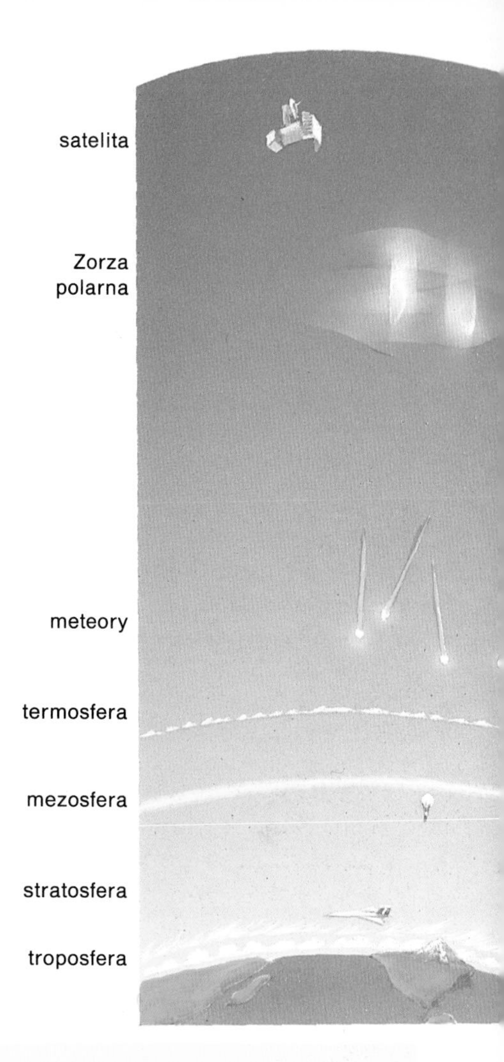

to kąt pomiędzy tą linią a linią równoległą wobec równika.

Długość geograficzna dzieli świat na 360 części przypominających kawałki pomarańczy. Linie wyznaczające długość geograficzną zwane *południkami* rozchodzą się z Bieguna Północnego, biegną w kierunku równika i schodzą się przy Biegunie Południowym. Długość geograficzna danego miejsca to po prostu kąt na biegunach pomiędzy południkiem, na którym znajduje się to miejsce a pierwszym południkiem, który przebiega przez Greenwich w Anglii. Tak więc długość geograficzną podaje się w stopniach na wschód lub na zachód od pierwszego południka. Dla dodatkowej precyzji stopnia długości i szerokości są podzielone na minuty i sekundy.

ATMOSFERA

Ziemię otacza niby balon cienka warstwa gazów zwana atmosferą, sięgająca 500-1000 km ponad powierzchnię. Bez tej warstwy, która nas chroni, w ciągu dnia paliłoby nas Słońce, a w nocy zamarzlibyśmy na kość. W rzeczywistości istnieje siedem czy ponad siedem warstw atmosfery. Większość z nich jest utworzona przez rzadką mieszankę gazów równie spokojną i niezmienną, jak przestrzeń poza nimi. Ale najniższe 11 km – warstwa w której żyjemy – jest gęsta od gazów, wody i pyłu. To wirowanie w tej warstwie zwanej *troposferą*, odbywające się w cieple Słońca daje nam to, co nazywamy pogodą, od łagodnych deszczów letnich po szalejące huragany.

WE WNĘTRZU ZIEMI

Ziemia nie jest litą kulą; wibracje trzęsień ziemi i eksplozje odsłoniły złożoną strukturę. Stoimy na cienkiej skalistej pokrywie lub skalnej skorupie, o przeciętnej grubości 40 km pod kontynentami i niecałych 6 km pod oceanami. Pod skorupą znajduje się gruba warstwa skały, czyli *magma* tak rozżarzona, że płynie niby syrop (tylko bardzo, bardzo wolno). Metalowe (żelazo i nikiel) *jądro* Ziemi zaczyna się prawie 3000 km pod powierzchnią. Zewnętrzne jądro jest tak gorące, że jest zawsze rozżarzone; wewnętrzne jądro w samym środku Ziemi jest w stanie stałym, ponieważ ciśnienie jest tak wielkie, że nie może się stopić, chociaż temperatura dochodzi do 7000 °C.

Granica między skorupą a pokrywą nazywa się *nieciągłością Mohorovičicia*. Ale dolna warstwa skorupy i górna warstwa pokrywy są tak podobne, że przechodzą w siebie nawzajem. Dlatego naukowcy czasem mówią o litosferze sięgającej 100 km pod powierzchnię i astenosferze sięgającej kolejne 200 km w głąb.

KSIĘŻYC I PŁYWY

Co 12 godzin całe morze na przeciwnym krańcu świata unosi się nieco, potem opada. Nazywamy to pływami. Pływy pojawiają się z powodu sposobu w jaki Księżyc i Ziemia krążą razem. Kiedy Ziemia wiruje, morze położone najbliżej Księżyca unosi się pod wpływem siły jego przyciągania, tworząc przypływ. Przypływ występuje również na krańcach Ziemi, ponieważ Księżyc i Ziemia krążą wokół siebie.

Tak więc morze najbardziej oddalone od Księżyca jest wypychane na zewnątrz przez siłę odśrodkową. Słońce również oddziałuje na pływy. Bardzo wysoki przypływ wiosenny pojawia się, gdy Słońce i Księżyc przyciągają w tym samym kierunku. Kiedy Słońce i Księżyc znajdują się pod kątem prostym do Ziemi ich przyciągania pozostają w konflikcie, powodując *małe, kwadrowe* pływy.

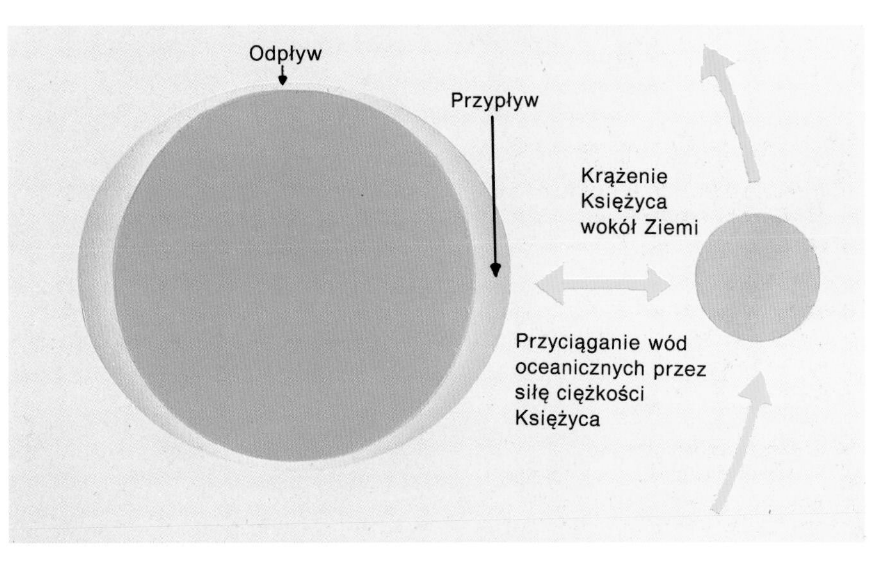

CZAS

Nasze lata, miesiące i dni oblicza się na podstawie sposobu, w jaki Ziemia i Księżyc krążą w przestrzeni i podróżują wokół Słońca. Ale wszystkie podziały dnia na godziny, minuty i sekundy są wyznaczane przez równomierne tykanie zegara.

GODZINY DNIA

Ponieważ Słońce za dnia przesuwa się jednostajnie po niebie, można stwierdzić, która jest godzina, po prostu patrząc, w którym miejscu ono jest. NIE WOLNO patrzeć wprost w Słońce, ale można określić, gdzie się znajduje na podstawie kierunku rzucanych przez nie cieni. Na tej zasadzie działają zegary słoneczne. Posiadają one specjalny wskaźnik zwany *gnomonem*, który daje prawidłowy cień wskazujący godzinę na specjalnej tarczy.

Zegarów słonecznych użyto po raz pierwszy przynajmniej 5000 lat temu. Ale nie działają w nocy ani wtedy, gdy Słońce jest zakryte chmurami. Najprostszym sposobem mierzenia czasu bez odwoływania się do Słońca było obserwowanie równomiernie kapiącej wody lub przesypującego się piasku. W średniowieczu, mnisi zaczęli używać zegarów – wydzwaniający zegar mówił im, kiedy jest czas na modlitwę. Czas modlitwy nazywano *godzinami kanonicznymi*. Wcześniej dwie połowy doby podzielono na 12 równych godzin, tak iż doba miała dwadzieścia cztery godziny, a zegary wydzwaniały każdą godzinę. Obecnie zegary wskazują nie tylko godziny, lecz również minuty, sekundy i setne części sekundy.

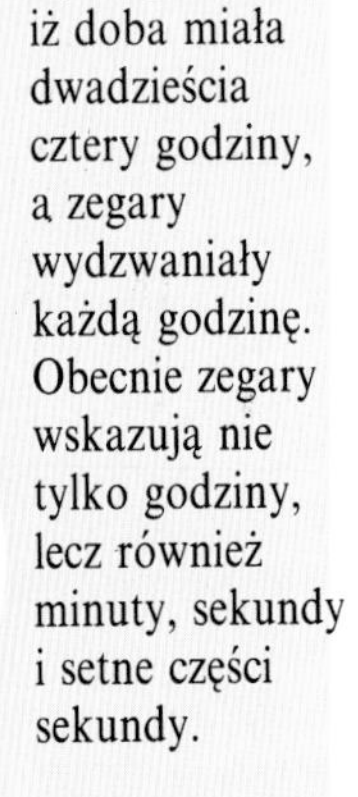

XVII-wieczny zegar-latarnia

DZIEŃ I NOC

Oświetl latarką piłkę w ciemnym pokoju, a stwierdzisz, że połowa jest oświetlona, a druga połowa pozostaje w cieniu. Tak samo jest ze Słońcem i Ziemią. Połowa skierowana ku Słońcu jest jasno oświetlona; druga połowa jest w ciemności. Mamy dzień i noc, bo po prostu Ziemia ustawia nas na wprost Słońca, a potem nas od niego oddala.

Może się zdawać, że to Słońce się porusza. Widzimy, jak Słońce wschodzi na wschodzie, wznosi się coraz wyżej do południa, potem zachodzi na zachodzie. Ale to Ziemia porusza się, a nie Słońce; odnosimy mylne wrażenie dlatego, że jesteśmy unoszeni przez Ziemię.

Ziemia obraca się w kierunku wschodnim. Jej prędkość na równiku wynosi 1600 km/godz. i przekracza prędkość samolotu odrzutowego. Obraca się wokół własnej osi w ciągu dwudziestu czterech godzin. Dlatego doba ma dwadzieścia cztery godziny. Gdybyśmy mogli lecieć na zachód z prędkością 1600 km/godz., dogonilibyśmy Słońce i cały czas pozostawalibyśmy w blasku słonecznym.

Dni słoneczne i gwiezdne. Istnieją dwa sposoby mierzenia dni: według Słońca (*dzień solarny*) i według gwiazd (*dzień gwiezdny*). Dzień gwiezdny to czas, w jakim Ziemia obraca się jeden raz względem gwiazd. Wynosi on 23 godziny 56 minut i 4 sekundy. Dzień solarny, mający równo dwadzieścia cztery godziny, jest dłuższy, ponieważ w ciągu jednego dnia Ziemia porusza się nieco dalej wokół Słońca. Oznacza to, że musi obrócić się o 1 stopień dalej, zanim Słońce znajdzie się znów w tym samym miejscu na niebie.

RÓŻNE DNI

Każdy dzień ma dwadzieścia cztery godziny, ale ponieważ Ziemia jest

KSIĘŻYC I MIESIĄCE

Podobnie jak Ziemia, Księżyc ma jasną i ciemną stronę. Ciemnej strony w ogóle nie widzimy. Kiedy Księżyc podróżuje wokół Ziemi, zdaje się zmieniać kształt, ponieważ widzimy różne części jasnej strony. *Pełnia* jest wówczas, gdy widzimy całą jasną stronę. *Księżyc jest w nowiu* wówczas, gdy go nie widzimy. Cienki półksiężyc to początek kwadry. Księżyc jest w *fazie między kwadrą* a *pełnią* kiedy widzimy dwie trzecie jasnej strony.

Nasze miesiące kalendarzowe wyznacza czas wymagany przez Księżyc do jednego obrotu wokół Ziemi. W rzeczywistości czas ten wynosi 27,3 dni. Między jedną a drugą pełnią mija 29,53 dni, gdyż porusza się nie tylko Księżyc, ale i Ziemia. Czas między pełniami nazywamy *miesiącem księżycowym*. Ale liczba dni w *miesiącu kalendarzowym* wynosi 28, 29, 30 lub 31 dni, stąd też mamy równo 12 miesięcy.

__Fazy Księżyca.__ Księżyc jest w nowiu wówczas, gdy znajduje się między nami a Słońcem (1). Stopniowo widzimy go coraz więcej, gdy krąży wokół Ziemi, oddalając się od Słońca (2). Mówimy wówczas, że Księżyca przybywa. Gdy Księżyc znajduje się dokładnie za drugą stroną Ziemi, widzimy całą jego jasną stronę (3), jest to pełnia. Gdy obraca się nadal, widzimy go coraz mniej (4). Mówimy wówczas, że Księżyca ubywa.

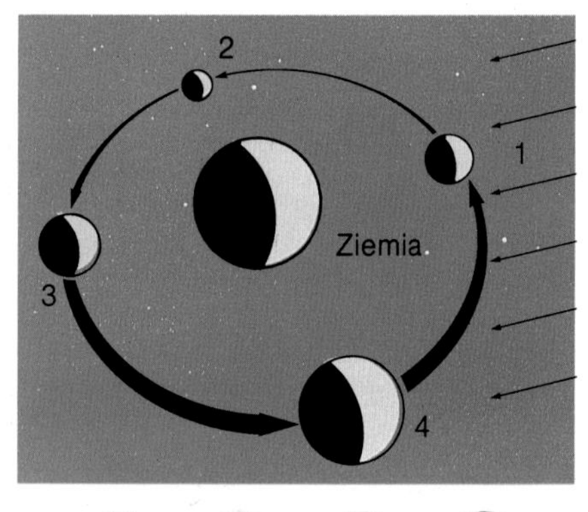

nachylona wobec Słońca, ilość światła dziennego różni się w ciągu roku. Najmniej różni się na równiku, gdzie światło dzienne świeci okrągły rok przez dwanaście godzin na dobę. Najbardziej różni się na biegunie północnym i południowym, gdzie w lecie nigdy nie jest całkiem ciemno, a w zimie całkiem jasno.

ROK

Poza tym, że Ziemia co dzień obraca się jeden raz, krąży też wokół Słońca, tak jak Księżyc krąży wokół Ziemi. Jest to bardzo długa droga – prawie 940 milionów kilometrów – ale Ziemia porusza się tak szybko, że jeden obrót wokół Słońca zabiera jej 365 dni. Dlatego rok ma 365 dni.

W gruncie rzeczy Ziemia potrzebuje 365,256 dni na podróż wokół Słońca. Ale byłoby niezręcznie mieć 365,256 dni w roku. Dlatego co cztery lata dodajemy jeden dzień, w roku nazywanym przestępnym, ale opuszczamy przestępny rok w latach wyznaczających stulecia, które nie dzielą się na cztery. W ten sposób nasz kalendarz pozostaje zawsze w zgodzie z ruchem Ziemi i co roku Ziemia znajduje się danego dnia zawsze w tym samym punkcie.

Nie wszyscy używają tego samego systemu. Muzułmanie mają rok liczący 354 lub 355 dni; rok żydowski waha się od 353 do 385 dni.

Pory roku

Podczas obrotu Ziemi wokół Słońca różne jej części nachylają się w kierunku Słońca lub odchylają w kierunku przeciwnym i mamy pory roku. W lecie twoja część świata jest nachylona ku Słońcu. Tak więc dni są dłuższe, a Słońce pozostaje dłużej widoczne. W południe słońce stoi dokładnie nad głową, cienie są krótkie, a pogoda ciepła. Na jesieni twoja część świata odchyla się od Słońca. Dni stają się krótsze i Słońce nie wznosi się tak wysoko na niebie, zatem cienie są dłuższe, a pogoda chłodniejsza. W zimie jesteśmy odwróceni od Słońca, dni są bardzo krótkie i zimne. Na wiosnę twoja część świata znów nachyla się ku Słońcu, co daje dłuższe, cieplejsze dni.

Strefy czasowe

Ponieważ Ziemia obraca się, Słońce wciąż oświetla inną część świata, i zachodzi w innej. Tak więc pory dnia różnią się na całym świecie. Gdy tam, gdzie mieszkasz jest poranek, na drugim krańcu świata jest zachód słońca, a południe w jednej czwartej odległości świata od ciebie. Żeby było łatwiej nastawiać zegary, świat podzielono na *24 strefy czasu*, jedna na każdą godzinę doby, każda strefa obejmuje 15° długości geograficznej. Gdy podróżujesz dookoła świata na zachód, cofasz zegar o godzinę w każdej strefie czasowej, dopóki nie trafisz na *linię daty*. Jeśli przekroczysz linię zmiany daty, nadal cofasz zegar, ale zmieniasz datę o jeden dzień.

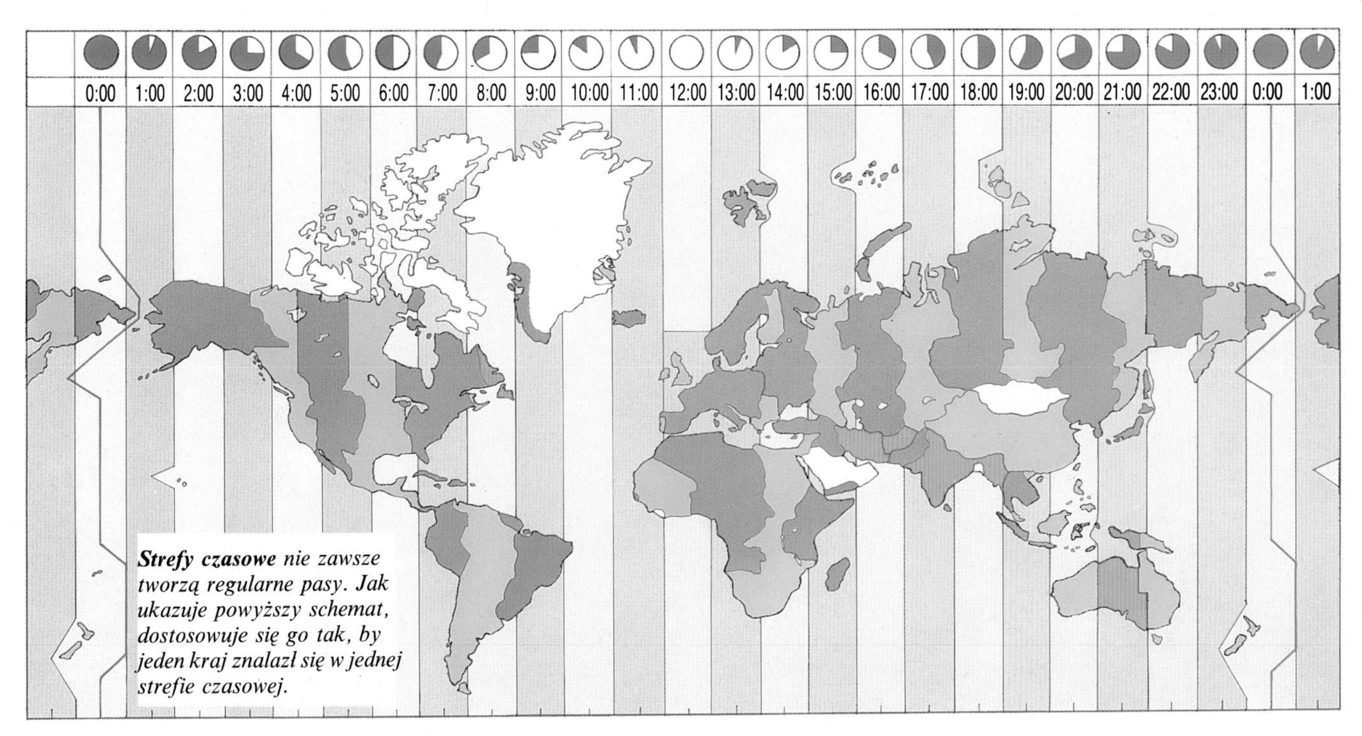

***Strefy czasowe** nie zawsze tworzą regularne pasy. Jak ukazuje powyższy schemat, dostosowuje się go tak, by jeden kraj znalazł się w jednej strefie czasowej.*

KLIMAT

Tak jak w lecie zdarzają się chłodne dni, tak w tropikach trafiają się sporadycznie dni chłodu. Ale pogoda w tropikach jest zwykle gorąca – tak jak pogoda w Arktyce jest zwykle zimna. Typową pogodę (temperatura, ciśnienie, opady, wiatr) w danym miejscu w długim okresie nazywamy klimatem.

MONSUN

Przez połowę roku w wielu obszarach tropikalnych, takich jak Indie, północno-wschodnia Australia i Wschodnia Afryka, pogoda jest bardzo sucha, a ziemia wysuszona przez wiatry wiejące ze środka kontynentu. W końcu jednak powietrze nad centrum kontynentu ogrzewa się dostatecznie, by odwrócić przepływ powietrza z lądu do morza. Wilgotne wiatry wieją od morza, przynosząc upragniony deszcz na resztę roku. Nazywamy je *monsunem*.

STREFY KLIMATYCZNE

Ogólna zasada jest taka, że im bliżej jesteś równika, tym cieplejszy jest klimat. Dzieje się tak dlatego, że na równiku w południe słońce stoi wysoko na niebie, a jego promienie są ciepłe. Z dala od równika, nie stoi już tak wysoko i daje mniej ciepła. Najistotniejszym czynnikiem określającym klimat jest szerokość geograficzna. Oddalając się od równika strefy klimatyczne zmieniają się od równikowych przez podzwrotnikowe i umiarkowane do zimnych.

Klimat równikowy jest gorący. Na przykład w Manaos w Brazylii przeciętna roczna temperatura wynosi powyżej 27°C, a temperatura nigdy nie spada tam poniżej 20°C. Niektóre tropikalne obszary są gorące i wilgotne; inne są gorące i suche (patrz: Pustynie); niektóre posiadają wyraźnie zaznaczone pory suche i pory deszczowe (patrz: Monsun). W wilgotnych obszarach tropikalnych ogromne chmury burzowe tworzą się w cieple poranka, a po południu zsyłają potoki deszczu. W tym gorącym, wilgotnym klimacie rosną lasy tropikalne.

Strefa umiarkowana

Miejsca takie jak USA, Europa, Japonia i południowa Australia mają klimat umiarkowany. Lata są zwykle ciepłe, a zimy chłodne. Wiatry z zachodu sprowadzają deszcze przez cały rok, szczególnie na zachodnich wybrzeżach, ale najwilgotniej jest w zimie. W północnej części północnej półkuli często w zimie pada śnieg, zwłaszcza z dala od morza. Bliżej tropików lata są ciepłe, a zimy wilgotne.

Rejony polarne

Blisko Bieguna Północnego i Południowego słońce stoi zawsze nisko na niebie, a w zimie prawie nie wychyla się poza horyzont. Przez cały rok jest bardzo zimno, a lód i śnieg na ziemi rzadko topnieją. Przez ponad pół roku w Antarktyce panuje temperatura — 50°C.

MORZE I GÓRY

Klimat nie zależy tylko od odległości od równika. Znaczący wpływ nań mają również morze i góry. Morze

Powyżej 4300 m. *Powyżej linii śniegu jest tak zimno, że śnieg rzadko się topi, dlatego najwyższe szczyty są zawsze ośnieżone.*

3400-4200 m. *Ponad wysokością, zwaną linią drzew, zimy są tak zimne, a wiatry tak silne, że rośnie tam tylko trawa, mchy i porosty. W Ameryce Łacińskiej ziemia powyżej linii drzew nosi nazwę* tierra halada *(zamarzniętej ziemi).*

1800-3400 m. *Powyżej 1800 m jest zbyt zimno dla tropikalnych szerokolistnych drzew i zbocza są pokryte drzewami iglastymi. Tę strefę nazywa się* Tierra fria *(zimną ziemią).*

600-1800 m. *Tu jest dość wilgotno, żeby mogły rosnąć drzewa, a zbocza pokrywała wilgotna tropikalna dżungla. Tę strefę nazywamy* Tierra templada *(umiarkowaną ziemią). Powyżej 1200 m drzewa są zwykle w chmurach, a las nazywa się* lasem chmurzastym.

Schemat ukazuje zmiany klimatu w tropiku.

KLIMATY GÓRSKIE

Powietrze ogrzewa się głównie dzięki ciepłu lądu, a nie Słońca. Dlatego im wyżej się posuwamy, tym jest zimniej. Przeciętnie co 1000 m temperatura spada o 6°C. Ten spadek temperatury nazywamy częstotliwością spadku temperatury. Tak jak klimat staje się chłodniejszy, im bardziej zbliżamy się do bieguna, tak też staje się chłodniejszy, im wyżej posuwamy się w górach. Wspinając się w górach, często przechodzimy te same strefy klimatyczne, które przebywalibyśmy podróżując do bieguna. Góry są również bardziej od nizin narażone na wiatr i deszcze. Często zachodzi duża różnica między zboczami wystawionymi na Słońce a zboczami pozostającymi w cieniu.

PUSTYNIE

Więcej niż jedna piąta wszystkich lądów na Ziemi to pustynia, na której prawie nigdy nie pada. Wiele największych pustyń leży w strefie subtropikalnej, gdzie powietrze jest nieruchome i czyste. Tu właśnie znajduje się Sahara i Wielka Pustynia Piaszczysta i Wiktorii (Australia). Niektóre pustynie, na przykład Atacama w Chile, znajdują się pod osłoną łańcuchów górskich, które odcinają je od deszczu. Niektóre zaś są położone blisko brzegów, gdzie chłodne prądy oceaniczne osuszają powietrze. Wiele subtropikalnych pustyń ma bardzo gorący klimat, ponieważ brak tam chmur zatrzymujących promienie Słońca. Latem temperatura na pustyni w Sudanie może dochodzić do 56°C, lecz nocą może być zimno, gdyż ciepło ulatnia się przez czyste niebo.

sprawia, że obszary przybrzeżne są bardziej wilgotne niż obszary w głębi lądu. Powoduje także chłodniejsze lata i cieplejsze zimy, ponieważ woda nie pozwala powietrzu nagrzać się ani oziębić. Północno-zachodnia Europa jest szczególnie ciepła w zimie dzięki ciepłym prądom oceanicznym, płynącym przez Atlantyk z Wysp Karaibskich.

WIATRY NA ŚWIECIE

Niektóre wiatry są lokalne lub wieją tylko przez krótki czas, ale istnieją pewne wiatry, zwane *stałymi*, które wieją przez większą część roku. Każda z głównych stref klimatycznych ma własne stałe wiatry.

Tropikalne pasaty. Nad równikiem silne słońce sprawia, że ciepłe powietrze unosi się, czerpiąc powietrze z północy i południa, a także powodując ciepłe stałe wiatry zwane *pasatami*. Pasaty wieją stale w kierunku równika w całych tropikach od północnego do południowego wschodu – nie od północy lub południa, ponieważ obroty Ziemi kierują je ku północnemu zachodowi.

Strefa, w której spotykają się pasaty północno-wschodnie i południowo-wschodnie nazywa się *Wewnątrztropikalną strefą Konwergencji*. Przemieszcza się ona wraz z porami roku, od grudnia do lipca przesuwając się równomiernie na północ do Zwrotnika Raka, a od lipca do grudnia na południe ku Zwrotnikowi Koziorożca. Powietrze jest w niej często spokojne aż do martwoty, stąd marynarze nazywają tę strefę pasem ciszy.

Umiarkowane wiatry zachodnie. W strefie umiarkowanej stałe wiatry to ciepłe, wilgotne wiatry zachodnie, ale są one o wiele mniej przewidywalne niż pasaty. Te wiatry zachodnie zderzają się z polarnymi wiatrami wschodnimi wzdłuż linii zwanej *frontem polarnym*, a ich spotkanie powoduje burzę.

Polarne wiatry wschodnie. W rejonach polarnych stałe wiatry to lodowate wiatry wiejące od biegunów, gdzie znajduje się chłodne powietrze. Tak jak w przypadku pasatów, obroty Ziemi czynią z nich wiatry wschodnie.

CZY WIESZ, ŻE...?

Najwilgotniejszym miejscem na świecie jest Tutunendo w Kolumbii. Roczne opady wynoszą tam 1170 cm.

Cherrapunji w Indiach otrzymuje niemal tyle samo wody, chociaż jest suche przez pół roku. W 1957 roku spadło tam 26 m deszczu.

Najcieplejszym miejscem jest Dallol w Etiopii, gdzie przeciętna temperatura wynosi 34,4°C w cieniu.

Najwyższa temperatura zanotowana na świecie to 58°C w Al Aziziya, w Libii.

Najzimniejszym miejscem jest Wostok na Antarktyce, gdzie przeciętnie jest −57,8°C, a raz temperatura spadła do −88°C.

Jeden z najbardziej skrajnych klimatów ma Jakuck na Syberii, gdzie temperatura potrafi spaść w zimie do −64°C, a w lecie podnieść się do 39°C.

Jeden z najbardziej umiarkowanych klimatów ma Quito w Ekwadorze. W nocy temperatura nigdy nie spada poniżej 8°C i nie podnosi się powyżej 22° w ciągu dnia. Co miesiąc spada 100 mm deszczu. Ziemię tę nazywa się „ziemią wiecznej wiosny".

Tylko 7 procent powierzchni świata posiada naprawdę umiarkowany klimat, jednak mieszka tam połowa ludności świata.

0-600 m. *Na poziomie morza klimat jest ciepły; mogą tam rosnąć tropikalne owoce i drzewa palmowe. Nazywa się tę strefę* Tierra caliente *(ginącą ziemią). Pogórze wystawione na wiatry jest wilgotne i parne; odsłonięte stoki gór są często wypalone i nagie.*

POGODA

Istnieje wiele różnych rodzajów pogody – wiatr, deszcz, śnieg, mgła, słońce, cisza. Wszystkie jednak są powodowane przez najniższą warstwę atmosfery, zwaną troposferą, gdy ciepło Słońca wprawia ją w ruch.

DLACZEGO NIEBO JEST NIEBIESKIE

Każdy kolor na niebie pochodzi od słońca. Światło słoneczne jest białe, co oznacza, że jest mieszaniną wszystkich kolorów tęczy. Jasne niebo jest niebieskie, ponieważ maleńkie cząsteczki gazu w atmosferze rzucają głównie niebieskie światło na nasze oczy, nie ingerując w resztę. Niebo blednie, kiedy dodatkowy pył lub wilgoć odbijają inne kolory.

Zachody i wschody słońca są czerwone, ponieważ słońce prześwieca przez grube, niższe warstwy atmosfery. Pył i wilgoć pochłaniają wszystkie kolory światła poza czerwienią, dlatego słońce jest czerwone. Im bardziej zapylone lub wilgotne jest niebo, tym jest ono czerwieńsze.

WIATR, WILGOĆ I CIEPŁO

Prognozowanie pogody jest tak skomplikowanym procesem, że wymaga zaangażowania najlepszych komputerów na świecie. Jednak cała pogoda jest nieustanną modulacją trzech czynników: sposobu przemieszczania się powietrza, zawartości wilgoci w powietrzu i temperatury – innymi słowy, wiatru, wilgoci i ciepła.

Wiatr. Każdy wiatr to po prostu przemieszczające się powietrze. Przy silnych wiatrach powietrze przemieszcza się szybko; łagodne wietrzyki to powietrze przemieszczające się wolno. Wszystkie one zaczynają się od zróżnicowania *ciśnienia powietrza.* Ciśnienie powietrza to najpierająca siła, jaką cząsteczki powietrza wywierają nieustannie, chociaż prawie tego nie czujemy. Zależy ono od gęstości powietrza. Kiedy powietrze jest gęste, ciśnienie jest wysokie; kiedy powietrze jest mniej gęste, ciśnienie jest niskie.

Słońce ogrzewa pewne miejsca bardziej niż inne. Ciepło powoduje rozszerzanie się powietrza, które jest lekkie, co sprawia że ciśnienie jest niskie. Ale kiedy powietrze jest zimne i ciężkie, ciśnienie jest wysokie. Wiatry wieją z obszarów, gdzie ciśnienie jest wysokie, zwanych *antycyklonami,* do obszarów, gdzie ciśnienie jest niskie, nazywanych *depresjami.* Im większa jest różnica ciśnienia, tym silniejszy wiatr.

Niektóre różnice ciśnienia istnieją w skali globalnej, tworząc układy wiatrów na świecie opisane na str. 87. Inne są lokalne i tworzą, na przykład, łagodne bryzy, które wieją czasem od morza.

Wilgoć. Woda przez cały czas paruje do atmosfery z oceanów, rzek i jezior.

UKŁADY POGODY

W strefie umiarkowanej (str. 86) najbardziej burzliwa, wilgotna pogoda łączy się często z rozległymi, poruszającymi się spiralnie układami pogody zwanymi *depresjami* lub *niżem*, ponieważ skupiają się one w rejonie niskiego ciśnienia. Zaczynają się one jako niewielki węzeł we *froncie polarnym* (str. 87), potem rozrastają się coraz bardziej i przesuwają na wschód, niosąc deszcz lub śnieg i silny wiatr.

W centrum tych niżów wchodzi klin ciepłego powietrza. Najgorsza pogoda panuje na krawędzi tego klina, nazywanej *frontem*, gdzie ciepłe powietrze spotyka się z zimnym. Gdy niż się przesuwa, w ciągu mniej więcej dwunastu godzin te fronty przynoszą wyraźną zmianę pogody.

Na głównej krawędzi klina, zwanego *ciepłym frontem*, ciepłe powietrze ześlizguje się na zimne. Nadejście ciepłego frontu zapowiadają pierzaste chmury, *cirrusy*, złożone z lodu i unoszące się bardzo wysoko na niebie. Wkrótce chmury zaczynają gęstnieć, dopóki nieba nie zasnują szare chmury typu *nimbostratus*, niosące trwały deszcz. Gdy

Zimny front

ciepły front

Symbole (z lewej). Na mapach pogody zimne i ciepłe fronty zaznaczono różnymi symbolami.

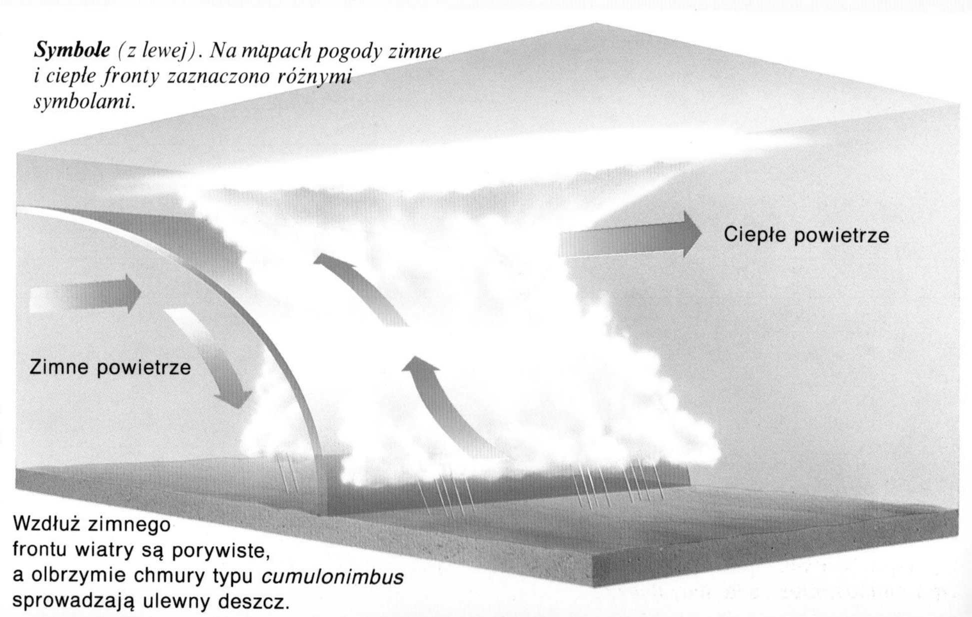

***Zimny front.** Wzdłuż zimnego frontu (po prawej) powietrze unosi się gwałtownie, kiedy zimne powietrze przenika ciepłe; zaczynają się tworzyć ogromne chmury burzowe, sprowadzające ulewny deszcz i burze.*

Wzdłuż zimnego frontu wiatry są porywiste, a olbrzymie chmury typu *cumulonimbus* sprowadzają ulewny deszcz.

Część tej wilgoci pozostaje w powietrzu jako niewidoczna para wodna, nadając powietrzu *wilgotność*. Jeśli powietrze nagle ulegnie ochłodzeniu – na przykład po przejściu nad zimną ziemią – para ulega kondensacji w krople wody, tworzące *rosę* na ziemi lub *mgłę* w powietrzu.

Część pary wodnej jest jednak unoszona wysoko przez szybujące do góry prądy powietrzne. Tu jest tak zimno, że para ulega kondensacji w *chmury* kropelek wody. Kiedy kropelki staną się zbyt ciężkie, by unosiło je powietrze, spadają jako deszcz. Ostro wznoszące się powietrze powoduje powstawanie na przykład chmur burzowych, które dają krótkie, ulewne deszcze. Powietrze wznoszące się łagodnie, jak w ciepłym froncie (patrz niżej), powoduje dłuższy, silniejszy deszcz.

Ciepło zależy głównie od ilości światła słonecznego (str. 80) i pokrywy chmur. Klarowna, antycyklonalna pogoda przynosi najcieplejsze dni i najzimniejsze noce, ponieważ nie ma chmur, które powstrzymałyby promienie słońca lub zachowały w nocy ciepło.

Burza

Ogromne chmury burzowe tworzą się wskutek silnych przeciągów – w ciepły dzień lub wzdłuż chłodnego frontu. Wiry w chmurach tak silnie miotają kropelkami deszczu i kryształami lodu, że zyskują one ładunek elektryczny (str. 152) – naładowane dodatnio cząsteczki zbierają się wysoko w chmurze, ujemne w dole. Wkrótce wytwarza się silny ładunek i błyskawica przeskakuje z cząstek naładowanych dodatnio na ujemne – albo w chmurze (błyskawica płaska), albo na ziemi (błyskawica widlasta), efektowi świetlnemu towarzyszy grzmot.

Huragany

Huragany to silne, porywiste wiatry wiejące z prędkością 120 km/godz. i większą. Powstają na obszarach niżów atmosferycznych, towarzyszą im burze i obfite deszcze. W środku zawirowań znajduje się *oko*, tj. obszar bez opadów i prawie bez wiatru. Na półkuli północnej układ wirowy wiatrów jest przeciwny do ruchu wskazówek zegara, na południowej zgodny. Huragany w rejonach tropikalnych noszą nazwę cyklonów.

ciepły front przejdzie, pogoda staje się łagodniejsza, a niebo na pewien czas się przejaśnia, ale czas ten nie jest zwykle długi.

Po kilku godzinach utworzenie się rozległego pasa *cumulonimbusów* (chmur burzowych) i narastanie porywistych wiatrów ostrzega, że zbliża się krawędź klina, zwana *zimnym frontem*. Gdy przechodzi zimny front, z chmur burzowych spada krótka, ale rzęsista ulewa, a czasem nawet nadchodzi burza.

W końcu zimny front przesuwa się, powietrze staje się chłodniejsze i niebo się przejaśnia – zostaje na nim tylko kilka puszystych cumulusów.

Nikt nie wie dokładnie, co powoduje niże, ale wielu meteorologów uważa, że rolę mogą tu odgrywać strumienie powietrza okrążające Ziemię wysoko w atmosferze. Niże łączą się z gigantycznymi meandrami (załamaniami) w strumieniu powietrza długości do 2000 km zwanych *falami Rossby'ego*.

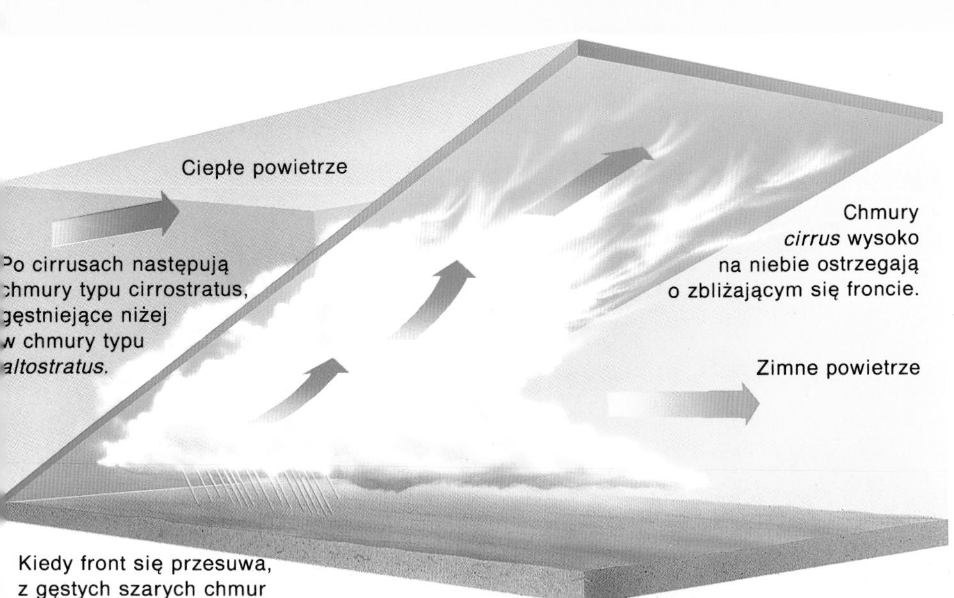

Ciepły front *(po lewej) nadchodzi po godzinie od pojawienia się wysoko na niebie pierzastych chmur typu cirrus. Kiedy nadejdzie, przynosi silny deszcz (powyżej).*

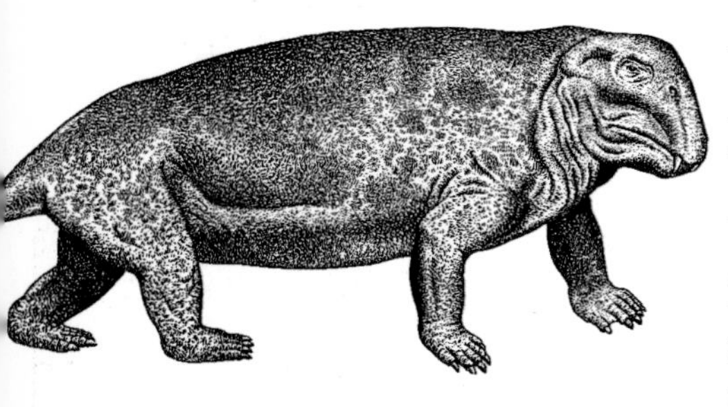

KONTYNENTY I OCEANY

Ziemia pod naszymi stopami nieustannie się przemieszcza; kontynenty rozdzielają się i zderzają, powstają nowe oceany, a stare znikają. Cała powierzchnia Ziemi pęka i przesuwa się – bardzo, bardzo powoli, lecz z ogromną siłą.

GŁÓWNE PRZESŁANKI

Pierwsze przypuszczenia, że kontynenty były kiedyś razem połączone pojawiły się w XIX wieku, kiedy przyrodnicy nie tylko odnaleźli pasujące do siebie skały w Brazylii i Kongo, ale też stwierdzili istnienie identycznych gatunków żółwi, węży i jaszczurek w Ameryce Południowej i Afryce. Na obu kontynentach znaleziono skamieliny dawno wymarłego gada mezozaura. W latach sześćdziesiątych naszego wieku naukowcy odnaleźli w Antarktyce skamieniałe pozostałości lystrozaura (powyżej), gada, który żył przed 200 milionami lat w Afryce, Indiach i Chinach.
To odkrycie dało się jedynie wytłumaczyć faktem, że kontynenty te były niegdyś połączone. Obecnie bada się szybkość wędrówki kontynentów za pomocą promieni laserowych wysyłanych z satelitów.

DRYFUJĄCE KONTYNENTY

Spójrz na mapę świata, a przekonasz się, jak bardzo zachodnie wybrzeże Afryki pasuje do wschodniego wybrzeża Południowej Ameryki. Angielski filozof Francis Bacon odkrył to już w 1620 roku, wkrótce po sporządzeniu pierwszych map Ameryki Południowej. Ale dopiero w naszym stuleciu naukowcy stwierdzili, dlaczego tak jest.

W 1912 roku niemiecki naukowiec, Alfred Wegener, zasugerował, że Afryka i Ameryka Południowa były niegdyś połączone. Wystarczy je razem złożyć, powiedział, a „będą do siebie pasowały jak strzępy gazety złożone razem". Twierdził, że nie tylko Afryka i Południowa Ameryka, ale wszystkie kontynenty były niegdyś połączone w jeden obszar. Przed milionami lat zaczęły się rozdzielać i od tamtej pory wciąż się przemieszczają.

EKSPANSJA OCEANÓW

Teraz wiemy już, że przemieszczają się nie tylko kontynenty, ale i oceany. W gruncie rzeczy kontynenty przemieszczają się, ponieważ są unoszone na powierzchni poruszającej

ZMIENIAJĄCA SIĘ MAPA

Mapa świata zmieniała się stopniowo od milionów lat. Niegdyś kontynenty były złączone w jedną ogromną masę lądu, zwaną przez naukowców *Pangea* osadzoną w jednym rozległym oceanie, zwanym *Pantalassa*. Około 200 milionów lat temu Pangea zaczęła dzielić się na dwa kontynenty, *Laurazję* na północy i *Gondwanę* na południu. Stopniowo te ogromne kontynenty również zaczęły się dzielić, aż powstały obecne kontynenty. Naukowcy czerpią wiedzę o tym procesie z badań magnetycznych właściwości skał. Kiedy powstaje skała, jej cząsteczki magnetyczne wskazują północ jak igła kompasu. Kiedy kontynent skręca się i obraca, magnetyczne cząsteczki skał ukształtowane w różnych okresach, wskazują różne kierunki. Tak więc naukowcy potrafią wyznaczyć kierunki wędrówki kontynentów w ciągu miliardów lat, badając orientację cząsteczek magnetycznych w skałach.

***250 milionów lat temu** na Ziemi istniał jeden olbrzymi kontynent zwany Pangea i jeden rozległy ocean, zwany Pantalassa. Długa odnoga morza, zwanego Tetydą sięgnęła centrum kontynentu i rozdzieliła go na części.*

***200 milionów lat temu** na północy była Laurazja, obejmująca Amerykę Północną, Europę i większą część Azji. Na południu była Gondwana, obejmująca: Amerykę Południową, Afrykę, Australię, Antarktykę i Indie.*

***135 milionów lat temu** pomiędzy Afryką i Południową Ameryką powstał Południowy Atlantyk. Indie oddzieliły się od Afryki i zbliżyły do Azji. Europa i Ameryka Północna rozdzieliły się dopiero przed 40 milionami lat.*

się skorupy ziemskiej (str. 82). Skały tworzące kontynenty są dużo starsze niż skały pod oceanami. Pośrodku wszystkich głównych oceanów znajduje się rów, przypominający szew na piłce futbolowej, gdzie cały czas powstają nowe skały. Te *śródoceaniczne rowy* powstają wtedy, kiedy rozżarzona magma z wnętrza Ziemi przebija skorupę i wylewa się na dno oceaniczne. Kiedy do tego dochodzi, rów staje się coraz szerszy i rozdziela na połowę ocean. Jeszcze dziś rów śródatlantycki poszerza się, w związku z czym Ameryka Północna i Europa oddalają się od siebie o 7 cm rocznie.

Tak jak nowa skorupa pod oceanem wytwarza się wzdłuż rowów środoceanicznych, tak stara skorupa jest wchłaniana na krawędzi oceanów. Tu skorupa, napierając na kontynenty, jest wtłaczana do wnętrza Ziemi. Nazywamy to *subdukcją.*

PŁYTY TEKTONICZNE

Naukowcy uważają obecnie, że nie ma sensu mówić o tym, iż powierzchnia świata dzieli się na oceany i kontynenty. Twarda wierzchnia pokrywa świata zwana litosferą (str. 82) dzieli się w rzeczywistości na około 20 przemieszczających się *płyt tektonicznych* – dziewięć dużych i około tuzina małych. Kontynenty są osadzone w tych płytach jak rodzynki w bułeczce. Oceany leżą między kontynentami.

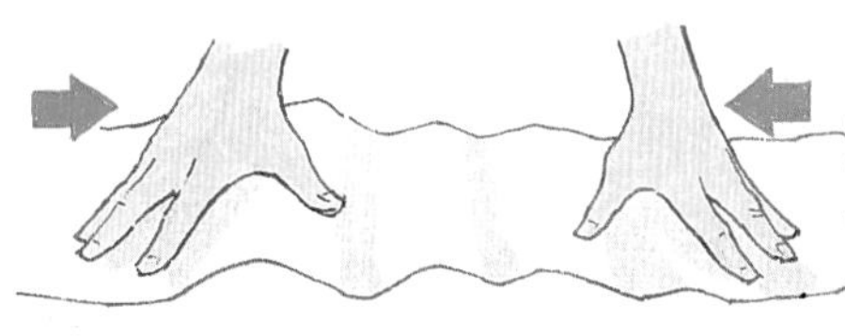

Spróbuj pofałdować obrus*, a stwierdzisz, jak skały się fałdują wskutek kolizji płyt tektonicznych.*

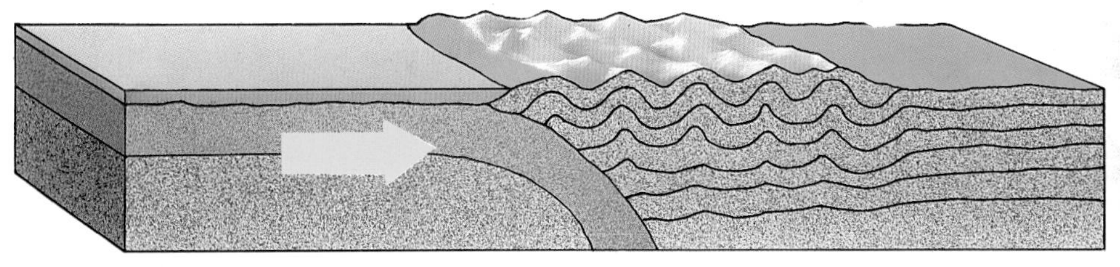

Góry wypiętrzają się *w miejscu zderzania się dwóch płyt tektonicznych – Alpy i Himalaje: w wyniku zderzenia dwóch kontynentów; Andy i Góry Skaliste w miejscu, w którym płyta oceaniczna pogrąża się pod kontynentem, jak pokazuje powyższy schemat.*

TWORZENIE SIĘ GÓR

Naukowcy wiedzieli już od pewnego czasu, że góry i wzgórza są zbudowane ze sfałdowanych warstw skał, ale do czasu odkrycia płyt tektonicznych nikt nie wiedział, jak do tego doszło. Obecnie uważa się, że góry powstają wtedy, kiedy jeden kontynent zderza się z innym. Na przykład Himalaje powstały w miejscu, w którym Indie wryły się w południową krawędź Azji. W rzeczywistości, Indie nadal się przesuwają przez co Himalaje stają się wyższe. Ten proces przypomina falę powstającą za łodzią albo przepychanie drewnianego kloca przez gęste błoto. Dopóki kloc się porusza, błoto wybrzusza się przed nim, ale gdy przestaniemy popychać kloc, błoto wygładzi się, podobnie jak Himalaje, gdy Indie przestaną na nie napierać.

Strzępiaste szczyty Alp. *Tak jak większość łańcuchów górskich świata Alpy ukształtowały się w ciągu ostatnich 50 milionów lat i stają się coraz wyższe, gdyż Płyta Afrykańska wbija Włochy w południową Europę. W ciągu ostatnich 40 milionów lat Afryka przybliżyła się o 400 km do Europy.*

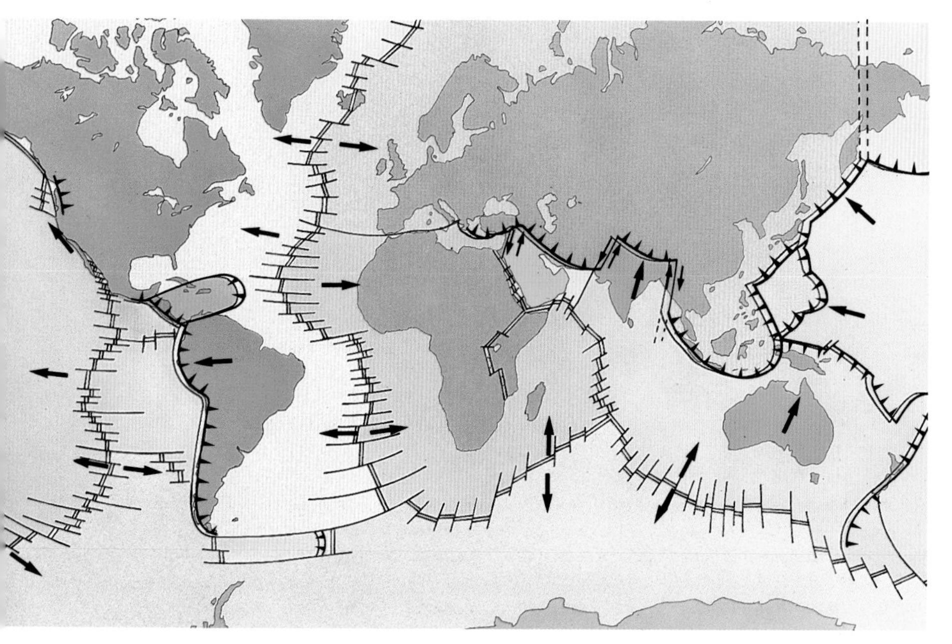

PŁYTY ZIEMI

Około 20 płyt tektonicznych Ziemi nieustannie się przemieszcza, przesuwa obok siebie i rozpycha się w różne strony. W niektórych miejscach, zwanych *strefami dywergencji*, rozstępują się, w innych – zwanych *strefami konwergencji*, napierają na siebie, co powoduje wygięcie ich krawędzi lub wtłoczenie jednej z nich w głąb Ziemi. W nielicznych miejscach ześlizgują się jedna po drugiej, jak chociażby na Uskoku San Andreas w Kalifornii (str. 92). Niesłychana siła potrzebna do poruszania tych płyt powoduje trzęsienia ziemi i powstawanie wulkanów.

WULKANY I TRZĘSIENIA ZIEMI

Ziemia pod naszymi stopami wydaje się być stała, ale w rzeczywistości bez przerwy przesuwa się bardzo wolno, z niesłychaną mocą. Od czasu do czasu wzburza się nagle, gwałtownie, powodując trzęsienia ziemi i powstawanie wulkanów. Trzęsienie ziemi następuje wówczas, gdy ziemia się trzęsie – czasem łagodnie, czasem tak gwałtownie, że niszczy całe miasta. Wulkany to miejsca, w których magma – rozgrzany do czerwoności stop skalny z wnętrza Ziemi – wydobywa się na powierzchnię.

TRZĘSIENIA ZIEMI

Trzęsienie ziemi jest spowodowane ścieraniem się rozległych płyt tektonicznych Ziemi (str. 90). Płyty przez cały czas ześlizgują się jedna z drugiej, ale czasem się klinują. Napór rośnie latami, aż nagle płyty się osuwają, wysyłając fale wstrząsów na wszystkie strony. Kiedy te fale dotrą do powierzchni, powodują trzęsienie ziemi.

Trzęsienia ziemi wytwarzają dwa rodzaje fal wstrząsowych: *fale właściwe*, które wibrują w skałach i *fale powierzchniowe*, które przecinają powierzchnię Ziemi jak fale powierzchnię morza. Fale właściwe obejmują *fale pierwotne*, które pulsują w ziemi jak wagony kolejowe obijające się o siebie i *fale wtórne*, które przypominają wijącą się skakankę.

Miejsca w pobliżu krawędzi płyt, takie jak południowo-wschodnia Europa i wybrzeże Pacyfiku są często nawiedzane przez trzęsienia ziemi. Uskok San Andreas w Kalifornii (zdjęcie powyżej) stanowi granicę między dwiema ogromnymi płytami. Ruch wzdłuż uskoku spowodował wiele pustoszących trzęsień w tym rejonie.

WULKANY

Niektóre wulkany, na przykład na Hawajach, to po prostu szczeliny w powierzchni ziemi, z których sączy się lawa. Wiele z nich, tak jak Etna na Sycylii, to stożkowate góry zbudowane z materiału uwolnionego podczas gwałtownych erupcji. Podczas niektórych wybuchów strumienie rozgrzanej do czerwoności *lawy*, roztopionej skały (magmy, która wydobyła się na powierzchnię), spływają ze szczytu, a gęste chmury gorącego popiołu i żużlu buchają wysoko w powietrze. Podczas innych erupcji z góry spływa wrzące błoto. Niektóre wybuchy są tak silne, że rozsadzają górę.

Aktywne lub drzemiące. Jeśli wulkan wybucha często, mówi się, że jest *aktywny*. Jeśli nie wybuchał od dłuższego czasu, nazywamy go *drzemiącym*. Jeśli nie wykazuje śladów aktywności zapowiadającej wybuch, mówimy, iż jest *wygasły*. Obecnie na świecie istnieje około 800 wulkanów aktywnych i jeszcze więcej wygasłych. Wiele wzgórz i gór to stare wulkany.

Siła i częstotliwość erupcji wulkanicznych zależą od magmy. Jeżeli jest rzadka i wyjątkowo płynna, może przesączać się łagodnie na powierzchnię. Jeżeli jest gęsta i kleista, erupcje są rzadsze, lecz bardziej gwałtowne. Dzieje się tak dlatego, że lawa zatyka *kanał* wulkanu, dopóki ciśnienie wewnątrz nie wzrośnie na tyle, aby lawa eksplodowała.

Gdzie występują wulkany. Niemal wszystkie wulkany znajdują się tam, gdzie spotykają się płyty powierzchni ziemskiej (str. 90), szczególnie w pierścieniu wokół Pacyfiku nazywanym „Pierścieniem Ognia". Najbardziej spektakularne wulkany istnieją tam, gdzie zderzają się płyty tektoniczne. Skała jest wtłaczana głęboko w ziemię. Tam topi się i zmienia w gęstą, kleistą masę. Wytwarzające się ciśnienie wypycha płynną masę na powierzchnię tworząc gwałtowne wulkany, takie jak Mt Pinatubo na Filipinach.

Istnieją również wulkany podmorskie tam, gdzie płyty rozstępują się, uwalniając magmę. Niektóre wulkany na Pacyfiku znajdują się z dala od krawędzi płyt, nad *gorącymi punktami* w głębi Ziemi. Wyspy takie jak archipelag Hawaje to szczyty tego rodzaju wulkanów.

JAK POWAŻNE JEST TRZĘSIENIE ZIEMI?

Naukowcy mierzą natężenie trzęsienia ziemi w *skali Richtera*. 1 w skali Richtera oznacza trzęsienie tak łagodne, że można je stwierdzić tylko na specjalnych urządzeniach. Największe zanotowano w Chile w 1960 roku, osiągnęło 8,9 stopni w skali Richtera. Skala Mercallego – zilustrowana po prawej – ukazuje natężenie trzęsienia ziemi pod względem skutków.

1 Ledwie zauważalne

2 Woda porusza się w szklankach i akwariach

3 Obrazy grzechocą na ścianie

4 Grzechocą naczynia, drzwi i okna

5 Upadają nieprzymoco przedmioty – stoły itp.

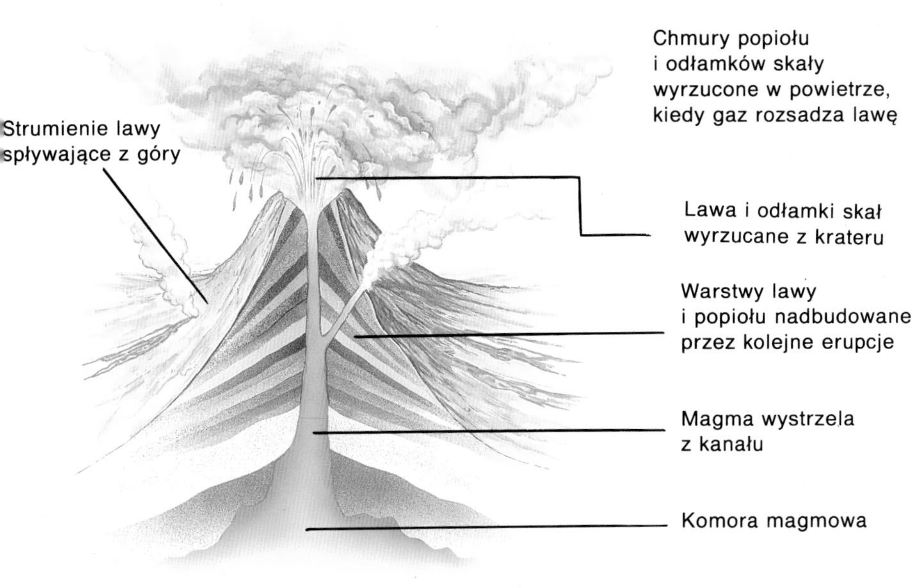

Wewnątrz wulkanu

Około 3 km pod wulkanem znajduje się *komora magmowa*, w której zbiera się magma. Kiedy wypełni się, ciśnienie wzrasta aż do momentu, kiedy magma nie wystrzeli lub nie wytopi sobie drogi na powierzchnię. Przypomina to otwarcie napoju gazowanego – magma musuje gdy gazy, wcześniej w niej rozpuszczone, tworzą bańki. W przypadku płynnej lawy bąble rozchodzą się łagodnie, a magma wydobywa się jako sącząca się lawa; w przypadku kleistej magmy gaz wydobywa się gwałtownie, a magma tryska przez kanał wulkanu i przez otwór w wierzchołku (krater).

Rodzaje wulkanów

Kształt wulkanu zależy częściowo od rodzaju materiału, jaki on wyrzuca. Tam, gdzie zderzają się płyty tektoniczne Ziemi, magma jest gęsta, erupcje są gwałtowne, a stygnąca lawa tworzy wysokie, stożkowate góry, takie jak Fudżi w Japonii. Po każdej erupcji na lawę spada popiół, tworząc naprzemienne warstwy popiołu i lawy, dlatego ten rodzaj wulkanów nazywamy *stożkiem złożonym. Wulkan tarczowy* jak np. Mauna Loa na Hawajach powstaje wtedy, gdy płynna lawa uwolniona spomiędzy rozchodzących się płyt rozlewa się, tworząc szeroką, kopulastą górę. *Stożek żużlowy* składa się z *tefry* (fragmentów zestalonej magmy i popiołu).

Pompeje

Pompeje to dawne rzymskie miasto pod Neapolem we Włoszech. Kiedy położony nieopodal Wezuwiusz wybuchnął w 79 roku n.e., miasto zasypała gruba warstwa popiołu wulkanicznego, dusząc tysiące obywateli. Dzięki temu płaszczowi popiołu Pompeje przetrwały całe wieki. Teraz zostały odkopane, ukazując zachowane niemal w całości rzymskie miasto; szczątki ludzi i zwierząt leżą tam, gdzie zginęli oni prawie dwa tysiące lat temu.

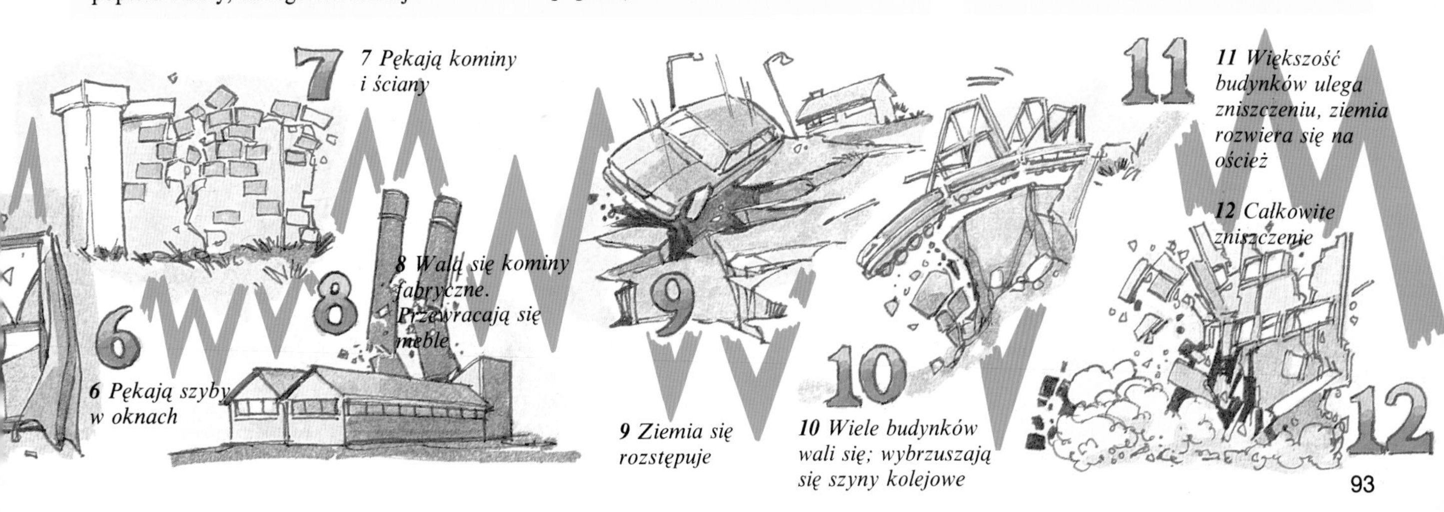

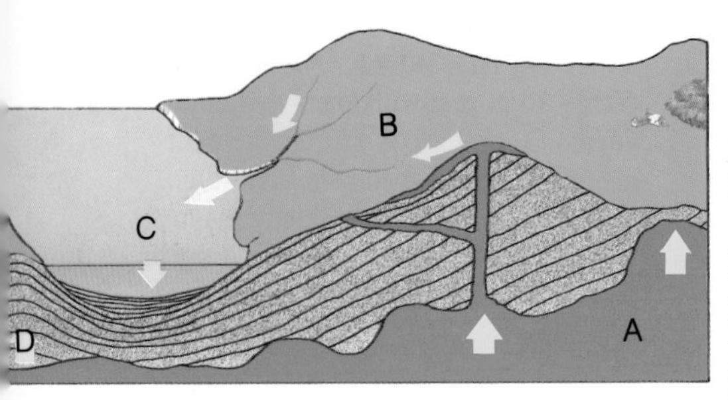

A Skała magmowa powstała z magmy wypchniętej z wnętrza Ziemi. B Pogoda wpływa na erozję skał. C Kawałki są zmyte do morza i osiadają na dnie. D Osady są spajane w warstwy skały, potem wynoszone ponad powierzchnię morza i znowu ścierane.

Cykl geologiczny

Wiele skał wytworzonych jest z materiału, który pochodzi pierwotnie z gorącego wnętrza Ziemi, gdzie tworzy rozżarzoną magmę. Kiedy magma stygnie, tworzy skały magmowe, które ulegają wpływom pogody, a kawałki są zmywane do morza. Tam osiadają i po ściśnięciu i scaleniu tworzą skałę osadową.
Kiedy ruchy skorupy ziemskiej wynoszą te warstwy ponad poziom morza, one także podlegają erozji tworząc nowe osady.

SKAŁY I MINERAŁY

Skały i minerały to surowe tworzywo powierzchni Ziemi; znajdują się pod każdym wzniesieniem i doliną, górą i równiną. Wiek niektórych szacuje się na kilka milionów lat; inne powstały przynajmniej 3,8 miliarda lat temu, kiedy Ziemia była jeszcze młoda.

POWSTAWANIE SKAŁ

Skały mają różne kształty, fakturę i barwę. Ale wszystkie powstają na jeden z trzech sposobów.

Magmowe („ogniowe") skały powstają z rozżarzonej magmy z wnętrza Ziemi (str. 92). Niektóre są wyrzucane przez wulkany, tworząc *wylewne* skały magmowe. Niektóre nie docierają do powierzchni, tworząc *intruzywne* skały magmowe. Rozżarzona magma jest niezwykle gorąca, kiedy wylewa się na powierzchnię, ale wkrótce zaczyna stygnąć. Kiedy stygnie, pojawia się coraz więcej kryształów, aż cała magma przekształca się w solidną masę twardej, krystalicznej skały.

Skały *osadowe* tworzą się w cienkich warstewkach z materiału, który osadza się na dnie morza, a potem jest ściskany i scalany przez miliony lat w solidną skałę. Niektóre, tak jak wapień, pochodzą w większości ze szczątków roślinnych i zwierzęcych lub ze związków chemicznych rozpuszczonych w wodzie. Większość jednak to *skały okruchowe* – pochodzą z fragmentów skał zniszczonych przez pogodę i zmytych przez rzeki do morza.

Skała *metamorficzna* powstaje, gdy skała zostaje zmiażdżona przez ogromne siły tworzące góry (str. 91) lub wypalona przez straszliwe gorąco magmy. Wypalona i zmiażdżona w ten

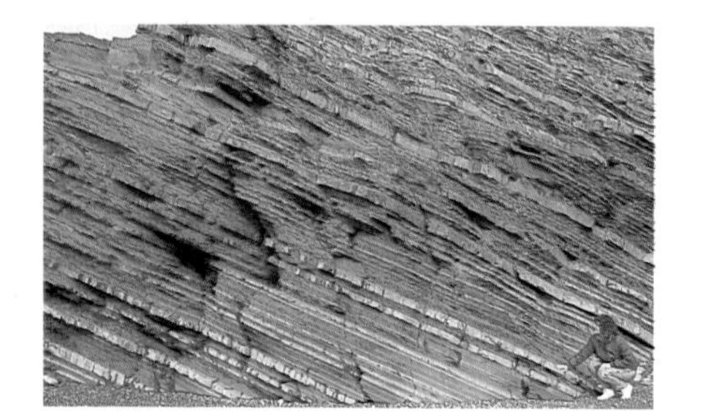

Skały osadowe

Skały osadowe zwykle składają się z wyraźnych poziomych warstw utworzonych z osadów na dnie morza. Górną powierzchnię warstwy nazywamy *stropem*, zaś dolną *spągiem*.
Warstwy skalne mogą leżeć płasko lub być nachylone w wyniku ruchów tektonicznych.
Pionowe spękania nazywamy *ciosem*.

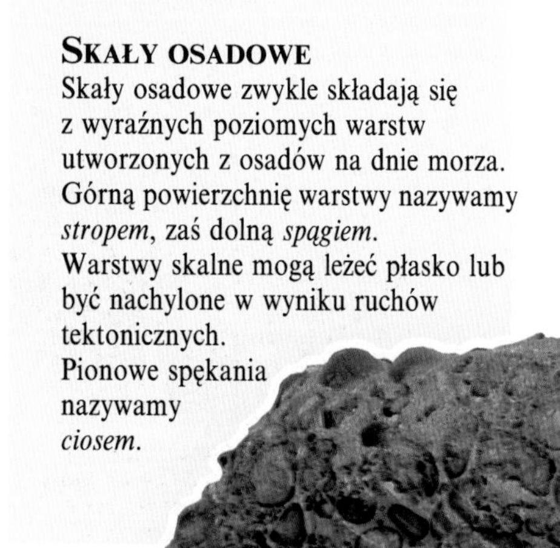

Próbki skał

Poniższe fotografie ukazują wybór najbardziej rozpowszechnionych skał. Zlepieniec, węgiel, piaskowiec i kreda to skały osadowe; łupek, kwarcyt i marmur są metamorficzne; granit, doleryt i bazalt – magmowe. Skały magmowe są twarde, nakrapiane i krystaliczne. Skały osadowe są bardziej miękkie i matowe; często też można w nich wydzielić poszczególne ziarna. Skały metamorficzne są zwykle twarde i połyskliwe; posiadają bardzo maleńkie, prawie niewidoczne ziarna.

***Węgiel** powstał ze sprasowanych, zmiażdżonych resztek wilgotnego lasu, który przed 300 milionami lat pokrywał rozległe obszary.*

***Piaskowiec** jest złożony z grubych ziaren piasku kwarcowego scalonych krzemionką lub kalcytem.*

***Zlepieniec** to osadowa skała okruchowa, powstała ze scalenia żwiru i kamyków spoiwem.*

***Kreda** to skała wapienna złożona ze szkieletów* otwornic, *mikroskopijnych żyjątek żyjących w ciepłych morzach 65-144 milionów lat temu.*

sposób skała zmienia się tak bardzo, że staje się nową skałą.

MINERAŁY

Skały nie są gładkie tak jak plastik, lecz złożone z ziaren i kryształów jak biszkopt. Wszystkie te ziarna i kryształy nazywamy *minerałami*. Minerał to związek chemiczny, który powstaje w Ziemi w sposób naturalny jak kwarc czy mika. Niektóre skały powstały z jednego minerału; inne z kilku i więcej.

Istnieje ponad 1000 minerałów, lecz tylko około trzydziestu występuje powszechnie. Najczęstsze są krzemiany będące połączeniem tlenu i krzemu. Krzemiany tworzą 98% skorupy ziemskiej, a minerały dzieli się zwykle na krzemiany i nie-krzemiany.

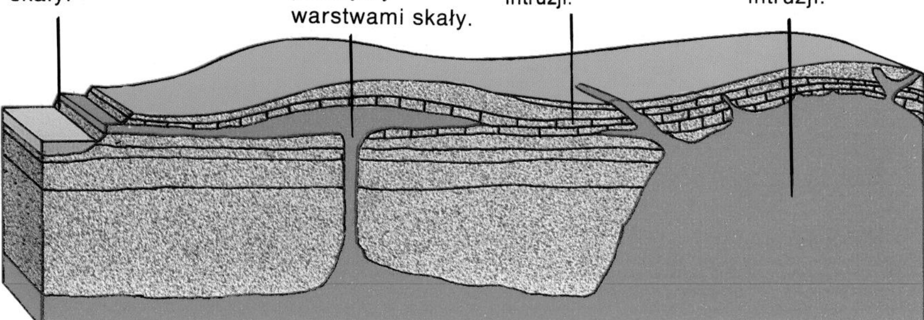

SKAŁY METAMORFICZNE

Metamorfizm sprawia, że skały nabierają trwałości i krystaliczności, ale ulegają one przemianom dwojakiego rodzaju. *Kontaktowy metamorfizm* zachodzi wtedy, gdy skała jest wypalana przez ciepło magmowej intruzji. Ten proces przemienia wapień w marmur, a iłowiec i łupek w *hornfels*.
Regionalny metamorfizm występuje wtedy, gdy skały są miażdżone pod górami przez przesuwające się płyty tektoniczne. W miarę ściskania skały, łupek ilasty zmienia się w łupek krystaliczny, a ten w gnejs.

SKAŁY MAGMOWE

Magma tworzy różne rodzaje skał magmowych zależnie od tego, jak szybko wychładza się i jak jest kwaśna oraz kleista (str. 93). Kiedy magma ochładza się gwałtownie, ziarnka kryształów są małe; kiedy wychładza się powoli, ziarnka są znacznie większe. Na otwartym powietrzu magma szybko się wychładza i stąd powstają drobnokrystaliczne skały takie jak bazalt. Magma nie jest tu kwaśna, lecz zasadowa i płynna. Inną drobnokrystaliczną skałą jest liparyt, który powstał z kwaśnej i kleistej magmy. Wielkie intruzje chłodzą się powoli pod ziemią, tworząc grubokrystaliczne skały, takie jak gabro z zasadowej magmy i granit z kwaśnej magmy. Małe intruzje, takie jak dajka i sill wychładzają się nieco szybciej niż duże intruzje, więc skały są średnioziarniste – typowym przykładem jest doleryt, gdzie magma ma odczyn zasadowy oraz mikrogranit i porfir, gdzie ma kwaśny.

CENNE MINERAŁY

Większość używanych przez człowieka materiałów, od cegieł murarskich do diamentów to minerały ze skorupy ziemskiej. Kamienie szlachetne i kryształy, takie jak diament, rubin i kwarc, często powstają w *geodach*, kieszeniach gazowych powstałych podczas chłodzenia skał magmowych. Metale, szczególnie żelazo, miedź, cynk i złoto, często tworzą *żyły* – są to szczeliny w skale wypełnione niegdyś gorącą wodą bogatą w składniki mineralne.

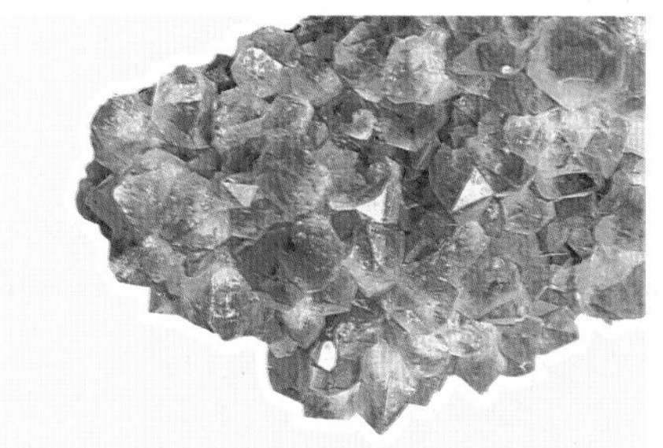
Ametyst *to purpurowa lub fioletowa przezroczysta odmiana kwarcu.*

Łupek *powstaje, gdy skała łupkowa zostaje jeszcze bardziej zmiażdżona. Zawiera on delikatne czarne ziarna miki, a niekiedy kamienie półszlachetne, takie jak granat.*

Kwarcyt *to twarda, krystaliczna skała utworzona przez metamorfizm piaskowca.*

Granit *jest gruboziarnistą i dosyć kwaśną skałą ogniową spotykaną w batolitach i innych dużych intruzjach. Zawiera różowy lub perłowy skaleń, czarną mikę i szklisty szary kwarc.*

Marmur *to skała metamorficzna utworzona przez rekrystalizację wapienia.*

Polerowany marmur. *Tak jak wiele magmowych i metamorficznych skał, marmur nadaje się do szlifowania i polerowania.*

Doleryt *jest średnioziarnistą skałą magmową spotykaną w małych intruzjach.*

Bazalt *to drobnoziarnista skała magmowa tworząca grube płaty pokrywające rozległe obszary np. wyżynę Dekan w Indiach.*

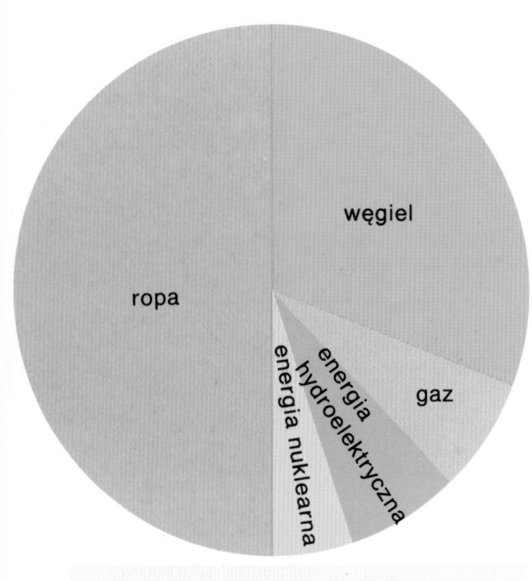

BUDŻET ENERGII

Powyższy schemat ukazuje główne źródła energii używane do wytwarzania elektryczności. Energię elektryczną uzyskujemy z dziesięciu głównych źródeł. Niemal trzy czwarte pochodzi z paliw kopalnych – węgla, ropy naftowej i gazu naturalnego. Około 15% pochodzi z *biomasy* – materiału roślinnego i zwierzęcego, które można zamienić na paliwo. *Biomasa* (głównie drewno) to podstawowe paliwo dla 80% ludzi w krajach rozwijających się. 5% naszej energii to *hydroenergia*, moc płynącej wody. 3% stanowi energia nuklearna (s. 174). Baterie słoneczne, wiatraki, elektrownie geotermiczne oraz elektrownie wykorzystujące energię pływów i fal morskich dostarczają poniżej 0,1% energii.

PALIWA I ENERGIA

Współczesny świat potrzebuje ogromnych ilości energii nie tylko po to, by zapewnić oświetlenie, ogrzewanie i napęd dla samochodów, pociągów, samolotów, lecz również, by zasilać maszyny przemysłowe i rozwój rolnictwa. Ale czy energii wystarczy na to wszystko?

SKĄD BIERZE SIĘ ENERGIA

Niemal cała nasza energia pochodzi pierwotnie ze Słońca. Słońce dostarcza 99% energii docierającej na powierzchnię Ziemi. Reszta to ciepło z gorącego wnętrza Ziemi (0,02%), czyli energia geotermiczna oraz energia pływów wytwarzana przez przyciąganie Księżyca i Słońca (0,01%).

Ilość energii dostarczanej rokrocznie przez Słońce jest ogromna – równa 178 milionom dużych elektrowni. Ale bardzo niewiele z tego można wykorzystać. Około 30% wchłania z powrotem przestrzeń kosmiczna. Niemal cała reszta ogrzewa powietrze i ulatnia się z powrotem do atmosfery (47%) albo zasila obieg wody (23%). Tylko 0,06% wykorzystuje rośliny do fotosyntezy.

Bezpośrednio wykorzystujemy bardzo małą część energii słonecznej. Ogniwa słoneczne dostarczały we wczesnych latach dziewięćdziesiątych mniej niż 0,01% światowej energii. Najwięcej pochodzi z paliw kopalnych – węgla, ropy naftowej i gazu ziemnego – powstałych dawno temu z roślin. Paliwa kopalne tworzą się miliony lat, dlatego nazywamy je *nieodnawialnymi*. 5% energii pochodzi ze źródeł odnawialnych – drzew, bieżącej wody i wiatrów. Nazywamy je odnawialnymi, ponieważ szybko się odnawiają. Jednak nawet w ich przypadku pewna ilość energii zostaje na zawsze stracona (s. 158).

KRYZYS ENERGETYCZNY

Świat używa teraz sto razy więcej energii niż używał w roku 1860, a zużycie nadal rośnie. Świat przemysłowy, głównie USA i Europa,

WĘGIEL

W XIX wieku węgiel był najważniejszym paliwem do zasilania maszyn parowych rewolucji przemysłowej i do ogrzewania domów. Dziś nadal używa się go w wielkich ilościach, zwłaszcza w Chinach, gdzie istnieją jego duże zasoby. Około połowa wydobywanego rokrocznie węgla zostaje spalana w elektrowniach dla wytwarzania elektryczności, ćwierć pochłania wyrób stali, a resztę przeznacza się dla domostw.

Węgiel składa się z roślin, które rosły na ogromnych, ciepłych bagnach w *karbonie*, 300 milionów lat temu. Gdy rośliny wyginęły, zapadły się w bagno, gdzie pokrył je muł. W ciągu milionów lat pojawiły się coraz grubsze warstwy osadów. Ciężar tych warstw sprasował je, nadając im spoistość, a połączony wpływ ciepła i ciśnienia uczynił z nich węgiel.

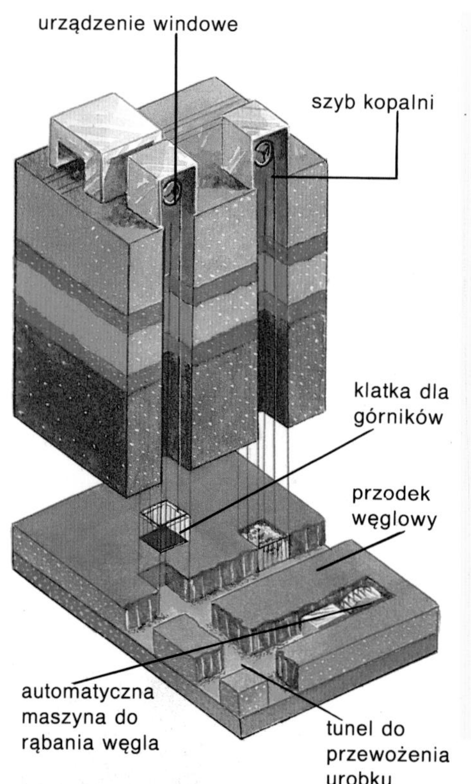

Istnieją w gruncie rzeczy trzy rodzaje węgla. Lignit albo węgiel brunatny znajduje się tuż pod powierzchnią i często bywa wydobywany w płytkich dołach zwanych kopalniami odkrywkowymi. Ponieważ powstał względnie niedawno i zawiera mniej węgla, a więcej wody, daje mniej ciepła. Węgiel bitumiczny i antracyt są czarne i znajdują się w pokładach głęboko pod ziemią.

Żeby się do nich dostać, kopalnie (po lewej) wiercą głębokie szyby, często o głębokości setek metrów oraz tunele podziemne prowadzące od szybów do pokładów. W dawnych kopalniach węgiel był wydobywany na *przodku węglowym* (odsłonięty pokład) przez górników za pomocą kilofów i łopat. W nowych kopalniach stosuje się zdalnie sterowane maszyny. Urobek przewozi się wózkami do szybu i wydobywa na powierzchnię.

zużywa o wiele więcej energii niż inne rejony. Na przykład przeciętny Amerykanin zużywa 330 razy tyle energii, co statystyczny Etiopczyk.

Sądzi się, że światowe zasoby ropy naftowej wyczerpią się za 30 lat, jeśli będziemy używać ich w takim tempie, nawet węgla starczy tylko na 170 lat. Jest też prawdopodobne, że kiedy kraje Trzeciego Świata rozwiną przemysł, upomną się o swój udział w potencjale energii. Wkrótce więc zacznie brakować paliw kopalnych.

Ponadto rosnące zużycie energii już teraz zatruwa środowisko. Spalanie ogromnych ilości paliw kopalnych powoduje silne skażenie atmosfery i przyczynia się do globalnego ocieplenia (str. 99), podczas gdy wielkie hydroelektrownie nie tylko zatapiają ziemię uprawną, lecz również niszczą środowisko naturalne, zmieniając bieg rzek.

Wielu ludzi uważa, że zużywanie zbyt wielkiej ilości energii stanowi główny problem świata. Niektórzy sądzą, że odpowiedź leży w alternatywnych źródłach energii (patrz po prawej); inni sądzą, że powinniśmy przemyśleć kompleksowo sposób używania energii.

Energia alternatywna

Ponieważ paliwa kopalne są nieodnawialne i powodują skażenie środowiska, wielu ludzi pragnie wytworzyć czystsze, odnawialne źródła energii. Spośród nich stosuje się obecnie tylko płynącą wodę (hydroenergia). Siłę wody wykorzystywano w młynach wodnych od tysięcy lat. Ale dziś wody używa się głównie do wytwarzania elektryczności. Tylko nieliczne rzeki świata zaprzęgnięto do produkcji energii elektrycznej, a więc potencjał jest ogromny. Złą stroną jest konieczność budowania ogromnych tam. Siłę pływu – wykorzystywanie codziennych przypływów i odpływów morza – można wykorzystać budując specjalne elektrownie, tyle że narusza to równowagę środowiska morskiego.

Energia słoneczna *(powyżej). Zakrzywione zwierciadła śledzą słońce i skupiają promienie w celu podgrzewania oleju w rurach. Ciepło przenosi się na wodę, która wrze. Para napędza turbiny podłączone do generatorów prądu elektrycznego.*

Energia wiatru *(poniżej). Las turbin wiatrowych, które napędzają generatory elektryczności.*

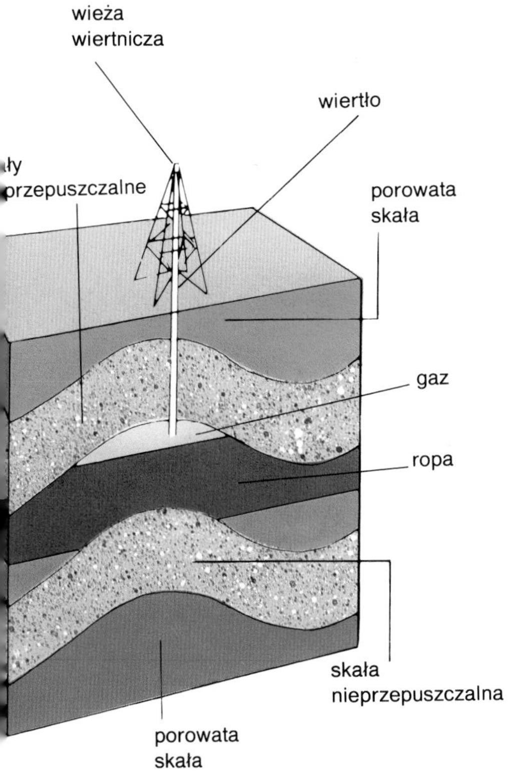

Ropa naftowa

Ropa naftowa występuje wszędzie na świecie, od Bliskiego Wschodu po Alaskę. Niektóre z pól naftowych znajdują się na morzu. Te, które znajdują się na lądzie są w miejscu, gdzie przed milionami lat było morze.

Ropa pochodzi z maleńkich roślin i żyjątek, które żyły w ciepłych morzach. Po śmierci osunęły się w błoto na dnie morza. Ciepło z głębokich podziemnych rejonów i rosnący ciężar błota przemieniły je w ropę. Skała roponośna jest porowata – ma dziurki jak gąbka. Ciśnienie działa na ropę, dopóki nie napotka solidnej, nieporowatej skały, i wówczas ropa gromadzi się w głębokich podziemnych zbiornikach.

Ropa wytryskuje z ziemi zwykle jako gęsty, czarny surowy olej. Trzeba ją poddać rafinacji (specjalnej obróbce) poprzez destylację, żeby oddzielić paliwa, takie jak benzyna i ropa naftowa do silników diesla w samochodach oraz benzyna lotnicza.

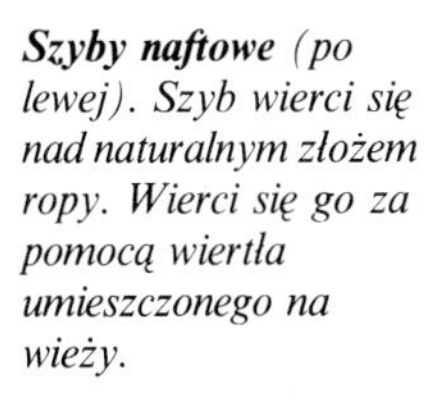

Szyby naftowe *(po lewej). Szyb wierci się nad naturalnym złożem ropy. Wierci się go za pomocą wiertła umieszczonego na wieży.*

Rafineria ropy *(po prawej) przerabia surową ropę naftową.*

KRYZYS ZIEMI

My, ludzie, zdominowaliśmy Ziemię bardziej niż zdołał to uczynić jakikolwiek inny gatunek. Naszej planecie grozi ogromne niebezpieczeństwo, bo w wyniku naszej aktywności poniesie ona niepowetowaną szkodę. Nasza żądza jej skąpych zasobów zagraża wszystkiemu – od atmosfery po życie roślinne i zwierzęce.

Zagrożenie jakie stanowi człowiek dla Ziemi nie jest nowe. Już przed 10 000 lat pojawienie się myśliwych w Ameryce Północnej spowodowało wyniszczenie mamutów. Ale od kiedy przed 200 laty rozpoczęła się rewolucja przemysłowa groźba ta znacznie wzrosła i skoro wzrasta tempo rozwoju ekonomicznego nasuwa się potrzeba nowych rozwiązań.

Ziemia jest niszczona na niezliczone sposoby. Spaliny samochodowe i kominy fabryczne zanieczyszczają powietrze. Gazy z ponaddźwiękowych samolotów i aerozole są przyczyną dziury w ochronnej warstwie ozonowej atmosfery. Rzeki są zatruwane przez nawozy sztuczne. Rzadkie gatunki zwierząt i roślin giną bezpowrotnie. Wyrębuje się lasy, rozległe wiejskie obszary giną pod cementem, zniszczeniu ulegają piękne fragmenty wybrzeża morskiego.

Źródłem tych problemów jest rosnące w zawrotnym tempie zużycie energii i innych zasobów, które rozpoczęło się w Europie i Ameryce, a teraz rozprzestrzenia się w świecie niczym choroba. Wiele osób uważa, że dopóki nie wyleczymy się z tej potrzeby konsumpcji, zniszczymy i Ziemię, i siebie.

Próby nuklearne wypełniają powietrze pyłem radioaktywnym i pomnażają liczbę obszarów, które przez stulecia nie będą się nadawać do życia.

ZAGROŻONE ŻYCIE

Goryl (po prawej) jest jednym z milionów gatunków zwierzęcych i roślinnych zagrożonych wymarciem poprzez utratę naturalnego środowiska. W przeszłości wyginęło w naturalny sposób wiele gatunków, ale teraz wymierają 400 razy szybciej. Ekologowie obawiają się, że utrata różnorodności uczyni przyrodę podatną na wszelkie katastrofy.

Wycieki ropy naftowej z tankowców wyrządzają wiele złego ptakom morskim i innym stworzeniom.

Wraki okrętów rdzewiejąc, uwalniają niebezpieczne chemikalia.

Czynniki zagrożenia. *Ta ilustracja ukazuje wiele czynników zagrażających środowisku naturalnemu.*

BRUDNE RZEKI

W krajach rozwijających się 25 milionów ludzi umiera co roku na choroby spowodowane piciem brudnej wody, a o wiele więcej cierpi na takie choroby jak malaria, słoniowacizna i choroba oczu, jaglica. Ale nawet w świecie uprzemysłowionym, gdzie woda pitna jest względnie zdrowa, wiele rzek jest poważnie zatrutych przez związki chemiczne i nieczystości.

GINĄCE LASY TROPIKALNE

Jednym z najsmutniejszych i najbardziej niepokojących wydarzeń ostatnich lat jest znikanie ogromnych obszarów lasów tropikalnych. Lasy te pokrywają mniej niż 8% powierzchni Ziemi jednak stanowią ponad połowę drzewostanu i są domem dla 40% gatunków roślin i zwierząt. Chronią glebę i działają jak gąbka wchłaniając wodę oraz uwalniając ją nieustannie przez liście. Pomagają również regulować klimat,w skali lokalnej i globalnej, wpływając na wilgotność i poziom dwutlenku węgla w powietrzu.

Szczególnie w Brazylii rozległe obszary są wypalane, wycinane i niszczone buldożerami, nie po to, aby uzyskać drewno, lecz żeby oczyścić ziemię dla hodowli bydła. Ta nie chroniona gleba szybko ulega w klimacie tropikalnym erozji i pustynnieje. Tak więc hodowcy wkrótce oczyszczają nowe tereny, wycinając dziewiczą puszczę.

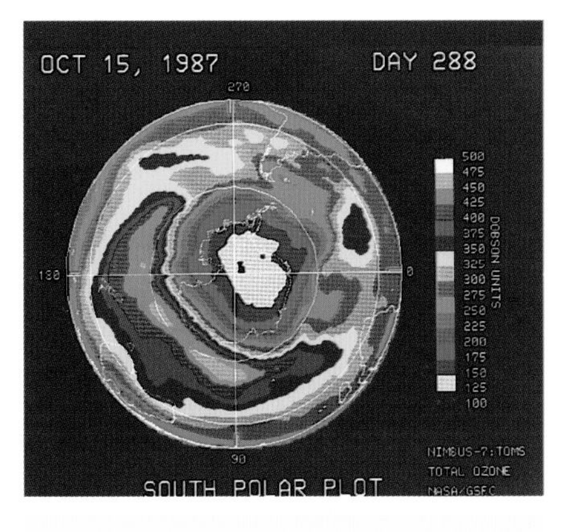

SKAŻONA ATMOSFERA

Dwutlenek węgla jest jednym z najważniejszych gazów w atmosferze, gdyż zatrzymuje ciepło słoneczne jak szyby w cieplarni. Ten efekt cieplarniany w przeszłości zapewniał Ziemi temperaturę stosowną dla rozwoju życia. Ale od czasu rewolucji przemysłowej zaczęliśmy spalać tak duże ilości paliw kopalnych, że poziom dwutlenku węgla w powietrzu podniósł się wielokrotnie. W wyniku tego Ziemia staje się wciąż cieplejsza, zaburzeniu uległ rozkład opadów deszczu i mogą stopnieć lody polarne. Spaliny samochodowe są jednym z głównych czynników, które przyczyniają się do globalnego ocieplenia.

Spalanie paliw kopalnych, szczególnie w elektrowniach pracujących na węgiel, powoduje niszczące lasy kwaśne deszcze (poniżej).

Warstwa ozonowa w górnych warstwach powietrza (str. 83) jest niszczona przez związki chemiczne, na przykład freon, pochodzące z aerozoli, lodówek i systemów klimatyzacyjnych oraz samoloty ponaddźwiękowe. Bez ochrony ozonowej promienie słoneczne mogą powodować raka skóry, mogą też zmniejszyć się plony wielu zbóż. Zdjęcia satelitarne ukazują każdej wiosny ogromną dziurę w warstwie ozonowej nad Antarktyką (na powyższym zdjęciu zaznaczona różowym kolorem).

Samoloty spalając paliwo i zatruwając atmosferę dwutlenkiem węgla oraz innymi gazami przyczyniają się do wytworzenia efektu cieplarnianego.

Kominy fabryczne wysyłają w powietrze wiele szkodliwych związków.

Samochody wydalają wraz ze spalinami wiele trujących gazów, przyczyniają się znacznie do globalnego ocieplenia, zużywają ogromne ilości energii i przeznacza się na ich budowę dużą część metali.

Elektrownie węglowe przyczyniają się do globalnego ocieplenia.

Wypadki nuklearne wyzwalając promieniowanie mogą powodować wielkie szkody.

Niektóre elektrownie jądrowe odprowadzają płynne odpady radioaktywne prosto do morza.

pady radioaktywne żące na dnie rskim.

Rzeki są zatruwane przez odpady przemysłowe i stosowane w rolnictwie środki chemiczne.

JAK POWSTAŁA ZIEMIA

Miliardy lat temu istniała prawdopodobnie tylko ogromna chmura gazowo-pyłowa, obracająca się wokół Słońca, które dopiero co powstało. Potem, około 4600 mln lat temu, części chmury zaczęły się łączyć, tworząc Ziemię i inne planety. Masa, z której miała powstać Ziemia, stawała się coraz mniejsza i gorętsza, aż zamieniła się w rozżarzoną kulę stopionej skały. W końcu ostygła. Powierzchnia zasklepiła się w skorupę, niczym łupina owocu, a z ogromnych kłębów gazu i pyłu uformowała się wokół niej mglista warstwa – powietrzna otoczka Ziemi: atmosfera.

ŻYCIE ZACZĘŁO SIĘ OD PIORUNA?

W 1953 r. uczeni zamknęli w naczyniu wodę oraz gazy – imitację oceanów i pierwotnej ziemskiej atmosfery. Następnie przepuścili przezeń iskrę elektryczną. W kilka dni później ścianki naczynia pokryły się od wewnątrz lepkimi aminokwasami – związkiem chemicznym, który tworzy proteiny, podstawową substancję życiową.

GĄBKI I MEDUZY

Gąbki i meduzy są najstarszymi ze wszystkich stworzeń wielokomórkowych; niewyraźne odciski ich ciał znaleziono na skałach sprzed 700 mln lat. Gąbki zbudowane są z różnych rodzajów komórek. Każda spełnia odrębne funkcje, lecz wciąż jeszcze komórka jest w stanie przetrwać poza całością organizmu. Być może organizmy wielokomórkowe powstały dzięki łączeniu się i współpracy jednokomórkowców w grupach, które umożliwiały łatwiejsze przetrwanie.

JAK POWSTAŁO ŻYCIE

Przez długi czas Ziemię spowijały dymy wybuchających wulkanów. Około miliarda lat później z chmur atmosfery spadł pierwszy deszcz, a na powierzchni Ziemi utworzył się praocean.

Pojawiły się wówczas pierwsze formy życia – prawdopodobnie w otworach *hydrotermicznych* z wrzącą wodą na dnie oceanu. Były to maleńkie bakterie jednokomórkowe żywiące się prostymi związkami chemicznymi. Wkrótce potem pojawiły się inne bakterie, zwane *sinicami.* Wykorzystywały zjawisko fotosyntezy (str. 57), by uzyskać energię i wydzielały do otoczenia tlen, niezbędny większości zwierząt do oddychania.

Prymitywne żywe komórki były *prokariotyczne* – nie miały jądra komórkowego (str. 8). Około 1,5 miliarda lat temu pojawiły się inne formy życia – *protista*, m.in. ameba. Były to organizmy jednokomórkowe, *eukarionty* – posiadały jądro komórkowe otoczone błoną, podobnie jak komórki wszystkich złożonych form życia.

ZWIERZĘTA W MORZU

Skamieniałości wskazują, że pierwsze właściwe zwierzęta – meduzy i gąbki, żyły w morzu ponad 700 mln lat temu. Te stworzenia, o miękkich ciałach, były zbudowane z różnych rodzajów komórek, wyspecjalizowanych w pełnieniu określonych funkcji. W ciągu następnych 100 mln lat pojawiły się stworzenia, których ciało wspierała sztywna konstrukcja – muszla albo szkielet. Ryby, pierwsze kręgowce, żyły już około 400 mln lat temu.

PRZENOSINY NA LĄD

Do około 400 mln lat temu życie istniało tylko w wodzie. Z czasem na podmokłych brzegach oceanu wyrosły pierwsze, małe rośliny lądowe – mchy oraz grzyby.

330 mln lat temu: wielkie paprocie i widłaki

700 mln lat temu: meduzy i gąbki

580 mln lat temu: skorupiaki

400 mln lat temu: ryby

400 mln lat temu: owady

350 mln lat temu: płazy

Ewolucja

Dziś życie na Ziemi jest ogromnie bogate, a każdy gatunek roślin i zwierząt żyje na swój własny sposób. Niektóre rośliny rosną na pustyni, inne wolą chłód i wilgoć. Podobnie zwierzęta, jedne jedzą wyłącznie mięso, inne tylko trawę. Każde żywe stworzenie zdaje się być dokładnie dostosowane do swego środowiska. W 1859 roku angielski przyrodnik Karol Darwin wyjaśnił te zjawiska za pomocą teorii ewolucji. Według niej, od milionów lat gatunki roślin i zwierząt ulegają stopniowym zmianom – *ewolucji*, by dostosować się do swego otoczenia. Zasada ewolucji opiera się na fakcie, że nie ma dwóch identycznych istnień. Niektóre rośliny i zwierzęta mogą wykorzystywać lepiej od innych te cechy, które pomagają im przetrwać. Tak więc długie nogi pomagają zwierzęciu uciec przed drapieżnikiem, a duże liście rośliny wspomagają jej egzystencję w ocienionych miejscach. Zwierzęta i rośliny wyposażone w owe pożądane cechy mają większą szansę przeżycia i dania życia potomstwu, które

odziedziczy te cechy po nich. Osobniki nie posiadające takich cech mają na przeżycie szanse mniejsze. Zjawisko to nazwane zostało *selekcją naturalną*. W długim procesie, w ciągu wielu pokoleń, lepiej zaadaptowane rośliny i zwierzęta rozwijały się coraz wspanialej, podczas gdy inne wymierały albo zmuszone były szukać sobie nowych siedzib. W ten sposób, jak twierdził Darwin, powstały stopniowo różne gatunki roślin i zwierząt.

Skamieniałości wskazują, że ewolucja nie przebiegała wcale tak łagodnie i powoli, jak sądził Darwin. Niektórzy uczeni uważają, że poważne zmiany nastąpiły w wyniku nagłych wydarzeń, między którymi ewolucja dokonywała się w sposób powolny i nieznaczny. Głoszą oni teorię *nieciągłej równowagi*. Inni jeszcze uważają, że seria raptownych i szybkich zmian przerywała długie okresy stopniowej ewolucji. Ich pogląd to teoria *przerwanego wzrostu*.

Rośliny. Stopniowo, w ciągu milionów lat, rośliny zadomowiły się na stałym lądzie. Pojawiły się twory drzewopodobne. Około 300 mln lat temu ogromne powierzchnie Ziemi pokryte były gęstymi lasami. Nie przypominały one jednak lasów współczesnych. Rosnące na bardzo bagnistych podłożach, osiągające wysokość 30 m „drzewa" były w istocie tylko gigantyczną odmianą roślin dziś całkiem niewielkich – widłaków, skrzypów i paproci. O właściwych drzewach możemy mówić dopiero od 100 mln lat temu.

Zwierzęta. W ślad za pierwszymi roślinami lądowymi pojawiły się zwierzęta – wije i owady, które korzystały z zapewnionego przez rośliny pożywienia i schronienia. Około 350 mln lat temu gorący klimat osuszył jeziora i rzeki. Wiele ryb wyginęło, część z nich jednak zaadaptowała się do życia w innych warunkach. Wykształciły płuca, nogi, grubą skórę i twarde szkielety, konieczne do życia na suchym lądzie – wciąż jednak jeszcze powracały do wody, by złożyć w niej jaja. Były to pierwsze płazy (str. 38), poprzednicy kręgowców lądowych.

WAŻNIEJSZE DATY
(w milionach lat)

4600	początki Ziemi
3800	pierwsze formy życia (bakterie)
3000	pojawiają się sinice
1400	pierwsze jednokomórkowce (ameba)
700	pierwsze wielokomórkowce
570	pierwsze organizmy z pancerzykami i szkieletami
400	pierwsze ryby, rośliny lądowe i owady
350	pierwsze płazy

Przemiany życia

Od początków życia pojawiło się i wymarło wiele stworzeń. Niektóre żyły przez długi czas, inne zginęły nagle wraz ze zmianą otoczenia. Ludzie zwykli uważać ewolucję za stopniowy postęp w kierunku form coraz bardziej złożonych, lepiej przystosowanych, aż do narodzin człowieka. Wiele doskonale przystosowanych gatunków mogło jednak zginąć w rozmaitych katastrofach, a zwykła bakteria liczy sobie około 3,8 miliarda lat, 100 000 razy więcej niż gatunek *Homo sapiens*.

180 mln lat temu: pterozaury, gady latające

220 mln lat temu: dinozaury

150 mln lat temu: archeopteryks, pierwszy ptak

SKAMIENIAŁOŚCI

Skąd nauka dowiedziała się, że po Ziemi chodziły dinozaury? Albo że wielkie, pokryte sierścią słonie zwane mamutami, żyły w Europie 12 000 lat temu? Odpowiedzi udzielają skamieniałości. Są to resztki roślin i zwierząt, przechowane przez wiele tysięcy, a nawet milionów lat, najczęściej w skamieniałej postaci. Mogą to być szczątki żywych organizmów – na przykład kości, muszle, jaja, nasiona – albo też znaki – pozostawione przez zwierzęta odciski odnóży.

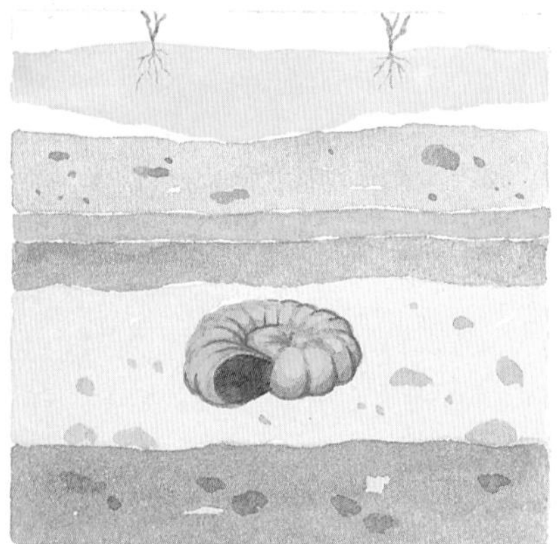

Trzy ilustracje ukazują, w jaki sposób amonit staje się skamieniałością. Proces ten opisujemy poniżej.

ZAPIS W SKALE

Gdy zwierzę umiera, jego miękkie szczątki rozkładają się, jeśli jednak szkielet lub muszla pogrąży się wkrótce w mule dennym, może zamienić się w kamień, utworzyć skamieniałość. Jak się okaże dalej, skamieliny są świadectwem historii życia na Ziemi. Dzięki nim wiemy, kiedy stworzenia wyszły z morza na ląd, jak wyglądały dinozaury oraz wiele innych stworzeń.

Większość skamieniałości to muszle albo szczątki kostne. Rzadko zdarza się kompletny szkielet. *Paleontolodzy* (uczeni badający skamieliny) znają różne kształty zwierzęce na tyle dokładnie, że są w stanie rozpoznać gatunek z kilku zaledwie kosteczek, mimo że jest to zwierzę dawno wymarłe. Skamieniałości dowodzą, że zwierzęta współczesne stanowią tylko znikomy ułamek wszystkich, które żyły niegdyś na Ziemi. Miliony gatunków ewoluowało lub wymarło, pozostawiając skamieniałe resztki jako dowód swego istnienia.

Wiek skamieniałości? Wiek skamieniałości można oszacować badając skałę, w której ją znaleziono. Uczeni ustalili porządek przeobrażeń skalnych: każda warstwa skalna formuje się zawsze na powierzchni poprzedniej, tak więc warstwy spodnie są najstarsze. By określić czas z większą dokładnością, stosuje się metody radioaktywne (izotop węgla C-14). Jako że szczątki dinozaurów

JAK POWSTAJE SKAMIENIAŁOŚĆ?

Kiedy mięczak obumiera i opada na dno morza, szybko rozkładają się jego miękkie części i pozostaje jedynie twarda muszla. Wkrótce pogrąża się ona w dnie, przykryta warstwą piasku i mułu. W ciągu milionów lat woda przepłukuje muł, rozpuszczając muszlę, która pozostawia w podłożu odcisk. Z kolei minerały wytrącone z wody mogą zająć miejsce muszli i przybrać jej kształt. Tak więc skamieniałość może być negatywem albo pozytywem.
Zjawiska powyższe rzadko zachodzą na lądzie – skamieniałości zwierząt morskich są więc znacznie częstsze.

Muszle amonitów *(powyżej) należą do najpopularniejszych skamieniałości. Podobnie jak mątwy, amonity posiadały długie macki. Dziś wymarłe, żyły w ciepłych morzach 64 – 190 mln lat temu.*

Ryby *(po prawej) to pierwsze zwierzęta, które posiadały kręgosłup; pojawiły się 400 mln lat temu. Okres dewonu (408–360 mln lat temu) nazywany jest czasem Erą Ryb.*

***Mamuty** żyły w Eurazji i Ameryce Północnej jeszcze 10 000 lat temu. W 1977 roku znaleziono w wiecznej zmarzlinie na Syberii świetnie zachowanego małego mamuta.*

odnaleziono w warstwach uformowanych 65–220 mln lat temu, wiemy, że żyły one właśnie w tamtych czasach.

Ograniczenia. Obraz uzyskany ze skamieniałości nie jest dokładny. Jedynie część niegdyś żyjących stworzeń przechowała się w skamieniałej formie. Jedną z zachowanych skamieniałości jest ryba pancerna płytkich mórz. Zwierzęta o miękkich ciałach (robaki) oraz takie, które zamieszkiwały na lądzie, występują w skamieniałościach bardzo rzadko.

Innym problemem jest to, że o tym jak zwierzę naprawdę wyglądało trzeba wywnioskować z jedynie twardej części jego ciała. Możemy więc tylko zgadywać, jakiego było koloru, czy było owłosione albo czy miało duże uszy.

Skamieniałe paprocie
Roślina nie posiada twardych części w rodzaju kośćca albo muszli. Jeśli jednak szybko znajdzie się pod ziemią, może również utworzyć skamieniałość przez bardzo powolny rozkład, w wyniku którego powstaje cienka warstwa węgla, wyglądająca na powierzchni skały podobnie do wydrukowanego na papierze obrazu. Dzięki temu zjawisku wiadomo, że najstarsze rośliny pojawiły się 350 mln lat temu.

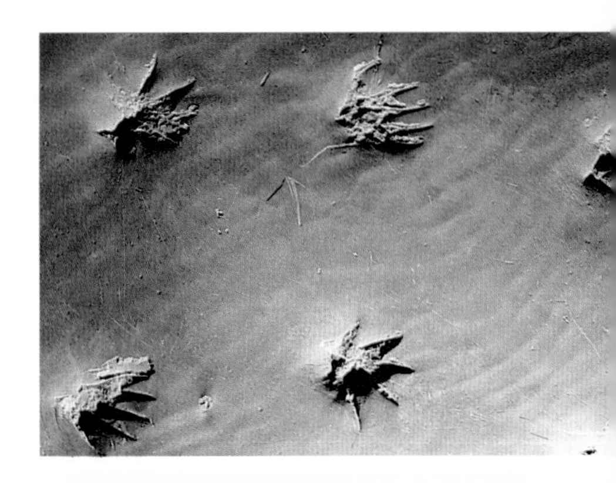

Odciski śladów i inne pozostałości

Powstają po odciśnięciu śladów rośliny albo po przejściu zwierzęcia – w ten sposób skamieniały odciski łap dinozaura (na zdjęciu powyżej). Szczątki mogą też przetrwać do naszych czasów w inny sposób. Na Syberii znaleziono zamarznięte ciała mamutów (po lewej), a w kawałkach bursztynu – zakrzepłej żywicy dawnych drzew iglastych – owady (poniżej).

CZY WIESZ, ŻE...?

Najstarszymi skamielinami są stromatolity, rafy utworzone przez sinice i inne bakterie 3,5 miliarda lat temu.

Pierwsze skamieniałe szczątki stworzeń wielokomórkowych powstały 700 mln lat temu.

Łupki z Burgess z Kolumbii Brytyjskiej, datowane na około 550 mln lat temu, zawierają skamieniałości z 20–30 głównych grup stawonogów (str. 52). Dziś istnieje ich tylko 4.

DINOZAURY

Przez 155 mln lat – od 220 mln lat temu – na Ziemi królowały ogromne gady zwane dinozaurami, w tym brachiozaur, jedno z największych stworzeń, jakie kiedykolwiek istniały. Wymarły one wszystkie nagle i tajemniczo około 65 mln lat temu.

STAROŻYTNE OLBRZYMY

Dinozaury były największymi zwierzętami lądowymi na Ziemi. Okrutny drapieżnik *Tyrannosaurus rex* liczył ponad 15 m długości, ważył 7 ton i wznosił się na 5 m ponad ziemię – wyżej od piętrowego autobusu. Jednak nawet *Tyrannosaurus* wydawał się niewielki przy zauropodach – *Brachiosaurus* (powyżej) był długi na 23 m, wysoki na 12 m i ważył 80 ton! Ogromne rozmiary *Brachiosaurusa* chroniły go przed drapieżnikami i pomagały utrzymać stałą temperaturę ciała.

TRUDNE DOWODY

Niemal wszystko, co wiemy o dinozaurach, pochodzi z wyglądu skamieniałych szkieletów. Znajdowano często tylko kilka kości, rzadko cały szkielet. Wyobrażenia o tym, jak rzeczywiście wyglądały i jak się zachowywały, jaką miały skórę – są rodzajem zgadywanki. Jednak kilka rzadkich znalezisk – jak choćby zmumifikowane szczątki skóry *Hadrosaurusa*, znalezione w roku 1913 oraz odkryte w Mongolii gniazdo dinozaurów z jajami – potwierdzają wysnuwane wcześniej hipotezy. Skamieniałe odciski łap pomogły stworzyć wyobrażenie, jak dinozaury chodziły i biegały oraz w jaki sposób myśliwi tacy jak *Allosaurus* polowali.

DINOZAURY I JASZCZURY

Słowo dinozaur znaczy „straszliwy jaszczur" i jest to właściwe określenie, jako że dinozaury były gadami. Podobnie jak dzisiejsze gady, miały skórę pokrytą łuskami i składały jaja otoczone skorupką. Wszystko co z nich pozostało, to skamieniałe kości. W tym samym czasie w morzach żyły podobne zwierzęta (str. 106), dinozaury były jednak zwierzętami wyłącznie lądowymi.

Dinozaury różniły się jednak od współczesnych gadów pod wieloma względami. Wszystkie dzisiejsze gady poruszają się na szeroko rozstawionych odnóżach, dinozaury zaś, podobnie jak współczesne ssaki, miały odnóża umieszczone dokładnie pod korpusem. Mogły więc biegać szybko, długimi i zwinnymi krokami oraz przenosić z łatwością ciężkie ciała; ich nogi zachowywały się jak kolumny podtrzymujące wielki ciężar.

Dinozaury były prawdopodobnie stałocieplne, w przeciwieństwie do gadów współczesnych, które są zmiennocieplne (str. 36). Niektórzy uczeni spierają się, twierdząc, że stała temperatura krwi była niezbędna do zapewnienia wystarczającej ilości energii zwierzęciu utrzymującemu pionową pozycję ciała. Przemawiają za tym również liczne naczynia krwionośne w kościach tych zwierząt. Stałocieplne muszą dużo jeść – dlatego o tyle mniej jest myśliwych niż „zwierzyny" – ich ofiar; być może stąd roślinożerne dinozaury miały setki zębów.

Pod wieloma względami dinozaury były podobne bardziej do ssaków niż gadów. Niektóre z nich, doskonale polujące, były równie inteligentne jak dzisiejsze ssaki. Co więcej, dinozaury roślinożerne, takie jak zauropody, żyły w stadach niczym współczesne ssaki roślinożerne, np. antylopa. Były nawet dinozaury pokryte futrem.

RODZAJE DINOZAURÓW

Niektóre dinozaury chodziły na dwóch nogach, a ich ciało przypominało

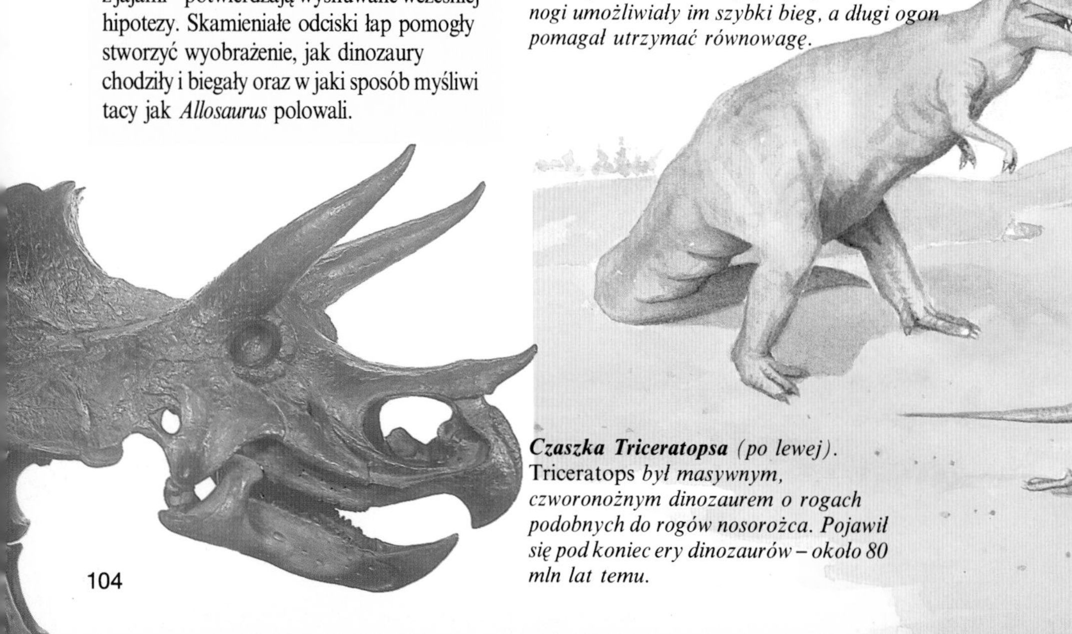

Tyrannosaurus *był największym z mięsożernych dinozaurów, a* ***Compsognathus*** *– najmniejszym. Długie nogi umożliwiały im szybki bieg, a długi ogon pomagał utrzymać równowagę.*

Czaszka ***Triceratopsa*** *(po lewej).* Triceratops *był masywnym, czworonożnym dinozaurem o rogach podobnych do rogów nosorożca. Pojawił się pod koniec ery dinozaurów – około 80 mln lat temu.*

Stegosaurus *(po lewej) – wielkie kostne płyty służyły do obrony przed atakiem, jednak ich głównym zadaniem było kontrolowanie temperatury ciała.*

Protoceratops *(powyżej), jak inne dinozaury, składał jaja w gniazdach i dla ich bezpieczeństwa zasypywał piaskiem.*

z wyglądu kangura. Inne przenosiły swą ogromną masę na czterech nogach, niczym dzisiejsze słonie. Uczeni dzielą dinozaury na dwa rzędy, w zależności od budowy miednicy: gadziomiedniczne, oraz o konstrukcji kośćca miednicy zbliżonej do ptasiej – ptasiomiedniczne.

Gadziomiedniczne dzielą się jeszcze na kolejne dwie grupy: teropody i zauropody. Teropody były zwinnymi, dwunożnymi myśliwymi o ostrym wzroku oraz odstraszających pazurach i zębach. Należy do nich *Tyrannosaurus rex*, największy drapieżnik wszechczasów oraz *Compsognathus,* niewiele większy od dzisiejszej kury. Zauropody – jak *diplodok* – były wszystkie roślinożernymi czworonogami, prawdziwymi olbrzymami ery dinozaurów, o masywnych ciałach, długich ogonach i wyciągniętych niczym węże szyjach, umożliwiających sięganie do najwyższych gałęzi.

Zauropody. *Z początku sądzono, że gigantyczne zauropody – takie jak brachiozaur (niżej, po lewej) i apatozaur (niżej, po prawej) żyły w głębokich wodach, które pomagały zwierzętom dźwigać olbrzymi ciężar ich własnego ciała; długie szyje miały umożliwić trzymanie głowy nad wodą. Dziś uczeni sądzą, że żyły one na lądzie; długich szyj potrzebowały, by dosięgnąć młodych pędów na wysoko rosnących gałęziach. Tworzyły prawdopodobnie stada, podobnie jak dziś słonie.*

Ptasiomiedniczne miały rogowe dzioby. Wszystkie były roślinożerne. Bogactwo ich gatunków znacznie przewyższa liczbę gatunków gadziomiedniczych.

Dlaczego dinozaury wymarły?

Około 65 mln lat temu dinozaury wraz z wielką liczbą innych stworzeń, wyginęły. Wiele teorii usiłuje wyjaśnić tę katastrofę. Najpopularniejszą z nich jest koncepcja zderzenia Ziemi z asteroidem pędzącym z prędkością 100 000 km/godz., który wbił się w naszą planetę na głębokość 10 km. Spowodowało to gwałtowne trzęsienia ziemi i powodzie oraz powstanie chmury pyłów i cząsteczek pary wodnej, które przesłoniły Słońce całemu światu. Koncepcję tę potwierdza dwucentymetrowa warstwa czerwonawej gliny, znajdowana w całym świecie, datowana na ten okres. Nie znaleziono w niej żadnych otwornic (małych stworzeń wodnych), lecz stwierdzono, że zawiera dużą ilość irydu. Inna teoria mówi, że dinozaury wcale nie wymarły nagle, lecz stopniowo, przez 50 000 lat, co miało związek z pogarszającymi się warunkami klimatycznymi. Szczątki dinozaurów znajdowane są płytko pod warstwą irydu.

ERA DINOZAURÓW

Dinozaury dominowały na Ziemi od około 220 do 65 mln lat temu. Nie były to jednak wówczas jedyne żywe stworzenia na Ziemi. Istniały inne gady, owady, ryby, ptaki oraz małe ssaki. Istniało także bardzo bogate życie roślinne. Dinozaury ulegały zmianom, a część uczonych sądzi, że niektóre gatunki mogły ewoluować w ptaki.

***Archaeopteryx** był dziwnym połączeniem ptaka i gada: miał skrzydła ptasie oraz gadzie zęby i pazury. Znany jest nam z sześciu skamielin znalezionych na terenie Niemiec, których ziemie były w okresie jury tropikalną laguną.*

PIERWSZE PTAKI

Kiedy po Ziemi chodziły dinozaury, w powietrzu pojawiły się pierwsze ptaki. Podobne do ptaków stworzenie, *Archaeopteryx,* żyło w jurze, 150 mln lat temu. Z wyglądu *Archaeopteryx* przypominał niewielkiego dinozaura zwanego *Compsognathus* – stąd uczeni przekonani są o ich wspólnym pochodzeniu. Jedyną istotną cechą wyróżniającą archeopteryksa były pióra i skrzydła. Na krawędzi skrzydeł miał on jednak palce z pazurami. Nie był to dobry lotnik i prawdopodobnie skrzydła służyły mu tylko do wznoszenia się na wysokość drzew i pokonywania lotem ślizgowym krótkich dystansów.

ŻYCIE W WODZIE

Czasy dinozaurów to era gadów. Gdy dinozaury panowały na lądzie, wody oceanów zamieszkiwały ogromne *Plesiosaurusy* i *Ichtiosaurusy. Ichtiozaur*, czyli „rybojaszczur" żył w płytkich morzach 220 – 90 mln lat temu. Z wyglądu przypominał nieco delfina, miał płetwy, odnóża pławne i opływowy kształt ciała, lecz ogon trzymał pionowo niczym ryba. Długi, uzbrojny w ostre zęby pysk służył mu do chwytania zdobyczy – ryb i głowonogów. Wyjątkowo, jak na gada, jego samica nie znosiła jaj, lecz rodziła swe młode.

Plesiozaury miały kształt zbliżony do beczki, długą szyję i wąską głowę. Były silnymi i zwinnymi pływakami, a wygląd ich wielkich odnóży pławnych wskazuje na to, że mogły z łatwością dokonywać zwrotów, by schwytać przepływające obok ryby.

W morzu żyły też, obok ogromnej liczby meduz i amonitów (str. 102), żółwie zwane *Archelonami.* Płytkie zatoki pełne były jeżowców i korali. Rzeki i strumienie terroryzował ogromny krokodyl – *Deinosuchus.* Osiągał on rozmiary ponad 15 m, był większy od autobusu. Przeprawiające się przez rzeki albo przystające u wodopoju dinozaury łatwo padały ofiarą jego dwumetrowych szczęk.

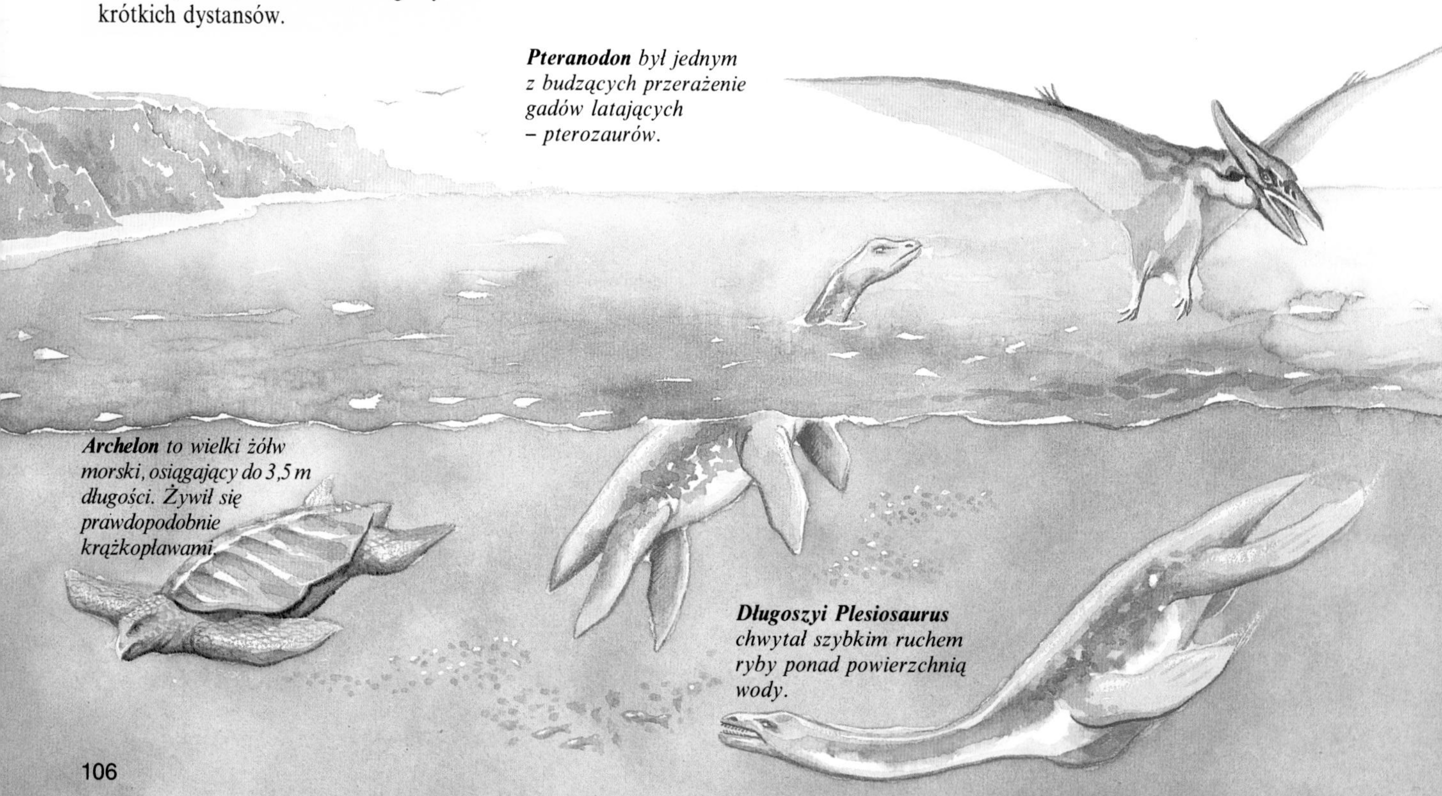

***Ocean kredowy.** Ilustracja ukazuje jedno ze zwierząt latających ponad Oceanem Tetydy w okresie kredy, 80 mln lat temu.*

***Pteranodon** był jednym z budzących przerażenie gadów latających – pterozaurów.*

***Archelon** to wielki żółw morski, osiągający do 3,5 m długości. Żywił się prawdopodobnie krążkopławami.*

***Długoszyi Plesiosaurus** chwytał szybkim ruchem ryby ponad powierzchnią wody.*

Dimetrodon *był przypominającym ssaka gadem, żyjącym na Pangei 260 mln lat temu. Wielki „żagiel" ze skóry na plecach pomagał mu absorbować energię słoneczną, którą zużywał później na polowaniach.*

PIERWSZE SSAKI

Już w erze dinozaurów na Ziemi żyły niewielkie ssaki przypominające żywiące się owadami ryjówki. Pochodziły od dużych, ssakopodobnych gadów, dominujących na Ziemi w permie i wczesnym triasie (286–208 mln lat temu). Gady ssakopodobne chodziły na czterech nogach, początkowo umieszczonych po zewnętrznych stronach ciała, jak u jaszczurek. 190 mln lat temu odnóża te przyjęły pozycję jak u dzisiejszych ssaków, umożliwiając zwierzętom szybki bieg. Gady te były prawdopodobnie stałocieplne a *Cynognathus* mógł być nawet pokryty futrem na podobieństwo wielkiego psa.

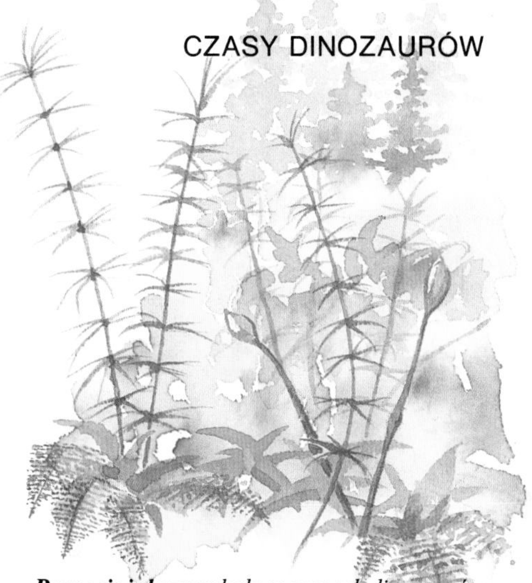

Paprocie i skrzypy *były w czasach dinozaurów najpopularniejszymi roślinami.*

PREHISTORYCZNA WIOSNA

W początkach ery dinozaurów nie istniały jeszcze kwiaty, jakie znamy dziś. Lądy porośnięte były wielkimi lasami roślin rozmnażających się przez zarodniki – wielkimi paprociami drzewiastymi, skrzypami, cykasami (s.64) oraz szpilkowymi, mchami i porostami. Około 100 mln lat temu pojawiły się pierwsze rośliny kwitnące i bardzo szybko zaczęły się rozprzestrzeniać – po 10 mln lat stanowiły już 90% roślinności Ziemi. Były to drzewa i krzewy, jak amerykański orzech biały, dąb i magnolia oraz ziołopodobne kwiaty, np. malwa.

ŚWIAT SIĘ ZMIENIA

Z początkiem jury, około 208 mln lat temu, na Ziemi był tylko jeden wielki kontynent zwany Pangea oraz jeden ocean – Pantalassa (str. 90). Klimat był ciepły i wilgotny, a rośliny – niezwykle bujne paprocie i skrzypy – tworzyły niezmierzone lasy. Wszędzie kryło się mnóstwo owadów, zaledwie dostrzeganych przez dinozaury. Byli to przodkowie dzisiejszych skorków, mrówek, much i chruścików. Maleńkie ssaki prowadziły nocny tryb życia. W powietrzu fruwały pterozaury, wielkie gady o straszliwych szczękach oraz praptak – *Archaeopteryx*. W okresie *kredy* (144 – 66 mln lat temu) Pangea podzieliła się na dwie części. Morze zalało ląd, tworząc rozległe płycizny, których dno pokryło się szkielecikami mikroskopijnych stworzeń morskich – dziś skamieniałych w pokłady kredy (str. 94). W wielkich bagnach, porośniętych przez gigantyczne sekwoje i cyprysy, żyły żaby, salamandry, węże, mewy i brodźce. Klimat ochładzał się. Na lądzie pojawiły się pierwsze kwitnące rośliny, by wkrótce rozprzestrzenić się wraz z licznymi gatunkami motyli i bąków, które umożliwiały im zapylenie. Ponad tym wszystkim latał wysoko w górze największy z pterozaurów, *Quetzalcoatlus*.

Magnolia *należy do najstarszych roślin kwitnących. Pojawiła się na Ziemi 100 mln lat temu.*

GADY LATAJĄCE

Ziemią władały dinozaury, powietrze zaś objęły w posiadanie ogromne pterozaury, czyli gady latające. Większość z nich posiadała wielkie skrzydła, zbudowane z kości ramienia i dłoni oraz niezwykle długich kości czwartego palca; między nimi rozpięta była skóra. Początkowo uczeni utrzymywali, że zwierzęta te mogły fruwać jedynie lotem ślizgowym. Obecnie wielu sądzi, że mogły mieć doskonale rozwinięte mięśnie ramion, co umożliwiało im poruszanie skrzydłami na sposób ptasi. Pterozaury były myśliwymi o długich i wąskich dziobach. Bezzębny *Pteranodon* prawdopodobnie połykał upolowane ryby w całości. *Pterodaktyl* posiadał już zęby do chwytania i gryzienia zdobyczy. *Pterodaustro* miał zęby w kształcie grzebienia, które mogły mu służyć do odfiltrowywania małych stworzeń, łowionych tuż pod powierzchnią wody.

CZY WIESZ, ŻE...?

Nazwy dinozaurów są najczęściej łacińskim opisem jakiejś cechy ich wyglądu albo zachowania.

Apatosaurus znaczy „zwodniczy gad".

Stegosaurus znaczy „zadaszony gad"

Triceratops znaczy „trójroga twarz"

Tyrannosaurus rex znaczy „król – tyran gadów".

Ryby trzonopletwe *to jedne z najstarszych ryb kostnych. Uważano je za wymarłe przed 60 mln lat.*

PO DINOZAURACH

Kiedy dinozaury zniknęły tajemniczo, około 65 milionów lat temu, przed ssakami i ptakami otworzyły się możliwości rozwoju i zdominowania Ziemi. Pojawiło się wiele nowych gatunków ssaków, a każda nowa epoka przynosiła kolejne ich odmiany. Wiele z ówczesnych zwierząt to przodkowie współczesnych ssaków.

Diatryma *nie musiała fruwać, by być budzącym postrach myśliwym. To ponad dwumetrowe zwierzę mogło dogonić zdobycz, schwytać przy pomocy uzbrojonej w wielkie pazury łapy i rozerwać na strzępy ogromnym, papuzim dziobem.*

PTAKI

Podobnie jak ssaki, ptaki również odniosły korzyści z wyginięcia dinozaurów. Przez długi czas ogromne nielotne ptaki *Diatryma* i *Phorosrhacos* były głównymi myśliwymi. Ich ciała osiągały ogromne rozmiary; nowozelandzki ptak zwany *moa* był wysoki na ponad 3,5 m; wyższy od słonia, a ważący 440 kg *Aepyornis* składał jaja wielkości piłki do rugby. *Aepyornis* mógł przetrwać na Madagaskarze do XVII wieku i był prawdopodobnie włączony jako gwóźdź programu do opowiadań ówczesnych podróżników.
Ptaki latające również osiągały ogromne rozmiary. Podobny do sępa *Argentavis*, żyjący w Argentynie 40 mln lat temu, polował na ssaki wielkości współczesnych owiec i koni. Ważył ponad 120 kg, a jego skrzydła miały ponad 7,6 m rozpiętości. Zbliżony kształtem do pelikana *Osteodornis*, również wielki, o rozpiętości skrzydeł 5,2 m, wyławiał swym gigantycznym dziobem kałamarnice spod powierzchni wody. Rozwinęły się też mniejsze gatunki. 40 mln lat temu algi (glony) słonych lagun dostarczały pożywienia wielkim stadom podobnych do gęsi *Presbyornis*; pierwsze papugi – *Archaeopsittacus* – siadały na gałęziach tropikalnych lasów terenów Francji 30 mln lat temu; pierwsza znana sowa, *Ogygoptnyx*, pochodzi sprzed 54 mln lat.

POWSTANIE SSAKÓW

Pod koniec ery dinozaurów jedyne ssaki to małe torbacze, noszące swe młode w kieszeni. Gdy wyginęły dinozaury, ssaki zaczęły się rozwijać, stawały się większe, w końcu torbacze wyparte zostały przez *ssaki łożyskowe*. Te rodziły już bardziej samodzielne potomstwo.

W owych czasach pozostałości Pangei podzieliły się ostatecznie na kontynenty o kształcie zbliżonym do obecnego. Na każdym z nich podobne, lecz jedyne w swoim rodzaju gatunki ssaków miały ewoluować, specjalizując się w pewnych funkcjach albo zajmując dogodne *nisze ekologiczne*. Tak więc na każdym kontynencie żyją charakterystyczne dla niego gryzonie, zwierzęta owadożerne, roślinożerne, mięsożerne i inne.
W Ameryce Północnej są to: podobny do wiewiórki gryzoń *Sciuravus*; żywiący się liśćmi, płaskonosy, podobny do szczura *Stylinodon*; pierwszy ze znanych nietoperzy – *Icaronycteris*; przypominający owcę *Condylarths*; pierwszy kopytny roślinożerca i wiele innych.

Zwierzęta mięsożerne. Pierwsze ssaki odżywiające się mięsem pojawiły się właśnie w owych czasach. Nazywamy je wszystkie *kreodontami*, mimo że ich rozmiary są bardzo zróżnicowane: od zwierzęcia mniejszego od szczura – do przewyższającego rozmiarami niedźwiedzia polarnego. Najmniejsze z nich, *Deltatheridium*, podobne było do łasicy i mogło żywić się owadami; największego – *Megisthoterium*, nigdy już nie przerósł żaden ssak drapieżny. Niektóre duże kreodonty, jak *Hiaenodon* (nieco przypominający współczesną hienę) były padlinożercami. Inne polowały na przeżuwacze w rodzaju kondylartra, a nawet na stworzenia przypominające słonie. Nie byli to szybcy i sprawni jak współczesne drapieżniki

WIELORYB

Katastrofa, która przyczyniła się do wyginięcia dinozaurów na lądzie, wyniszczyła również wielkie gady – plezjozaury i ichtiozaury – w oceanach. Tutaj również miejsce gadów zajęły wielkie ssaki – wieloryby. Skamieliny wskazują, że wieloryb jest potomkiem drapieżnego kondylartra (wczesnego ssaka kopytnego), zwanego *Mesonychid*. Około 52 mln lat temu Mesonychid ewoluował w *Pakicetus*, skrzyżowanie wieloryba i tapira. Pakicetus żył na lądzie, lecz potrafił dobrze pływać. Stopniowo coraz lepiej przystosowywał się do życia w wodzie, jego odnóża zamieniły się w odnóża pławne, a ciało stało się dłuższe i bardziej opływowe. 50 mln lat temu pierwsze właściwe wieloryby zdominowały oceany od Afryki do Ameryki Północnej.

Basilosaurus, *żyjący około 30 mln lat temu, był jednym z pierwszych wielorybów. Jego wężowego kształtu ciało osiągało długość 20 m. Żywił się dużymi rybami, które chwytał zębami zakończonymi drobnymi, ostrymi wypustkami podobnymi do piły.*

myśliwi, ich zdobycz jednak również nie była zwinna.

TRAWIASTE RÓWNINY

Około 24 mln lat temu, we wczesnym miocenie, klimat świata stał się nieco bardziej suchy i chłodny, a tropikalne lasy ustąpiły miejsca trawom, które porosły Ziemię, tak jak dziś porastają równiny Afryki Wschodniej. W ślad za rozprzestrzeniającą się roślinnością trawiastą podążyły takie gatunki zwierząt jak konie, wielbłądy i nosorożce. Były to bystrookie, długonogie zwierzęta o kończynach zaopatrzonych w kopyta, umożliwiające szybką ucieczkę przed napastnikiem po trawiastej równinie. Kreodonty nie były w stanie zapolować na taką zwierzynę, zadaniu sprostały dopiero nowe, wysoce inteligentne gatunki psów i wielkich, szablastozębnych kotów.

EPOKA LODOWCOWA

Dwa miliony lat temu, we wczesnym plejstocenie, świat został skuty lodem ery lodowcowej. Wielkie pola lodowe pokryły tereny Ameryki Północnej, Europy i Azji; ssaki, mogące przetrwać w chłodnych warunkach, znalazły się w sytuacji uprzywilejowanej. Gruba, wełnista osłona chroniła przed zimnem zwierzęta, takie jak ówczesne nosorożce i mamuty (str. 103). Inne, jak wielki niedźwiedź jaskiniowy i lew, poszukiwały schronienia w jaskiniach – podobnie czynili pierwsi ludzie. Kilka razy klimat ery lodowcowej ulegał na jakiś czas ociepleniu – wówczas w Europie narodziły się gatunki, takie jak małpy, hieny, hipopotamy i słonie. My sami żyjemy w ciepłej epoce, holocenie, która rozpoczęła się około 10 000 lat temu, po plejstocenie. Żaden z wielkich ssaków epoki lodowcowej (pokryty sierścią nosorożec albo mamut, niedźwiedź jaskiniowy czy lew) nie przetrwał do naszych czasów. Zginęły wszystkie wskutek zmiany klimatu albo też zostały wytrzebione przez człowieka.

WIELCY MIĘSOŻERCY

Około 25 mln lat temu pojawiły się na Ziemi wielkie ptaki nielatające i kreodonty, przodkowie zwinnych, inteligentnych, świetnie słyszących zwierząt polujących. Były wśród nich szybkonogie stworzenia, polujące grupowo, jak psy, majestatycznie kroczące koty o ostrych pazurach oraz padlinożercy, jak współczesna hiena. Jednym z najoryginalniejszych zwierząt był kot szablastozębny, z parą kłów do ranienia zdobyczy. Ponieważ kły te były bardzo długie (około 20 cm), uczeni uważają, że nie mogły one służyć do przytrzymywania wyrywającej się ofiary – drapieżnik sam mógł się poranić. Koty szablastozębne wyginęły 10 000 lat temu.

Smilodon *zamieszkiwał w Ameryce w czasach od 2 mln do 10 000 lat temu. Chwytał zdobycz za pomocą silnych łap przednich i rozrywał ogromnymi kłami jej główne tętnice.*

WAŻNIEJSZE DATY
(w milionach lat)

66–58	Epoka paleoceńska: rozprzestrzeniają się ptaki i ssaki.
58–24	Eocen i oligocen: wielkie ptaki drapieżne i kreodonty; Kondylartry i gryzonie.
24–2	Miocen i pliocen: dominuje roślinność trawiasta; narodziny długonogich kopytnych, psów i kotów.
2	Plejstocen i epoka lodowcowa: pokryte sierścią mamuty, niedźwiedź jaskiniowy i człowiek.

ZWIERZĘTA KOPYTNE

Ssaki kopytne należą do zwierząt, które odniosły jeden z największych sukcesów w procesie ewolucji. Pochodzą prawdopodobnie od kondylartra, żyjącego 65 – 40 mln lat temu. Dał on początek zarówno parzystokopytnym – świniom, antylopom, krowom – jak i nieparzystokopytnym – koniom, nosorożcom i tapirom. Jeden z nieparzystokopytnych, koń, przetrwał jako gatunek od czasów zlodowaceń, dwa miliony lat.

Moropus *był wielkim, żywiącym się liśćmi zwierzęciem, żyjącym 18 mln lat temu.*

Brontoteria *przypominały nosorożca; żywiły się roślinami, które bujnie porastały Ziemię 36 – 24 mln lat temu.*

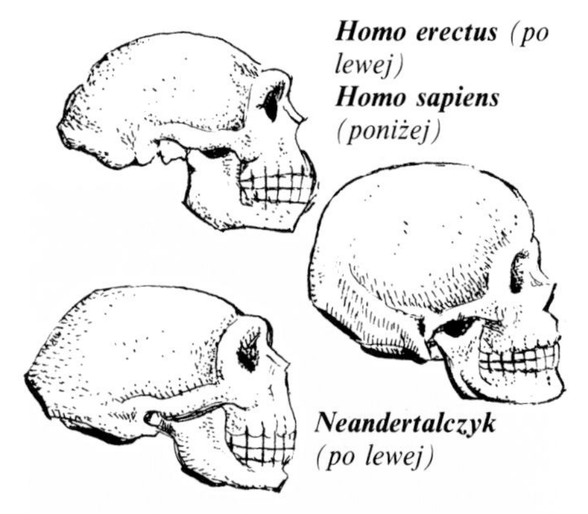

***Homo erectus** (po lewej)*
***Homo sapiens** (poniżej)*

***Neandertalczyk** (po lewej)*

PIERWSZE ISTOTY CZŁEKOKSZTAŁTNE

W porównaniu z innymi zwierzętami człowiek zamieszkuje Ziemię od niedawna. Ze skamieniałości wiemy, że pierwsze zbliżone do człowieka stworzenie pojawiło się dopiero 6 mln lat temu, a człowiek podobny do dzisiejszego – 30 000 lat temu.

ZMIANY KSZTAŁTU GŁOWY

Rozwój czaszki odegrał istotną rolę w wyodrębnieniu gatunku ludzkiego. Kształt szczęk takiego na przykład *Homo erectus* wskazuje, że nie mógł on mówić. Czaszki pierwszych hominidów podobne są do małpich, mniejsze od współczesnych ludzkich, co wskazuje, że istoty te miały mniejszy mózg. Jego objętość wynosiła 500 cm^3, czyli tyle co mózgu dzisiejszej małpy. Mózg *Homo habilis* miał 750 cm^3, *Homo erectus* – 1000 cm^3, *neandertalczyka* – 1500 cm^3; objętość mózgu człowieka współczesnego wynosi 1400 cm^3.
Czaszki pierwszych hominidów miały wydatne szczęki, szerokie usta i niskie czoła. W miarę postępów ewolucji, część twarzowa stawała się bardziej płaska i zaczynał w niej dominować nos. Szczęki cofnęły się, usta zmniejszyły, a rozrastające się czoło umożliwiło zwiększenie rozmiarów mózgu.

PIERWSI LUDZIE

Ludzie mają bardzo wiele wspólnego z małpami – długie ramiona i palce, dużej objętości mózg – i wydaje się oczywiste, że pochodzą od tego samego przodka. Była nim prawdopodobnie podobna do orangutana istota, zamieszkująca porośnięte trawą tereny Afryki.
Nie wiadomo dokładnie, kiedy nasz przodek zaczął odróżniać się od małpiego, istnieje jednak kilka szczątków kopalnych, które wskazują na przebieg ewolucji. Człowiek z punktu widzenia biochemii tak jest podobny do goryla i szympansa, że owo wyodrębnienie nastąpiło prawdopodobnie niespełna 6 mln lat temu.

Australopitek. Jest najstarszym *hominidem* (stworzeniem człekokształtnym), datowanym na jakieś 3,5 mln lat temu. Australopitek znaczy dosłownie „południowa małpa", jako że pierwsze ślady dotyczące tego gatunku znaleziono w Afryce Południowej. Wśród najwcześniejszych przedstawicieli australopiteka znajduje się „Lucy", szczątki kobiece znalezione w Hadarze, w Etiopii, w latach siedemdziesiątych. Gatunek ten był znacznie niższy od współczesnego człowieka (mierzył zaledwie 1 m), a jego mózg był niewiele większy od mózgu małpy. Chodził jednak w pozycji wyprostowanej i posługiwał się kamieniem w zdobywaniu pożywienia.

Człowiek zręczny. Około 2 mln lat temu pojawiły się pierwsze naprawdę ludzkie istoty. Były wyższe od australopiteka i posiadały większy od niego mózg. Kamienne narzędzia służyły im do cięcia skór na ubrania, kawałków mięsa do jedzenia oraz do budowy prymitywnych domostw. Najlepiej znanym przedstawicielem tego gatunku jest *Homo habilis*, co znaczy „człowiek zręczny",

Rodzina człowieka
Niżej pokazano kilku przedstawicieli hominidów. Od lewej, widzimy pierwszego znanego australopiteka, kobietę – Lucy. Zarówno Lucy, jak i człowiek neandertalski należą do wymarłych już gałęzi rodziny człowiekowatych; nie są prawdopodobnie naszymi bezpośrednimi przodkami.

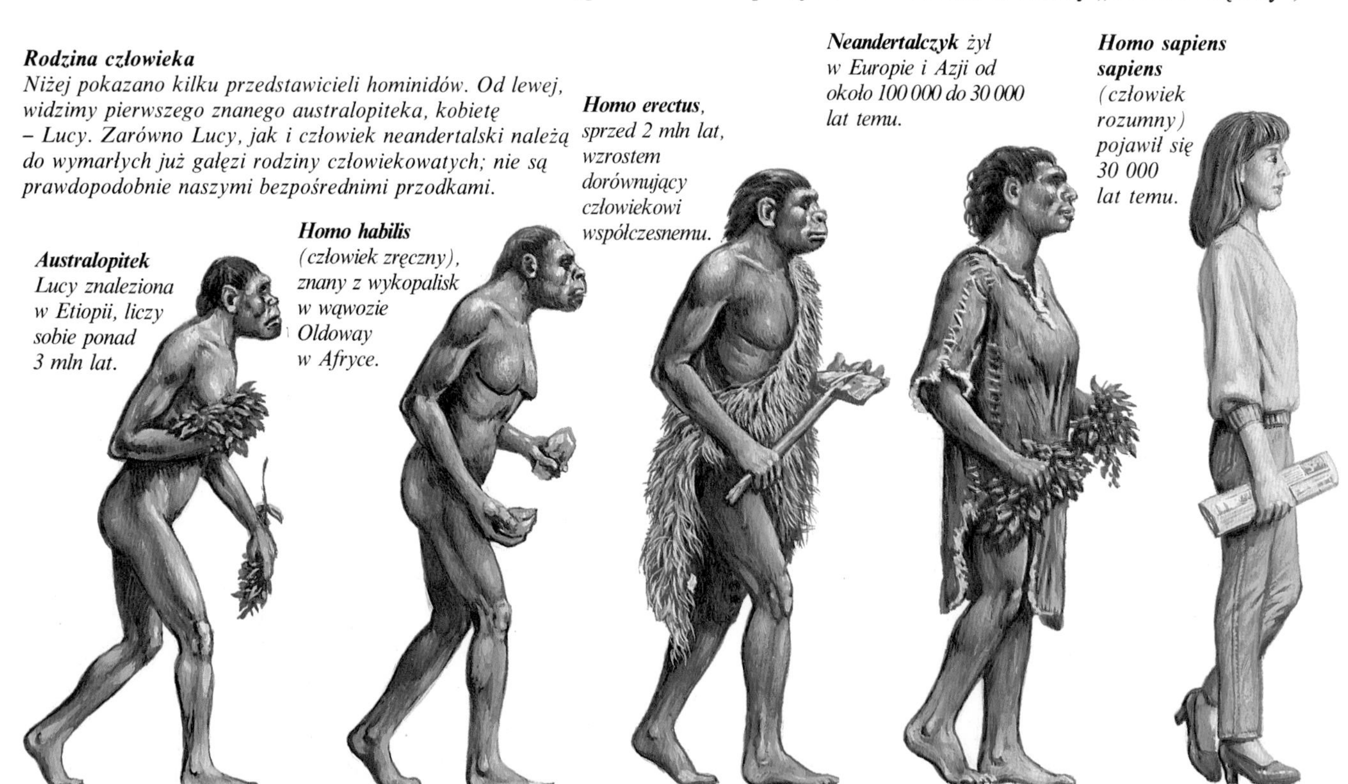

***Australopitek** Lucy znaleziona w Etiopii, liczy sobie ponad 3 mln lat.*

***Homo habilis** (człowiek zręczny), znany z wykopalisk w wąwozie Oldoway w Afryce.*

***Homo erectus**, sprzed 2 mln lat, wzrostem dorównujący człowiekowi współczesnemu.*

***Neandertalczyk** żył w Europie i Azji od około 100 000 do 30 000 lat temu.*

***Homo sapiens sapiens** (człowiek rozumny) pojawił się 30 000 lat temu.*

PIERWSI MYŚLIWI

Dla przetrwania pierwszych hominidów kluczowe znaczenie miała ich zdolność do polowania na wielkie ssaki za pomocą kamieni, toporów i ognia. Odkryte w hiszpańskiej Ambronie szczątki sprzed 400 000 lat pokazują, że polowano na słonie i inne wielkie ssaki, zaganiając je za pomocą ognia na miękkie, bagniste tereny, a następnie krusząc ich głowy kamieniami albo zabijając drewnianymi włóczniami. Mięso ćwiartowano za pomocą kamiennych toporów i gotowano. Polowanie wymagało połączenia wysiłku wielu ludzi; co roku organizowano kilka wielkich wypraw łowieckich.

Polowanie. *Pierwsi ludzie zabijają szablastozębnego kota kamiennymi włóczniami. Jelenie, słonie, dziki i kozły były najczęstszymi obiektami polowań.*

znaleziony w wąwozie Oldoway, w Tanzanii. Istniało zapewne wielu przedstawicieli tego gatunku.

Człowiek o postawie wyprostowanej i człowiek rozumny. Około półtora miliona lat temu pojawiła się istota człekokształtna podobna do człowieka współczesnego – *Homo erectus*. Umiał on rozpalać ogień i gotować pożywienie; do polowania używał długiej włóczni, utwardzanej za pomocą ognia. Mózg miał jednak mniejszy od naszego. Pierwszy gatunek, którego mózg dorównał rozmiarami ludzkiemu, *Homo sapiens*, pojawił się 200 000 lat temu.

Niektórzy uczeni uważają, że podobieństwo DNA, które zawiera każdy ludzki organizm (str. 9) wskazuje, iż wszyscy ludzie są potomkami jednej kobiety, zwanej Ewą, która żyła w Afryce 200 000 lat temu. Inni spierają się, że ponieważ szczątki *Homo erectus* znajdowano nie tylko w Afryce, lecz także w Azji i Europie, *Homo sapiens* powstawał równolegle w różnych częściach świata.

Najlepiej znanym wczesnym przedstawicielem gatunku jest *Homo sapiens neanderthaliensis*, który pojawił się 100 000 lat temu. Miał szeroką twarz i mocne ciało, które przykrywał ubraniem. Jego mózg był większy od naszego. Pierwsze istoty ludzkie fizycznie identyczne z nami pojawiły się około 30 000 lat temu.

W poszukiwaniu naszej przeszłości. *Najwięcej szczątków związanych z przodkami człowieka znaleziono w Afryce. Wąwóz Oldoway w Tanzanii dostarczył wielu z najciekawszych odkryć. Wykopano tu szczątki zarówno* australopiteka, *jak i* Homo habilis, *odkryto też ślady stóp sprzed trzech milionów lat. Pozostałości po* Homo erectus *znajdowano już na terenie całej Europy, Afryki i Azji. Człowiek neandertalski nazwany został od doliny Neander w Niemczech, gdzie odnaleziono jego pierwsze szczątki.*

KAMIENNE NARZĘDZIA I BROŃ

Niektórzy uczeni uważają, że pierwsze narzędzia używane przez hominidy zrobione były z kości. Wszystkie istoty człekokształtne posługiwały się jednak kamieniem i drewnem, dlatego też czasy ludzkiej prehistorii nazywamy epoką kamienną. Trzy miliony lat temu australopitek prawdopodobnie posłużył się kamieniem, by zaostrzyć swą broń. Pierwszymi narzędziami z prawdziwego zdarzenia były pięściaki, topory ręczne, które *Homo erectus* sporządzał przez odłupywanie płatów krzemienia za pomocą innego kamienia, aż do uzyskania ostrej krawędzi. Toporów takich używano zapewne do oprawiania mięsa większych zwierząt (np. mamutów) albo też ciskano nimi w czasie polowania. W czasach późniejszych *Homo erectus* nauczył się wykonywania kilku niewielkich ostrzy z jednego kawałka krzemienia. Ostukiwał go kością albo wzmocnionym za pomocą kamienia kawałkiem drewna, starannie modelując. Wprawa pozwalała otrzymać w ten sposób ostre jak brzytwa odłamki, które można było zamocować na drzewcach. Tak robiono włócznie.

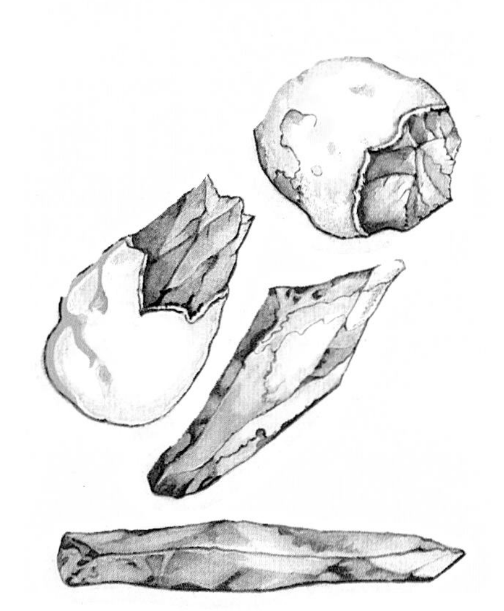

Metalowe miecze i włócznie (powyżej) wytwarzać zaczęto w epoce brązu. Rzemieślnicy wykonywali również brązowe tarcze (poniżej) oraz okrywające ciało zbroje.

LUDY PREHISTORYCZNE

Pierwsze zabytki piśmiennictwa pochodzą sprzed 5500 lat. Wszystkie poprzednie epoki – a więc niemal cała przeszłość człowieka – nazwana została prehistorią. Świadectwa archeologiczne (pozostałości wytworów i szczątki znajdowane w ziemi) powiedziały nam jednak wiele o tym, jak żyli ludzie w czasach prehistorycznych.

EPOKI BRĄZU I ŻELAZA

Około 6000 lat temu mieszkaniec Europy Środkowo-Wschodniej lub Bliskiego Wschodu wykonał pierwszy przedmiot metalowy – z miedzi. Wkrótce nauczył się łączenia miedzi z cyną – tak powstał brąz, znacznie twardszy stop, umożliwiający produkcję broni. Posiadanie tych rzadkich i kosztownych przedmiotów dawało ich posiadaczom siłę i podnosiło pozycję społeczną – co widać po ogromnej ilości metalowych przedmiotów wkładanych do grobu zmarłego w epoce brązu. Żelazo rozprzestrzeniało się z Bliskiego Wschodu od 1200 p.n.e.; przejęła je cywilizacja starożytnej Grecji; wkrótce dotarło również do Europy Północnej.

TRZY EPOKI

Archeolodzy często dzielą prehistorię na trzy epoki, nazwane od materiału, jakiego używali w nich najczęściej ludzie do sporządzania narzędzi i broni. Są to epoki: kamienna, brązu i żelaza. Epoka kamienna dzielona bywa na trzy części: *paleolit* (starszą epokę kamienną), *mezolit* (średnią epokę kamienną) oraz *neolit* (młodszą epokę kamienną). Ten system ujmowania dziejów człowieka nie zawsze zdaje egzamin, zwłaszcza poza Europą, ponieważ zmiana narzędzi odbywała się w różnych miejscach w różnym czasie – stanowi jednak użyteczną strukturę ramową.

STARSZA EPOKA KAMIENNA

Dolny paleolit rozpoczął się około 2,5 mln lat temu. W owych czasach pojawił się *Homo erectus*, pierwsza istota człekokształtna chodząca jak my, w pozycji wyprostowanej (str. 111). *Homo erectus* pozostawił po sobie bardzo niewiele szczątków, by można było wyciągać szczegółowe wnioski o sposobie jego życia. Są to jedynie krzemienne topory używane do polowań oraz ogniska, przy których gotował i ogrzewał się.

Środkowy paleolit rozpoczyna się z nadejściem człowieka neandertalskiego, 100 000 lat temu. Europa i Azja były wówczas skute lodem, lecz neandertalczyk chronił się przed zimnem w jaskiniach i skórzanych namiotach oraz używał ubrania. Jego krzemienne narzędzia – ostrza włóczni, noże i skrobaki, są bardziej precyzyjne od tych znajdowanych przy *Homo erectus*. Wiadomo także, że neandertalczyk troszczył się o pochówek swoich zmarłych. W jaskini Szanidar w Iraku znaleziono ciało spoczywające na łożu z kwiatów.

Górny paleolit datowany jest od pojawienia się człowieka rozumnego, około 30 000 lat temu. Pierwsze jego szczątki znaleziono w jaskini koło Dordogne we Francji i nazwano je od jej imienia: *człowiek z Cro-Magnon*. Prawdopodobnie pojawił się on najpierw w Azji i szybko rozprzestrzenił w całym świecie. Około 12 000 lat temu przedstawiciele tego gatunku mieszkali w obu Amerykach i w Australii. Człowiek z Cro-Magnon był odważnym myśliwym, zabijającym mamuty za pomocą włóczni o krzemiennych ostrzach, a prawdopodobnie również łuku i strzał. Jego pasja łowiecka doprowadziła, w ciągu tysiąca lat od przybycia do Ameryki, do niemal całkowitego wytrzebienia na tym kontynencie mamutów, koni, lwów i łosi. W Europie pozostała po tych ludziach niemała kolekcja rzeźb w kości słoniowej oraz wspaniałe malarstwo na

EPOKA KAMIENNA			EPOKA BRĄZU	EPOKA ŻELAZA
PALEOLIT	MEZOLIT	NEOLIT		
2,5 mln lat temu	10 000 lat temu	7000 lat temu	6000–5000 lat temu	1200 lat temu
Od Homo habilis, homo erectus po człowieka z Cro-Magnon – polowania z krzemienną bronią.	*Do polowań zostosowano łuk i strzały; hodowla owiec i kóz.*	*Początek uprawy roli w Europie; pierwsze wioski. Wzrost liczby ludzi i początek rzemiosł.*	*Wynalazek brązu w Europie Południowo--Wschodniej i na Bliskim Wschodzie. Kurhany i budowle megalityczne.*	*Żelazo rozprzestrzenia się, począwszy od terenów Bliskiego Wschodu. Początek klasycznej cywilizacji greckiej.*

***Prehistoria.** Tablica przedstawia następstwo epok prehistorycznych w Europie i na Bliskim Wschodzie. Na innych ziemiach było ono nieco inne. W Ameryce brąz pojawił się dopiero w czasach Inków, około 500 lat temu. Nawet w obrębie Europy i Bliskiego Wschodu różne tereny wchodziły w kolejne epoki w różnym czasie. Na Wyspach Brytyjskich neolit zaczął się 6000 lat temu, a epoka brązu 2500 lat temu.*

Wioska neolityczna
Odkąd ludzie zaczęli uprawiać ziemię, mogły powstawać stałe osiedla, w których mieszkano przez cały rok. Konstrukcja domów stawała się coraz bardziej solidna. Dostatek i zapasy pożywienia pozwoliły ludziom na rozwinięcie umiejętności takich jak przędzenie, tkanie czy pieczenie, rozpoczęto też wymianę handlową.

ścianach jaskiń, ukazujące na przykład polowania na bizony.

MŁODSZA EPOKA KAMIENNA

Około 10 000 lat temu świat był zaludniony przez niewielkie grupy, polujące wspólnie na zwierzęta i zbierające owoce dzikiej roślinności. Niektóre ludy zaczynały już hodować zwierzęta, takie jak owce czy kozy, by zapewnić sobie stałe pożywienie. Na początku neolitu człowiek zaczął uprawiać ziemię, siejąc zboża: jęczmień i pszenicę. Przy domu hodował owce, bydło i świnie.

Działo się to w różnym czasie, zależnie od miejsca. Początki rolnictwa to czasy około 9000 lat temu na Bliskim Wschodzie i 4000 lat później w Europie Północno-Zachodniej. Jego efekty są niewiarygodne. Ludzie uzyskali możliwość pozostania w jednym miejscu i budowania osad. W Dżarmo, w Iraku, znaleziono pozostałości 24 domostw, których ściany wzniesiono z mułu rzecznego; około 9000 lat temu zamieszkiwało w nich 150 ludzi.

Z początku uprawa roli połączona była z łowiectwem, lecz wkrótce okazało się, że zapasy jedzenia pozwalają ludziom zająć się innymi czynnościami. Wkrótce pojawiła się specjalizacja w dziedzinach budowy domów, przechowywania żywności, tkactwa i garncarstwa. Człowiek nauczył się również używać metalu; z początku był to brąz – w epoce brązu, potem żelazo – w epoce żelaza. Skupiska ludności stawały się coraz liczniejsze, a osiedla rozrosły się z czasem w miasta.

Kurhany i megality *w Europie Północno-Zachodniej są reliktami er neolitycznej i brązu. Kurhany to kopce usypane na grobach. Megality, utworzone z wielkich bloków kamiennych, bywają również grobami. Najwspanialsze megality to grupy ustawionych w kręgi olbrzymich, ociosanych głazów – jak w Stonehenge (poniżej). Nie ma pewności, czemu mogły one służyć.*

WYNALAZKI NEOLITYCZNE

Przejście od zbieractwa i łowiectwa na uprawę roli w czasie młodszej epoki kamiennej, przyniosło wiele nowych wynalazków i odkryć.
Ludy młodszej epoki kamiennej zaczęły około 7000 lat temu wytwarzać z gliny przedmioty ceramiczne. Naczynia gliniane mogły być używane do przechowywania wody i pożywienia. Ułatwiały też gotowanie.
W tym samym mniej więcej czasie człowiek nauczył się mielenia ziarna na mąkę za pomocą płytkiej misy kamiennej – moździerza oraz tłuczka w kształcie pałki. Drewniane pługi, które mogły być ciągnione przez woły, po raz pierwszy zastosowane zostały na Bliskim Wschodzie około 4000 roku p.n.e. Równolegle, powstał jeden z najważniejszych wynalazków wszechczasów – koło.

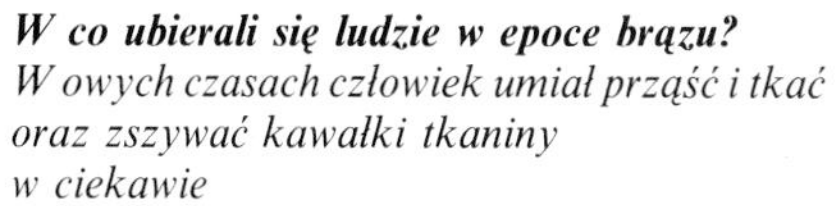

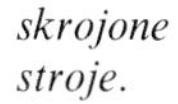

W co ubierali się ludzie w epoce brązu?
W owych czasach człowiek umiał prząść i tkać oraz zszywać kawałki tkaniny w ciekawie skrojone stroje.

PIERWSZE CYWILIZACJE

Cywilizacje zapoczątkowały ludy Bliskiego Wschodu, które jako pierwsze poznały uprawę roli. Pomiędzy rzekami dzisiejszego Iraku, Tygrysem i Eufratem, starożytni Sumerowie oraz inne ludy pobudowały pierwsze na świecie miasta, wzniosły ogromne świątynie i wprowadziły pismo. Było to około 6500 lat temu.

Strój głowy* „królowej" *Szubad. *Ten piękny sumeryjski strój królewski, znaleziony w grobowcu władców Ur, ma ponad 4500 lat.*

BOGOWIE I MITY SUMERYJSKIE

Sumerowie byli ludem niezwykle religijnym, a bogowie i boginie strzegły każdej dziedziny ich życia. Był Enlil, bóg powietrza, który rozdzielił Ziemię i Niebo oraz stworzył wszystko, co żyje. Enki, bóg zręczności, zorganizował wszechświat i zapewnił światu świeżą wodę. Była też Ninhursag, bogini matka, Inanna, bogini miłości oraz wiele i wielu innych. Jednym z najsłynnijeszych mitów sumeryjskich jest opowieść o Gilgameszu, królu Uruk. Przystojny i mocny, zaprzyjaźniony z Enkidu, Gilgamesz doświadczał licznych przygód. Kiedyś na przykład zanurkował w oceanie, aby na jego dnie znaleźć kolec, który gwarantował życie wieczne. Niestety, wykonawszy zadanie Gilgamesz zasnął zmęczony, a kolec został ukradziony przez węża.

PIERWSZE MIASTA

5000 lat p.n.e. kwitnące rolnictwo opanowało brzegi Tygrysu i Eufratu oraz okoliczne bagniste tereny. Każdej wiosny rzeki wylewały swe wody na przybrzeżne pola, użyźniając gleby. Opadów było jednak tak niewiele, że latem powierzchnia ziemi zamieniała się w twardą skorupę. Z czasem rolnicy nauczyli się nawadniać pola przez *kanały irygacyjne*, doprowadzające wodę z rzek.

Dzięki sztucznemu nawadnianiu pozyskano dla uprawy zbóż nowe tereny. Pozwoliło to osiągnąć nadwyżki w produkcji żywności, co z kolei doprowadziło do szybkiego wzrostu liczby ludzi. Osiedla położone w trójkącie pomiędzy rzekami – na terenie zwanym Sumerem – rozrosły się w wielkie miasta, np. Ur czy Eridu. Miasta powstawały wtedy, gdy ludzie musieli szukać schronienia przed zawieruchą wojenną za jego murami.

W sercu miasta stała świątynia, pierwsza wielka budowla, w której Sumerowie czcili wielu bogów i bogiń. Lud ten miał nie tylko wybitne osiągnięcia w dziedzinie astronomii i matematyki; stworzył też pierwszy system prawny i wynalazł pismo.

POCZĄTKI BABILONII

Miasta sumeryjskie rozwijały się przez 2000 lat. Około 2300 roku p.n.e. zostały podbite przez króla Sargona i plemię Akkadów, północnych sąsiadów Sumeru. Przez kolejne trzy wieki Sumer najeżdżany był raz po raz; w końcu Ur-Namunu odzyskał swe władztwo, jednakże zaledwie na 100 lat, po których uległ atakom Amorytów.

W 1792 roku p.n.e. król amorycki, Hammurabi, pokonał Sumerów, Elamitów i Akkadyjczyków, by

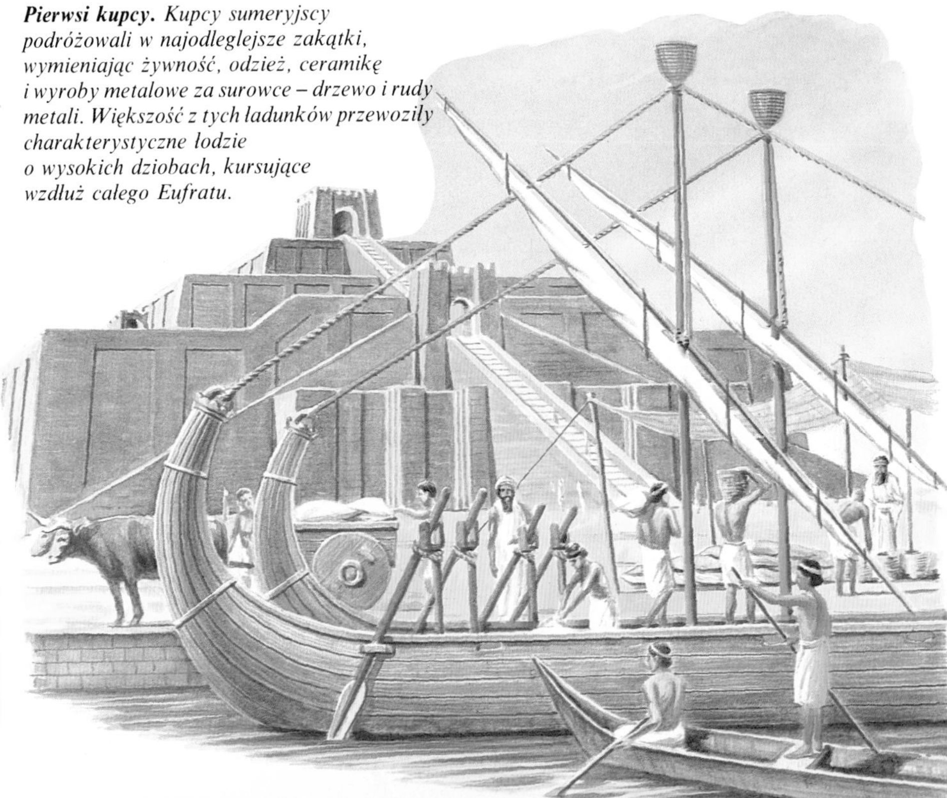

Pierwsi kupcy. *Kupcy sumeryjscy podróżowali w najodleglejsze zakątki, wymieniając żywność, odzież, ceramikę i wyroby metalowe za surowce – drzewo i rudy metali. Większość z tych ładunków przewoziły charakterystyczne łodzie o wysokich dziobach, kursujące wzdłuż całego Eufratu.*

Kozioł wsparty o „drzewo życia". *Ta sumeryjska statuetka, datowana na około 2500 lat p.n.e., jest dowodem na niezwykłą biegłość sumeryjskich rzemieślników.*

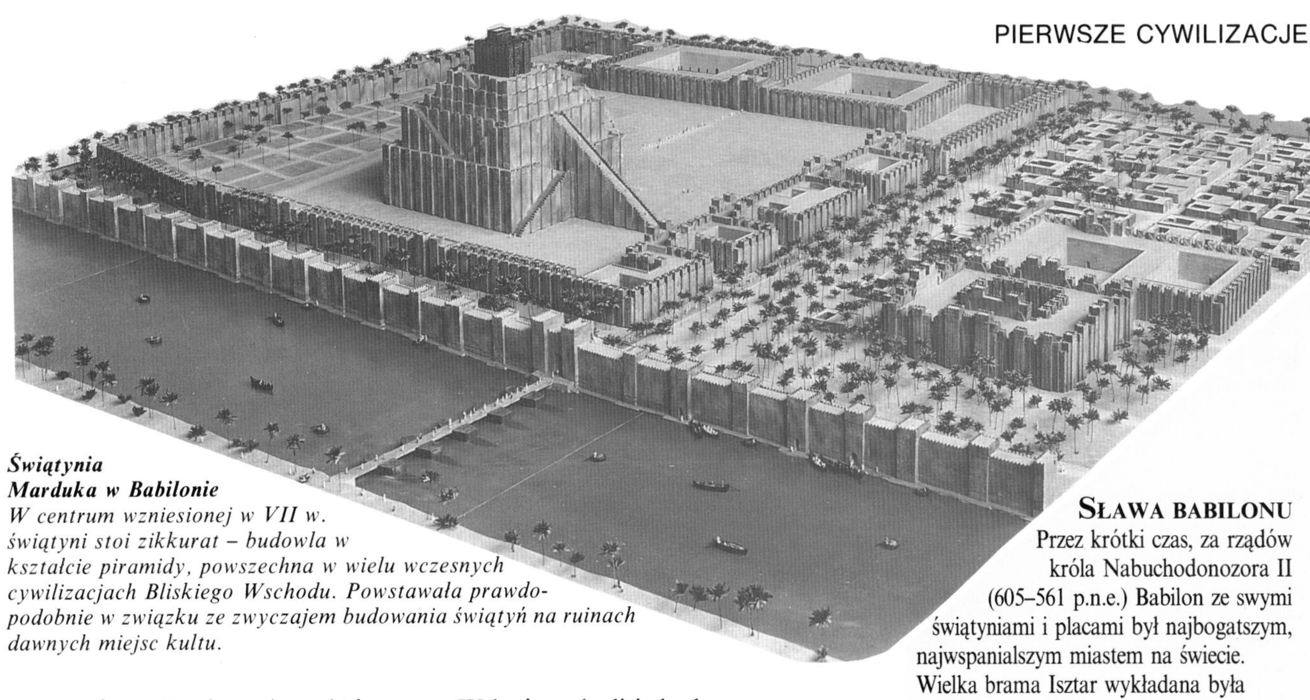

Świątynia Marduka w Babilonie
W centrum wzniesionej w VII w. świątyni stoi zikkurat – budowla w kształcie piramidy, powszechna w wielu wczesnych cywilizacjach Bliskiego Wschodu. Powstawała prawdopodobnie w związku ze zwyczajem budowania świątyń na ruinach dawnych miejsc kultu.

stworzyć potężne imperium, którym zarządzał z wielkiego miasta Babilon. Hammurabi zasłynął jako autor pierwszego kodeksu prawnego i systemu karnego.

Z czasem Babilonia sama ulegała różnym najeżdżającym jej tereny ludom – Kasytom, Hetytom, Mitanni i Asyryjczykom, które usiłowały zawładnąć terenami Babilonii. Najpotężniejsi (i najbardziej bezlitośni) byli Asyryjczycy. Ich zdyscyplinowane armie, wyposażone w dwukołowe rydwany, podbiły w końcu VII wieku p.n.e. cały niemal Bliski i Środkowy Wschód. Asyryjczycy wznieśli wspaniałe miasta: Niniwę, Nimrud i Chorsabad. W końcu ulegli jednak Babilończykom, którzy z kolei zwyciężeni zostali przez Persów.

MIASTA INDYJSKIE

Wczesne cywilizacje pojawiły się w dolinie Indusu na terenie dzisiejszego Pakistanu, wkrótce po bliskowschodnich. Ruiny starożytnych miast Mohendżo-daro i Harappy datuje się na 2500 lat p.n.e. Miasta te posiadały własne systemy pisma, którego przykłady przetrwały na licznych pieczęciach i innych przedmiotach – nikomu jednak nie udało się dotąd go odczytać. Około 1800 lat p.n.e. cywilizacja Indusu również zaczęła podupadać.

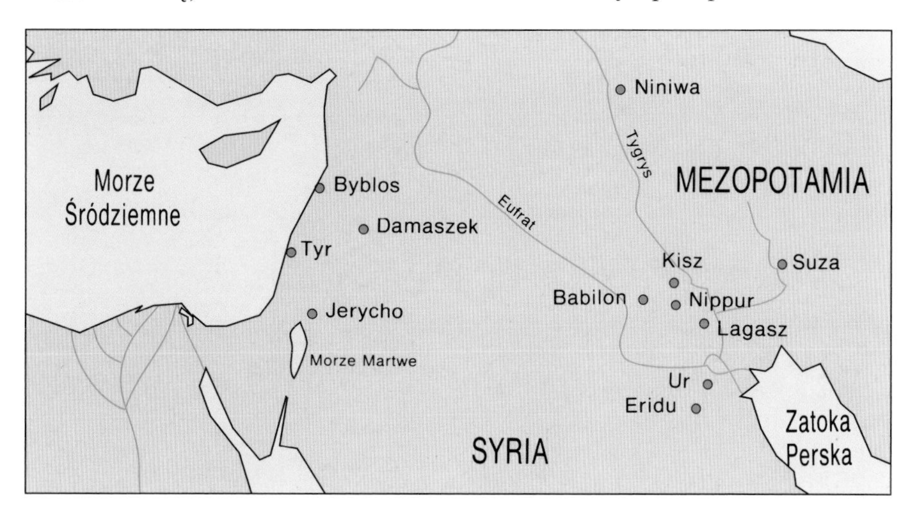

Kolebka cywilizacji. *Pierwsze miasta i cywilizacje na świecie rozwinęły się na żyznych ziemiach leżących między Eufratem a Tygrysem, wpadającymi do Zatoki Perskiej.*

Mapa pokazuje kilka głównych miast regionu, istniejących tam pomiędzy 2500 a 6500 lat temu. Mezopotamia to grecka nazwa oznaczająca krainę pomiędzy dwoma rzekami.

SŁAWA BABILONU

Przez krótki czas, za rządów króla Nabuchodonozora II (605–561 p.n.e.) Babilon ze swymi świątyniami i placami był najbogatszym, najwspanialszym miastem na świecie. Wielka brama Isztar wykładana była niebieskim kamieniem z dekoracjami przedstawiającymi smoki i byki. Wspaniałe wiszące ogrody (zwane ogrodami Semiramidy) były uważane za jeden z siedmiu cudów świata. Posadzono je wysoko na zikkuratach (powyżej), by przypominały królewskiej małżonce Nabuchodonozora o jej górskiej ojczyźnie.

PERSOWIE

W 550 roku p.n.e. król Cyrus II, władca Persji (terytorium obecnego Iranu), podbił sąsiednich Medów i stworzył pierwsze światowe cesarstwo. W 500 roku p.n.e. imperium perskie rozciągało się na przestrzeni 4000 km – od Indii do Egiptu – a w jego granicach mieszkało ponad 10 milionów ludzi. System doskonałych dróg łączył stolicę, Suzę, z najdalszymi prowincjami. Cesarstwem wstrząsały jednak raz po raz bunty, co umożliwiło jego podbój Aleksandrowi Wielkiemu w 331 roku p.n.e.

WAŻNIEJSZE DATY (p.n.e.)

około 5 000	Początek cywilizacji sumeryjskiej.
około 3 500	Wynalezienie pisma, koła i ciągnionego przez woły pługu.
około 2 500	Mohendżo-daro u szczytu potęgi.
około 2 300	Akkadowie podbijają Sumer.
około 1792	Powstaje Cesarstwo Babilońskie Hammurabiego.
około 700	Cesarstwo Asyryjskie u szczytu potęgi.
około 570	Budowa wiszących ogrodów w Babilonii.
około 500	Perski król Dariusz I buduje miasto Persepolis.

STAROŻYTNY EGIPT

Ponad 5000 lat temu, na długo przed wyjściem świata z epoki kamiennej, narodziła się nad brzegami Nilu cywilizacja Starożytnego Egiptu. Królowie Egiptu – faraonowie – panowali w nim przez ponad 3000 lat i pozostawili zdumiewające pomniki siły i bogactwa – nie tylko wielkie piramidy i posągi widoczne z odległości wielu mil na pustyni, lecz także skarby składane do grobowców wraz ze zmumifikowanymi szczątkami, teksty pisane oraz piękne wyroby złotnicze i jubilerskie.

FARAONOWIE, WEZYROWIE I NOMARCHOWIE

Faraonowie posiadali niezwykłą władzę, a ogromne piramidy wzniesione ku ich czci są tego niezbitym dowodem. Uważano ich za potomków boga słońca Re, tak świętych, że można było o nich mówić jedynie jako o „faraonach", co znaczy „Wielki Dom". Faraonowie pojmowali za żony kobiety z własnej rodziny, by nie brukać świętej krwi. Chociaż słowo faraona decydowało o wszystkim, krajem rządzili w rzeczywistości urzędnicy, na których czele stali dwaj wezyrowie – jeden z Górnego (południowego) Egiptu, z siedzibą w Tebach, drugi z Egiptu Dolnego, z siedzibą w Memfis. Kraj podzielony był ponadto na jednostki administracyjne – nomy, zarządzane przez tzw. nomarchów.

WCZESNY EGIPT

Rzeka Nil była życiodajną arterią starożytnego Egiptu. Każdej wiosny, gdy topniały śniegi w górach etiopskich, wody Nilu wzbierały i wylewały się na pola, nie tylko je nawadniając, lecz przede wszystkim pozostawiając na nich warstwę żyznego mułu. Egipcjanie uprawiali go przez tysiące lat, zanim wznieśli na niej pierwsze miasta i wynaleźli pismo koło roku 3500 p.n.e.

W sześć wieków później doszli do władzy faraonowie – król Menes zjednoczył północny i południowy Egipt, tworząc jedno królestwo ze stolicą w Memfis. Od czasów Menesa trwała więc władza faraonów, dzielona na 3 główne cykle: królestwa. W czasach je oddzielających siła Egiptu słabła, a krajem wstrząsały konflikty.

STARE PAŃSTWO

to jeden z najwspanialszych okresów w dziejach Egiptu. Kwitł handel, a kupcy podróżowali niemal wszędzie. Rzemieślnicy wytwarzali przepiękne meble i biżuterię, murowali kamienne ściany, wytapiali miedź z rudy; posiadali też wiele innych cennych umiejętności. Uczeni egipscy znali prawa astronomii i matematyki oraz dokonali wielkiego postępu nauk medycznych. Czasy te upamiętniły najtrwalej budowane wówczas piramidy – od schodkowej piramidy w Sakkara, wzniesionej przez Imhotepa dla króla Dżesera około 2620 p.n.e. – po wielką piramidę w Gizie, zbudowaną dla Chufu w 2540 roku p.n.e.

PÓŹNY EGIPT

Nowe Państwo było epoką faraonów walczących. Po raz pierwszy stabilność Egiptu została zagrożona najazdami azjatyckiego ludu Hyksosów. Król Kamos wraz ze swym bratem

WAŻNIEJSZE DATY (p.n.e.)

2925	Początek rządów faraonów.
ok. 2527–ok. 2130	Stare Państwo.
ok. 2540	Wielka piramida w Gizie.
ok. 2130–ok. 1938	Pierwszy Okres Przejściowy.
1938–ok. 1630	Średnie Państwo.
ok. 1630–1540	Drugi Okres Przejściowy.
1540–1075	Nowe Państwo.
ok. 1539–1514	Ahmos.
ok. 1472–1458	Hatszepsut.
1353–1336	Echnaton.
1333–1323	Tutenchamon.
1075–646	Trzeci Okres Przejściowy.
664–332	Okres schyłkowy; obcy królowie.
332	Podbój Egiptu przez Aleksandra Wielkiego.
305–145	Rządy Ptolemeuszy.

Ostatnia podróż. *Pływające po Nilu łodzie miały znaczenie nawet po śmierci. Gdy faraon umierał, jego ciało wypływało łodzią na rzekę i wraz z nią płonęło.*

Bogowie egipscy. *Były ich setki. Najważniejszy z nich to Re, bóg – Słońce. W czasach Nowego Królestwa na czele bogów stał Amon, tak bardzo powiązany z Re, że nazywano go często Amon – Re. Tutaj widzimy Szu, boginię powietrza, podtrzymującą swą córkę Nut, boginię nieba, która rozpina się ponad wszystkim. Zielona postać to jej brat i mąż Geb, bóg ziemi.*

Ahmosem wypędził Hyksosów z Egiptu i wyruszył na podbój Syrii z armią wyposażoną w konne rydwany i wymyślne łuki. Czasy Nowego Królestwa to również zwiększenie wpływów królowych; jedna z nich, Hatszepsut, ukoronowana została na „króla" i nosiła męskie stroje.

Król Amenhotep IV, znany też pod imieniem Echnaton, usiłował zreformować potężną władzę faraonów i zapoczątkował monoteistyczny kult solarnego bóstwa Atona (wyobrażanego jako dysk słoneczny). Zniszczył wiele świątyń bogów egipskich i wzniósł nową stolicę, Echtaton, nazwaną tak ku czci Atona. Zachęcił również artystów do zerwania z dotychczasowymi kanonami w sztuce. Wprowadzone przez niego zmiany były dla mieszkańców Egiptu zbyt wstrząsające. Kiedy Echnaton zmarł, potomkowie Tutenchamona dość łatwo przywrócili dawne porządki.

Od około 1200 lat p.n.e. Egiptem rządzili władcy pochodzący z Libii i Nubii. W roku 332 p.n.e. bez walki zdobył ten kraj Aleksander Wielki.

EGIPCJANIE I ŚMIERĆ

Egipcjanie wierzyli, że śmierć była tylko stanem przejściowym do nowego świata – trzy dusze człowieka mogły przetrwać jednak jedynie wtedy, gdy ciało nie zostało podczas tej pośmiertnej podróży zniszczone. Starano się więc zakonserwować ciała zmarłych, balsamując je olejkami i solą, a następnie owijając bandażami. Tak powstawała mumia. Mumie chowano wraz z amuletami oraz Księgą Śmierci, zawierającą zaklęcia, które pomagały przetrwać w Nowym Świecie.

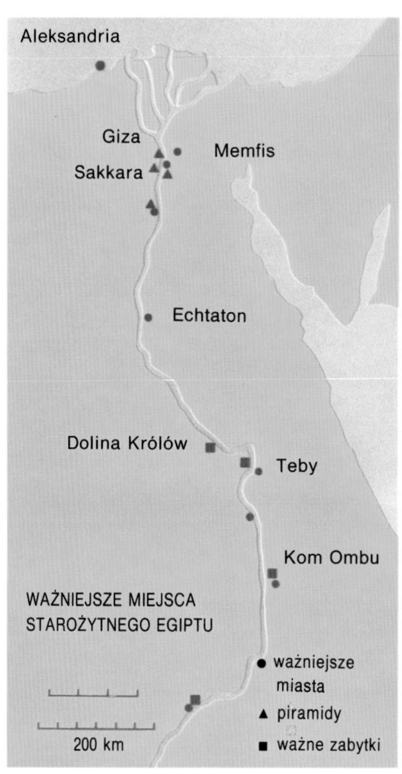

PIRAMIDY

Wzniesione dla faraonów ogromne piramidy należą do największych cudów świata. W Gizie stoją trzy wielkie budowle tego rodzaju, wśród nich największa, zbudowana dla króla Chufu (przez Greków zwanego Cheopsem). W pełnej okazałości liczyła ona 147 m wysokości. Wykonano ją z 2,3 mln bloków kamiennych, z których każdy ważył średnio 2,5 tony. W czasach świetności piramidy pokryte były warstwą szlifowanego, lśniącego wapienia. Budowa piramidy była wielką pracą, angażującą nie mniej jak 100 000 ludzi. Przy konstrukcji Wielkiej Piramidy Chufu przez dwadzieścia lat codziennie cięto wielkie bloki kamienne, transportowano na miejsce i podnoszono ręcznie do góry. Piramidę wznoszono warstwa po warstwie; kamienny blok umieszczony na drewnianych płozach wciągano po biegnącej wokół piramidy rampie. Na koniec tę ostatnią demontowano.

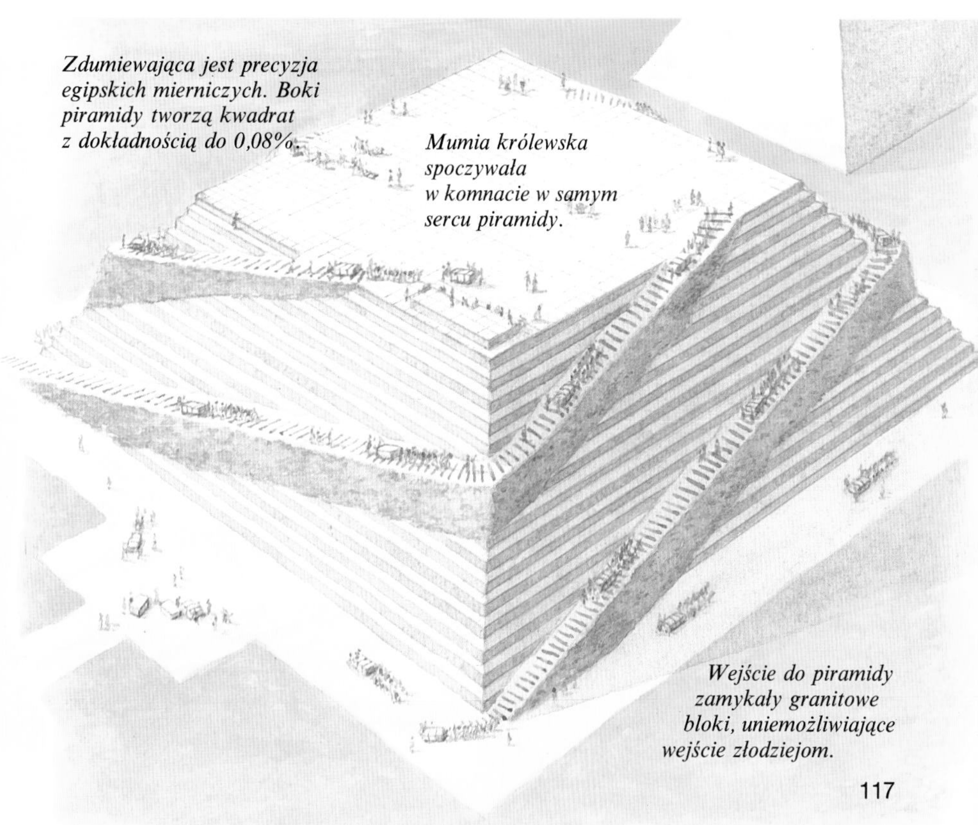

Zdumiewająca jest precyzja egipskich mierniczych. Boki piramidy tworzą kwadrat z dokładnością do 0,08%.

Mumia królewska spoczywała w komnacie w samym sercu piramidy.

Wejście do piramidy zamykały granitowe bloki, uniemożliwiające wejście złodziejom.

STAROŻYTNA GRECJA

Żadna ze starożytnych cywilizacji nie wywarła tak głębokiego wpływu na nasz świat, jak cywilizacja starożytnej Grecji. Styl greckich budowli wciąż należy do kopiowanych schematów. Greccy myśliciele położyli podwaliny matematyki i innych nauk oraz postawili wciąż nurtujące nas pytania dotyczące natury życia. Idea demokracji (władzy ludu) sięga korzeniami do greckich Aten. Podobnie jak współczesny teatr. Wiele z używanych przez nas słów pochodzi z greki.

Perykles *(około 495 – 429 p.n.e.) był wspaniałym mówcą i największym politykiem demokratycznych Aten.*

DEMOKRATYCZNE ATENY

Demokracja ateńska oznaczała, że wszyscy obywatele miasta płci męskiej (poza cudzoziemcami i niewolnikami) mieli głos w sprawie sposobu zarządzania miastem. Prawa ustalała z dnia na dzień Rada złożona z 500 obywateli wyłonionych w drodze losowania na okres jednego roku. Co dziesięć dni obywatele miasta zwoływani byli na zgromadzenie na wzgórzu Pnyks. Wymagano obecności co najmniej 6 000 osób – jeśli brakowało kilku, policja zajmowała się ich doprowadzeniem. Zgromadzenie debatowało nad propozycjami Rady, zgadzając się na nie lub odrzucając. Raz do roku zgromadzeni mogli pozbyć się niepopularnych polityków – każdy pisał ich imiona na kawałku potłuczonej ceramiki zwanej ostrakonem. Stąd pochodzi słowo *ostracyzm*.

MYKENY I OSNUTE MGŁĄ POCZĄTKI

Cywilizację Morza Egejskiego zapoczątkował lud minojski osiadły na Krecie około 4000 lat temu. Zniszczyła ją jednak wielka erupcja wulkanu z wyspy Tera około 3500 lat temu. Niedługo potem na Kretę napłynęli Grecy z kontynentu, zwani Mykeńczykami. Wznosili oni swe miasta w całej Egei, jednak ich świat również uległ zniszczeniu, a następny etap historii Grecji pogrążył się w mroku.

GRECJA KLASYCZNA

Wkrótce w Grecji powstały nowe, wspaniale prosperujące miasta. O czasach od około 750 lat p.n.e. mówimy jako o Grecji klasycznej. Tworzyło ją wiele miast – państw, z których każde liczyło kilka tysięcy mieszkańców. Największym *polis* (miastem – państwem) były Ateny. Początkowo miastami rządzili uprzywilejowani arystokraci. Ten system władzy nazwano *oligarchią.* Rozruchy spowodowane nadużywaniem władzy przez oligarchów doprowadziły do ustanowienia jednoosobowej władzy tzw. *tyrana.* Jednym z najlepszych tyranów Aten był Solon, który w 594 roku p.n.e. wprowadził reformy dopuszczające do władzy przedstawicieli średniej klasy społecznej – głównie kupców i rzemieślników. Nie było to jednak rozwiązanie ostateczne. Około 500 roku p.n.e. niektóre z miast greckich obaliły tyranów i zapoczątkowały *demokrację*.

Odyseusz, *bohater Odysei. Rysunek na wazie przedstawia scenę z poematu.*

BOGOWIE I MITY GRECKIE

Grecy mieli wielu bogów i wiele bogiń; opowiadali o nich mnóstwo historii. Dwunastu najważniejszych bogów żyło na szczycie góry Olimp. Zwykli śmiertelnicy wciągani byli w ich nieustanne intrygi. Władzę nad wszystkimi posiadał Zeus. żonaty ze swą siostrą Herą, miał liczne przygody miłosne z ziemskimi kobietami; przyjmował wówczas postać byka, łabędzia, a nawet złotego deszczu. Afrodyta była boginią miłości, a Ares – bogiem wojny. Istniało również wiele opowieści o herosach. Jednym z największych herosów był Herakles (nazwany przez Rzymian Herkulesem). Herakles był synem Zeusa i śmiertelnej kobiety – Alkmeny, co wzbudziło wielki gniew Hery, która sprawiła, że zabił on swoją rodzinę. Dla odkupienia tej winy musiał wykonać dwanaście heroicznych prac.

W *Iliadzie* i *Odysei*, słynnych poematach Homera, znajdujemy opowieści o wojnie trojańskiej oraz historię dzielnych rycerzy mykeńskich, toczących długotrwałe walki przeciwko mieszkańcom Troi. Pragną oni odzyskać piękną żonę króla mykeńskiego, brata Agamemnona, Helenę, która uciekła z księciem trojańskim Parysem. Opowieść tę uważano za należącą całkowicie do mitów – aż do czasu odkrycia na terenie Turcji w 1870 roku miasta Troi.

Ateny w złotym wieku

Życie Aten i innych miast greckich koncentrowało się na *agorze*, czyli rynku. Tutaj spotykali się w cieniu kolumnad przyjaciele, kupcy sprzedawali swój towar, wykładając go na *kykloi*. Na rogu usytuowany był *tholos*, w którym spotykali się przywódcy Rady. Cała Rada zbierała się w *buleuterionie*. Nad miastem wznosił się *Akropol*, forteca na wzgórzu; jej mury otaczały wiele świątyń, między innymi Partenon. Co cztery lata święto Wielkie Panatenaje (ku czci Ateny) znajdowało swój finał w rozśpiewanej i roztańczonej procesji do stóp Erechtejonu, jednego z akropolskich sanktuariów.

ZŁOTY WIEK ATEN

W owych czasach terytoria Grecji narażone były na najazdy perskie. Pierwsze natarcie Persów odparto w bitwie pod Maratonem w 490 roku p.n.e. Jednak już w 480 armie perskie przemaszerowały przez Ateny, burząc wszystkie świątynie. Ateny stawiły Persom czoła na morzu i na lądzie, by po serii zwycięstw zapoczątkować złoty wiek miasta. Najsłynniejszy z jego polityków, Perykles, wprowadził specjalny program odbudowy Aten. Z jego czasów pochodzą świątynie na Akropolu, z Partenonem włącznie. Do Aten zjechali ze Wschodu i Zachodu utalentowani artyści, rzeźbiarze, muzycy, pisarze i myśliciele, potwierdzając wielki sukces miasta.
Ateny najeżdżane były jeszcze dwa razy – przez Spartan w 404 roku p.n.e. oraz Macedończyków w 338 roku p.n.e. Od tego czasu wpływy miasta nieustannie malały, mimo że pozostało ono ośrodkiem kultury i nauki.

Sztuka grecka

Niewiele starożytnych ludów stworzyło takie bogactwo i różnorodność prac artystycznych, jak Grecy. Pozostawili oni po sobie nie tylko wspaniałe budowle, jak Partenon, ale także wiele pełnych zaklętego piękna rzeźb. Najsłynniejszym z rzeźbiarzy był Praksyteles, twórca pierwszego posągu przedstawiającego nagie ciało kobiece – boginię Afrodytę.
Starożytna Grecja słynęła również z teatru, w którym grano sztuki Sofoklesa, Eurypidesa i Arystofanesa, obecne na scenach do dziś.

Nauka i filozofia grecka

Przyglądając się światu i stawiając pytania myśliciele greccy tacy jak Tales czy Arystoteles dokonali wielu ważnych odkryć naukowych. Pitagoras i Euklides na przykład ustanowili podstawy matematyki, wykorzystywane do dziś. Archimedes odkrył wiele praw przyrody. Anaksagoras spostrzegł, że zaćmienie Słońca następuje w wyniku ustawienia się Słońca, Ziemi i Księżyca w jednej linii. Wiele myśli, które uważamy dziś za odkrywcze, pojawiło się już w starożytnej Grecji. Współczesność jedynie upewniła się co do tego, że wszelka materia zbudowana jest z maleńkich atomów – grecki uczony Demokryt sugerował to już 2500 lat temu. Myśl grecka, reprezentowana przez m.in. Platona i Sokratesa, zajmowała się również tym, jak powinien postępować człowiek oraz jak wyglądać powinien najlepszy system polityczny. Idee greckie legły u podstaw filozofii współczesnej.

***Arystoteles** (384 – 322 p.n.e.) był nauczycielem Aleksandra Wielkiego; zajmował się wieloma różnymi dziedzinami nauki.*

***Platon** (427 – 384 p.n.e.) był twórcą słynnej Akademii pod Atenami. Jego teorie legły u podstaw współczesnej filozofii. Platon próbował też znaleźć receptę na idealne rządy państwem, przedstawił je w książce* Republika.

WAŻNIEJSZE DATY (p.n.e.)

około 1100	Epoka wędrówek i najazdów.
około 800	Homer pisze swe wielkie poematy; rozsnuwa się mrok dziejów.
776 p.n.e.	Pierwsze Igrzyska Olimpijskie, rozegrane pomiędzy atletami greckimi.
508 p.n.e.	Początek demokracji ateńskiej.
490 p.n.e.	Bitwa pod Maratonem.
438 p.n.e.	Budowa Partenonu.
393 n.e.	Koniec Igrzysk Olimpijskich; ich idea ożyła dopiero w 1896r. n.e.
338	Grecja podbita przez Macedończyków.

STAROŻYTNY RZYM

Dwa tysiące lat temu miasto Rzym stało na czele jednego z największych imperiów, jakie widział świat. W przypadających na II wiek n.e. czasach świetności rozciągało się ono na przestrzeni 4 000 km, od Szkocji po Morze Czerwone. Z bezlitosną konsekwencją Rzymianie wprowadzali swoją zaawansowaną technologię i sposób życia w każdym zakątku Cesarstwa. Obywatele Rzymu mogli podróżować od Deva (Chester) do Damaszku i wciąż czuć się jak u siebie w domu.

Na czele pięciotysięcznego legionu stał ***legatus****. Wszyscy żołnierze rzymscy mieli krótkie (60 cm) miecze i nosili po dwie zakończone metalem włócznie, którymi ciskali w przeciwnika. Ich ciała chroniła zbroja – początkowo był to rodzaj łańcuchowej . kolczugi i skórzany hełm, później – nabijana paskami metalu skórzana tunika i metalowy hełm.*

RZYMSKA MACHINA WOJENNA

Rzymianie zawdzięczali swe wpływy zdyscyplinowanej armii. Biła się ona głównie pieszo, posuwając naprzód w przykładnie sformowanych kwadratach, najeżonych włóczniami i chronionych przez tarcze zwane *scutari*. Tarcze złożone na kształt skorupy żółwia (*testudo*) chroniły głowy żołnierzy przed strzałami. Za czasów Republiki armia podzielona była na *legiony*, liczące po około 5 000 żołnierzy; na legion składało się 10 *kohort*; kohortę zaś tworzyły *centurie*, liczące po 80 żołnierzy.

Balista *to ogromna katapulta, która służyła do miotania okrągłych kamieni na miasta, oblegane przez Rzymian.*

WCZESNY RZYM I REPUBLIKA

Zgodnie z legendą, Rzym założyli w 753 roku p.n.e. Romulus i Remus, o których mówiono, że zostali wykarmieni przez wilczycę. W VI w. p.n.e Rzym był już wielkim miastem, rządzonym przez królów etruskich. W 509 p.n.e. Rzymianie wypędzili Etrusków i ustanowili republikę, rządzoną nie przez króla, lecz przez zgromadzenie zwane *Senatem*. Teoretycznie, wszyscy obywatele Rzymu mogli głosować w wyborach do Senatu oraz służyć w armii. Praktyka oddała rzeczywistą władzę w ręce grupy patrycjuszy; plebejusze (zwykli ludzie) mieli jej bardzo niewiele. Niewolnicy nie posiadali żadnych praw.

Przez kilka następnych stuleci Rzym rozszerzył swą władzę na całą Italię, stosując obok brutalnej siły metodę przymierzy. W roku 264 p.n.e. stanął w obliczu konfliktu z Kartaginą, północnoafrykańskim miastem, które dominowało nad zachodnią częścią Morza Śródziemnego. Po zaciętych walkach, zwanych wojnami punickimi, Rzym w 146 r. p.n.e. ostatecznie zniszczył potęgę Kartaginy. Koszta były jednak olbrzymie.

Wysiłki plebejuszy, zmierzajace do uzyskania szerszego wpływu na władzę oraz zdeterminowana obrona przywilejów przez patrycjuszy były źródłem nieustannych konfliktów. Napięcia wzrosły po zakończeniu wojen punickich, gdy tysiące ludzi pozostało bez zajęcia. Wielu z nich zaciągnęło się do armii, pozostając bardziej wiernymi jej dowódcom niż senatowi. W 60 r. p.n.e. dwóch popularnych wodzów, Pompejusz i Juliusz Cezar, zagarnęło władzę w Rzymie przy pomocy armii.

Po pokonaniu Pompejusza Cezar stał się jedynowładcą. W 44 r. p.n.e. został on zamordowany przez Brutusa, który pragnął przywrócić republikę – miejsce Cezara zajął jednak inny dowódca, Oktawian. Oktawian skazał Brutusa na śmierć i wzmocnił swą władzę do tego stopnia, że w 27 r. p.n.e. mógł ogłosić się cesarzem i przyjąć imię Augusta.

CESARSTWO RZYMSKIE I JEGO UPADEK

Przez 200 lat władcy Rzymu sprawowali władzę nad imperium tak wielkim

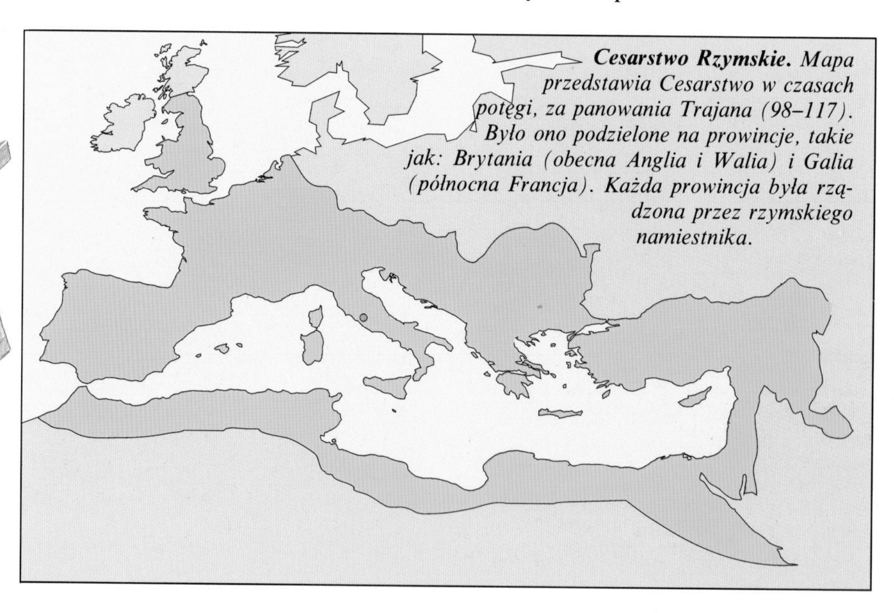

Cesarstwo Rzymskie. *Mapa przedstawia Cesarstwo w czasach potęgi, za panowania Trajana (98–117). Było ono podzielone na prowincje, takie jak: Brytania (obecna Anglia i Walia) i Galia (północna Francja). Każda prowincja była rządzona przez rzymskiego namiestnika.*

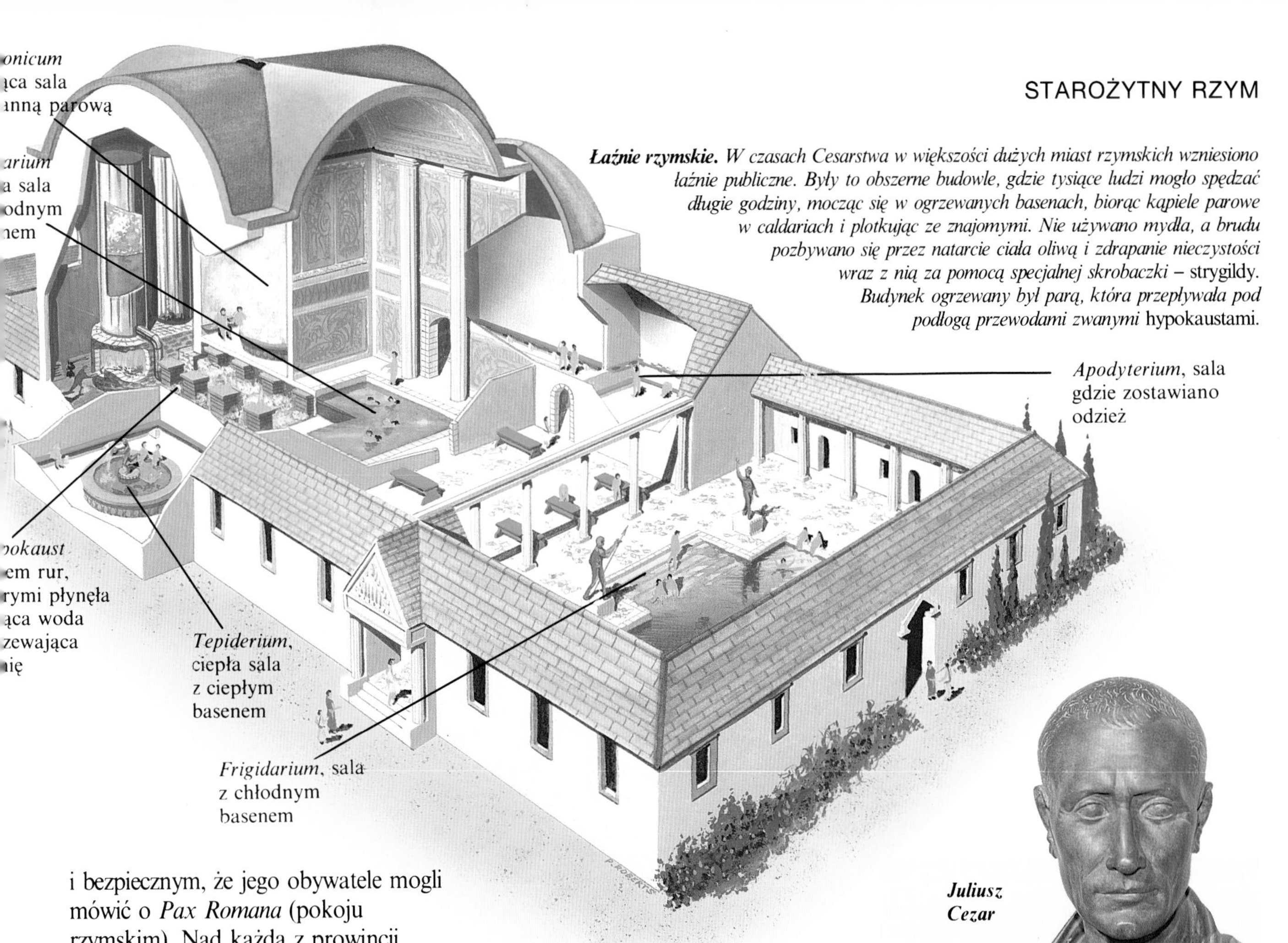

Łaźnie rzymskie. *W czasach Cesarstwa w większości dużych miast rzymskich wzniesiono łaźnie publiczne. Były to obszerne budowle, gdzie tysiące ludzi mogło spędzać długie godziny, mocząc się w ogrzewanych basenach, biorąc kąpiele parowe w caldariach i plotkując ze znajomymi. Nie używano mydła, a brudu pozbywano się przez natarcie ciała oliwą i zdrapanie nieczystości wraz z nią za pomocą specjalnej skrobaczki –* strygildy. *Budynek ogrzewany był parą, która przepływała pod podłogą przewodami zwanymi* hypokaustami.

i bezpiecznym, że jego obywatele mogli mówić o *Pax Romana* (pokoju rzymskim). Nad każdą z prowincji władzę sprawował rzymski namiestnik, przy pomocy legionów. Powstawały wszędzie dobre drogi, a setki miast wzniesionych w owych czasach nosi rzymski charakter: siatka krzyżujących się po kątem prostym ulic, *akwedukty* dostarczające wodę do domów, *forum* – miejsce spotkań obywateli, *stadion* gdzie urządzano zawody sportowe i komfortowe domy mieszkańców – *wille*. W samym Rzymie obywatele wiedli luksusowe życie w greckim stylu; Wergiliusz i Owidiusz pisali klasyczne poematy, a nowe wielkie budowle świadczyły o bogactwie miasta i talentach jego mieszkańców. Zmagania polityczne wewnątrz państwa i wzdłuż jego granic powoli podkopywały jednak siłę Rzymu. W 410 r. n.e. europejskie plemię Wizygotów najechało Italię i splądrowało Rzym.

Juliusz Cezar

JULIUSZ CEZAR (100–44 p.n.e.)
był największym z rzymskich wodzów. Wsławił się w wojnie galijskiej prowadzonej na terenie dzisiejszej Francji i podbojem Brytanii w 54 r. p.n.e. W 48 r. p.n.e. podążył za swym rywalem Pompejuszem do Egiptu, gdzie go pokonał i zakochał się w pięknej egipskiej królowej – Kleopatrze. Po powrocie do Rzymu został dyktatorem; znienawidzony przez poddanych został zamordowany w 44 r. p.n.e.

IGRZYSKA RZYMSKIE
W każdym niemal większym mieście rzymskim budowano stadiony, które mogły pomieścić tysiące widzów igrzysk (*ludi*) – wyścigów rydwanów albo krwawych walk *gladiatorów*. Wyścigi rydwanów odbywały się na tzw. hipodromie (*circus*). Rzymski Circus Maximus mógł pomieścić 250 000 widzów, kibicujących swej drużynie. Gladiatorzy byli więźniami, niewolnikami albo opłacanymi zawodowcami, walczącymi na śmierć i życie, często z dzikimi zwierzętami na wielkich stadionach zwanych *amfiteatrami* – jak Koloseum w Rzymie (po lewej). W jednym cyklu pokazów, trwającym 117 dni, brało udział 10 000 gladiatorów.

WAŻNIEJSZE DATY

753 p.n.e.	Uznawana przez tradycję data założenia Rzymu.
509	Usunięcie Etrusków, ustanowienie Republiki.
264–146	Wojny punickie.
49	Cezar zostaje dyktatorem.
44	Zabójstwo Cezara.
27	Oktawian zostaje Cesarzem Augustem.
64 n.e.	Rzym strawiony przez ogień.
98–117	Imperium u szczytu potęgi.
313	Cesarz Konstantyn ustanawia chrześcijaństwo religią panującą.
410	Wizygoci zdobywają Rzym.

STAROŻYTNE CHINY

Odizolowane od wczesnych cywilizacji Bliskiego Wschodu, Chiny rozwinęły własną kulturę. Już 4000 lat temu, na długo zanim wzniesiono Babilon, istniały w Chinach miasta, a Chińczycy posługiwali się pismem i wieloma innymi wynalazkami, do których doszli niezależnie od innych narodów.

Konfucjusz *(551–479 p.n.e.) wierzył w człowieczeństwo jako wartość najwyższą, a jego myśl zapładniała kulturę chińską przez ponad 2000 lat.*

OD SZANG DO CH'IN

Początki rolnictwa w Chinach sięgają czasów odległych o ponad 5000 lat. Wtedy to lud Jangszao oddawał się polowaniom, rybołówstwu oraz uprawie prosa, owoców i orzechów na żyznych, żółtych ziemiach wzdłuż rzeki Huang Ho (Rzeki Żółtej). Około roku 2500 rolniczy lud Lungszan osiedlił się na tych terenach, tworząc osady, które stopniowo rozrosły się w miasta.

Szang Rozwijającymi się miastami chińskimi rządziło kolejno kilka rodzin – dynastii. Dynastię Sia, której początki sięgają 2500 lat p.n.e., uważa się za pierwszą z nich, lecz pierwsi znani i opisani władcy pojawiają się dopiero wraz z dynastią Szang, około 1600 r. p.n.e. Są to czasy rozwoju pisma i rozbudowy wielkich miast stołecznych takich jak An–jang. Świetnie zorganizowane, posiadały siatkę ulic odpowiadającą kierunkom wskazywanym przez kompas.

Czou W 1000 r. p.n.e. dynastię Szang zastąpił ród Czou. Chiny stały się w owych czasach krajem bardzo zamożnym, głównie dzięki handlowi jedwabiem, korzeniami, jadeitem i porcelaną. Z odejściem dynastii Czou po 770 r. p.n.e. nastąpił okres zmagań o władzę z ludami ościennymi. Okres „Wojujących Państw" trwał przez kilka stuleci i wyłonił zwycięskie państwo Cz'in. Król Szy Huang–Ti z dynastii Cz'in był pierwszym z wielkich władców rządzących Chinami przez 2130 lat.

Szy Huang–Ti stworzył nowy system prawny i zatrudnił miliony ludzi przy budowie Wielkiego Muru Chińskiego oraz wielkiej sieci dróg. Był to srogi władca, który zakazał upowszechniania ksiąg Konfucjusza; jego ogromny grobowiec wypełniła 7-tysięczna armia naturalnych wymiarów żołnierzy z gliny.

Imperium dynastii Cz'in upadło wraz ze śmiercią Szy Huang–Ti w 210 r. p.n.e. Władzę objęła dynastia Han, której przedstawiciele wprowadzili w życie myśl konfucjańską. Miasta chińskie, takie jak Ch'ang–an, należały do najpiękniejszych na świecie.

Przędzenie jedwabiu. *Według legendy Chińczycy odkryli w 2640 p.n.e. metodę otrzymywania jedwabiu z kokonów owijających larwy.*

MYŚLICIELE I NAUKA CHIŃSKA

Papier i tusz, proch strzelniczy, śluzy na kanałach, camera obscura, kompas magnetyczny i druk – wszystko to zostało bardzo wcześnie wynalezione w Chinach. Nawet w czasach „Wojujących Państw" po terytorium całych Chin podróżowali filozofowie, rozpowszechniając nowe idee. Było ich tak wiele, że nazwano je mianem Stu Szkół; byli wśród nich tak wielcy myśliciele, jak Konfucjusz i Lao–Tzu. Lao–Tzu jest autorem księgi, na której opiera się religia taoistyczna.

Ulica w Ch'ang–an. *Wczesne miasta chińskie były duże i pulsowały życiem. Około 100 p.n.e. w Ch'ang żyło ponad 250 000 ludzi. Rozwijała się tam wspaniała kultura myślicieli, pisarzy i wynalazców. Sy–ma Cz'ien (145–około 85 p.n.e.) spisał w formie encyklopedii historię Chin.*

Wielki Mur Chiński *ciągnie się przez ponad 2400km na północy kraju i jest największą konstrukcją wzniesioną na ziemi przez człowieka. Jego budowę zakończono w 214 p.n.e. za rządów Cesarza Szy Huang–Ti; miał chronić terytorium Chin przed najazdami Mongołów i Hunów.*

AMERYKA PRE-KOLUMBIJSKA

Kiedy Europejczycy przybyli do Ameryki w początkach XVI w., zetknęli się z dwiema wielkimi kulturami – Azteków w Ameryce Środkowej oraz Inków w Peru. Były to ostatnie stadia wieloletniego rozwoju kolejnych cywilizacji, od czasów odległych o prawie 3000 lat – czasów Olmeków i Chawinów.

Przekazywanie wiadomości przez sztafetę posłańców, ustawionych w odległości 1 km i odbierających jeden od drugiego, a następnie przekazujących dalej, przesyłaną wiadomość.

Drogi Inków *Inkowie zbudowali wysoko w Andach sieć dróg i mostów sznurowych nad parowami. Były one nieustannie kontrolowane przez Straż Mostów. Ludność poruszała się pieszo, bagaże zaś, ważące do 45 kg, przenosiły na grzbietach lamy.*

Rękojeść noża *używanego do składania obrzędowych ofiar ze zwierząt i ludzi.*

WCZESNE CYWILIZACJE

Uprawa roli w Ameryce zaczęła się około 2500 lat temu. Na polach rosła kukurydza, fasola, papryka, dynie i ziemniaki. Wkrótce pojawiły się miasta. Pobudowano wielkie wzniesienia świątynne – początkowo usypywano je z ziemi, później budowano z kamienia. Religia odgrywała w życiu starożytnej Ameryki rolę centralną, a świątynie sytuowane na szczytach wysoko sypanych wzniesień budowano na obszarze całej Ameryki Środkowej i Peru.

Pierwsze cywilizacje zawitały do Ameryki około 1200 lat p.n.e. wraz z ludem Olmeków, osiadłym w Ameryce Środkowej. Wsławili się oni wynalezieniem pisma hieroglificznego i kalendarza. Przez następne 2500 lat następowały po sobie kolejno i zanikały kultury Moche, Tiahuanco, Nazca, Majów. Wszystkie one charakteryzowały się ogromnie silną klasą rządzącą, zdolną do zorganizowania budowy wielkich kompleksów świątynnych, w tym ogromnych piramid kamiennych, przestronnych placów, bogatych pałaców oraz boisk do gry w piłkę.

WAŻNIEJSZE DATY

2500 p.n.e.	Początek rolnictwa na terytorium dzisiejszego Peru.
2000	Początki kultury Olmeków.
1200	Cywilizacja Chawin w Peru; Olmekowie w Meksyku.
250–900	Szczyt potęgi Olmeków.
100 n.e.	Budowa Teotihuacan.
1325	Początek państwa Azteków.
1438	Ustala się potęga Inków.
1519	Upadek państwa Azteków, najechanego przez hiszpańskich żołnierzy Corteza.
1532	Pizarro podbija Imperium Inków.

Ludy te, podobnie jak Egipcjanie, używały pisma hieroglificznego (symboli obrazkowych).

AZTEKOWIE

Aztekowie byli silnymi władcami wielkiego imperium w Meksyku. W 1325 r. n.e. wznieśli oni na jeziorze zadziwiające miasto – Tenochtitlan, z kanałami, ogrodami i świątyniami. Gospodarka aztecka opierała się na uprawie roli, a mieszkańcy kraju przemierzali pieszo lub w drążonych w pniach łodziach – kanoe – wiele mil, by dotrzeć na wielkie targi miejskie, np. do Tlatelolco. Mogli tam wymienić płody rolne na ziarno kakaowe, które pełniło funkcję pieniądza.

Społeczność Azteków była zdyscyplinowana i dobrze zorganizowana. Na jej czele stał wszechwładny król–kapłan, sprawujący wraz z nieliczną, uprzywilejowaną grupą i innymi kapłanami rządy żelaznej ręki nad zwykłymi mieszkańcami miast i wsi oraz niewolnikami. Ciężary podatkowe przysporzyły azteckiej władzy wielu wrogów.

Piramidy Azteków *Aztekowie wznieśli ogromne piramidy, na szczytach których umieścili świątynie. W świątyniach tych kapłani składali krwawe ofiary z ludzi. Skala tego zjawiska była bardzo duża. Wierzono, że ofiara taka uspokaja bogów i podtrzymuje następstwo pór roku.*

INKOWIE

Imperium Inków trwało mniej niż 100 lat, od roku 1438 do przybycia Hiszpanów w 1532 – lecz było to największe i najbogatsze państwo Ameryki. Inka znaczyło cesarz, władca, Hiszpanie jednak używali tego słowa jako nazwy ludu. Inkowie byli doświadczonymi inżynierami; wznosili ogromne budowle z wielkich bloków kamiennych. Państwo obciążało ludność olbrzymimi podatkami, dbając przy tym o taki podział żywności, by wystarczyło jej dla każdego. Kradzieże nie zdarzały się.

Strona Księgi z Kells kopia Ewangelii wykonana przez mnichów w Szkocji ok. 760 – 820.

SCHYŁEK STAROŻYTNOŚCI I WCZESNE ŚREDNIOWIECZE

Cesarz rzymski Trajan zmarł w roku 117 r. n.e. Podczas jego panowania Cesarstwo sięgnęło szczytów potęgi; obejmowało większą część Europy, Północną Afrykę i Środkowy Wschód. Miliony ludzi płaciły Rzymianom podatki i były posłuszne ich prawom. W ciągu zaledwie 50 lat obywatele Cesarstwa stanęli w obliczu śmiertelnego zagrożenia. Rzym znalazł się w niebezpieczeństwie.

ROZPRZESTRZENIENIE SIĘ CHRZEŚCIJAŃSTWA

Pierwsi chrześcijanie cierpieli okrutne prześladowania zarówno w Judei (Izraelu), jak i w Rzymie. Po 312 r. n.e. Cesarstwo Rzymskie zaczęło chrześcijaństwo tolerować, a w 381 uznało je za religię panującą. Wzniesiono wspaniałe kościoły i monastery. Bogaci ofiarodawcy fundowali rzeźby, krzyże, księgi, manuskrypty i szaty liturgiczne na ich wyposażenie. Po całej Europie rozeszli się misjonarze, nauczając i chrzcząc nowo nawróconych. W 600 r. chrześcijaństwo miało swych wyznawców już w wielu krajach. Jedynie ludność zamieszkująca dzisiejszą Saksonię, Skandynawię, Polskę i Rosję pozostała wierna dawnym wierzeniom.

NAJEŹDŹCY

Jako pierwsze próbowały podbić Rzym plemiona germańskie. Przypuściły atak w 167 r. n.e. Odtąd władcy Rzymu prowadzili bez sukcesu nieustanne wojny o utrzymanie rzymskiej potęgi z hordami barbarzyńskich najeźdźców. W 395 r., Teodozjusz dzieli imperium rzymskie na wschodnie i zachodnie. Ostatni władca imperium zachodniego został obalony w 476 r. W 546 r. miasto było niemal opustoszałe, a ulice Rzymu porosła trawa.

KRES CESARSTWA

Ludziom żyjącym w owych czasach upadek Rzymu wydawać się musiał czymś w rodzaju końca świata. Przemoc i poczucie niepewności przyszły w miejsce silnych rządów cesarskich. Handel został zahamowany, a miasta zaczęły podupadać, drogi i mosty uległy dewastacji, na polach i w lasach grasowali bandyci. Nawet armia rzymska straciła kontrolę do tego stopnia, że żołnierze z dalekich prowincji masowo dezerterowali i wracali do domu, zdawszy sobie sprawę, że ataki najeźdźców są nie do odparcia.

CZASY CIEMNE I POSĘPNE

Historycy nazwali później ów okres bezprawia i nieporządku „Mrocznymi Wiekami”. Nazwa zdaje się być słuszna. Wiadomości, jakie posiadamy na temat wieków V–IX są skąpe i niepewne. Bez skrupulatnych sprawozdań, jakie prowadzili pisarze rzymscy, niemożliwe jest dokładne odtworzenie następstwa ówczesnych zdarzeń. Tak więc ludność mieszkająca w obrębie Cesarstwa Rzymskiego, choć zawsze skarżyła się na bezwzględność urzędników rzymskich, dotkliwie odczuła niebezpieczeństwa i inne trudności po upadku imperium. Wielu ludziom, którzy prowadzili dotąd prosperujące interesy i spokojne życie rodzinne przyszłość jawiła się mrocznie i posępnie.

NAJAZDY I MIGRACJE

167	Germanie najeżdżają Italię i Grecję.
200	Wizygoci i Ostrogoci wchodzą do Rosji.
367	Piktowie i Szkoci lądują w Anglii.
370	Najazd Hunów na Europę.
406	Wandalowie i Alanowie najeżdżają Galię (dziś tereny Francji).
410	Wizygoci w Rzymie. Następnie – ich osiedlenie w Hiszpanii i południowej Francji.
421	Anglowie i Sasi najeżdżają Brytanię.
429	Wandalowie w Afryce Północnej. Burgundowie i Frankowie najeżdżają Francję i Italię.
451	Najazd i odwrót Hunów z Francji.
455	Wandalowie podbijają Rzym.

Europa pogrążona w chaosie
Słabnące Cesarstwo Rzymskie nie mogło stawić czoła atakom barbarzyńców, pragnących posiąść bogactwa Rzymu. W 455 r. n.e. terytoria Europy podzielone były pomiędzy wiele rywalizujących ze sobą plemion.

SZTUKA

Z drugiej strony – „Mroczne Wieki" nie były czasem zacofania. Ówczesna sztuka, architektura i nauka miały wspaniałe osiągnięcia. Na zamówienie bogatych, dla ich użytku i splendoru powstało wiele wspaniałego oręża i rzeźb. Mnisi i mniszki zajmowali się ilustrowaniem manuskryptów. Uczeni przechowywali starożytne teksty rzymskie oraz pisali modlitwy, sztuki i poematy.

Z chaosu średniowiecznej Europy wyłonili się pierwsi wielcy władcy – Karol Wielki na terenie współczesnej Francji oraz Alfred, król Anglii.

***Skórzany but** Wikinga, do którego przytroczono łyżwę z kości*

Ślady przeszłości
Choć niewiele pisanych materiałów może zaświadczyć o czasach średniowiecza, przetrwało jednak wiele przedmiotów używanych na co dzień – grzebieni, butów takich jak na fotografii obok, biżuterii, broni i zbroi. Są one podstawą historycznych dociekań zmierzających do odtworzenia przeszłości.

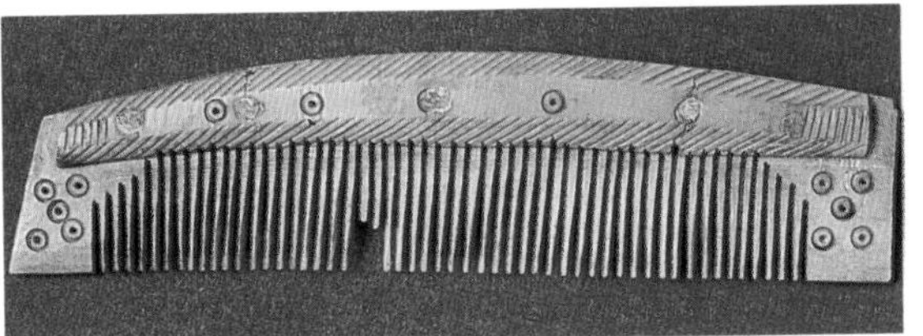

Grzebień z polerowanej kości

NAJAZDY Z MORZA

Wikingowie byli śmiałymi żeglarzami z terenów Norwegii, Danii i Szwecji. Pomiędzy 800 a 1100 r. n.e. terroryzowali mieszkańców nadmorskich miast i wsi w całej Europie, poszukując łupów. Nie wszyscy jednak Wikingowie byli najeźdźcami. Na własnych terenach zajmowali się oni uprawą ziemi, rybołówstwem, handlem i rzemiosłem. Byli też żądnymi przygód podróżnikami; na wschodzie spenetrowali całą niemal Rosję, żeglując zaś na zachód przez niebezpieczne morza, osiedlali się na Islandii i Grenlandii a także na wybrzeżach Anglii, Irlandii i Francji. Około 1000 r. n.e. Wikingowie przepłynęli Atlantyk i dotarli do Nowej Fundlandii. Byli więc przypuszczalnie pierwszymi Europejczykami, którzy postawili stopę na kontynencie amerykańskim. W 1066 r. rycerze normańscy, potomkowie osiadłych we Francji Wikingów, najechali Anglię. Ich przywódca, Wilhelm, został królem na wyspie.

***Wikingowie** walczyli za pomocą mieczy, włóczni i ostrych toporów – podobnych do tego powyżej, znalezionego w miejscu pochówku wojownika z terenów Szwecji. Do ochrony głowy służył metalowy hełm, a ciało zasłaniała mocna, drewniana tarcza.*

***Wikingowie** szczycili się brawurą w walce, której taktyka była bardzo prosta: zabić jak największą liczbę nieprzyjaciół. Większość północnych rycerzy walczyła pieszo, jedynie najbogatsi z nich dosiadali koni. Atak prowadziły oddziały tzw. berserkierów, których do szleńczej walki ponosił alkohol i narkotyki. Nie nosili oni zbroi (berserk' znaczy „naga koszula„), wierząc, że strzeże ich bóg Odyn.*

***Drewniany kadłub** łodzi Wikingów*

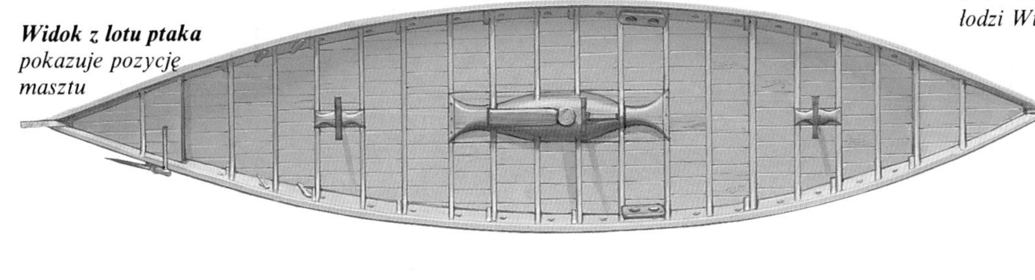

***Widok z lotu ptaka** pokazuje pozycję masztu*

***Łódź** sterowana za pomocą pojedynczego wiosła*

***Wikingowie** byli wytrawnymi żeglarzami, zapuszczającymi się na wody północnego Atlantyku. Do nawigacji wykorzystywali tylko gwiazdy oraz szlaki ptactwa morskiego. Łodzie Wikingów, szybkie i lekkie, ślizgały się po powierzchni fal. Napędzał je wiatr, łapany w wielkie żagle rejowe albo siła wioślarzy.*

ISLAM

Około 610 r. n.e. kupiec arabski imieniem Muhammad (Mahomet) opuścił tętniące życiem miasto Mekka, by osiąść w pobliskich górach. Potrzebował ciszy i spokoju na przemyślenia i modlitwę. Pozostając w odosobnieniu, doświadczył wizji, czy może snu – jak się okazało, widzenie to było w stanie zmienić świat.

WIADOMOŚĆ OD BOGA

Muhammad powrócił do domu i opowiedział rodzinie, że otrzymał od samego Boga wskazówki, jak najlepiej go czcić oraz zalecenia dotyczące dobrego życia. Muhammad wierzył, że jego obowiązkiem jest podzielenie się z innymi treścią objawienia. Został więc kaznodzieją i nauczycielem. Wielu podziwiało go i czciło, wielu innych ignorowało. W 622 r. Muhammad i ludzie, którzy słuchali jego nauk, zostali wypędzeni z Mekki. Osiedlili się więc w mieście Medyna, tworząc tam nową społeczność, która starała się żyć zgodnie z przekazem boskim otrzymanym od Muhammada. Na krótko przed śmiercią Muhammad powrócił do Mekki. Wielu obywateli wysłuchało jego nauk, stając się muzułmanami – poddanymi woli bożej. Odprawiali regularne modły i spotykali się, by wysłuchać proroka głoszącego prawdę bożą. Przemówienia te zostały później spisane w księdze Koran. Były to – i są do dziś – nakazy dotyczące wszystkich aspektów życia społeczności muzułmańskiej. Tak więc, razem z wizją Muhammada zrodziła się nowa religia.

WIARA I CYWILIZACJA

Pierwsi muzułmanie w obronie wiary często musieli sięgać po oręż. Zwyciężali w bitwach, a ich siła rosła. Wierzyli, że zwycięstwa pochodzą od Boga, co zachęciło ich do podboju krajów sąsiednich. W krótkim czasie stali się władcami wielkiego imperium. Wszędzie, gdzie obejmowali władzę, wprowadzali prawa i zwyczaje wynikające z zapisów Koranu. Władcy muzułmańscy dbali również o rozwój nauki i sztuk. W ciągu stuleci na ziemiach zawojowanych przez islam powstała nowa cywilizacja, łącząca style lokalne i tradycje wiary muzułmańskiej.

__Świat islamu__ Po śmierci Muhammada w 632 r. n.e. nowa wiara ogarniała coraz to nowe terytoria. Działo się to w miarę uzyskiwania kontroli nad ogromnym imperium ze stolicą w Damaszku, a później w Bagdadzie przez muzułmańskich władców. W ciągu 1000 lat muzułmanie opanowali tereny od Hiszpanii do granic chińskich.

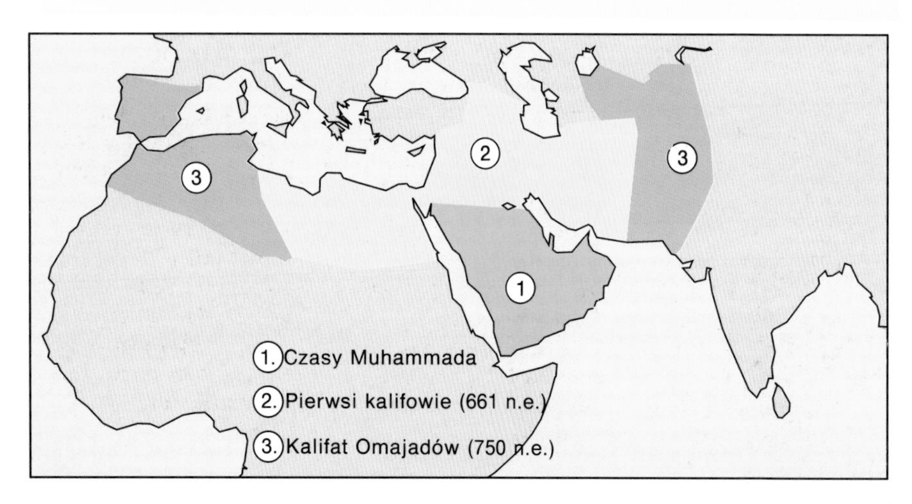

STYL ISLAMSKI
Pałac Alhambra (Czerwony Fort) w Grenadzie zbudowano pomiędzy 1238 a 1354 rokiem jako siedzibę muzułmańskich władców południowej Hiszpanii. Alhambra została wyposażona w przepyszne dekoracje, jej pomieszczenia rozmieszczono wokół ocienionych dziedzińców z posągami, ornamentowanymi kaflami i przynoszącymi chłód fontannami.

NAUKA I TECHNIKA
Muzułmańscy uczeni słynni byli w całym średniowiecznym świecie. Wsławiły ich zwłaszcza dokonania w dziedzinie astronomii, matematyki, chemii, medycyny i inżynierii. Ilustracja ukazuje dwóch eksperymentujących muzułmańskich uczonych. Muzułmanie dokonali wielu istotnych odkryć naukowych.

KRUCJATY

Pomiędzy rokiem 1096 a 1291 tysiące europejskich rycerzy angażowało się w ekspedycje na Środkowy Wschód, by walczyć z muzułmanami. Wyprawy te nazwano krucjatami.

BOHATEROWIE

Jednymi z największych przywódców w dobie krucjat byli: król angielski Ryszard I (Lwie Serce) oraz Salah ad–Din (zwany w Europie Saladynem). Prowadzili oni przeciwne armie podczas III krucjaty (1189 - 1192). Oddziały krzyżowców odniosły oszałamiające sukcesy podczas I krucjaty, kiedy to udało im się zdobyć Jerozolimę. II krucjata była klęską krzyżowców; po roku 1187 muzułmańskie wojska Saladyna zajęły Jerozolimę z powrotem. Królowi Ryszardowi udało się odzyskać miasto, jego kampania zakończyła się jednak niepowodzeniem. Saladyn uzyskał kontrolę nad Ziemią Świętą i zapoczątkował nową dynastię panującą w Syrii i Egipcie.

Saladyn 1138 – 1193

WEZWANIE DO BRONI

W 1095 r. papież Urban II, w czasie synodu, wezwał rycerstwo chrześcijańskie z całej Europy do walki z muzułmanami, w rękach których znajdowała się Ziemia Święta (terytoria Środkowego Wschodu będące sceną życia Jezusa). Wezwanie to podyktowała obawa, że nowa potęga muzułmańska, Seldżucy, którzy zawładnęli Turcją i okolicznymi krajami, zahamuje pielgrzymki chrześcijańskie do świętego miasta Jerozolimy. Był to niewątpliwie strach na wyrost; od 638 chrześcijanie, muzułmanie i żydzi żyli tam w pokoju pod rządami islamskimi. Papież obawiał się również ataku Seldżuków na chrześcijańskich mieszkańców wielkiego Cesarstwa Bizantyjskiego.

ŚWIĘTA WOJNA?

Choć ogłoszona przez papieża Urbana II jako „Święta Wojna", jej przesłanki były zarówno religijne, jak i polityczne. Przez następne 200 lat rycerstwo chrześcijańskie zorganizowało kilka wypraw krzyżowych, które miały na celu przejęcie władzy nad Ziemią Świętą przez chrześcijan. Wielu szczerze wierzących z obu stron konfliktu zginęło w niezwykle mężnej walce. Oddziały chrześcijańskie zostały w końcu usunięte z Ziemi Świętej w roku 1291, jednak spuścizna goryczy i podejrzliwości zaciążyła na stosunkach społeczeństw chrześcijańskiego i muzułmańskiego na wiele stuleci.

WOJNA OBLĘŻNICZA

Oblężenie (po lewej) to taktyka stosowana zarówno przez chrześcijan, jak i muzułmanów. Chodziło w niej o „wzięcie głodem" dobrze bronionych grodów i zamków. Jedyną nadzieją dla oblężonego miasta było przybycie posiłków, które zmusiłyby otaczającą je armię do wycofania.

PODRÓŻ DO JEROZOLIMY

Podróż do Jerozolimy trwała miesiące, a nawet lata. Wielu podróżników ginęło po drodze w wypadkach i zasadzkach albo od chorób. Pierwsi krzyżowcy podróżowali lądem, przez Grecję i Turcję. W XIII w. zdecydowanie przeważał transport morski.

Normańskie łodzie bojowe, pełne dobrze uzbrojonych żołnierzy (i ich koni) wyruszają na podbój Anglii. Scena z tkaniny z Bayeux – wielkiego haftowanego obrazu, wykonanego prawdopodobnie około 1100 przez rzemieślnika francuskiego dla biskupa Odo z Bayeux w północnej Francji.

Bitwa pod Hastings

14 października 1066 r. książę Wilhelm ze swymi normańskimi wojskami stanął naprzeciw armii angielskiej, którą prowadził król Harold. Żołnierze angielscy byli po 350-kilometrowym marszu z Yorkshire, gdzie właśnie pokonali Wikingów. Mimo szczelnej zapory utworzonej z tarcz wojowników, król Harold poległ, a wojska normańskie rozbiły armię angielską.

NORMANOWIE

Rok 1066 to jedna z najważniejszych dat w angielskiej historii. Wówczas to poległ w wojnie obronnej ostatni z rodowitych królów angielskich, a jego miejsce zajął normański awanturnik. Uważano wówczas, że Anglia nigdy już nie będzie taka jak dawniej.

Kataster gruntowy

Wilhelm oparł swą władzę na szlachcie normańskiej – ta jednak nie pragnęła wcale wzmocnienia jego pozycji. Król zadecydował o kontrolach majątkowych swych poddanych, sprawdzając, ile ziemi i inwentarza posiadają oraz jakie z tego tytułu powinni płacić podatki. W 1086 r. rozesłał urzędników, którzy mieli zebrać dane i sporządzić ich rejestr. Obowiązuje on do dzisiaj.

Zdobywca

Książę Wilhelm z Normandii, znany jako Wilhelm Zdobywca, był potomkiem Wikingów, którzy osiedlili się na północy Francji. Odważny, inteligentny i ambitny, był jednym z trzech pretendentów do tronu po śmierci angielskiego króla Edwarda Wyznawcy. Od zwycięskiej bitwy rządził Anglią przez 20 lat, do 1087 r. W tym czasie uzyskał panowanie nad całym królestwem (chociaż Anglicy byli mu początkowo niechętni i usposobieni buntowniczo) oraz ustanowił system rządów, które przetrwały wiele lat.

Podbój i kontynuacja

Po podboju życie na wyspie niewiele się zmieniło. Ludzie pracowali nadal na polach. Księża, mnisi i zakonnice kontynuowali swe modły. Normańscy urzędnicy zbierali podatki w ten sam sposób, jak zwykli to czynić ich angielscy poprzednicy. Nastąpiły jednak poważne zmiany. Zginęła niemal cała angielska szlachta; jej miejsce zajęła nowa, normańska arystokracja. Stary język angielski wzbogacił się o nowe, normańskie słowa. Ustanowiono nowe prawa, które miały umocnić władzę Normanów. Anglia włączyła się aktywnie do polityki europejskiej.

*Normanowie budowali silne zamki warowne, broniące ich nowo zdobytego kraju. Z początku warownie te miały drewnianą konstrukcję, niektóre przywieziono nawet do Anglii wodą – w częściach przygotowanych do zestawienia na miejscu. Późniejsze zamki obronne, podobne do Totnes w Devon, budowane były z kamienia. Wzgórze centralne (*motte*) otaczano podwójną ścianą, z murawą w międzymurzu (*bailey*). Zamki tego typu nazywano* bailey castle *lub* motte castle.

Tarcze herbowe. Początkowo pomagały rozpoznać się w bitwie; później używano ich do manifestacji świetnego pochodzenia ich właścicieli.

RYCERSTWO

Kto zajmował kluczową pozycję społeczną we wczesnym średniowieczu – królowie, księża czy wieśniacy? Możnowładztwo czy rycerstwo? Królowie rządzili, do duchownych należało przywództwo duchowe, a chłopi byli producentami żywności. Możni pomagali w sprawowaniu władzy i prowadzili armie do walki. Każdy jednak zależał w jakimś stopniu od rycerstwa broniącego kraju. Średniowiecze wciąż kojarzy nam się z obrazem pędzącego na koniu rycerza we wspaniałej zbroi.

KARIERA SZLACHETNIE URODZONEGO

Rycerstwo wywodzi się z tradycji zbrojnej służby u wielkich możnych rodów. Wezwana przez władcę, szlachta miała obowiązek porzucić swe włości i rodziny, by podążyć na wojnę wraz z całą swą rycerską drużyną. Rycerstwo stanowiło elitę społeczeństwa feudalnego. Rycerze byli najczęściej potomkami możnowładców lub innych rycerzy. Często jednak odwaga i męstwo na polu walki mogły być nagradzane pasowaniem na rycerza.

RYCERSTWO ZACIĘŻNE

Stan rycerski zmieniał się w ciągu stuleci. Niektórzy możni woleli zapłacić pieniędzmi niż wyruszać na wojnę. Królowie opłacali za to zawodowych, najemnych żołnierzy albo wyposażali armię ochotników. Stawanie do walki dla zysku nie było uznawane za szlachetne i bohaterskie, a Kościół ten proceder potępił. Chociaż więc średniowieczni poeci uczynili rycerzy bohaterami swych romansów – pieśni o miłości, odwadze i śmierci – prawda o życiu rycerstwa nie zawsze odpowiadała temu pięknemu obrazowi.

WOJNA STULETNIA 1337–1453

Wojna Anglii z Francją wybuchła, gdy król angielski Edward III nie podporządkował się królowi francuskiemu, a co więcej, zgłosił pretensje do tronu francuskiego. Z początku Anglicy uzyskali wielkie zdobycze terytorialne, jednak wojska francuskie odrobiły straty w latach 1360–1389. Od 1389 do 1414 roku panował pokój – do momentu, gdy król angielski Henryk V zaatakował ponownie. Jego sukcesy przerwała śmierć w 1422 roku. Wkrótce wśród wojsk francuskich rozeszła się wiadomość o wizji pewnej wieśniaczki – Joanny d'Arc. W 1453 Anglia utraciła wszystkie swe zdobycze, z wyjątkiem Calais.

TURNIEJE

Rycerstwo uczestniczyło w turniejach – zaaranżowanych walkach, służących podnoszeniu umiejętności i utrzymywaniu formy bojowej. Były to też ważne wydarzenia towarzyskie, jako że damy zawsze obserwowały zmagania potykających się rycerzy. Igrzyska te były równie ekscytujące, co niebezpieczne; zginęło w nich wielu rycerzy

MIŁOŚĆ I WOJNA

Rycerze stanowili wspaniały temat dla poetów, malarzy i pieśniarzy już od czasów im współczesnych. Idealny rycerz, z jakim utożsamiał się kwiat rycerstwa, musiał być śmiały i szlachetny, lecz także dobry i delikatny w obejściu. Walczył tylko w obronie swego pana, bogdanki i Kościoła. Rzecz jasna, rzeczywistość wyglądała nieco inaczej. Niewielu było rycerzy szlachetnych i odważnych; większość z nich to brutalni żołnierze. Obraz obok ukazuje wyobrażenie artysty o rycerzach i damach z przeszłości.

Kapłani i lud

W średniowieczu większość ludzi wierzyła w Boga – lub w magiczne i tajemnicze siły, które rządzą światem. Współczesne, naukowe sposoby myślenia nie istniały. W całej Europie Kościół rzymskokatolicki był potężny. Kapłani nauczali, że ludzie powinni prowadzić poczciwy żywot i modlić się do Boga. Zachęcali ludzi do oddawania majątków Kościołowi dla pokazania, że żałują za swe grzechy i dla zdobycia życia wiecznego. Wspaniałe katedry – jak pokazana powyżej katedra w Canterbury – zostały zbudowane za tak zdobyte pieniądze.

ŚREDNIOWIECZE

Europa feudalna. Historycy używają tego określenia dla nazwania okresu (od około 1100 do 1453 r. n.e.) pomiędzy ostatnimi najazdami Wikingów a upadkiem Cesarstwa Bizantyjskiego. Po tym okresie Europa nie była już zjednoczona jedyną wspólną wiarą lub wspólną kulturą.

DOBROBYT I ZARAZA

W średniowiecznej Europie, po wiekach najazdów, nastąpił szybki rozwój ekonomiczny. Dochody z gospodarstw rosły, a kupcy bogacili się na sprzedaży wełny, tkanin i luksusowych towarów sprowadzanych z zamorskich krajów. Szlachta budowała potężne zamki i okazałe dwory. Bawiła się ona polowaniami, wytwornymi szatami, obfitymi posiłkami i stylem życia wzorowanym na obyczajach arystokracji. Ta dobra koniunktura została zagrożona przez przerażające epidemie nieuleczalnej choroby. Przyrost ludności i zmiany klimatyczne wywoływały klęski głodowe. Nieudolne rządy prowokowały bunty chłopskie, które wstrząsnęły m.in. Anglią i Niderlandami w końcu XIV w. Słabi królowie zmagali się z potężną arystokracją; poddani stawiali opór niesprawiedliwym prawom. Przez ponad 100 lat Anglia i Francja toczyły między sobą wojnę.

CZY INNY ŚWIAT?

Średniowiecze było okresem, kiedy zaczęły się kształtować narody i języki Europy. Wiele współczesnych instytucji politycznych, jak np. parlament, wywodzi się z czasów średniowiecznych. Wiele miast i miasteczek założono właśnie wtedy, wybudowano kościoły, uniwersytety i szpitale. Potężni królowie wydawali prawa i pobierali podatki. To wszystko stworzyło fundamenty dla

Życie wiejskie

W czasach średniowiecznych większość ludzi mieszkała na wsi. Zajmowali się oni uprawą roślin i hodowlą zwierząt, choć większość wieśniaków nie była właścicielami ziemi, na której pracowała. Ziemia należała do króla lub do możnych panów. Pozwalali oni chłopom na uprawę małych kawałków pola w zamian za pracę na ich ogromnych posiadłościach. Niektórzy panowie byli również właścicielami chłopów, którzy bez pozwolenia pana nie mogli opuszczać wsi.

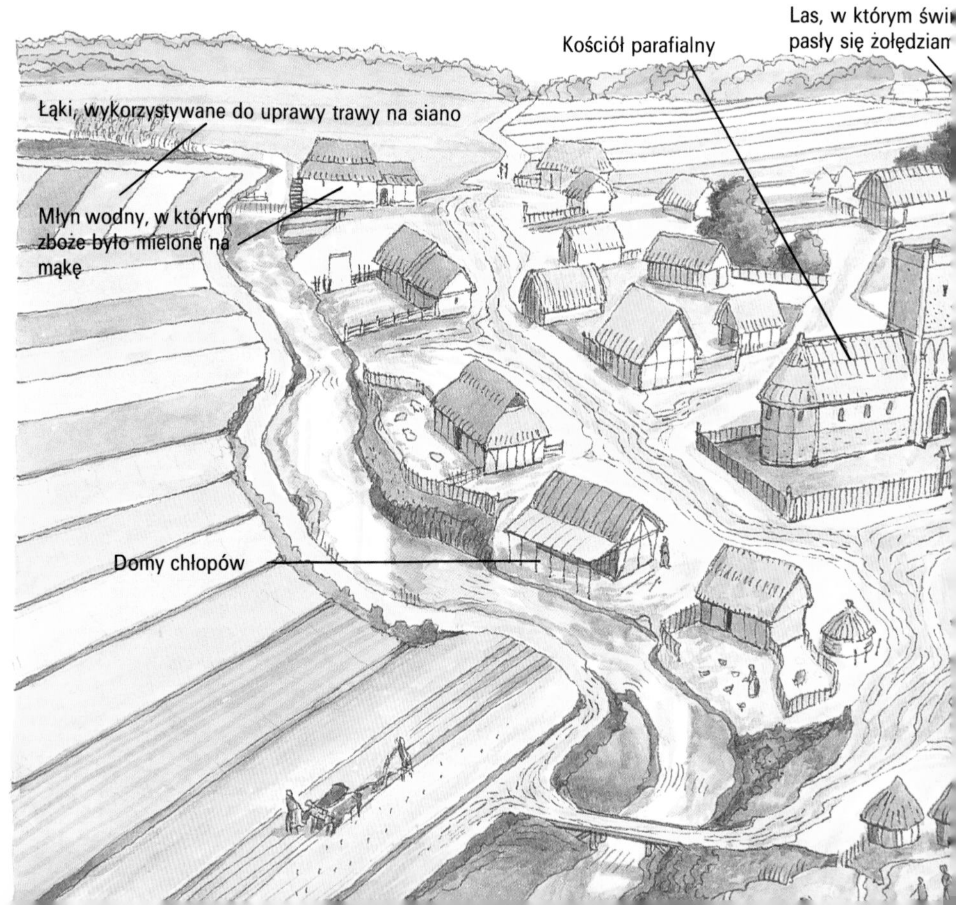

CZARNA ŚMIERĆ
W XIV w. Europa, Azja i Środkowy Wschód zostały spustoszone przez dżumę, zwaną morowym powietrzem. To była (i jest nadal) śmiertelna choroba, której zarazki przenoszą pchły żyjące na szczurach. Chorzy umierają bardzo szybko. W latach 1348-1351 wymarła około jedna trzecia ludności Europy. Wielu ludzi zmarło w czasie późniejszych fal zarazy. Średniowieczni lekarze nie wiedzieli jak choroba rozprzestrzenia się ani też – jak ją leczyć. Ci wszyscy, którzy nie zarazili się, żyli w strachu, że oni będą następni.

KULTURA DWORSKA
Bogaci panowie i damy w wiekach średnich byli wielkimi mecenasami sztuki. Monarchowie na swych dworach gościli poetów, malarzy i muzyków. Najczęściej sztuka średniowieczna miała podłoże religijne, ale również po prostu zachwalała uroki życia dworskiego. Ta miniatura – będąca ilustracją księgi religijnej – ukazująca bogato przyodzianych panów i damy cieszących się przejażdżką w lasach została sporządzona dla arystokraty francuskiego w początku XV w.

nowoczesnej Europy. Jednak między średniowieczem a współczesnością istnieją ogromne różnice. Zaludnienie było wówczas znacznie mniejsze; zanim Czarna Śmierć zaatakowała Europę w połowie XIV w., zaludnienie wynosiło około jedną dziesiątą stanu obecnego. Większość ludzi pracowała na roli, a nie w biurach, fabrykach i sklepach.

Różnice między poziomem życia ludzi biednych i bogatych były wówczas bardzo duże. Prawie wszystkie ziemie były w posiadaniu nielicznych bogatych rodzin, których członkowie współdziałali w rządzeniu i dowodzeniu armiami w czasie wojen. Było niewiele maszyn, a mimo to średniowieczni rzemieślnicy mieli **niewiarygodne osiągnięcia** – od potężnych zamczysk po subtelne ilustracje rękopisów – przy użyciu najprostszych narzędzi. O ile jednak technika była prosta, to nie były takimi ówczesne wyobrażenia. Średniowieczni uczeni pisali naukowe księgi o religii, filozofii i prawach, a także układali poematy i pieśni.

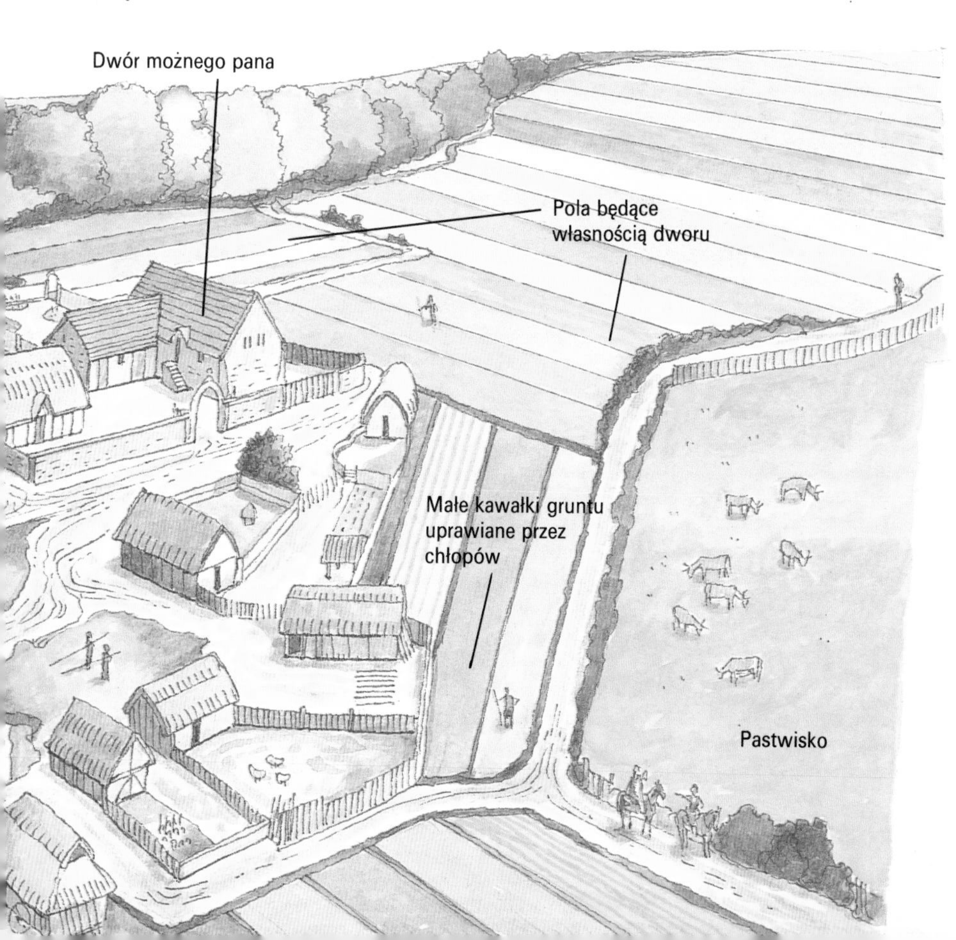

KWITNĄCE MIASTA
We Włoszech i w Europie Północnej miasta bogaciły się dzięki zyskom z handlu. Rzemieślnicy tkali cienkie materiały z wełen, produkowali eleganckie szkła, obicia skórzane, broń i biżuterię. Kupcy sprzedawali importowane towary luksusowe. To malowidło przedstawia grupę bogatych kupców włoskich; ich miasto jest widoczne w głębi.

RENESANS I REFORMACJA

W ciągu dwustu lat (między 1350 i 1550 rokiem) Europa średniowieczna bardzo się zmieniła. Sztuka, architektura, religia i filozofia uległy wielkim przeobrażeniom. Przyniosły je dwa potężne prądy intelektualne – Renesans (Odrodzenie) i Reformacja.

WSPANIAŁA PRZESZŁOŚĆ

W starożytnej Grecji i Rzymie istniały wspaniałe cywilizacje. W 1350 roku pozostały jedynie ślady ich osiągnięć. Posągi, świątynie i olbrzymie budynki użyteczności publicznej stały nadal w wielu włoskich i greckich miastach. Rzymskie księgi były przechowywane w bibliotekach klasztornych, a greckie teksty naukowe były wykorzystywane przez arabskich naukowców w krajach Azji Środkowej jako pomoc w ich własnych badaniach. Ale te antyczne pozostałości nie cieszyły się powszechnym uznaniem. Pomniki i świątynie rozpadały się, a księgi leżały nieczytane i zapomniane, gdyż od nadejścia chrześcijaństwa (ok. 300-600 roku), kultury grecka i rzymska były uważane za pogańskie i godne potępienia.
W średniowiecznej Europie rozwinęła się, doskonała na swój sposób, nowa cywilizacja chrześcijańska.

ZACZYNA SIĘ RENESANS...

Około 1300 roku uczeni we Włoszech dążyli do zmian. Zaczęli oni badać otaczające ich starożytne zabytki i byli zaskoczeni i zachwyceni tym, co odkryli. Artyści, architekci, poeci i filozofowie podzielali ich zachwyt i zaczęli włączać tematykę i techniki starożytnych prac do swych nowych projektów. „Odrodziła się" starożytna kultura.
Te nowe renesansowe twory bardzo różniły się od istniejącej sztuki średniowiecznej. Ich celem było

MECENAS WŁOSKIEGO ODRODZENIA
Lorenzo di Medici – znany jako Il Magnifico, Wawrzyniec Wspaniały – rządził włoskim miastem, Florencją od 1469 do 1492 roku. Zaprosił czołowych artystów, architektów i rzeźbiarzy, aby dla niego pracowali – jednym z nich był Michał Anioł (Michelangelo). Inni bogaci obywatele poszli za jego przykładem i Florencja stała się znana jako kolebka Renesansu.

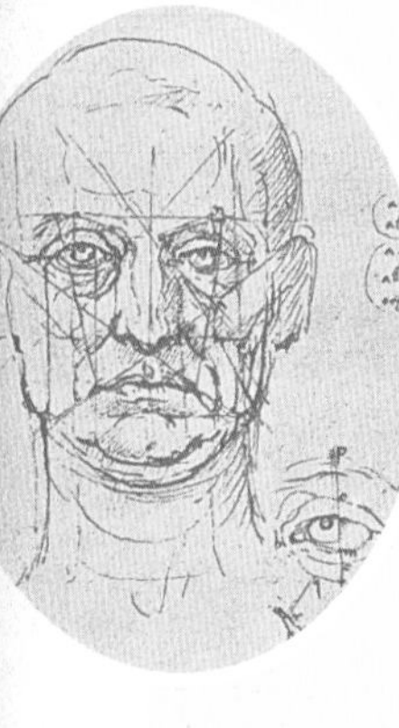

CZŁOWIEK RENESANSOWY
Rysunek twarzy ludzkiej wykonany przez Leonarda da Vinci (1452-1519). Leonardo często jest nazywany „człowiekiem renesansowym", znającym zarówno nauki ścisłe jak sztukę. Był on inżynierem, wynalazcą, studiował medycynę, badał zwierzęta i rośliny, a ponadto był genialnym malarzem.

UCZONY HUMANISTA
Erazm z Rotterdamu (1469-1536) był jedną z najważniejszych postaci Renesansu w Europie Północnej. Zasłynął jako badacz Pisma Świętego i znawca łaciny oraz greki. Starał się wykorzystać swą renesansową wiedzę dla zakończenia sporów religijnych. Podobnie jak wielu uczonych renesansowych pracował jako wychowawca-nauczyciel arystokratów i ich synów. Jego poglądy rozpowszechniły się szeroko, ponieważ jego księgi były jednymi z pierwszych, jakie drukowano dzięki wynalazkowi druku.

BÓG I CZŁOWIEK
Malowidło na sklepieniu Kaplicy Sykstyńskiej w Rzymie. To olbrzymie dzieło (freski) zaprojektował włoski artysta Michelangelo Buonarroti (1475-1564). Pokazuje ono sceny religijne, jednocześnie – w prawdziwie renesansowym stylu – gloryfikujące człowieka.

raczej wysławianie piękności i osiągnięć ludzi, niż modły do Boga. Pisarze renesansu woleli pisać raczej o tematach dotyczących ludzi niż religii. Renesansowi artyści i architekci woleli kopiować wzory rzymskie i greckie niż kontynuować średniowieczne tradycje. Przyglądali się światu wokół siebie i opisywali go w swych pracach tak dokładnie, jak tylko potrafili. Wspomagali ich renesansowi badacze i nowe drukowane już książki naukowe. Wszystkie te wielkie osiągnięcia były możliwe jedynie dlatego, że bogaci ludzie, z początku we Włoszech, a potem w całej Europie, byli gotowi działać jako protektorzy i wspierać artystów i naukowców.

REFORMACJA

Odkrycia Renesansu były potężnym impulsem do powszechniejszego kształcenia się. Nowe książki, zdobywane umiejętności czytania greki i łaciny pozwoliły na krytykę wielu średniowiecznych tekstów, m.in. łacińskiego przekładu Pisma Świętego. Podobnie jak renesansowi naukowcy, liczni księża i zakonnicy pragnęli zmian. Uważali oni przywódców Kościoła za skorumpowanych. Chcieli swobodnej dyskusji nad zagadnieniami religijnymi, modlenia się w sposób, jaki sami wybiorą, i czytania Biblii we własnych językach. Ci krytycy stali się znani jako protestanci. Pragnęli oni reformować Kościół od wewnątrz, ale wkrótce różnice poglądów stały się tak wielkie, iż opuścili oni w całości Kościół rzymskokatolicki i utworzyli nowe, własne odłamy religijne.

Opactwo w Tintern, na granicy między Anglią i Walią, zostało zamknięte lub rozwiązane w 1537 roku, tak jak wszystkie inne angielskie zakony, po zerwaniu przez króla Henryka VIII kontaktów z Rzymem. Zakonnicy uciekli za granicę lub znaleźli inne zajęcia. Ziemie klasztorne zostały sprzedane, a pieniądze zasiliły kasę królewską.

WOJNY RELIGIJNE

W XVI wieku państwa europejskie były niemal bez przerwy w stanie wojny. Walczyły one z sobą z wielu przyczyn - zawiści, obaw, zachłanności i wiary. Te motywy często były przemieszane ze sobą. W Niderlandach protestanci pragnęli niezależności od katolickiej Hiszpanii. Anglia i Hiszpania były również wrogami. Bały się wzrostu potęgi przeciwnika i nienawidziły jego religii. W 1588 roku hiszpańska flota - Wielka Armada - wypłynęła na podbój Anglii, ale została zatopiona przez sztormy morskie i flotę angielską.

WIARA I WOLNOŚĆ

Marcin Luter urodził się w 1483 roku. Był kapłanem, uczonym i przywódcą ruchu protestanckiego w Niemczech. Jego celami było zreformowanie Kościoła, przetłumaczenie Biblii z łaciny i odprawianie nabożeństw w nowy sposób.

REFORMACJA W ANGLII

Przez stulecia królowie angielscy żądali od księży posłuszeństwa wobec praw angielskich, ale papieże utrzymywali, że prawo kościelne jest nadrzędne. Ostateczne starcie nastąpiło w 1531 roku, gdy Henryk VIII, król Anglii, zażądał rozwodu z pierwszą żoną, ponieważ nie urodziła mu syna. Papież odmówił i król Henryk, który już był sympatykiem protestanckich reformatorów, ogłosił siebie głową Kościoła w Anglii. Nowi przywódcy Kościoła anglikańskiego nauczali wiary protestanckiej.

KRÓLOWIE, KSIĄŻĘTA, DYNASTIE

W dziejach Europy znaczącą rolę odegrały niektóre rody i dynastie panujące. Tworzyły one historię i przez wydarzenia historyczne były niszczone. Niektóre z wielkich rodów dynastycznych zasługują na szczególną uwagę, bowiem oddziaływały na historię nie jednego, a wielu państw.

KAROLINGOWIE

Dynastia frankijska. Z tego właśnie rodu pochodzi jeden z najsłynniejszych w dziejach władców – Karol Wielki (nie zawsze jednak odnosił sukcesy – jedna z jego porażek, wcale nie tak znów ważna, została na zawsze utrwalona i zapamiętana dzięki jednemu z najstarszych i najbardziej znanych utworów literackich, *Pieśni o Rolandzie*).

ROMANOWOWIE

Dynastia panująca w Rosji od XVII w. Najwybitniejszym jej przedstawicielem był Piotr I Wielki, twórca potęgi militarnej Rosji na przełomie XVII i XVIII wieku.

MEDYCEUSZE

Ród pochodzący z Florencji, którego znaczenie w historii trudno przecenić. Rozpoczynali jako kupcy i bankierzy, a zapisali się w historii jako mecenasi sztuki, władcy i najwyżsi dostojnicy kościelni (z rodu Medyceuszy pochodziło trzech papieży). W zestawieniu z innymi wymienionymi tu dynastiami, Medyceusze wyróżniają się przede wszystkim swoim wpływem na rozwój kultury europejskiej. Kosma zwany Wielkim był np. twórcą najsłynniejszej do dziś galerii sztuki: Galerii Uffizi.

HABSBURGOWIE

Ta dynastia miała chyba największe znaczenie w dziejach politycznych Europy już od XIII wieku. Nie znaczy to oczywiście, że znaczenie to było zawsze jednakowe. W różnych okresach, różni Habsburgowie, w różny sposób wpływali na historię. Wprowadził Habsburgów do niej Rudolf I, król niemiecki od 1273 r. Habsburgowie panowali w Niemczech, na Węgrzech, w Czechach, w Niderlandach, w Hiszpanii i we Włoszech. Szczyt swej potęgi osiągnęli w XVI wieku za sprawą Karola V (króla Hiszpanii, cesarza Niemiec, diuka Burgundii i Austrii). Kontynuatorką dynastii Habsburgów była dynastia Habsbursko-Lotaryńska, panująca w Austrii i w Austro-Węgrzech do 1918 roku.

ANDEGAWENI

Dynastia pochodząca z zachodniej Francji, której potomkowie zasiadali na wielu tronach Europy, m.in. w Anglii, na Sycylii, na Węgrzech i w Polsce. Z rodu Andegawenów pochodził Ludwik Węgierski, panujący w Polsce w latach 1370–1382 i jego córka Jadwiga, żona Władysława Jagiełły.

BURBONOWIE

Dynastia francuska, która dała najwięcej władców Francji i Hiszpanii. Burbonem był między innymi Ludwik XIV, znany z powiedzenia „państwo to ja". Pierwszym Burbonem na tronie hiszpańskim był Filip V (od 1714 r).

HOHENZOLLERNOWIE

Dynastia niemiecka, która zawdzięcza swoją nazwę zamkowi Hohenzollern. Wpłynęła w wyjątkowo znaczący sposób na dzieje Polski. Hohenzollernami byli elektorowie Brandenburgii, a więc również królowie Prus.

Egzekucja Karola I, króla Anglii, Szkocji i Irlandii była pierwszą publiczną egzekucją panującego władcy (rok 1649).

POLSKA – WŁADCY, DYNASTIE, WAŻNIEJSZE WYDARZENIA

Dynastie	Władcy	Ważne wydarzenia
PIASTOWIE	MIESZKO I ok. 960–992	CHRZEST POLSKI – 966; BITWA POD CEDYNIĄ – 972 → rozgromił wojska margrabiego Hodona
	BOLESŁAW CHROBRY 992–1025	ZJAZD GNIEŹNIEŃSKI – 1000 → spotkanie w Gnieźnie z cesarzem Ottonem III: utworzenie arcybiskupstwa, uznanie Polski za państwo niezależne KORONACJA – 1025
	MIESZKO II 1025–1034	
	KAZIMIERZ ODNOWICIEL 1034–1058	
	BOLESŁAW ŚMIAŁY 1058–1079	KORONACJA – 1076; BUNT PRZECIW KRÓLOWI – WYGNANIE Z POLSKI – 1079
	WŁADYSŁAW HERMAN 1079–1102	
	BOLESŁAW KRZYWOUSTY 1102–1138	OBRONA GŁOGOWA – 1109 → wojna z cesarzem Henrykiem V POWSTAJE KRONIKA GALLA ANONIMA; BULLA GNIEŹNIEŃSKA – 1136 STATUT – 1138 → uregulowanie zasad dziedziczenia, ustanowienie senioratu
	WŁADYSŁAW WYGNANIEC	*ROZBICIE DZIELNICOWE – 1138–1291*
	BOLESŁAW KĘDZIERZAWY	
	MIESZKO III STARY	
	KAZIMIERZ SPRAWIEDLIWY	
	LESZEK BIAŁY	
	KONRAD MAZOWIECKI	SPROWADZENIE DO POLSKI KRZYŻAKÓW
	HENRYK BRODATY	
	HENRYK POBOŻNY	BITWA POD LEGNICĄ
	BOLESŁAW WSTYDLIWY	
	LESZEK CZARNY	
	HENRYK IV PROBUS	
	PRZEMYSŁAW II	KORONACJA – 1295
PRZEMYŚLIDZI	WACŁAW II CZESKI WACŁAW III CZESKI	
PIASTOWIE	WŁADYSŁAW ŁOKIETEK 1306–1333	KORONACJA – 1320 WOJNA Z KRZYŻAKAMI 1327–1332 → bitwa pod Płowcami – 1331
	KAZIMIERZ WIELKI 1333–1370	TRAKTAT POKOJOWY – 1343 STATUTY KAZIMIERZOWSKIE ZAŁOŻENIE UNIWERSYTETU KRAKOWSKIEGO – 1364
ANDEGAWENI	LUDWIK WĘGIERSKI 1370–1382	PRZYWILEJ KOSZYCKI 1374 → zwolnienie szlachty od podatków
	JADWIGA 1384–1399	UNIA POLSKI I LITWY
JAGIELLONOWIE	WŁADYSŁAW JAGIEŁŁO 1386–1434	BITWA POD GRUNWALDEM – 1410
	WŁADYSŁAW WARNEŃCZYK 1434–1444	
	KAZIMIERZ JAGIELLOŃCZYK 1447–1492	PRZYŁĄCZENIE PRUS DO POLSKI – 1454
	JAN OLBRACHT 1492–1501	
	ALEKSANDER JAGIELLOŃCZYK 1501–1506	
	ZYGMUNT I STARY 1506–1548	HOŁD PRUSKI → państwo zakonne przekształciło się w lenne księstwo świeckie
	ZYGMUNT AUGUST 1548–1572	
ELEKCYJNI	HENRYK WALEZY 1573–1574	PIERWSZA WOLNA ELEKCJA – 1573
	STEFAN BATORY 1576–1586	
	ZYGMUNT III WAZA 1587–1632	WOJNY ZE SZWECJĄ 1600–1611 i 1626–1629; WOJNA Z ROSJĄ 1609–1619 PRZENIESIENIE STOLICY Z KRAKOWA DO WARSZAWY – 1611
	WŁADYSŁAW IV 1632–1648	
	JAN KAZIMIERZ 1648–1668	„POTOP SZWEDZKI” 1655–1660
	MICHAŁ KORYBUT WIŚNIOWIECKI 1669–1673	BITWA POD CHOCIMIEM – 1673
	JAN III SOBIESKI 1674–1696	ODSIECZ WIEDEŃSKA – 1683
	AUGUST II MOCNY 1697–1706	ELEKTOR BRANDENBURSKI; KORONOWAŁ SIĘ NA „KRÓLA W PRUSACH”
	STANISŁAW LESZCZYŃSKI 1704–1709	w tych właśnie czasach powstało powiedzenie „jedni od Sasa, drudzy do Lasa”
	AUGUST II MOCNY 1709–1733	SEJM NIEMY – 1717 → żadnego z posłów nie dopuszczono do głosu
	STANISŁAW LESZCZYŃSKI 1733–1736	ROSJA, AUSTRIA I PRUSY ZAWARŁY POROZUMIENIE O DECYDOWANIU W SPRAWIE OBSADZANIA POLSKIEGO TRONU – 1732; „traktat trzech czarnych orłów”
	AUGUST III SAS 1733–1763	ZAŁOŻENIE „COLLEGIUM NOBILIUM – 1740 → szkoły, w której starano się ukształtować wykształconych, nowoczesnych i światłych ludzi
	STANISŁAW AUGUST PONIATOWSKI 1764–1795	KONFEDERACJA BARSKA 1768–1772 PIERWSZY ROZBIÓR POLSKI – 1772 KOMISJA EDUKACJI NARODOWEJ – 1773 SEJM CZTEROLETNI 1788–1792; KONSTYTUCJA 3 MAJA – 1791 TARGOWICA – 1792; DRUGI ROZBIÓR POLSKI – 1793 POWSTANIE KOŚCIUSZKOWSKIE – 1794 TRZECI ROZBIÓR POLSKI – 1795

REWOLUCJA FRANCUSKA

„Człowiek rodzi się wolny, ale wszędzie żyje w okowach". Myśli podobne do tej były rozważane przez myślicieli w Europie w ciągu XVIII w. To było interesujące — i jakżeż bezpieczne — dyskutować o przekształcaniu społeczeństwa. Ale rewolucja francuska z 1789 r. pokazała, co może się wydarzyć, gdy radykalne pomysły zostają wprowadzone w życie.

PRZYCZYNY REWOLUCJI

Francuscy monarchowie otaczali się przepychem zamkniętym w murach pałacu wersalskiego. Ale na zewnątrz panowały bieda i niezadowolenie. Królowi Ludwikowi XVI nie powiódł się zamiar uczynienia z Francji wiodącego kraju Europy. Jego rządy doprowadziły do kryzysu. W miastach i wioskach ludzie głodowali. Istniała głęboka przepaść między bogactwem panujących a nędzą zwykłych ludzi. Gdy królowa Maria Antonina usłyszała, że jej poddani nie mają chleba, zażartowała: „Niech jedzą ciastka". Ale dla matek głodujących dzieci brak jedzenia nie był śmiesznostką. Król Ludwik musiał ulec powszechnym żądaniom wysłuchania przedstawicieli szlachty, duchowieństwa i mieszczan. W maju 1789 r., król zwołał posiedzenie Stanów Generalnych – francuskiego zgromadzenia, które nie spotykało się od prawie dwustu lat. Po sześciu tygodniach gorących debat stan trzeci oświadczył, że to on stanowi prawdziwe Zgromadzenie Narodowe, czyli nową władzę.
Król Ludwik próbował rozwiązać Zgromadzenie, ale to wywołało tylko rozruchy. Zgromadzenie wydało prawa gwarantujące wolność, równość i wolność słowa wszystkim obywatelom. Tłum kobiet wkroczył do Wersalu i pojmał rodzinę królewską. Król stał się więźniem, a w 1792 r. został stracony; została proklamowana nowa republika.

CESARZ EUROPY

Napoleon Bonaparte urodził się na Korsyce w 1769 r. Szybko zrobił karierę żołnierską. W 1799 r. przejął władzę we Francji a w 1804 został koronowany na cesarza. Pragnął przywrócić pokój i dobrobyt po latach rewolucji. Zreformował prawo, szkolnictwo i administrację. Powiódł swe armie przeciw Anglii, Austrii, Prusom i Rosji. Do 1810 r. Francja panowała nad większością Europy. Jednak Napoleon przeliczył się z własnymi siłami. Próbował zająć Rosję, ale jego żołnierze wyginęli podczas strasznych rosyjskich mrozów. W 1815 r. armie angielska i pruska rozgromiły Francuzów pod Waterloo. Napoleon został wygnany z Francji i zmarł na wyspie Św. Helena w 1821 r.

PRECZ Z ICH GŁOWAMI

Gilotyna została zaprojektowana przez szkockiego lekarza jako humanitarne urządzenie do tracenia skazańców. W czasie rewolucji francuskiej była ona używana do zabijania „wrogów państwa".

Maksymilian Robespierre (1758-1794), prawnik i członek radykalnego Komitetu Ocalenia Publicznego, który przejął zwierzchnictwo nad Rządem Rewolucyjnym w 1793 r.

Georges Danton (1759-1794), przywódca jakobinów, skrajnej grupy w rewolucji francuskiej.

TERROR

Komitet Ocalenia Publicznego starał się zreformować gospodarkę i system wyborczy, ale metodami niezwykle brutalnymi. Wszyscy przeciwnicy byli traceni: w czasie „Rządów Terroru" zginęło 40 000 ludzi, a wśród nich Robespierre i Danton w 1794.

REWOLUCJA PRZEMYSŁOWA

W 1750 r. większość ludzi pracowała na roli. Mieszkali oni w małych wspólnotach wiejskich, uprawiając rośliny i hodując zwierzęta. Do 1900 r. już większość ludzi pracowała w miastach, zaś na terenach rolnych zmienił się tradycyjny sposób życia.

Podróż pociągiem

Pierwsza pasażerska kolej parowa żelazna zaczęła działać w 1825 r. Podróże koleją zrewolucjonizowały życie w Europie i Ameryce. Pociągi były szybsze niż łodzie pływające po szlakach wodnych i tańsze niż transport konny. Mogły przewozić więcej i to cięższych surowców i towarów. Pod koniec XIX w. przewoziły już stałych pasażerów, czyli dojeżdżających do pracy w miastach i na świąteczne wycieczki do nadmorskich kąpielisk.

Przyczyny rewolucji

Rewolucja francuska nie była jedyną wielką zmianą w Europie w końcu XVIII w. Powolniejsza, ale nie mniej ważna rewolucja przekształcała sposób pracy ludzi. Co powodowało te zmiany?

Maszyny. Przez cały XVIII w. inżynierowie dokonywali wynalazków mających ułatwiać wykonywanie pracy przez ludzi. Jedną z najwcześniejszych maszyn przemysłowych było tkackie czółenko szybkobieżne, skonstruowane przez Johna Kay w 1733 r. Z początku wykorzystywano ręcznie produkowaną przędzę do tkania materiałów, ale w ciągu trzydziestu lat zostały wynalezione maszyny przędzalnicze takie jak „spinning-jenny" (Jasia-prządka).

Koszty społeczne. Wprowadzenie maszyn było wielkim postępem – były one szybsze, tańsze i bardziej wydajne niż ludzie. Wzbogaciły one właścicieli fabryk, bo produkowali więcej towarów niż konkurenci, którzy nadal opierali się na pracy ręcznej. Koszty społeczne nowoczesności były olbrzymie. Po pierwsze wywołała ona bezrobocie wśród pracowników, których zastępowały maszyny. Maszyny powodowały zanieczyszczenia, a konieczność wielogodzinnej pracy w zamian za niskie płace rujnowała ludziom zdrowie.

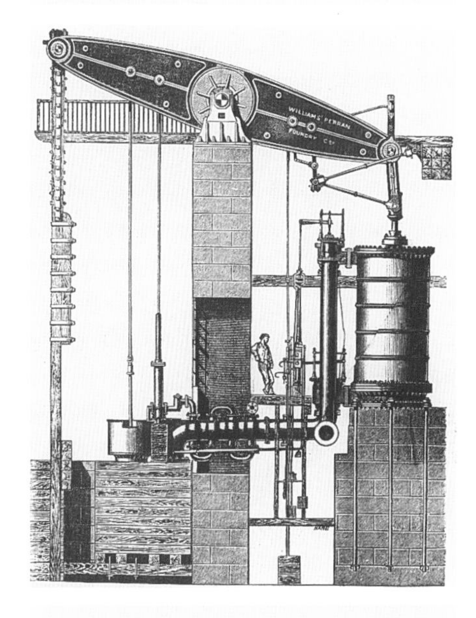

Miasta przemysłowe

Do obsługi maszyn potrzebni byli ludzie, a ci robotnicy przemysłowi potrzebowali mieszkań. Na terenach przemysłowych zasobnych w podstawowe surowce — węgiel, rudy żelaza i wodę, powstawały wielkie miasta. Na początku ludzie chętnie przenosili się ze wsi do miast, mając nadzieję na lepsze życie i wyższe zarobki. Ale miasta przemysłowe były niezdrowymi miejscami do życia. Domy były źle budowane, brudne i zatłoczone, a powietrze i woda zanieczyszczone. Żywność była nieświeża lub mieszana ze szkodliwymi dodatkami. Praca w fabrykach była długa, a wypadki przy pracy częste.

Energia parowa

Silnik parowy (rysunek powyżej). Szybki rozwój przemysłowy stał się możliwy dopiero po skonstruowaniu nowych maszyn. Dostarczały one olbrzymich ilości energii dla podnoszenia ładunków, wypompowywania wody, kucia opornych materiałów lub wykonywania nużących, powtarzających się czynności szybciej i łatwiej niż kiedykolwiek przedtem. Te nowe maszyny mogły być używane również jako precyzyjne narzędzia – były one dokładniejsze i bardziej niezawodne niż rękodzielnicy.

Konstytucja Stanów Zjednoczonych, 1787

Prawa dla nowego państwa

Po uzyskaniu niepodległości Stany Zjednoczone nie płaciły już angielskich podatków ani nie przestrzegały angielskich praw. Amerykańscy politycy spisali konstytucję – listę zasad zapewniających sprawiedliwy i demokratyczny system rządzenia. Ta konstytucja obowiązuje w Ameryce do dziś.

AMERYKA

Przez ponad 200 lat europejscy koloniści walczyli o panowanie nad terytorium Ameryki i o swą niepodległość. Walcząc o swą niezależność, zniszczyli pierwotne cywilizacje Ameryki, które kwitły przed ich przybyciem.

NOWE SPOŁECZEŃSTWA

Najwcześniejsi koloniści w Ameryce byli bez wątpienia odważnymi i zdecydowanymi ludźmi. Ryzykowali swym życiem z chciwości lub pragnienia przygód, a czasem, jak Ojcowie Misjonarze, pragnęli zbudować nowe społeczeństwa opierające się na przekonaniach religijnych.

Pierwsze europejskie próby kolonizacji Ameryki, w końcu XVI wieku skończyły się tragicznie. Do dziś nie wiadomo, co stało się z kolonistami, którzy osiedlili się w Roanoke w 1587 roku. Naprawdę udana kolonizacja zaczęła się z budową Jamestown (brytyjskiego, założonego w 1607 roku) i Quebec (francuskiego, założonego w 1608 roku). Do 1700 roku w Ameryce Północnej mieszkało około 250 000 osadników europejskich i ich liczba szybko wzrastała. Ci osadnicy walczyli ze sobą, gdy wojny europejskie obejmowały terytoria amerykańskie. Walczyli oni również i wybijali wielu tubylców — Indian (nazywali ich czerwonoskórymi, ponieważ mężczyźni malowali sobie twarze czerwoną i żółtą glinką podczas wojen i z okazji świąt). Europejczycy byli lepiej uzbrojeni i wyposażeni, mieli przewagę i dzięki temu stosunkowo łatwo wyparli rodzimych Amerykanów z ich pradawnych plemiennych ziem.

BUNTOWNICZA TRZYNASTKA

W połowie XVIII wieku istniało trzynaście kolonii brytyjskich w Ameryce Północnej. Złączyły one swe siły z Anglikami, by pokonać Francuzów, ale potem zażądały prawa do samodzielności. Kolonie

Rdzenni Amerykanie

W Ameryce ludzie żyli od ponad 10 000 lat zanim przybyli pierwsi koloniści europejscy. Na rozległych terenach Ameryki było rozsianych około stu rozmaitych plemion. Posługiwały się one odrębnymi językami i miały różne sposoby życia – polując, łowiąc ryby czy uprawiając ziemię – w zależności od miejscowego klimatu, roślinności i gleby. Wszystkich łączyły wspólne wierzenia religijne, obejmujące głęboki szacunek dla otoczenia i pragnienie życia w harmonii z naturą.

Dziki zachód

Stany Zjednoczone podwoiły swój obszar w 1803 roku, po „Zakupie Luizjańskim", kiedy to rząd odkupił byłe kolonie francuskie od Francji. Znacznie wcześniej miliony osadników europejskich ruszyły na zachód w poszukiwaniu ziemi uprawnej, złota i wolności. Ziemia była tania i osadnicy szybko budowali miasta, domy i gospodarstwa. Ale „Dziki Zachód" nie był terenem bezludnym. Mieszkali tam rdzenni Amerykanie, którzy opierali się osadnikom. Starcia między osadnikami a tubylcami były ostre, ale rdzenni Amerykanie mieli znikomą szansę sukcesu. Wielu wymarło od europejskich chorób. Inni, osłabieni byli alkoholem sprzedawanym przez białych handlarzy. Łuki, strzały i staroświeckie strzelby (również sprzedawane przez handlarzy) nie dorównywały nowym, szybko ładowanym i śmiertelnie celnym broniom jak rewolwer Colt 45 (powyżej).

Wojna secesyjna

Gospodarki stanów północnych i południowych rozwijały się w odmienny sposób. Na północy ziemia była uprawiana przez wolnych osadników; istniały tam szybko rozwijające się miasta przemysłowe. Stany południowe opierały się na pracy czarnych niewolników, zatrudnionych w wielkich latyfundiach. Politycy Północy, pod wodzą prezydenta Abrahama Lincolna (powyżej) dążyli do zniesienia niewolnictwa — nie było na nie miejsca w kraju wolności. Dążenia te były powodem wybuchu wojny domowej (1861-1865), w której zginęły miliony ludzi, lecz idea wolności dla wszystkich zwyciężyła.

*Flagi **Konfederacji** (z lewej i **Unii** (z prawej)*

***Grupa generałów Unii** przed bitwą pod Gettysburgiem (1863). Amerykańska wojna domowa była jedną z pierwszych, które zostały utrwalone na fotografiach.*

protestowały przeciwko płaceniu angielskich podatków, gdyż nie miały z nich żadnych korzyści i żadnego prawa do decydowania, jak mają być wykorzystane. Zdecydowały się na wypowiedzenie „wojny ekonomicznej": zaprzestały płacenia podatków i wprowadziły zakaz sprzedaży wszystkich towarów angielskich oprócz herbaty. W 1775 roku amerykańscy demonstranci starli się z wojskami brytyjskimi. To była już prawdziwa wojna.

W następnym roku kolonie podpisały Deklarację Niepodległości. Walki trwały do 1781 roku, kolonie wygrały. Ameryka stała się wolna. W 1787 roku konstytucja ugruntowała republikański system rządów, realizowany przez prezydenta, Kongres i Sąd Najwyższy. Byłe kolonie połączyły się w Stany Zjednoczone Ameryki Północnej.

Amerykański sposób życia

Nowa republika rozwijała się bardzo szybko. Miliony osadników europejskich przybywało w poszukiwaniu wolności i polepszenia materialnego bytu, a niektórzy przygody. Rozkwitały miasta, handel, przemysł, rolnictwo i szkolnictwo. Wielu ludzi osiągało wysoki poziom życia, a „pionierski" duch zachęcał do wynalazków i odkryć. Linie kolejowe przecinały Amerykę od wybrzeża do wybrzeża. Na rozwiązanie czekał problem niewolnictwa, co doprowadziło do tragicznej i kosztownej wojny domowej.

PODSTAWOWE DATY

1607	Założenie angielskiej kolonii Wirginia
1619	Pierwsi czarni niewolnicy zostają sprzedani w Wirginii
1765-75	Narastające napięcia między kolonistami a rządem Metropolii
1775-83	Wojna o Niepodległość
1787	Konstytucja Stanów Zjednoczonych
1789	George Washington (Jerzy Waszyngton) zostaje pierwszym prezydentem
1861-65	Amerykańska wojna secesyjna
1876	Rdzenni Amerykanie (Indianie) wygrywają bitwę pod Little Bighorn
1890	Ostateczne pokonanie Indian w bitwie pod Wounded Knee.

Narody Ameryki Południowej

W 1494 roku na mocy traktatu z Tordesillas Hiszpania i Portugalia uzgodniły podział „Nowego Świata" w Centralnej i Południowej Ameryce. Ci kolonialni władcy bezlitośnie eksploatowali swe nowe posiadłości i tubylczą ludność, by zapewnić sobie stałe zyski z dostaw złota i srebra, cukru i kamieni szlachetnych.

Rewolucja francuska z 1789 roku ośmieliła wszystkie zniewolone narody do buntu. W latach 1810–1831, kierowane przez bojowników o wolność, takich jak Simon Bolivar (z prawej), który udzielił swego nazwiska państwu boliwijskiemu (Boliwii), niemal wszystkie kolonie hiszpańskie i portugalskie w Ameryce Południowej uzyskały niepodległość.

EPOKA WIKTORIAŃSKA

Wiktoria urodziła się w 1819. Została ona królową Anglii w 1837 roku, gdy miała 18 lat. W czasach, gdy uważano kobiety za niezdolne do rządzenia, stała się ona symbolem brytyjskiej godności i (jak powiedzieliby niektórzy) obłudy. Od jej imienia wzięła nazwę cała epoka.

JAK BYĆ KRÓLOWĄ?

Wiktoria stanęła wobec złożonego problemu, gdy została królową. Choć była ona monarchinią, to rzeczywiste uprawnienia do tworzenia praw, nakładania podatków i wypowiadania wojen należały do parlamentu. Wszystkie te decyzje wymagały zatwierdzenia przez Wiktorię, ale gdyby sprzeciwiała się parlamentowi – to wiedziała, że nie pozostałaby długo królową. Jak mogła zapobiec odsunięciu od polityki?

Wiktoria rozwiązała swe problemy na kilka sposobów. Prowadziła dyskusje z zaufanymi ministrami i korzystała z porad swego męża, księcia Alberta, człowieka inteligentnego i praktycznego. Uważała, że przykład osobisty ułatwi jej zarządzanie państwem. Jej zachowanie podkreślało zasady moralne, którym hołdowała. Stała się pełną poświęcenia żoną, była troskliwą matką. Pracowała ciężko i miała silne poczucie obowiązku, ale bywała również apodyktyczna, wytrwała i dumna.

Po owdowieniu wycofała się z życia publicznego, za co była ostro krytykowana.

Wiktoriańska Anglia była potężnym i pomyślnie rozwijającym się państwem. Ludzie wierzyli w postęp i skuteczność pracowitości. Naukowcy czynili wielkie odkrycia, technologia pędziła naprzód. Powoli parlament uchwalał prawa poprawiające warunki pracy i zapewniające wykształcenie dla wszystkich.

„MIASTA ŚWIATŁA"

Paryż i Wiedeń były najelegantszymi miastami Europy w 1880 r. Oba zostały znacznie zmienione; zbudowano szerokie nowe ulice, przy których znajdowały się komfortowe domy mieszkalne i luksusowe sklepy. Były tam parki i ogrody, restauracje, sale balowe, teatry i sale koncertowe. Wiedeń był znany z muzyki i tańca, Paryż słynął z mody i sztuki.

OKNO WYSTAWOWE ŚWIATA

W 1851 roku w Londynie otwarta została „Wielka Wystawa". Została ona zaplanowana przez księcia Alberta dla uczczenia osiągnięć ery wiktoriańskiej. Albert miał nadzieję, że wpłynie ona na poprawę jakości produktów i zaprezentuje światu brytyjskie osiągnięcia. Przewidziano również miejsce dla cudzoziemców, by pokazali swe własne produkty. Hala wystawowa została wykonana ze szkła i stali; miała 563 m długości i 139 m szerokości.

CO Z ROBOTNIKAMI?

Wiktoriański dobrobyt opierał się na ciężkiej pracy wszystkich związanych z przemysłem, od właścicieli, inżynierów i kierowników, którzy planowali nowe fabryki po zwykłych mężczyzn, kobiety i dzieci, którzy w nich pracowali. Ta praca nie była dobrze wynagradzana, a warunki pracy w fabrykach były ciężkie. Reformatorzy i przywódcy związków zawodowych walczyli o podniesienie wynagrodzeń i prawo do ochrony pracujących przed wypadkami i chorobami.

Potęga druku. *Pisarze i dziennikarze obdarzeni „świadomością społeczną" walczyli o reformy. Książki Karola Dickensa ukazywały ciemne strony wiktoriańskiego życia.*

CZASY KOLONIALNE

W 1901 roku, pod koniec panowania królowej Wiktorii, Imperium Brytyjskie obejmowało znaczną część świata, w tym Kanadę, Australię i Nową Zelandię, Indie, Burmę (obecnie Myanmar), południową i zachodnią Afrykę, Malaje (obecnie Malezja) i wiele wysp na Pacyfiku.

OKRUTNY HANDEL

W latach 1648-1815 europejscy handlarze niewolnikami przetransportowali statkami około 9 milionów niewolników z zachodnich wybrzeży Afryki na Karaiby. Byli oni zatrudniani w pracy na plantacjach trzciny cukrowej. Nieliczni ludzie uważali „handel ludzkim nieszczęściem" za coś złego, ale większość wolała myśleć tylko o swych zyskach. W 1791 roku zbuntowali się niewolnicy na Haiti. Rebelia została stłumiona, ale los niewolników nie mógł być dłużej ignorowany. Reformatorzy w Europie walczyli przeciw niewolnictwu i handlowi niewolnikami. Anglia zabroniła handlu niewolnikami w 1807 roku, ale niewolnictwo na terenie imperium zostało zniesione dopiero w 1833 roku. Ameryka ostatecznie zniosła niewolnictwo 14 kwietnia 1865 roku.

POTRZEBA ISTNIENIA IMPERIUM

To potężne imperium wyrosło z dwu potrzeb, z których żadna nie była polityczną: zdobycia nowych rynków i znalezienia nowych surowców. W XIX wieku wiele krajów (jak Chiny czy Japonia), które wcześniej nie wpuszczały europejskich kupców, zaczęło ich mile witać. Rewolucja przemysłowa zaopatrzyła brytyjskich kupców w wiele nowych towarów na sprzedaż, uzyskane w ten sposób pieniądze można było zainwestować w nowe maszyny. Ale maszyny potrzebowały surowców, takich jak cyna i kauczuk, które można było znaleźć tylko za morzami. Konsumenci w kraju mieli więcej pieniędzy do wydania na importowane towary, takie jak herbata, kość słoniowa, diamenty i jedwab. Aby utrzymać ten kwitnący stan interesów, Anglia musiała kontrolować dostawy, a także nie dopuścić innych krajów europejskich do tych surowców, towarów i rynków.

Wiktoriańskie wartości. Imperium Brytyjskie powstało dzięki silnej armii, a utrzymywane było przez świetnie wyszkoloną administrację kolonialną. Osobiste walory królowej Wiktorii odbijały się na sposobie traktowania przez Anglików swych kolonialnych poddanych. Politycy wykorzystywali postać królowej dla pobudzania poświęcenia. Angielscy administratorzy traktowali podbite narody jak wiktoriańskie dzieci – chwalone za posłuszne zachowanie, a karane – gdy były niegrzeczne.

BRYTYJSKIE INDIE

Do 1757 roku wojska angielskie zabrały Indie kolonistom francuskim i podbiły hinduskich przeciwników w wielu państwach. Prawnie władcy z dynastii Mogołów panowali nadal, ale byli oni jedynie marionetkami w angielskich rękach. W 1857 roku, po stłumieniu buntu indyjskich żołnierzy, Anglicy podporządkowali Indie Koronie. Rząd, wymiar sprawiedliwości, szkolnictwo, handel i siły zbrojne były kierowane przez Anglików. Nawet styl angielski kształtował Indie – poniżej widać stację kolejową w Bombaju.

WOJNY Z ZULUSAMI

Zulusi byli dzikim i wojowniczym plemieniem w Afryce Południowej. Wojownicy, zwani impis, nosili dzidy i tarcze. Ich wódz, Chaka, został zabity w 1828 roku, ale wojska, które wyszkolił walczyły przeciw holenderskim i angielskim kolonizatorom. Ostatecznie zostali oni pokonani w 1879 roku.

Europa Centralna, około 1871 r.
Narody Europy należały do różnych grup etnicznych, religijnych i językowych. Ta „wybuchowa mieszanka" była rządzona przez wielkie mocarstwa. Do 1871 r. powstały niezależne narody i państwa: Niemcy i Włochy. Każde z nich zawdzięcza to wielkim osobowościom: Niemcy – Bismarckowi, Włosi – Garibaldiemu.

NOWE PAŃSTWA

Co tworzy państwo? Czy wspólny język? Wspólny rodowód etniczny? Wieki historii czy podległość jednemu rządowi narodowemu? Czy też może to emocje narodów tworzą nowe państwa?

WZMAGANIE SIĘ NACJONALIZMU

Przez cały XIX w. nacjonalizm w Europie był potężną siłą. Po upadku Napoleona w 1815 r. kontynent był podzielony między wielkie mocarstwa: Wielką Brytanię, Francję, Austrię, Prusy, Rosję i Turcję. Te mocarstwa panowały nad terenami zamieszkałymi przez rozmaite ludy. Narody te, wiedzione przez swych przywódców, zaczęły dążyć do wyzwolenia się spod rządów wielkich mocarstw. W 1848, roku „Wiosny Ludów", wybuchły powstania w Austrii i na Węgrzech, były rozruchy w Polsce, Niemczech i rewolucja we Francji. Anglia również spotkała się z żądaniami niepodległości ze strony jej irlandzkich poddanych. Żaden z tych ruchów protestu nie stworzył nowych państw, chociaż wiele było inspirowanych przez idee nacjonalistyczne, i wszystkie one zagrażały – jeśli nawet przejściowo – rządom.

W Niemczech i Włoszech politycy tacy jak Bismarck i Cavour stosowali kombinacje siły wojskowej i ostrożnych negocjacji, by zjednoczyć swoje podzielone politycznie kraje w potężne, niezależne, nowe państwa. W innych częściach świata europejscy osadnicy starali się założyć nowe państwa w „nieznanych" krajach. Osadnicy przywieźli ze sobą europejskie zwierzęta hodowlane i sprzęt; budowali domy i gospodarstwa w stylach europejskich. Kopiowali oni również europejskie sposoby rządzenia, które miały pomóc im w panowaniu nad nowymi krajami.

NIEZALEŻNE WŁOCHY

W 1849 r. austriacki książę Metternich pogardliwie opisywał Włochy jako właściwie tylko „pojęcie geograficzne",

ŻELAZNY KANCLERZ

Przez setki lat Niemcy były podzielone na wiele małych państewek. Po rewolucji francuskiej, i ponownie w 1848 r., pojawiły się tendencje do zjednoczenia Niemiec. Nacjonaliści marzyli, że te nowe Niemcy będą potężne i wolne, rządzone przez naród, a nie despotycznych królów. Pełna jedność Niemiec, w znacznej mierze była dziełem jednego człowieka, Otto von Bismarcka (1815-1898), premiera północnoniemieckiego państwa pruskiego. Bismarck pragnął, by Prusy stały się przywódcą silnych, zjednoczonych Niemiec; był gotów do wykorzystania i dyplomacji, i brutalnych sposobów ("krew i żelazo") dla osiągnięcia tego celu. Armia pruska wygrała wojny z Danią, Austrią i Francją. Zjednoczenie Niemiec nastąpiło w 1871 r. Król Wilhelm I został wybrany cesarzem ("Kaiser"); Bismarck został jego kanclerzem. Bismarck wprowadził ustawodawstwo socjalne, popierał przemysł i wzmacniał armię. Istniał nawet parlament, wybierany przez wszystkich obywateli Niemiec, ale Bismarck mógł go ignorować. Niemcy były silne, bogate i ambitne (patrz str. 144).

GIUSEPPE GARIBALDI

Garibaldi (1807-1882) był osobowością z romantyczną fantazją. Wśród swych zwolenników cieszył się wielką lojalnością, a wśród nacjonalistów całej Europy uwielbieniem. Swą karierę rozpoczął jako żeglarz, podróżując do Ameryki Południowej, gdzie dowodził rewolucyjnymi armiami. W 1848 r. wrócił do Włoch, by walczyć o niepodległość. Na północy kraju walczył przeciwko Austriakom; na południu wiódł wojska rzymskie przeciwko francuskim agresorom. W obu przypadkach został pokonany, ale poprzysiągł dalszą walkę. W 1860 r. Garibaldi znowu podjął trud walki o niepodległość Włoch. Z tysiącem ochotników zajął Sycylię i Neapol, których wówczas domagała się Francja. Stał się bohaterem narodowym, co pokrzyżowało plany Cavourowi, który zamierzał posłużyć się dyplomacją, a nie partyzantką, by oswobodzić resztę Włoch.

a nie prawdziwy naród. Były one podzielone na rywalizujące państewka, z których większość była pod wpływami austriackimi. Wybuchały wprawdzie we Włoszech w 1848 r. rozruchy antyaustriackie, lecz nie przyniosły efektów. Dopiero po 1852 r. opozycja wobec obcych rządów była planowana bardziej pieczołowicie.

Hrabia Cavour, główny minister Królestwa Piemontu, kierował kampanią niepodległościową. W 1858 r. poprosił Francję o udzielenie mu pomocy. W wielu miastach odbywały się demonstracje popierające dążenia niepodległościowe. Cavour osiągnął sukces, ale Francja zażądała pewnych obszarów terytorium włoskiego jako "wynagrodzenia". Garibaldi (patrz niżej) nie akceptował tych żądań i w 1860 r. walczył z powodzeniem przeciwko Francji. Duża część Włoch stała się wolna od zwierzchnictwa obcych. Ta część została zjednoczona pod rządami Piemontczyków lub ich sprzymierzeńców. W 1861 r. Wiktor Emanuel z Piemontu został koronowany jako pierwszy król niepodległych Włoch. Następnym celem Garibaldiego było uwolnienie Rzymu spod obcej władzy. Siły francuskie zostały ostatecznie wycofane, a Włochy zjednoczone.

Garibaldi i jego ochotnicy ("czerwone koszule") przeżyli ciężkie czasy na wygnaniu. Tutaj jest pokazany w czasie wypoczynku podczas wyprawy wojennej.

Nowe życie na antypodach

Pierwszymi cudzoziemcami, którzy zbudowali swe domy w Australii byli brytyjscy skazańcy, przywiezieni do Nowej Południowej Walii. Ale wkrótce dobrowolni osadnicy europejscy zaczęli kolonizować Australię i Nową Zelandię. Zakładali owcze farmy (jak pokazane gospodarstwo w lasach, zbudowane w 1899), wydobywali złoto, rudy żelaza, węgiel oraz inne cenne kopaliny. Statki-chłodnie transportowały olbrzymie ilości mięsa i masła z Antypodów do Europy. Osadnicy byli często okrutni i chciwi. Miejscowa ludność była spychana ze swoich ziem, tłoczona w rezerwatach lub zabijana.

Irlandzkie troski

W 1800 r. rząd angielski wprowadził Ustawę o Zjednoczeniu (Unii), która czyniła Irlandię częścią Zjednoczonego Królestwa. Parlament irlandzki zniesiono i do 1829 r. katolicy byli pozbawieni możliwości wybierania na posłów do angielskiego parlamentu. Te posunięcia wywołały ostry sprzeciw, irlandzcy patrioci domagali się autonomii. Oburzali się na różnice między bogatymi anglo-irlandzkimi posiadaczami ziemskimi a biednymi rolnikami. Napięcia wzmogły się po „głodzie ziemniaczanym". Prawa angielskie utrzymywały wysokie ceny na zboża, by wspierać rolników. Irlandczycy nie mogli pozwolić sobie na chleb i kiedy plony ziemniaka zostały zniszczone przez zarazę, przymierali głodem. Ponadto Irlandia była podzielona religijnie. Północ była protestancka, Południe – rzymskokatolickie.

AUSTRALIA I NOWA ZELANDIA

1778	Przybywają pierwsi skazańcy brytyjscy. Wśród nich jest 11-letni chłopiec, winny kradzieży wstążki, i 82-letnia kobieta, winna krzywoprzysięstwa w sądzie.
1829	Anglia uzurpuje sobie prawo do Australii.
1840	Anglia uzurpuje sobie prawo do Nowej Zelandii.
1851	W Australii zostaje odkryte złoto.
1860	Wojny maoryskie (do 1871). Krajowcy w Nowej Zelandii bronią swych ziem przed osadnikami.
1879	Australia eksportuje prawie 150 milionów kilogramów wełny do Anglii

__Poszukiwanie kartofli__ (2 grudnia 1849). W czasie wielkiego „głodu ziemniaczanego" w latach 1845-1851 w Irlandii zmarło milion osób.

I WOJNA ŚWIATOWA

28 czerwca 1914 r. austriacki arystokrata został zastrzelony w Sarajewie przez serbskiego studenta. Mogłoby się to wydawać tragicznym, ale nieistotnym wydarzeniem. Niestety, zainicjowało ono jedną z najstraszniejszych wojen.

Arcyksiążę Franciszek Ferdynand był następcą tronu austro-węgierskiego. Serbscy rewolucjoniści walczyli o wolność dla ludów Bośni i Hercegowiny, które były pod panowaniem monarchii austro-węgierskiej. Mord ten był pretekstem do sięgnięcia po broń dla rozwiązania problemów dręczących wiele krajów europejskich. Francja pragnęła rewanżu na Niemcach za porażkę w 1870 r. Wielka Brytania obawiała się Niemiec, jako rywala w handlu i sporach o kolonie. Rosja nie chciała dopuścić do nadmiernego wzrostu potęgi Niemiec. W sierpniu 1914 r. Wielka Brytania, Francja i Rosja walczyły przeciw Austro-Węgrom i Niemcom. Później Turcja wsparła Niemcy, a Włochy, Japonia i Stany Zjednoczone – Wielką Brytanię i Francję. Spodziewano się, że będzie to krótka wojna, ale trwała ona cztery straszliwe lata. W wojnie wzięły udział 33 kraje i ok. 70 mln żołnierzy. Wprowadzono do walki nowe rodzaje broni jak czołgi, gazy bojowe (trujące), łodzie podwodne i małe samoloty, ale większość walk koncentrowała się w błotnistych okopach na linii frontu rozdzielającej kraje alianckie od niemieckich, biegnącej od kanału La Manche po granice Szwajcarii.

NIGDY WIĘCEJ!

Miliony ludzi zginęło próbując przesunąć linię frontu naprzód o kilkaset metrów w głąb terytorium przeciwnika. Warunki na froncie były tak złe, że wojska po obu stronach były bliskie buntu, a równowaga sił walczących stron sprawiała, iż żadna ze stron nie mogła wygrać. Koniec wojny nastąpił dopiero, gdy alianci (Ententa) otrzymali posiłki z Kanady i Stanów Zjednoczonych, a sojusznicy Niemiec – Austria i Turcja, poniosły druzgocącą klęskę. Zmęczona wojną cywilna ludność Niemiec wszczęła w kraju rozruchy, które doprowadziły do ustąpienia cesarza i ustanowienia republiki.

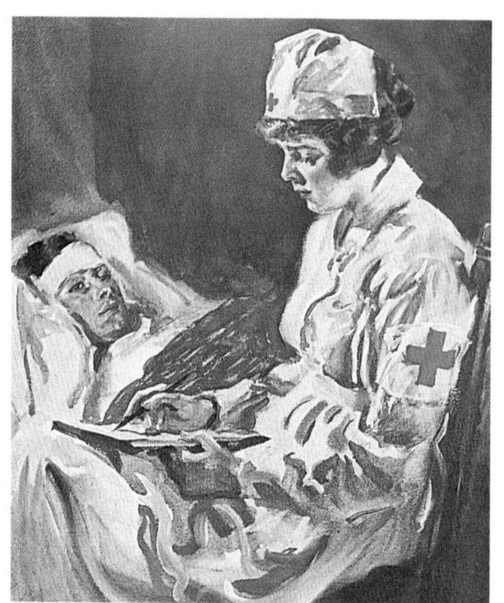

Pielęgniarka Czerwonego Krzyża *pisząca list dla zranionego żołnierza. Listy (które były cenzurowane) pocieszały żołnierzy i ich rodziny.*

WAŻNIEJSZE DATY

1914	Został zamordowany arcyksiążę Ferdynand. Wybuch I wojny światowej. Niemcy najeżdżają Belgię. Rosja atakuje Niemcy. Austria atakuje Serbię.
1915	Niemcy miażdżą Rosję. Wielka Brytania walczy przeciw Turcji. Włochy przyłączają się do Wielkiej Brytanii i Francji.
1916	Najkrwawsza bitwa – pod Verdun.
1917	Stany Zjednoczone sprzymierzają się z W. Brytanią. Rewolucja październikowa; rozejm z Niemcami. W. Brytania walczy przeciw Turcji na Środkowym Wschodzie.
1918	Ostateczny atak niemiecki na zachodzie załamuje się. Włochy pokonują Austrię, Francja pokonuje Turcję. Zawieszenie broni z 11 listopada; kończy się wojna.

Wojska brytyjskie w ataku. *Obciążeni sprzętem żołnierze napotykali morderczy ogień karabinów maszynowych i zasieki.*

WOJNA W OKOPACH

Armie obu stron walczyły w okopach — głębokich rowach kopanych dla zapewnienia schronienia żołnierzom. Warunki były straszne: głód, woda, błoto, szczury i ciała poległych. Pierwsza linia okopów była celem ciężkiego ostrzału. Dochodziło też do morderczych walk na bagnety. Ponad 8,5 miliona osób poległo, a 20 milionów zostało rannych.

KOBIETY I WOJNA

Kobiety odgrywały ważną rolę wykonując zawody, które były uważane za „niekobiece" i zastrzeżone dla mężczyzn. Prowadziły ciężarówki, montowały karabiny i pakowały niebezpieczną amunicję — pociski, bomby i granaty. Kobiety również pracowały jako pielęgniarki we wszystkich szpitalach polowych.

W czasie I wojny światowej po raz pierwszy wykorzystano samoloty.

REWOLUCJA W ROSJI (PAŹDZIERNIKOWA)

„Lud potrzebuje pokoju; lud potrzebuje chleba; lud potrzebuje ziemi". Lenin, przywódca komunistów, otrzymywał huczne oklaski tłumów, gdy wygłaszał swe podburzające przemówienia, wyrażające oczekiwania tych tłumów podczas rewolucji październikowej w 1917 r.

***Rosyjscy chłopi** żyli w strasznym ubóstwie, wielu tylko trochę lepiej niż niewolnicy.*

DROGA DO REWOLUCJI

Naród rosyjski nie popierał już cara i jego rządów. W marcu 1917 r. robotnicy w Sankt Petersburgu zastrajkowali, a armia solidaryzowała się z nimi. Gdy car usiłował przywrócić porządek, został aresztowany i zdecydował się na abdykację. Przez pewien czas administracja carska próbowała utrzymać władzę, lecz została ona przejęta przez członków Rad Robotniczych, które utworzyły Rząd Tymczasowy. Lenin przyłączył się do Rad wraz z grupą komunistycznych zwolenników znanych jako bolszewicy. Domagał on się zakończenia udziału Rosji w I wojnie światowej i przekazania ziemi należącej do wielkich posiadaczy w ręce chłopów. Z początku społeczeństwo odnosiło się do nich z rezerwą, ale gdy Rząd Tymczasowy przegrał ważną bitwę z Niemcami i nie był w stanie zaopatrzyć ludności w żywność i opał, poparło żądania Lenina, by przeprowadzić rewolucyjne zmiany.

Rewolucja październikowa (która zaczęła się 7 listopada zgodnie z nowoczesnym kalendarzem) przyniosła zasadnicze zmiany.

Członkowie Rządu Tymczasowego zostali aresztowani, dobra ziemskie i prywatne rachunki bankowe skonfiskowane, fabryki przekazane robotnikom, a własność kościelna zabrana. Rosja zawarła pokój z Niemcami.

Lenin starał się zbudować nowe, komunistyczne społeczeństwo, ale nie wszyscy popierali jego cele. Niepodległości domagali się Kozacy i byłe prowincje carskiego państwa. „Biali" Rosjanie pozostali lojalni wobec cara. Wrogowie Rosji – Japonia i Polska zdecydowały się na ataki. Ale Lenin utrzymał się.

W 1921 r. Lenin wprowadził "Nową politykę ekonomiczną", a komunistyczne państwo, ZSRR, zostało formalnie powołane w 1922 r. Rewolucja październikowa wygrała.

CHŁOPI I REWOLUCJA

W 1861 r. rosyjscy chłopi pańszczyźniani (niemal niewolnicy) zostali uwolnieni. Reformy rządowe były nakierowane na poprawę chłopskiego życia, aczkolwiek większość Rosjan pozostała biedna. Socjalistyczni aktywiści zachęcali chłopów do powstania. To wydarzyło się w 1905 i ponownie w 1917 r., gdy chłopscy żołnierze wszczęli bunt.

„OJCIEC ZWIĄZKU RADZIECKIEGO"

Włodzimierz Iljicz Lenin (1870-1924), prawnik z wykształcenia, był przywódcą bolszewików (większościowców), grupy komunistycznej w czasie rewolucji październikowej 1917. Został pierwszym przywódcą nowego państwa radzieckiego.

KONIEC CARÓW

Elegancki Pałac Zimowy w Sankt Petersburgu został zbudowany dla rosyjskiej rodziny carskiej w latach 1745-62 przez włoskiego architekta Rastrellego. W 1917 r. pałac został ostrzelany z krążownika Aurora przez rewolucjonistów, którzy widzieli w nim symbol starej władzy, świadectwo olbrzymiej przepaści między bogatymi i biednymi Rosjanami. Zwolennicy rewolucji mieli nadzieję, że zlikwiduje ona tę nierówność raz na zawsze.

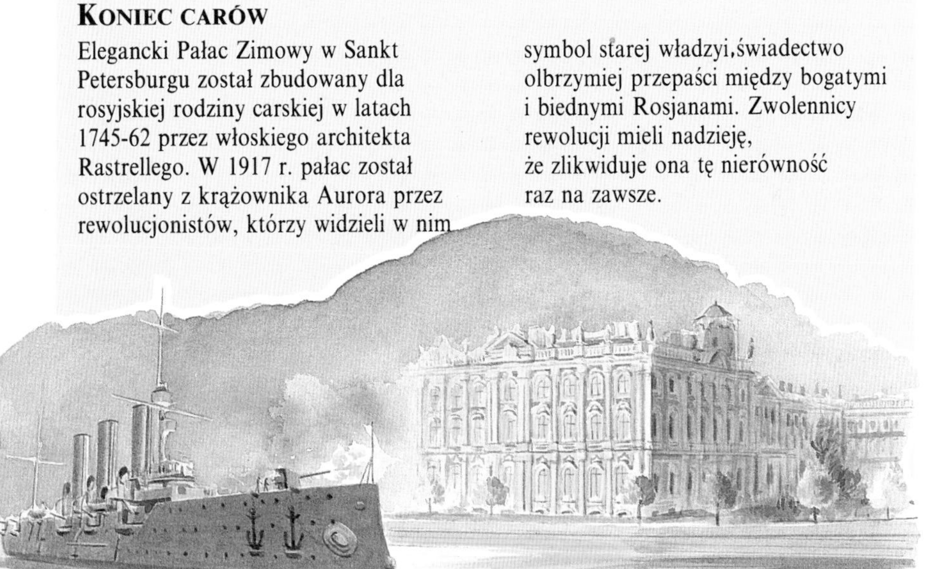

***Car Mikołaj II** (1868-1918), ostatni władca Cesarstwa Rosyjskiego ze swą rodziną. Po rewolucji zostali oni wszyscy zamordowani.*

W Ameryce ***kryzys*** *doprowadzał wiele rodzin do utraty domów.*

NARASTANIE FASZYZMU. II WOJNA ŚWIATOWA

W 1918 r. ludzie określali I wojnę światową "wojną o skończenie wszystkich wojen". Zakładali, że nigdy więcej nie może być rzezi na tak wielką skalę. Nowa organizacja, Liga Narodów, została założona w 1920 r., by działać na rzecz pokoju. Przez krótki okres nadzieje były wielkie.

WIELKI KRYZYS

W październiku 1929 r. nastąpił krach na giełdzie nowojorskiej; banki, przedsiębiorstwa i prywatni inwestorzy utracili swe pieniądze. Ta katastrofa finansowa doprowadziła do głębokiego kryzysu gospodarczego. Gospodarstwa i fabryki upadały; ludzie głodowali. W 1932 r. w Stanach Zjednoczonych było 13 mln bezrobotnych.

WARIAT CZY WIELKI PRZYWÓDCA?

Adolf Hitler (1889-1945) został przywódcą Niemieckiej Partii Narodowo-Socjalistycznej w 1921 r. Po klęsce Niemiec w I wojnie światowej chciał zbudować potężne państwo niemieckie, które miałoby rządzić Europą przez następne tysiąc lat. Te fantastyczne, a może wariackie, pomysły przemawiały do urażonych ambicji niemieckich. Hitler fascynował swych zwolenników niezwykłym talentem mówcy i potęgą osobowości. Zdjęcie poniżej przedstawia Hitlera i innych przywódców nazistowskich podczas manifestacji w Niemczech, zaplanowanej dla pozyskania powszechnego poparcia.

NARASTANIE KONFLIKTU

Ameryka i nowy Związek Radziecki nie przyłączyły się do Ligi Narodów, osłabiając ją od samego początku. Do lat trzydziestych ludzie zwracali małą uwagę na jej żądania. Porozumienia pokojowe zawarte po I wojnie światowej nie były najlepsze. Nie były również realizowane zgodnie z intencjami, a przede wszystkim nie rozwiązały problemów, które mogły być zarzewiem przyszłych sporów, takich jak: kto powinien rządzić w Sudetach na granicy między Niemcami i Czechosłowacją. Ameryka wkrótce stanęła wobec swych własnych problemów związanych z katastrofalną sytuacją gospodarczą i nie była skłonna do odgrywania wiodącej roli w sprawach europejskich. Rewolucja rosyjska 1917 r. i lata zamieszek, które po niej nastąpiły, groziły rozlaniem się po Europie. Strajkowali robotnicy w Wielkiej Brytanii i Włoszech, z inspiracji komunistów wybuchały rewolty na Węgrzech i w Hiszpanii. Rosła również prawicowa reakcja na "komunistyczne zagrożenie" w wielu krajach; reżimy wojskowe przejęły władzę w Bułgarii, Jugosławii i Grecji.

Narodziła się potężna prawicowa koncepcja polityczna, znana jako faszyzm. We Włoszech Benito Mussolini powołał w 1922 r. rząd faszystowski. Wprowadził on surowe prawa i wykorzystywał przemoc dla utrzymania się przy władzy. W Hiszpanii, w latach 1936-39 wybuchła krwawa wojna domowa między komunistami a faszystami kierowanymi przez generała Franco.

HITLER I NIEMCY

W tym samym okresie, gdy faszyści zdobywali władzę we Włoszech i Hiszpanii, Niemiecka Partia Narodowo-Socjalistyczna (nazistowska),

Dzieci żydowskie, odgrodzone niczym zwierzęta w nazistowskim obozie koncentracyjnym w Niemczech. Hitler głosił ideę czystości rasowej. W jego planach leżała całkowita zagłada Cyganów i Żydów jako niearyjczyków, dla których nie było miejsca w nowym państwie niemieckim. Zgodnie z tym planem zginęło ok. 6 mln żydowskich mężczyzn, kobiet i dzieci.

Front wewnętrzny

Życie osób cywilnych we wszystkich krajach podczas II wojny światowej było ciężkie. Żywność, odzież i paliwo były racjonowane, panował terror władz okupacyjnych. Prześladowania hitlerowskie szczególnie dotykały Polaków, Żydów, Rosjan. We wszystkich okupowanych krajach powstawał ruch oporu, szczególnie silny w Polsce. Akcje podziemnej armii zadawały dotkliwe ciosy okupantowi, partyzanci wysadzali pociągi z wojskiem i zaopatrzeniem jadące na front, niszczyli magazyny z bronią i żywnością; akcją sabotażu objęte były przedsiębiorstwa pracujące na potrzeby armii hitlerowskiej; organizowano zamachy na szczególnie okrutnych hitlerowców.

1939 Niemcy napadają na Polskę.
1940 Niemcy zdobywają Europę Zachodnią.
1941 Niemcy najeżdżają Związek Radziecki. Japonia atakuje amerykańską flotę na Hawajach.
1942 Japonia zdobywa kraje Imperium Brytyjskiego na Dalekim Wschodzie; Niemcy pokonani przez Brytyjczyków pod El Alamein.
1943 Niemcy pokonani przez Rosjan pod Stalingradem. Amerykańskie zwycięstwa na Pacyfiku. Włochy poddają się.
1944 Niemcy wycofują się z Francji.
1945 Alianci wkraczają do Niemiec.

kierowana przez byłego austriackiego żołnierza, Adolfa Hitlera, uzyskała znaczące poparcie w wyborach parlamentarnych z 1932 r. Podobnie jak wiele innych krajów, Niemcy stały w obliczu kryzysu gospodarczego; z 10 mln zdolnych do pracy ludzi, 6 mln było bezrobotnych. Pieniądze niemieckie stały się niemal bezwartościowe, a ludziom brakowało jedzenia, uznali więc, że naziści Hitlera oferują nadzieję na lepszą przyszłość. Hitler uzyskał pełnię władzy w 1933 r. Szybko wprowadził w życie programy nastawione na przekształcenie państwa niemieckiego. Obciążył on komunistów i Żydów odpowiedzialnością za problemy Niemiec; byli oni prześladowani lub zsyłani do obozów koncentracyjnych. Partia nazistowska decydowała o wszystkim i represjonowała każdego, kto tylko odważył się być nieposłuszny. W 1938 r. Hitler zajął Austrię i domagał się również Sudetów. W Monachium premierzy Wielkiej Brytanii i Francji starali się wynegocjować pokojowe rozstrzygnięcie sporu, ale w 6 miesięcy później Hitler najechał Czechosłowację. 1 września 1939 napadł na Polskę. Nikt nie miał wątpliwości – Hitler dążył do zawładnięcia Europą. W dwa dni później Wielka Brytania i jej sojusznicy wypowiedzieli Niemcom wojnę.

Wojna na Dalekim Wschodzie zakończyła się przy użyciu broni atomowej, wykonanej według amerykańskich planów. Amerykańscy naukowcy pracowali w tajemnicy i szybko osiągnęli sukces. W sierpniu 1945 r. zrzucono bomby atomowe na Hiroszimę i Nagasaki. Ofiary w ludziach i szkody materialne były tak ogromne, jak nigdy wcześniej. Po użyciu przeciw nim tej strasznej broni, Japończycy nie mieli już nadziei na zwycięstwo.

Początek końca

W dniu „D" (6 czerwca 1944) siły alianckie rozpoczęły inwazję na okupowaną przez Niemców Francję. Alianci lądowali na plażach Normandii, pokonali niemiecką obronę i pomaszerowali w kierunku Paryża, który wyzwolili 25 sierpnia. Niemcy stracili panowanie nad Francją, ale walki trwały do 1945 r.

Wojska brytyjskie lądujące na wybrzeżach *Normandii (Francja) podczas inwazji w dniu „D".*

RZĄDY ISLAMSKIE
Muzułmanie, prawa boskie, które rządzą życiem publicznym i prywatnym, znajdują w świętej księdze islamu - Koranie. Ich przywódcy religijni (powyżej) poświęcają lata na studiowanie Koranu. Z muzułmańskiej perspektywy czyni to ich doskonale przygotowanymi do rządzenia.

KONFLIKT ARABSKO-IZRAELSKI
Żołnierze izraelscy, którzy znaleźli czas na modlitwę podczas "wojny sześciodniowej" (1967), kiedy to Izrael, popierany przez Stany Zjednoczone, pokonał Egipt, Jordanię i Syrię w ciągu sześciu dni. W 1979 r. Egipt uznał prawo Izraela do istnienia, a ten wycofał się z niektórych terytoriów, jakie zajął podczas „wojny sześciodniowej".

WOJNA W ZATOCE PERSKIEJ
W latach osiemdziesiątych miliony ludzi zostało zabitych w czasie wojny między Iranem a Irakiem, była to częściowo wojna religijna muzułmanów: irańskich szyitów z irackimi sunnitami. Wojna zakończyła się w 1988 r., ale w 1990 r. Irak najechał Kuwejt, swego małego, ale bogatego sąsiada. Siły ONZ, pod przywództwem Stanów Zjednoczonych, ruszyły by wyzwolić Kuwejt i zagwarantować nieprzerwane dostawy ropy naftowej. Irak został pokonany w 1991 r., ale dopiero gdy zginęły tysiące Irakijczyków.

KONFLIKTY NA BLISKIM WSCHODZIE

Środkowy Wschód jest często nazywany kolebką cywilizacji, a jedno z jego miast, Jerozolima, jest świętym miejscem trzech największych religii.

Duża część Środkowego Wschodu wchodziła w skład tureckiego Imperium Ottomańskiego, które upadło dopiero po I wojnie światowej, pozostawiając Wielkiej Brytanii i Francji podzielenie regionu na państwa. Granice, przez nich ustalone, podzieliły narody. Stało się to przyczyną przyszłych konfliktów. Granice są nadal przedmiotem zażartych sporów. Były one jedną z przyczyn dla których Iran i Irak rozpoczęły wojnę w 1980 r. Spory są zaogniane również przez religie, ponieważ żyją tu blisko siebie żydzi, muzułmanie i chrześcijanie.
A ponieważ Środkowy Wschód posiada największe pola naftowe świata, mocarstwa obce, jak Stany Zjednoczone i Wielka Brytania, są również żywo zainteresowane tymi terenami, co jeszcze bardziej komplikuje sytuację.
Izrael znajduje się w centrum wielu dyskusji. W latach dwudziestych Brytyjczycy zachęcili Żydów rozsianych po świecie do uczynienia Palestyny swą ojczyzną. Arabowie uważali jednak, że Żydzi kradną ich ziemie. W 1948 r. ONZ rozdzieliła Palestynę pomiędzy Żydów i Arabów. Część żydowska stała się Izraelem. Siły arabskie zaatakowały nagle Izrael, ale zostały pokonane i Izrael zajął całą Palestynę. Od tego czasu Izrael jest stale w konflikcie ze swymi arabskimi sąsiadami. Arabowie palestyńscy chcą mieć swą własną ojczyznę i prowadzą o nią walkę. Rozpoczęte w 1993 r. mediacje mogą doprowadzić do złagodzenia konfliktu.

ZIMNA WOJNA I KOMUNIZM

Podczas II wojny światowej siły amerykańskie i rosyjskie były zjednoczone w swym wysiłku pokonania Hitlera. Po zaledwie kilku latach, Stany Zjednoczone i Związek Radziecki stały się zażartymi przeciwnikami w „zimnej wojnie". Dlaczego ci uprzedni sprzymierzeńcy stali się wrogami?

W 1945 r. „wielka trójka", szefowie państw sprzymierzonych – Winston Churchill z Wielkiej Brytanii, Franklin D. Roosevelt ze Stanów Zjednoczonych i Józef Stalin ze Związku Radzieckiego – spotkali się w Jałcie, na Ukrainie. Walki jeszcze nie były zakończone, ale oni byli już pewni zwycięstwa. Teraz mieli uzgodnić swoje stosunki w powojennym świecie. To nie było łatwe, gdyż mieli rozbieżne poglądy polityczne. Wielka Brytania i Stany Zjednoczone miały gospodarki kapitalistyczne i uważały się za orędowników wolnego świata. Związek Radziecki był państwem komunistycznym, w którym wszystko było organizowane i sterowane przez państwo. Krytykowanie polityki państwa nie było w ZSRR tolerowane. W Jałcie zostało potwierdzone, że Wielka Brytania, Francja, Stany Zjednoczone i Związek Radziecki wspólnie będą okupować Niemcy, tak jak to zostało uzgodnione w 1944 r. Przyszłość samych Niemiec pozostawiono do decyzji powojennej konferencji pokojowej, która odbyła się w Poczdamie.

Stany Zjednoczone i ZSRR stanęły „twarzą w twarz", jako kuratorzy podzielonej Europy. Toczyły się spory o uciekinierów, granice i – najważniejszy ze wszystkich – o miasto Berlin.

Od 1948 r. sprzymierzeni byli w stanie wojny. Ale była to „zimna wojna" – na słowa, nie przy użyciu broni. Jedynie w 1962 r. konflikt zbrojny był bardzo prawdopodobny – gdy ZSRR chciał założyć bazy rakietowe na Kubie. Zmagania zimnowojenne były prowadzone wszelkimi dostępnymi sposobami, często przy użyciu szpiegów i propagandy. Stany Zjednoczone i ZSRR rozpoczęły „wyścig zbrojeń" budując bomby nuklearne i rakiety, próbując znaleźć się o stopień wyżej od przeciwnika. Supermocarstwa toczyły ze sobą również konwencjonalne (nieatomowe) wojny w dalekich krajach. Ponieważ każda ze stron chciała mieć przewagę, zawiązywały one przymierza o światowym zasięgu, popierając rywalizujące grupy lub wspierając opozycję i buntowników. Zimna wojna „wygasła" po 1985 r., gdy Michaił Gorbaczow wprowadził reformy w ZSRR i rozpoczął politykę otwartej współpracy z Zachodem. Ale skutki tej wojny są nadal odczuwalne w wielu częściach globu.

REWOLUCYJNE CHINY
Mao Tse-Tung (1893-1976) był przywódcą Chińskiej Partii Komunistycznej rządzącej państwem chińskim. Żył w okresie wielkich zmian, od „długiego marszu" (1934-1935), kiedy to przeprowadził komunistycznych buntowników do bezpiecznych schronień

w górach, przez najazd japoński, po „rewolucję kulturalną" (ruch masowej i brutalnej reedukacji społeczeństwa w latach 1965-68). „Myśli" Mao zostały opublikowane w osławionej "małej czerwonej książeczce". Po śmierci Mao reformatorzy wznowili kontakty ze światem i rozpoczęli demokratyzację Chin, którą wstrzymała masakra (w 1989 r.) ludności w Pekinie.

***Wojna Wietnamska** (1955-1975) była tragicznym konfliktem między zwalczającymi się Wietnamczykami, popieranymi przez wielkie mocarstwa. Zginęło wielu żołnierzy i cywilów, a teren został spustoszony przez chemikalia i miny bojowe. Demonstranci w Stanach Zjednoczonych domagali się zakończenia wojny po ukazaniu przerażających scen na ekranach telewizji amerykańskiej.*

1949	Utworzenie NATO i RWPG.
1955	Początek wojny w Wietnamie.
1955	Układ Warszawski: traktat obronny między państwami komunistycznymi.
1960	Amerykański samolot szpiegowski zestrzelony nad Rosją.
1961	Budowa muru berlińskiego.
1962	Rosyjskie rakiety zostają odkryte na Kubie.
1968	Wojska Układu Warszawskiego interweniują w Czechosłowacji.
1985	Gorbaczow zostaje przywódcą radzieckim.
1987	Stany Zjednoczone i ZSRR rezygnują z niektórych broni nuklearnych.
1989	Zburzenie muru berlińskiego.

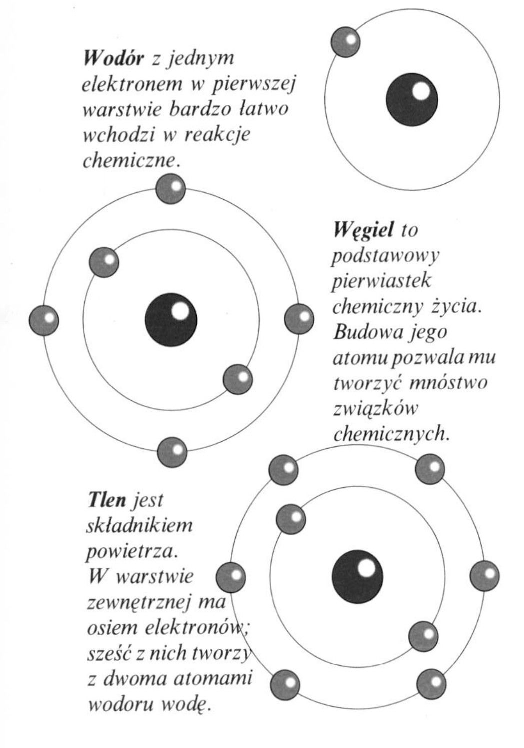

MATERIA

Materia to wszelka substancja we wszechświecie od najmniejszego pyłku po największą gwiazdę – wszystko, co nie jest po prostu pustą przestrzenią. Część materii to ciała stałe, widzialne, które można podnieść, ale niewidzialne gazy i ciecze są również materią.

ATOMY I CZĄSTECZKI

Starożytni filozofowie greccy mieli dwie koncepcje na temat materii. Arystoteles (384-322 p.n.e.) uważał ją za jednorodną, ciągłą substancję, którą można dzielić na coraz mniejsze drobiny. Z kolei Demokryt (460- ok. 370 p.n.e.) uważał, że materia składa się z miliardów maleńkich *atomów* – najmniejszych drobin, na jakie można podzielić materię („atom" to po grecku „niepodzielny"). Przez wieki większość naukowców zgadzała się z Arystotelesem. Ale Demokryt miał przynajmniej częściowo rację.

Ta książka wprawdzie wygląda na solidną, ale tak jak każda substancja we wszechświecie składa się z pustej przestrzeni usianej atomami. Atomy są tak małe, że można je zobaczyć tylko pod bardzo silnym, specjalistycznym mikroskopem. W kropce kończącej to zdanie zmieściłyby się dwa miliardy atomów. Niegdyś naukowcy sądzili, że atomy przypominają maleńkie twarde kuleczki, których nie można podzielić, zniszczyć ani stworzyć. W gruncie rzeczy przypominają one nie tyle twarde kulki, co obłoki energii. Składają się z pustej przestrzeni zawierającej kilka jeszcze mniejszych cząstek zwanych *cząstkami elementarnymi.*

W centrum każdego atomu znajduje się jądro zawierające dwa rodzaje cząstek, *protony* i *neutrony*. Protony mają dodatni ładunek elektryczny, a neutrony żadnego. Wokół jądra znajdują się mniejsze, naładowane ujemnie cząstki zwane elektronami, podróżujące z prędkością światła. Większość atomów ma tyle samo protonów i elektronów, a więc ładunki się równoważą.

Atomy można rozszczepiać, ale zwykle scalają je trzy siły – silne przyciąganie elektryczne między

WARSTWY ELEKTRONÓW

Elektrony wirują wokół jądra w różnych warstwach lub powłokach. Liczba elektronów, które mogą się pojawić w każdej warstwie jest ograniczona. W pierwszej, najbliższej jądra, jest miejsce tylko dla dwóch; w drugiej — dla ośmiu itd. Łatwość wchodzenia atomu w związki z innymi atomami zależy od tego, do jakiego stopnia puste bądź pełne są jego zewnętrzne warstwy.

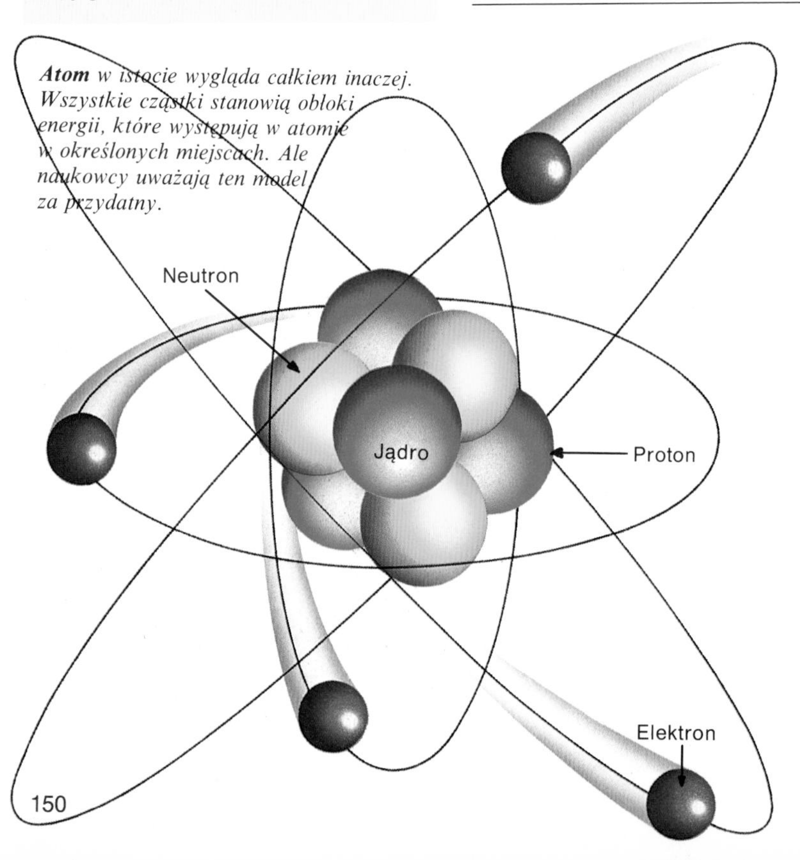

Atom w istocie wygląda całkiem inaczej. Wszystkie cząstki stanowią obłoki energii, które występują w atomie w określonych miejscach. Ale naukowcy uważają ten model za przydatny.

WEWNĄTRZ ATOMU

W latach dwudziestych większość naukowców uważała, że istnieją trzy rodzaje cząstek elementarnych – nazywali je elektronami, protonami i neutronami.

Od tamtego czasu naukowcy odkryli wiele innych rodzajów cząstek w wyniku eksperymentów polegających na rozbijaniu atomów. Poza tym stwierdzono, że każda cząstka ma *antycząstkę*, która stanowi jej lustrzane odbicie, chociaż jest nie mniej realna od samej cząstki.

Dziś naukowcy sądzą, że wszystkie cząstki składają się z dwóch rodzajów cząstek, znanych jako *kwarki* i *leptony*. Protony i neutrony składają się z różnych *smaków* (rodzajów) kwarków; elektrony zaś są leptonami.

ujemnymi elektronami a dodatnimi protonami oraz *silne* i *słabe* siły jądrowe wiążące razem cząstki jądra. Te siły oraz siła ciężkości to podstawowe siły wiążące wszechświat.

PIERWIASTKI I ZWIĄZKI CHEMICZNE

Charakter atomu zależy od liczby posiadanych protonów. Jak dotychczas stwierdzono, atom może zawierać co najmniej 105 protonów, istnieje więc 105 rodzajów atomów. Substancje złożone z identycznych atomów nazywamy *pierwiastkami* i są one podstawowym budulcem wszechświata. Tak jak istnieje 105 rodzajów atomów, istnieje 105 pierwiastków, każdy złożony z atomów o określonej liczbie protonów i posiadający właściwy sobie charakter. Na przykład atomy żelaza mają 26 protonów, złota – 79.

Miliony znanych substancji są kombinacjami tych pierwiastków. Niektóre z nich stanowią *związki chemiczne,* które powstają przy połączeniu się atomów dwóch lub więcej pierwiastków. Na przykład sól stołowa jest związkiem sodu i chloru. Taki związek zwykle bardzo się różni od zawartych w nim pierwiastków.

CIAŁA STAŁE, CIECZE I GAZY

Tak jak lód topi się w wodę, a podgrzana woda przemienia w parę, tak każda substancja w pewnych temperaturach zamienia swój stan ze stałego w ciekły lub gazowy. Temperaturę, w której substancja topi się, przechodząc ze stanu stałego w ciekły, nazywamy *temperaturą topnienia*; najwyższą temperaturę osiąganą przez ciecz przed zamianą w gaz nazywamy *temperaturą wrzenia*. Temperatura wrzenia i topnienia są różne dla różnych substancji. W substancji stałej cząsteczki łączą się mocno przez wiązania i po prostu wibrują. Ciepło sprawia, że wibrują szybciej, przemieniając substancję w ciecz. Jeśli podwyższymy temperaturę, cząsteczki będą poruszać się tak szybko, że wiązania między cząsteczkami ulegną przerwaniu i substancja stanie się gazem. W gazach cząsteczki znajdują się daleko od siebie, dlatego gazy są mniej gęste.

Sód (metal) syczy i staje się gorący po wrzuceniu do wody; chlor to gęsty, zielony gaz. Czyste pierwiastki lub związki należą jednak do rzadkości, a większość substancji to *mieszanka* dwóch lub więcej. Czysta woda to związek chemiczny złożony z wodoru i tlenu, ale woda w kranie to mieszanina, bo są w niej rozpuszczone różne substancje.

Ciecz i gaz. *Ciecze parują przekształcając się w gaz, kiedy coraz szybciej poruszające się cząsteczki odrywają się od powierzchni. Gaz ulega* kondensacji *w ciecz, gdy cząsteczki zwalniają i zaczynają je łączyć wiązania. Woda zaczyna parować na długo przed osiągnięciem temperatury wrzenia, to jest 100°C, ale para to w rzeczywistości kropelki wody; gaz powstały z wody jest niewidzialny i nazywamy* go parą wodną.

Ciała stałe *w większości mają stały układ cząsteczek (wzorzec), zwany* siecią krystaliczną. *Temperatura wywołuje ruch cząsteczek, który rozbija wzorzec, zmieniając stan fizyczny danego ciała.*

CZY WIESZ, ŻE...?

Wszystkie atomy są bez przerwy w ruchu; dostarczając im energię sprawiamy, że poruszają się coraz szybciej i stają się coraz cieplejsze.

Cząstki wchłaniają ciepło wirując (i poruszając się).

Cząsteczki w powietrzu poruszają się z prędkością 1500 km/godz., zderzając się z innymi atomami 80 miliardów razy na sekundę.

Żelazo topi się w temperaturze 1535°C.

Hel wrze w temperaturze −269°C.

Srebro topi się w temperaturze 961°C.

Ołów topi się w temperaturze 327°C.

CZĄSTECZKI

Atomy łączą się, tworząc *cząsteczki.* Na przykład atomy wodoru zwykle występują jedynie w parach lub w połączeniu z atomami innych pierwiastków. Cząsteczka gazu wodoru to para atomów wodoru; cząsteczka wody to połączenie dwóch atomów wodoru i jednego atomu tlenu. Związki chemiczne składają się z identycznych cząsteczek, a każda jest taką samą kombinacją atomów. Atomy w cząsteczce są połączone *wiązaniami.* Wiązania to siły istniejące między atomami, wytworzone przez elektrony. W cząsteczce wody (u góry po lewej) ujemnie naładowane elektrony atomu wodoru są przyciągane do dodatnio naładowanego jądra atomu tlenu i odwrotnie. Siła i postać tych wiązań różnią się. W diamencie, który jest czystym węglem, pięć atomów węgla łączy się w piramidę albo czworościan tak silnie, że diament należy do najtwardszych substancji na świecie (u dołu po prawej). Węgiel łączy się z innymi atomami tak dobrze, że jedna cząsteczka pewnych związków węglowych, takich jak DNA (str. 9), może składać się z milionów atomów. Istnieje tak wiele cząsteczek zawierających węgiel, że poświęcono im całą dziedzinę chemii. Nazywamy ją chemią organiczną, ponieważ cząsteczki zawierające węgiel są podstawą życia wszystkich organizmów.

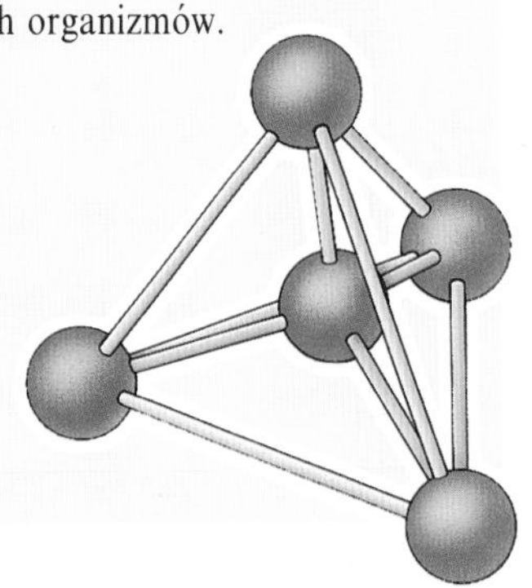

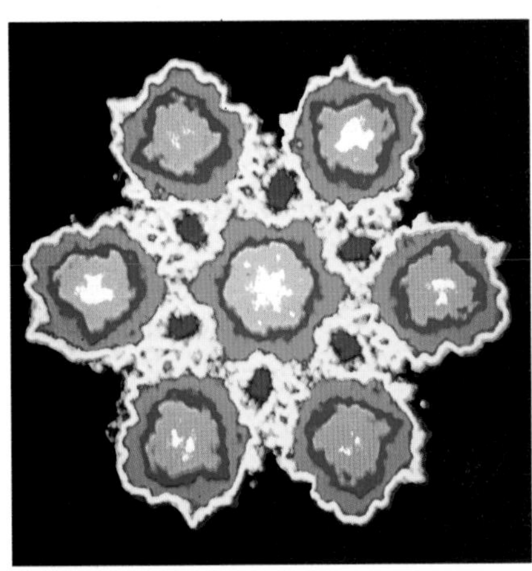

Atomy. *To zdjęcie atomu uranu wykonano za pomocą mikroskopu skaningowego tunelowego.*

Bateria, *czyli ogniwo suche przemienia energię chemiczną w elektryczną. W trakcie tego procesu zużywa się zmagazynowana w niej energia.*

ELEKTRYCZNOŚĆ I MAGNETYZM

Elektryczność to jedna z najbardziej uniwersalnych form energii. Dostarcza ciepła, powoduje świecenie żarówki, a także wytwarza drobne impulsy pozwalające działać komputerowi. Ponadto, podobnie jak magnetyzm, jest jedną z podstawowych sił, która spaja materię.

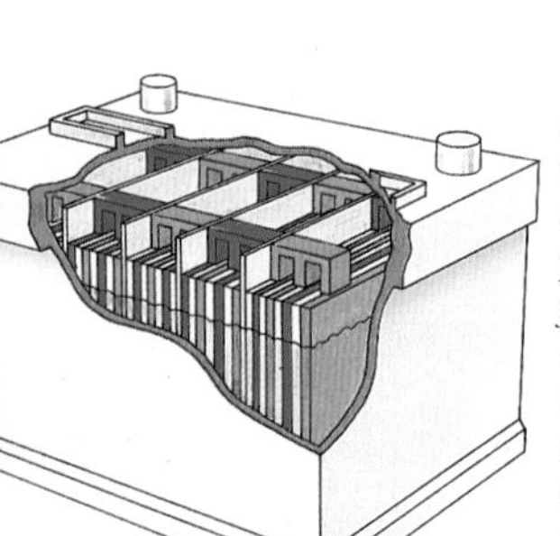

Bateria kwasowa *nazywana jest akumulatorem, ponieważ można ją doładowywać. Elektrodami są duże płyty, często ołowiowe, elektrolitem zaś jest słaby kwas siarkowy.*

BATERIE

Baterie wykorzystują reakcje chemiczne do wytwarzania elektryczności. Każde *ogniwo* (część) baterii ma *elektrodę dodatnią* i *ujemną*. W *prostym ogniwie mokrym* elektrodami są metalowe płytki zanurzone w soli lub w roztworze kwasu zwanym *elektrolitem*, połączone obwodem z drutu. *Jony dodatnie* (atomy, które utraciły elektrony) rozpuszczają się w elektrolicie z elektrody, pozostawiając ją naładowaną ujemnie i uwalniając elektrony w celu wytworzenia prądu w obwodzie.

ELEKTRYCZNOŚĆ STATYCZNA

Kiedy suche włosy stają podczas czesania, błyskawica strzela w czasie burzy, mamy do czynienia z *elektrycznością statyczną*. Oba te zjawiska łączy proces pocierania.

Efekt pocierania prowadzi do wytworzenia ładunku ujemnego i dodatniego. Siły powstające między nimi powodują odpychanie lub przyciąganie. Zależy to od elektronów, (str. 150). Kiedy dwie powierzchnie ocierają się o siebie, elektrony przechodzą od jednej powierzchni do drugiej. Powierzchnia tracąca elektrony jest naładowana dodatnio, ta, która je zyskuje ma ładunek ujemny. Ponieważ przeciwne ładunki przyciągają się, powierzchnie łączą się ze sobą.

PRĄD ELEKTRYCZNY

Stacjonarne ładunki elektryczne nazywamy *elektrycznością statyczną*. Ładunek elektryczny może przepływać przez pewne materiały. To nazywamy *prądem elektrycznym*; używa się go do napędzania wszelkiego rodzaju urządzeń, od żarówki po komputery.

Żeby *prąd* mógł płynąć, musi istnieć *obwód elektryczny*, nieprzerwana pętla, po której przemieszcza się ładunek. Siłą elektromotoryczną może być bateria (powyżej po lewej) albo generator (u dołu po lewej). Materiał musi być dobrym

DOSTARCZANIE ELEKTRYCZNOŚCI

Elektryczność jest wytwarzana w elektrowniach w formie prądu zmiennego, czyli takiego, który regularnie zmienia wartość i kierunek. Napięcie tego prądu zmiennego jest wzmacniane przez *transformatory* aż do 400 000 woltów. Następnie przesyła się go na duże odległości przewodami zwanymi *siecią wysokiego napięcia*. W pobliżu docelowego miejsca dodatkowe transformatory w *podstacji* obniżają napięcie do 110 lub 240 woltów. To niskie napięcie jest następnie przekazywane do domów i sklepów. Wielkie fabryki mają własne transformatory, gdyż potrzebują wyższego napięcia.

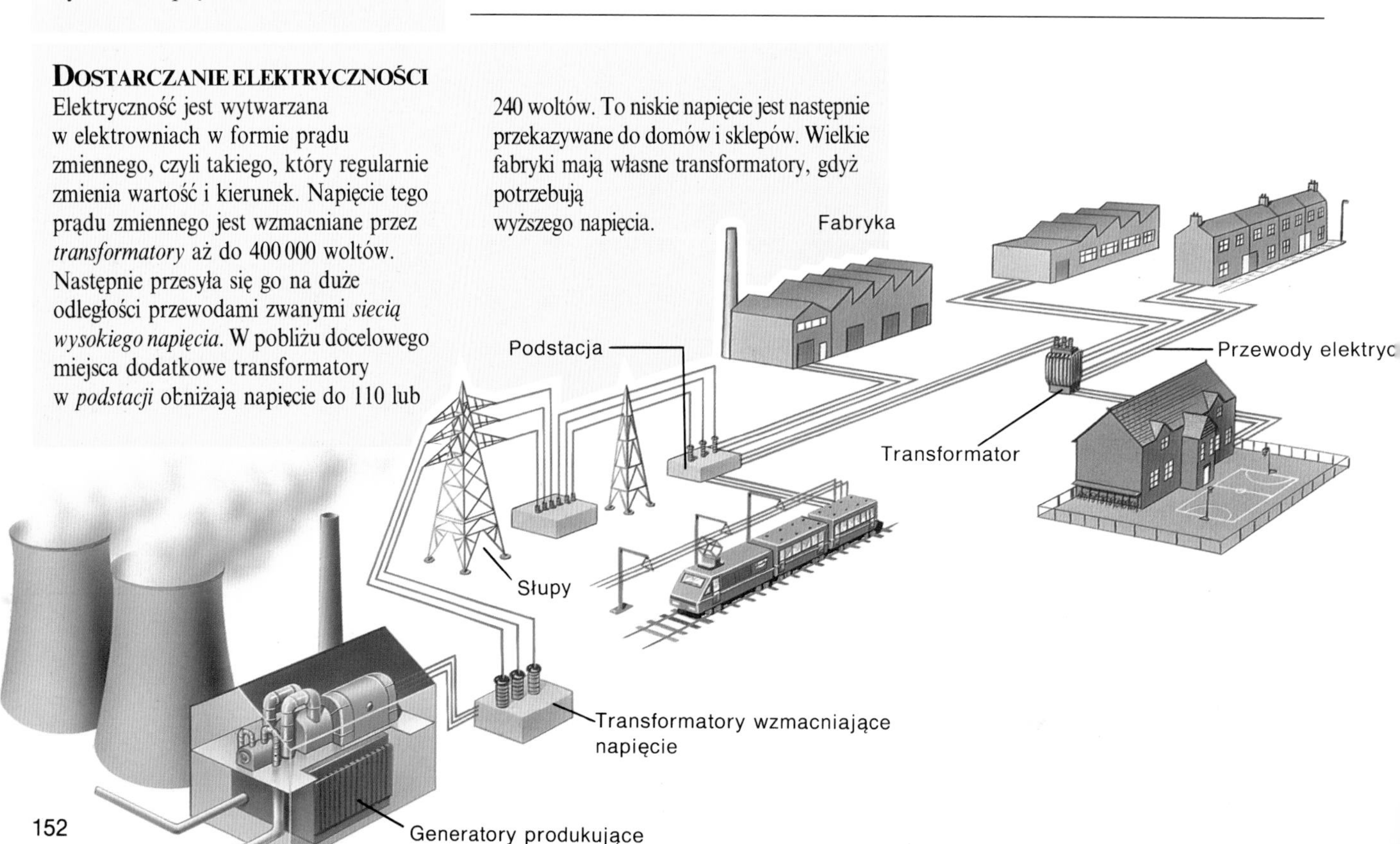

Magnesy

Magnetyzm to niewidzialna siła między materiałami magnetycznymi, takimi jak żelazo czy nikiel, która przyciąga lub odpycha. Ta siła wpływa na pewien obszar wokół każdego magnesu zwany jego *polem*. Pokazano tu wzór, jaki tworzą opiłki żelaza pod wpływem pola wokół dwóch magnesów. Pole jest szczególnie silne na dwóch biegunach magnesu. Te same pola dwóch magnesów odpychają się; różne pola przyciągają się.

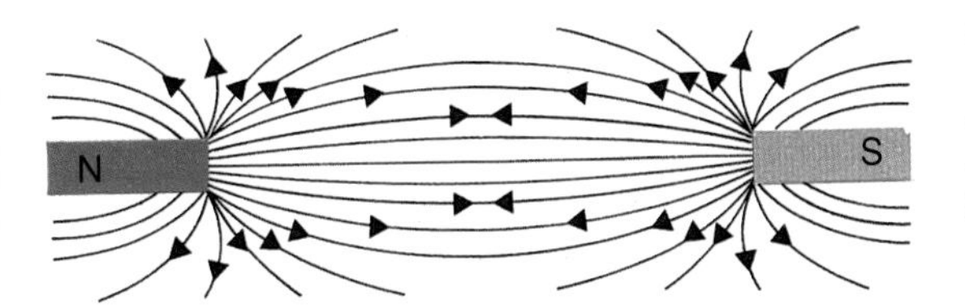

Odmienne bieguny przyciągają się *(po lewej). Między odmiennymi biegunami wytwarza się silne pole. Dwa bieguny magnesów przyciągają się.*

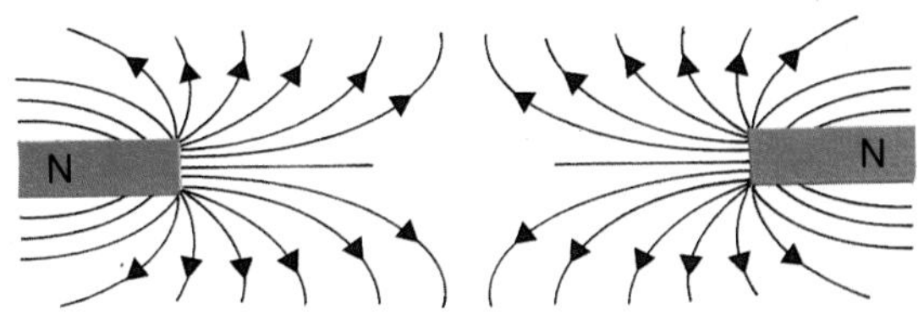

Identyczne bieguny odpychają się *(po prawej). Jeśli ustawić identyczne bieguny naprzeciw siebie, magnesy odpychają się, a pole między nimi ulega osłabieniu do tego stopnia, że powstaje miejsce neutralne. Linie siły magnetycznej ulegają zakrzywieniu.*

przewodnikiem (np. miedź), to znaczy musi przenosić łatwo ładunek. W każdym dobrym przewodniku niektóre elektrony są wolne. Kiedy zamknie się obwód, *wolne elektrony* pokonują w ten sam sposób małą odległość, obijając się o siebie i przekazując ładunek. Żeby popłynął prąd, na jednej *końcówce* (zakończeniu) obwodu musi być większa liczba elektronów niż na drugiej. Tę różnicę, zwaną różnicą potencjałów tworzy bateria generatora; mierzy się ją w *woltach*. Natężenie przepływu prądu (mierzone w *amperach*) zależy nie tylko od napięcia, ale i od *oporu* obwodu – tzn. od tego, jak dalece powstrzymuje on przepływ elektryczności. Opór mierzy się w *omach*.

ELEKTROMAGNETYZM

W 1819 roku duński naukowiec Hans Oersted zauważył, że przepływ prądu elektrycznego tworzy pole magnetyczne podobnie jak magnes. To odkrycie stworzyło podstawy do odkrycia generatorów i silników elektrycznych (poniżej). Wtedy zrozumiano, że związek między elektrycznością a magnetyzmem, zwany *elektromagnetyzmem*, należy do najważniejszych w nauce.

Elektromagnetyzm to nie tylko jedna z czterech podstawowych sił spajających wszechświat (str. 151); daje on podstawę wszelkiemu promieniowaniu, obejmującemu fale radiowe, fale telewizyjne, światło widzialne, promienie rentgena i promieniowanie kosmiczne.

Bieguny

Sama Ziemia jest ogromnym magnesem i jej pole oddziaływuje na wszystkie magnesy. Jeśli magnes może się obracać swobodnie, zawsze wskazuje ten sam kierunek – jeden jego koniec wskazuje północ, a drugi południe. Dlatego dwa końce magnesu nazywamy biegunem północnym (wskazującym północ) lub biegunem południowym (wskazującym południe). Wszystkie magnesy, bez względu na kształt, mają dwa bieguny. Według legendy starożytni Chińczycy pierwsi posłużyli się magnesem do budowy kompasu, który pomógł im odnajdywać drogę na morzu.

Silniki i prądnice

Prąd elektryczny wytwarza własne pole magnetyczne, podobnie jak zwykły magnes, tyle że linie siły przebiegają wokół drutu. Można posłużyć się elektrycznością do wytworzenia silnych *elektromagnesów*. Tak jak prąd elektryczny tworzy własne pola magnetyczne, tak magnes może wytworzyć prąd. Jeśli magnes przysuniemy do zwoju drutu, albo zwój drutu przysuniemy do magnesu, w drucie powstaje prąd. Pole magnetyczne indukuje prąd elektryczny, a efekt ten nazywamy indukcją elektromagnetyczną. Generatory wykorzystują ten efekt dla wytwarzania niemal całej dostępnej nam elektryczności. Większość działa w ten sposób, że magnesy wirują wśród zwojów drutu. Generatory prądu stałego dają prąd stały, który zawsze płynie w tym samym kierunku. Generatory prądu przemiennego (*alternatory*) dają prąd przemienny, który wciąż zmienia kierunek i wartość.

Prosty generator prądu przemiennego (alternator). *Tu zwój drutu stanowi pojedynczą pętlę otoczoną przez dwa duże magnesy. Kiedy obraca się komutator na końcu zwoju, wchodzi najpierw w kontakt z dodatnią końcówką obwodu za pośrednictwem szczotki węglowej, a następnie z ujemną, co zmienia nieustannie kierunek przepływu prądu.*

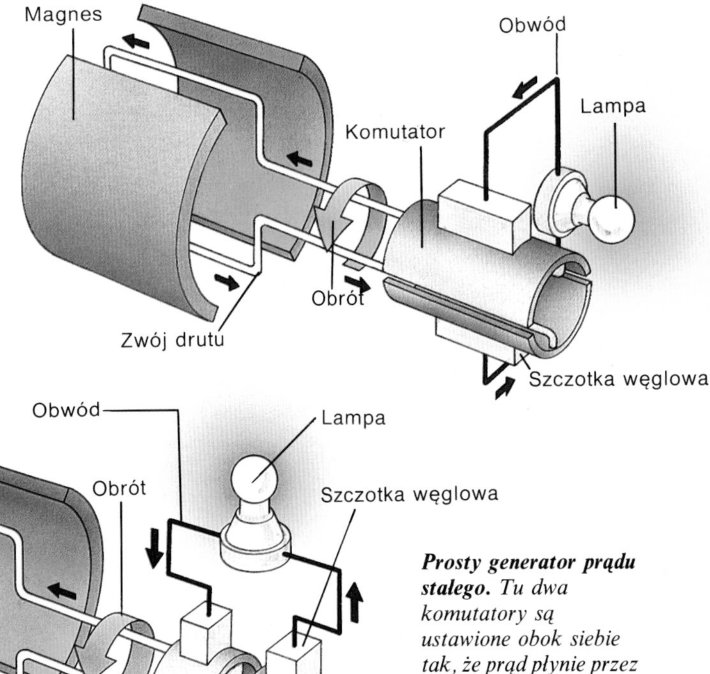

Prosty generator prądu stałego. *Tu dwa komutatory są ustawione obok siebie tak, że prąd płynie przez obwód w tym samym kierunku.*

SIŁA I RUCH

Siła to jakiekolwiek działanie, na przykład pchnięcie lub pociągnięcie, które zmienia ruch albo kształt ciała – od uniesienia brwi do spiralnego ruchu olbrzymich galaktyk. Siła może również polegać na hamowaniu rzeczy, scalaniu ich lub rozdzielaniu.

SZYBKOŚĆ, PRĘDKOŚĆ, PRZYŚPIESZENIE

Czasem szybkość myli się z prędkością, ale są to dwa różne zjawiska. Szybkość roweru to tempo jego poruszania się; kierunek nie ma znaczenia. Szybkość to wielkość skalarna. Natomiast prędkość to wielkość wektorowa. Oznacza ona, z jaką prędkością rower porusza się w *określonym kierunku*. Również przyśpieszenie to wielkość wektorowa. Nie mówi nam, jak szybko obiekt nabiera prędkości, ale jak szybko nabiera prędkości w określonym kierunku.

Kiedy rzucasz piłkę w powietrze, siła rzutu nadaje jej określone *przyśpieszenie*, żeby pokonać siłę ciężkości. Ale siła ciężkości stopniowo hamuje ją od chwili, gdy wyrzucisz ją w powietrze. Wreszcie piłka przestaje wznosić się do góry i siła ciężkości nadaje jej przyśpieszenie w dół, ku ziemi.

Podczas spadania piłka uzyskuje przyśpieszenie tej samej wartości, co zwalnianie podczas wznoszenia się, a jej zakrzywiony bieg w powietrzu wyznacza parabola, w której spadek jest lustrzanym odbiciem wznoszenia się. Parabola to kształt, jaki otrzymasz przekrawając jeden bok stożka.

BEZWŁADNOŚĆ I PĘD

W XVII wieku włoski uczony Galileusz dokonał ważnego odkrycia. Stwierdził, że wszystkiemu we wszechświecie przysługuje *bezwładność* – tzn. nic nie poruszy się inaczej niż pod wpływem jakiejś siły. Piłka toczy się z pagórka, gdyż ciągnie ją siła ciężkości; podnosisz rękę siłą swoich mięśni. Jeśli coś się porusza, można być pewnym, że jakaś siła pcha to albo ciągnie.

Podobnie wszystkim poruszającym się obiektom przysługuje *pęd*. Oznacza to, że poruszają się z tą samą szybkością i w tym samym kierunku, dopóki jakaś siła nie każe im zwolnić lub przyśpieszyć. Pęd sprawia, że jedziesz na rowerze jeszcze jakiś czas po zaprzestaniu pedałowania; pęd miażdży samochód podczas wypadku.

Ilość siły potrzebna, by przezwyciężyć bezwład i wprawić coś w ruch zależy od *masy* danego przedmiotu, jego ciężaru lub, dokładniej, ilości zawartej w nim materii. Kiedy znajdzie się w ruchu, ilość siły potrzebnej, by zwolnić jego ruch lub zwiększyć jego prędkość zależy nie tylko od masy, lecz również od *prędkości* – tzn. od szybkości poruszania się (patrz po lewej).

Siła sprawia, że obiekt *przyśpiesza* (nabiera prędkości) lub *zwalnia* (wytraca prędkość). Szybkość jednego lub drugiego zależy od wielkości siły i masy obiektu. Im większa siła i im lżejszy obiekt, tym szybciej przyśpiesza lub zwalnia.

Tarcie. Jeśli nadałeś rowerowi prędkość 20 km/godz., mógłbyś przestać pedałować i utrzymać na zawsze tę prędkość... gdyby na rower nie zadziałała żadna siła. Niestety, istnieje siła zwana tarciem, która działa na poruszające się obiekty, zmniejszając ich prędkość. Siła tarcia powstaje wtedy, kiedy dwie powierzchnie ocierają się o siebie. Im gładsze powierzchnie i im wolniej ocierają się o siebie, tym mniejsze tarcie. Czasem siła tarcia jest bardzo użyteczna, na przykład na podeszwach butów i klockach hamulcowych, gdzie potrzebny jest nacisk dwóch powierzchni.

Tarcie rozgrzewa rzeczy, ponieważ

SIŁA I RUCH W DZIAŁANIU

Mając dostateczną ilość danych, można wyznaczyć *dynamikę* (siłę i ruch) każdego zjawiska.

Można wyznaczyć siłę używaną do uderzenia piłki tenisowej, mnożąc przyśpieszenie przez jej masę, albo obliczyć przyśpieszenie samochodu, dzieląc siłę wytworzoną przez silnik przez masę samochodu.

Jeśli znasz wielkość i kierunek wszystkich sił działających na obiekt, możesz wyznaczyć kierunek, w którym będzie się poruszać.

***Siła fal**. Masa wody w dużej fali jest tak ogromna, że pęd jest ogromny i trzeba wielkiej siły, by ją zatrzymać. Dlatego rozbija się o brzeg z taką siłą.*

***Żaglówka** jest tak lekka, a tarcie wody tak małe, że porusza się jedynie dzięki naciskowi wiatru na żagiel.*

***Łyżwiarka** sunie szybko, ponieważ nacisk ostrza łyżew topi lód, zmniejszając tarcie do minimum.*

***Wiosła** mogą poruszać łódź, gdyż ich siła nacisku na wodę jest taka sama jak wody na nie.*

energia pędu (energia kinetyczna, str. 158) zmienia się w ciepło. Dlatego kiedy nagle zahamujesz, hamulce roweru nieco się nagrzewają.

Akcja i reakcja. Siły działają nie w jednym, lecz w dwóch kierunkach. Kiedy idziesz, ziemia odpycha twoje stopy tak silnie jak silnie twoje stopy na nią naciskają. Gdyby twoje stopy naciskały silniej od ziemi, odepchnęłyby ziemię; mógłbyś w nią wpaść. Gdyby ziemia naciskała silniej, uniosłaby cię do góry.

Podobnie kiedy uderzasz piłkę tenisową, piłka uderza w rakietę równie silnie jak rakieta uderza piłkę. W gruncie rzeczy, zawsze kiedy coś jest w ruchu, istnieje równowaga sił ciągnących i pchających w przeciwnych kierunkach – jedna działa, druga reaguje. Na tym polega trzecie prawo mechaniki Newtona.

SIŁA I KIERUNEK

Istnieje wiele rodzajów siły. Niektóre to siły *kontaktowe*, które bezpośrednio popychają lub ciągną obiekt, np. ktoś, kto uderza piłkę. Niektóre siły działają na *odległość*. Siła ciężkości, elektromagnetyzm i siły jądrowe (str. 146) wszystkie działają na odległość. Siły te zależą odwrotnie proporcjonalnie od odległości między dwoma zaangażowanymi obiektami – to znaczy stają się słabsze, im bardziej te obiekty są od siebie oddalone.

PRAWA NEWTONA

W 1665 roku Izaak Newton (1642-1727) podsumował związek między siłą a ruchem w trzech słynnych prawach. Pierwsze Prawo mówi, że obiekt ulega przyśpieszeniu (lub zwolnieniu) tylko, gdy przyłożymy do niego siłę. Drugie Prawo mówi, że przyśpieszenie zależy od wielkości siły i masy obiektu. Trzecie Prawo mówi, że gdy siła popycha lub działa w jedną stronę, równa jej siła popycha w przeciwnym kierunku. Obliczenia oparte na tych prawach pozwalają inżynierom budować mosty i naukowcom kierować statkami kosmicznymi oddalonymi o miliony kilometrów w przestrzeni kosmicznej. Teoretycznie, gdyby wiadomo było, gdzie wszystko znajduje się we wszechświecie, posługując się tymi prawami, można by określić wszystko, co się zdarzyło i co się zdarzy. Ale na początku XX wieku, kiedy naukowcy poznali lepiej wnętrze atomu, stwierdzili, że cząstki poruszają się i wchodzą w interakcje w odmienny sposób i musieli stworzyć mechanikę kwantową, by opisać ich ruch i przewidzieć ruch w przyszłości.

PŁYNNE PALIWA RAKIETOWE

Tlen (a) i *materiał napędowy* (b), zwykle ciekły hel lub nafta, mieszają się i spalają w komorze spalania (c), wytwarzając gazy spalinowe (d), które dają rakiecie napęd.

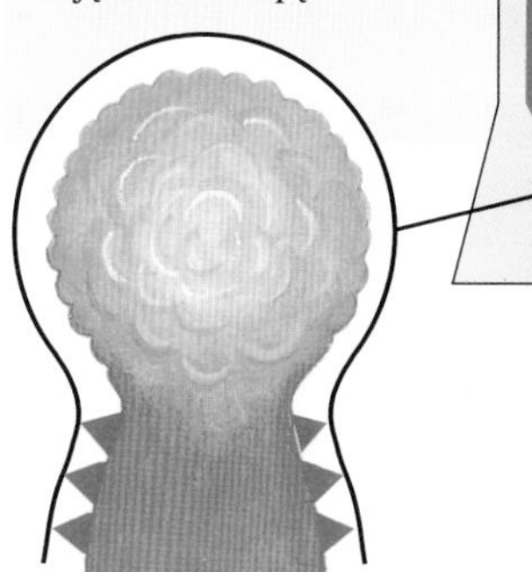

Napęd rakiet. *Rakiety mogą się poruszać w przestrzeni kosmicznej, gdzie nie ma powietrza, od którego można by się odpychać dzięki akcji i reakcji między spalanym paliwem rakietowym a ciałem rakiety. Paliwo rakietowe przy spalaniu rozszerza się, pchając dyszę rakiety, toteż rakieta jest popychana w jednym kierunku, a spalane paliwo w drugim.*

Tenisista *serwując, opuszcza rakietę tak szybko, że nadaje małej masie piłki (0,05 kg) przyśpieszenie 170 km/godz.*

Na schodach ruchomych *siła dostarczana przez silnik wystarczy, by przezwyciężyć siłę ciężkości i unieść w górę pasażerów.*

Szybka kolej. *Nadanie przyśpieszenia ogromnej masie pociągu wymaga ogromnej siły. Siłę tę zapewniają silniki elektryczne o dużej mocy.*

Silnik wiatrowy *wykorzystuje siłę wytworzoną przez ciśnienie poruszającego się powietrza, by obracać łopatką i wytwarzać elektryczność.*

W samochodzie wyścigowym *przyśpieszenie jest zwiększane poprzez zredukowanie masy, tzn. uczynienie samochodu tak lekkim jak to możliwe. Samochody wyścigowe nie mają podwozia tylko superlekką karoserię z włókna węglowego.*

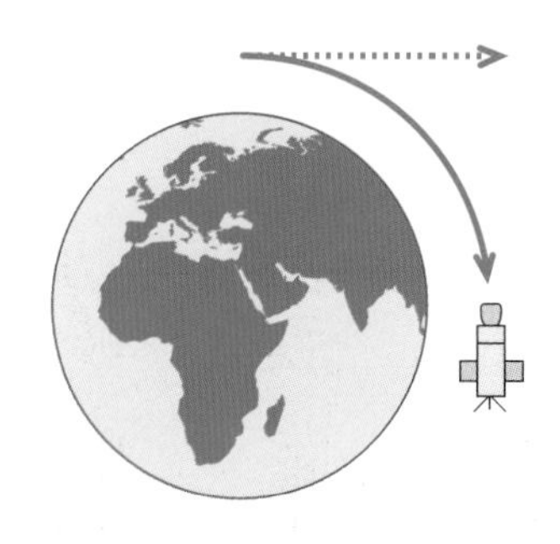

SIŁA CIĘŻKOŚCI

Siła ciężkości to siła, która utrzymuje nas na ziemi; sprawia, że rzeki płyną w dół zbocza, kamienie spadają na ziemię; wyznacza też ruch gwiazd i planet. Jest to najważniejsza siła we wszechświecie.

ORBITY

Miesiącami sztuczne satelity krążą wysoko nad Ziemią, przekazując po całym globie komunikaty i informacje. Pozostając tak długo na orbicie, nie wymykają się sile ciężkości. Poruszają się wokół tak szybko i tak daleko od Ziemi, że siła ciężkości równoważy pęd satelity (str. 152), który wyniósł je w przestrzeń kosmiczną.

Badacze przestrzeni kosmicznej obliczają prędkość i *trajektorię* (drogę) satelity tak, by mieć pewność, że umieszczą go na właściwej orbicie. Im orbita jest niżej, tym wyższa musi być prędkość satelity, by uniknąć ściągnięcia go przez siłę ciężkości. Wejście na orbitę na 35 800 km nad Ziemią zabiera dokładnie 24 godziny – tyle samo, ile potrzebuje Ziemia, by wykonać jeden obrót. Satelity umieszczone na tej orbicie pozostają nad tym samym miejscem na Ziemi. Ten typ orbity nazywamy orbitą *geostacjonarną*.

PRZYCIĄGANIE

Siła ciężkości to siła przyciągania, która spaja całą materię. Każdy fragment materii we wszechświecie wywiera własne *grawitacyjne przyciąganie* na resztę materii. Siła przyciągania zależy od masy. Duże obiekty powodują silne przyciąganie; małe, lekkie obiekty powodują słabe przyciąganie.
W porównaniu z przyciąganiem ziemskim nie sposób zmierzyć przyciągania pomarańczy. Przyciąganie zależy od tego, jak bardzo dane rzeczy są oddalone od siebie. Im rzeczy są dalej od siebie, tym słabsze jest przyciąganie.

Siła ciężkości to w gruncie rzeczy siła słaba, zbyt słaba, żeby przyciągnąć do siebie dwie cegły, nawet jeśli leżą tuż obok siebie. Utrzymuje natomiast Księżyc na orbicie wokół Ziemi (patrz niżej).

WAGA I MASA

Często mówiąc o tym, jak ciężki jest jakiś przedmiot, posługujemy się słowem *ciężar*. Ale naukowcy używają słowa *masa*. Masa mówi o tym, ile coś zawiera materii. Naukowcy używają słowa waga tylko w odniesieniu do siły, to znaczy tego, jak silnie duży obiekt, taki jak planeta, przyciąga inny obiekt.

SPADANIE

Tak jak wszystkie siły, tak i ciężkość nadaje rzeczom przyśpieszenie. Jeśli więc upuścisz kamień, spada coraz szybciej na ziemię. Ale wszystko na Ziemi porusza się z przyśpieszeniem nie większym niż 9,8 m/sek.^{2} bez względu na swój ciężar. Ołowiana kula spadając w dół ma to samo przyśpieszenie, co kula gumowa. Tę stałą wartość nazywamy *przyśpieszeniem spadania swobodnego*.

Kiedy przedmioty spadają szybciej, coraz większy wpływ wywiera na nie opór powietrza. Wreszcie opór powietrza równoważy przyciąganie siły ciężkości i przedmiot nie może spadać szybciej – dlatego spadochroniarze mogą zdecydować się do pewnego momentu na swobodne nurkowanie bez rozpinania od razu spadochronu (poniżej). Przedmiot spada więc ze stałą prędkością zwaną prędkością graniczną. Prędkość graniczna zależy od wagi przedmiotu i od jego kształtu, ponieważ te czynniki zmieniają efekt oporu powietrza.

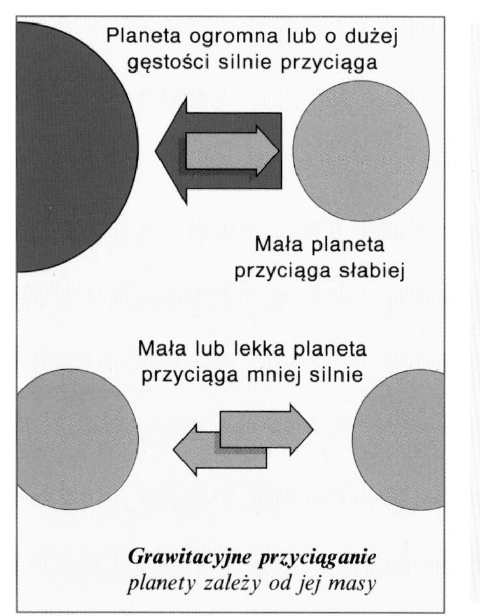

Grawitacyjne przyciąganie *planety zależy od jej masy*

PLANETY I SIŁA CIĘŻKOŚCI

W XVII wieku Izaak Newton odkrył, że przyciąganie grawitacyjne między dwoma obiektami takimi jak planety jest stałe w całym wszechświecie i zależy od ich masy oraz odległości między nimi. Duża planeta o dużej gęstości przyciąga z większą siłą niż mała. W gruncie rzeczy, siła ciężkości jest dość znikoma, jeżeli masa nie jest bardzo duża. Dlatego planety odznaczają się przyciąganiem grawitacyjnym, a przyciąganie mniejszych obiektów jest nieistotne. Ponieważ przyciąganie zależy od masy, rzeczy ważą o wiele więcej na dużych planetach niż na niewielkich. Dlatego rzeczy na Ziemi ważą sześciokrotnie więcej niż na Księżycu.

MASZYNY

Maszyna to urządzenie, które wykonuje pracę. Zmniejsza wysiłek lub czas potrzebny na przesunięcie czegoś. Może to być tak proste narzędzie jak śrubokręt lub dźwignia albo tak skomplikowane urządzenie jak łódź podwodna czy statek kosmiczny.

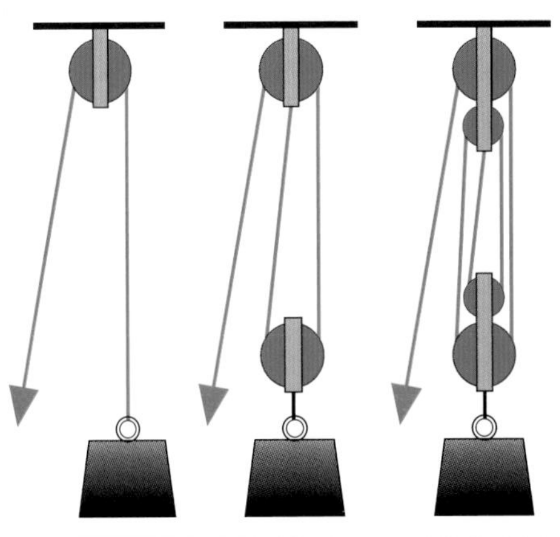

ŁADUNEK I WYSIŁEK

W każdej maszynie działają dwie siły. Ładunek to siła, którą trzeba pokonać – to znaczy siła stawiająca opór ruchowi. Jeśli chcesz podnieść skrzynkę cegieł, ładunkiem są skrzynka i cegły. Jeśli próbujesz przesunąć ją po ziemi, ładunkiem jest tarcie między skrzynką a ziemią. Inną siłą jest wysiłek, to znaczy siła zastosowana dla przesunięcia ładunku.

Ilość wysiłku oszczędzona przez maszynę przy przesunięciu określonego ładunku nazywa się przełożeniem siłowym maszyny. Żeby wyliczyć tę wartość, dzieli się ładunek przez wysiłek.

PRACA I SPRAWNOŚĆ

Maszyny nie dają czegoś za nic, gdyż ilość energii potrzebna do przemieszczenia określonego ładunku jest zawsze ta sama. Maszyny zmieniają konieczny wysiłek, nadając mu bardziej dogodną formę. Może być dziesięć razy łatwiej przesunąć ładunek, jeśli przyłożymy siłę na dziesięciokrotnej odległości. Odległość pokonana przez siłę podzieloną przez odległość pokonaną przez ładunek nazywamy *współczynnikiem prędkości.* Jeśli współczynnik prędkości jest większy od 1, siła posuwa się dalej niż ładunek.

Przesunięcie czegokolwiek wymaga *pracy*. Praca to przyłożona siła pomnożona przez pokonaną odległość. W doskonałej maszynie praca włożona na jednym końcu będzie zgodna z pracą pojawiającą się na drugim końcu, potrzebną do przesunięcia ładunku. Tak więc włożenie siły o wartości 1 kG na dystansie 10 m może przesunąć ładunek 10 kg o 1 m. W praktyce żadna maszyna nie jest doskonała, bo tarcie i inne siły zmniejszają sprawność. W maszynie o 50% sprawności, siła o wartości 1 kG na dystansie 10 m przesunie tylko 1 kg o 5 m. Inny sposób wyznaczania sprawności to po prostu podzielić przełożenie siłowe maszyny przez współczynnik prędkości i pomnożyć przez 100, by uzyskać wskaźnik procentowy.

KRĄŻKI LINOWE

Dźwigi podnoszą różne przedmioty nie tylko dlatego, że mają silniki o dużej mocy, lecz również dlatego, że wykorzystują krążki linowe. Krążki zmniejszają wysiłek dzięki temu, że lina przechodzi przez kółko i dźwig może podnosić cięższe ładunki z użyciem tego samego wysiłku poprzez wykorzystanie dłuższej liny. Istnieje bardzo wiele rodzajów krążków. Jedne to *krążki stałe*, inne to *krążki ruchome*, które poruszają się w górę i w dół z ładunkiem. Kilka z bardziej popularnych rodzajów pokazano na schemacie powyżej.

Podwójne koło zębate. *Ma dwadzieścia zębów na dużym kole i osiem na małym. Współczynnik przełożenia wynosi 20:8 (5:2).*

KOŁA ZĘBATE

Koła zębate pomagają pedałować pod górę lub przyśpieszyć ruszającemu samochodowi, rozkładając wysiłek na większą odległość. Są to pary kół różnej wielkości, które obracają się razem, jeden wał obraca drugi. Liczba razy, jaką porusza się koło napędowe na każdy obrót koła napędzanego przez silnik nazywamy współczynnikiem koła zębatego. Przy współczynniku 4:1 koło napędowe obraca się cztery razy na jeden obrót koła napędzanego. Koła zębate zwykle mają zazębiające się zęby; innym sposobem określenia współczynnika koła zębatego jest porównanie liczby zębów na każdym kole zębatym.

DŹWIGNIE

Dźwignie to proste maszyny ułatwiające przesunięcie ładunku. Jeśli obiekt, na przykład bal drewna, zamocować w *punkcie podparcia*, wówczas wysiłek poniesiony z jednej strony punktu podparcia może sprawić, że ładunek zostanie przesunięty na drugą stronę. Nazywamy to *efektem dźwigni.* Kiedy otwierasz drzwi, wykonujesz efekt dźwigni – zawiasy są punktem podparcia. Wielkość efektu dźwigni nazywamy *momentem*. Dźwignie to maszyny, które zwielokratniają twoje wysiłki poprzez wykorzystanie momentów. Im dalej od punktu podparcia przyłoży się wysiłek w porównaniu z ładunkiem, tym mniej trzeba siły do przemieszczenia ładunku.

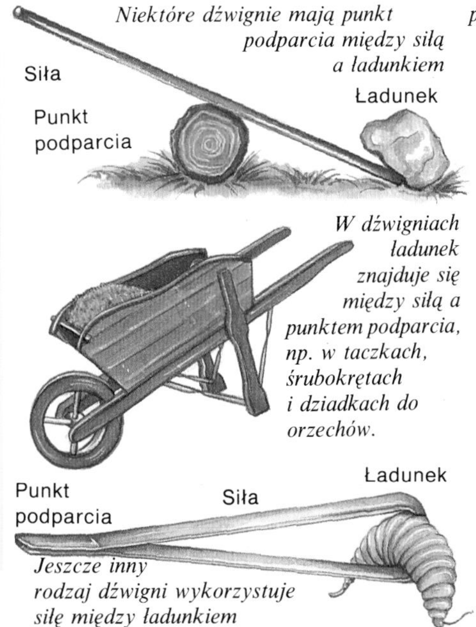

Niektóre dźwignie mają punkt podparcia między siłą a ładunkiem

W dźwigniach ładunek znajduje się między siłą a punktem podparcia, np. w taczkach, śrubokrętach i dziadkach do orzechów.

Jeszcze inny rodzaj dźwigni wykorzystuje siłę między ładunkiem a punktem podparcia.

ENERGIA I CIEPŁO

Bez energii nic nie może się poruszać, zmieniać ani nawet istnieć. W rzeczywistości, wszystko, co się zdarza, od mrugnięcia powieką do powstania galaktyki, zależy od energii.

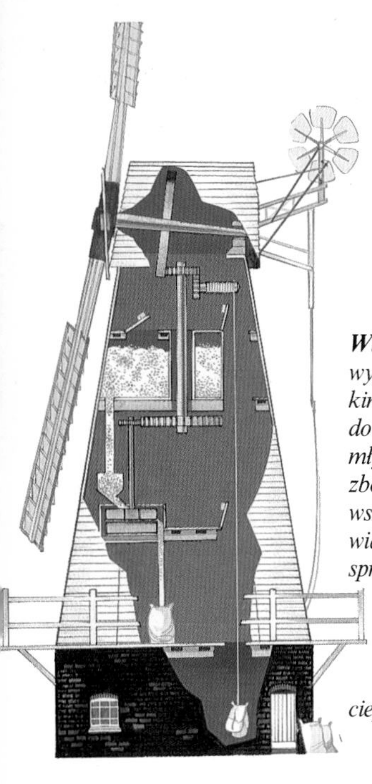

Wiatraki *wykorzystują energię kinetyczną powietrza do obracania kamieni młyńskich i mielenia zboża. Podobnie jak wszystkie maszyny, wiatraki są mało sprawne, bo większość energii wiatru zamienia się w niepożądane ciepło i dźwięk.*

DŻULE

W połowie XIX w. angielski fizyk James Joule (1818-1889) mieszając wodę łopatkami stwierdził, że tak jak maszyna parowa zamienia ciepło w pracę, tak pracę można zamienić w ciepło. Podstawową jednostkę pomiaru energii nazywamy teraz *dżulem*. Jeden dżul to w przybliżeniu energia potrzebna do podniesienia jabłka jeden metr nad ziemię.

Łańcuchy energii
Energii nie można stworzyć ani zniszczyć, a zatem cała energia we wszechświecie istnieje od niepamiętnych czasów. Oznacza to, że jeśli włączysz elektryczne „słoneczko", wykorzystujesz energię, która zawsze istniała i będzie istnieć. Energia może zmieniać raz po raz swą postać. Energia cieplna ognia pochodzi, podlegając po drodze licznym przemianom, od światła słonecznego (niżej). Podobne łańcuchy przemian dla każdej cząstki energii we wszechświecie da się prześledzić aż do zamierzchłej przeszłości.

CZYM JEST ENERGIA?

Energia to moc, która sprawia, że coś się zdarza. Kiedy naukowcy definiują ją jako „zdolność do pracy", mają na myśli to samo. Energia to nie tylko ciepło pochodzące ze spalania węgla lub drewna czy elektryczność z elektrowni – to źródło wszelkich zmian we wszechświecie. Kiedy coś się dzieje – rośnie trawa, rakiety lecą w przestrzeni kosmicznej, eksplodują gwiazdy – sprawcą tego wszystkiego jest energia.

Energia występuje pod wieloma postaciami. Może to być energia chemiczna zawarta w cukrze lub energia mechaniczna jadącego roweru. Zawsze działa na dwa sposoby – przenoszenie energii i przemiana energii. *Przenoszenie energii* oznacza, że przenosi się ona z miejsca na miejsce, tak jak wówczas, gdy rzucasz piłkę lub gdy unosi się dym. *Przemiana energii* oznacza zmianę jednej postaci energii w drugą, na przykład mięśnie biegacza zamieniają energię chemiczną w ruch; generatory elektrowni zamieniają energię cieplną zawartą w parze w elektryczność.

Zmagazynowana energia i energia w ruchu

Energię dzieli się czasem na dwa rodzaje.

Energia potencjalna to zmagazynowana energia gotowa do działania. Potencjalna energia znajduje się w napiętej gumie, ściśniętej sprężynie, w pożywieniu, węglu, drewnie, ropie i innych paliwach. Potencjalna energia znajduje się również w rzeczach będących wysoko nad ziemią, ponieważ siła ciężkości może sprawić, że spadną.

Energia kinetyczna to energia, którą posiada poruszający się przedmiot; słowo kinetyka pochodzi od greckiego *kine* oznaczającego ruch. Tocząca się piłka ma energię kinetyczną. Podobnie jadący samochód, fala lub spadający kamień.

PRZEMIANY ENERGII

Jeśli jesteś wyczerpany po długim spacerze, czasem mówisz, że brak ci energii. Ale twoja energia nie znikła; została podczas marszu zamieniona w ciepło, które pozostało w ziemi i powietrzu, czyniąc je nieco cieplejszymi. Naprawdę nie da się energii zniszczyć ani stworzyć; można ją tylko przenieść lub przemienić z jednej postaci w inną, mówi o tym *Prawo zachowania energii*. Zgodnie z tym prawem całkowita ilość energii po przemianie jest zawsze dokładnie taka sama jak przed przemianą. Energia nigdy nie ginie; ulega tylko przemianie w inną postać.

Utrata ciepła. Energia nigdy nie ginie, ale może ulec spaleniu. W rzeczywistości, za każdym razem, gdy wykorzystuje się energię, jej część zamienia się w ciepło. Dlatego po biegu jesteś zgrzany, a żarówka się rozgrzewa. Chociaż więc energia nie ginie, ulega *rozproszeniu* (staje się mniej skoncentrowana) i trudniej ją potem wykorzystać.

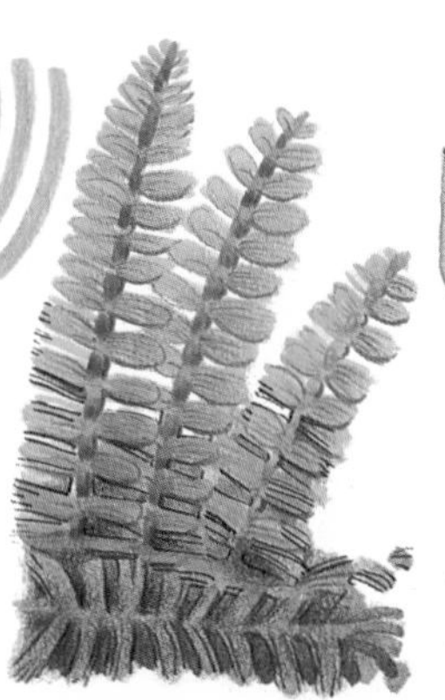

1. Energia Słońca zostaje wchłonięta przez liście roślin rosnących przed milionami lat. Kiedy rośliny umierają, są powoli grzebane coraz głębiej.

2. Rośliny są miażdżone przez ciężar skał nad nimi, tworząc węgiel. W kopalniach węgla kamiennego wydobywa się te bloki skondensowanej energii.

3. Węgiel jest spalany w elektrowniach. Podgrzewa wodę, która wrze, wytwarzając parę. Ta napędza turbiny i wytwarza elektryczność.

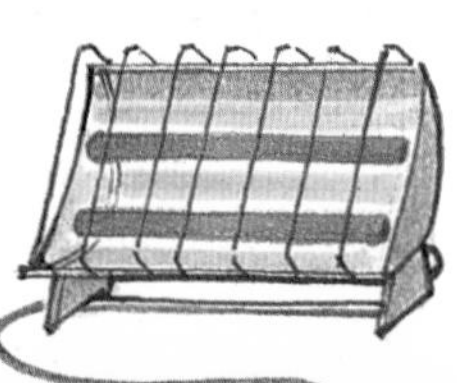

4. Tyle elektryczności przepływa przez cienkie druty „słoneczka", że rozżarzają się one do czerwoności.

Kiedy, na przykład płonie drewno, jego energia rozprzestrzenia się w powietrzu i trudno ją ponownie wykorzystać. Za każdym razem, gdy korzysta się z energii, nieco więcej energii, staje się nie do użycia, tak więc zostaje coraz mniej energii dostępnej do wykonania jakiejś pracy (*energii swobodnej*). Naukowcy posługują się pojęciem *entropii*, by określić ilość energii, której nie da się już zużytkować. Im mniej jest energii swobodnej, tym większa entropia. Entropia przybiera maksymalną wartość, kiedy energia swobodna wyczerpie się do cna.

Wymiana ciepła. Termin „entropia" został utworzony przez niemieckiego fizyka, Rudolfa Clausiusa, w 1868 roku, ale sama koncepcja sięga lat dwudziestych XIX wieku, kiedy narodziła się dzięki młodemu Francuzowi Sadiemu Carnot. Carnot próbował ustalić dlaczego działa maszyna parowa. Stwierdził, że dlatego, iż jest w jednym miejscu ciepła, w innym chłodna. Maszynę napędza przepływ energii cieplnej od miejsca ciepłego do chłodnego.

Clausius wykazał, że tak samo dzieje się w przypadku wszystkich form energii. Praca jest wykonywana i dochodzi do różnych zdarzeń, gdyż energia przenosi się z obszarów o wysokiej energii (lub temperaturze) do obszarów o niższej energii – na przykład woda spadająca z tamy napędza koło wodne.

Ruch jest zawsze jednostronny, od energii wysokiej do niskiej. Szklanka gorącej kawy stopniowo ochładza się, tracąc ciepło ulatniające się do otaczającego powietrza, ogrzewając je minimalnie. W końcu kawa jest tak zimna jak otaczające powietrze i zanika różnica temperatur, nie może więc do niczego dojść. W tym *stanie równowagi* entropia osiąga wartość maksymalną.

Termodynamika. Clausius podsumował to wszystko w 1865 roku w dwóch uniwersalnych prawach termodynamiki. *Pierwsze prawo termodynamiki* jest podobne do Prawa zachowania energii. Mówi, że całość energii wszechświata została ustalona na początku czasów i pozostanie taka sama do końca czasów. *Drugie prawo termodynamiki* mówi o sposobie, w jaki energia ulega rozproszeniu w postaci ciepła za każdym razem, gdy się jej używa. Oznacza to, że całkowita entropia wszechświata musi wzrastać. Niegdyś naukowcy argumentowali, że wszechświat się skończy, ponieważ cała energia będzie samym ciepłem. Niewielu naukowców zgadza się całkowicie z koncepcją *cieplnej śmierci* wszechświata, ale dwa prawa termodynamiki uważa się za najważniejsze ze wszystkich praw naukowych.

Unoszenie. *Ciepło sprawia, że cząsteczki oddalają się od siebie, zatem substancje nagrzewając się, rozszerzają się. Ciepłe powietrze jest mniej gęste od zimnego, toteż unosi się.*

Przewodnictwo
Gorąca kawa nagrzewa kubek i łyżeczkę dzięki przewodnictwu, czyli dlatego, że szybko poruszające się cząsteczki zderzają się z poruszającymi się wolno, przekazując ciepło.

Płomień świecy, *wypromieniowuje ciepło we wszystkich kierunkach w postaci promieniowania podczerwonego. Ciepło Słońca dociera do Ziemi w ten sam sposób, pędząc przez przestrzeń kosmiczną. Ciepło świecy wywołuje również unoszenie, wciągając zimne powietrze, ogrzewając je i powodując jego unoszenie.*

WYMIANA CIEPŁA

Jeśli coś jest ciepłe, zawsze przekazuje ciepło otoczeniu; podgrzewa je, a samo się wychładza: poprzez przewodnictwo, unoszenie (konwekcję) i promieniowanie. *Przewodnictwo* przypomina sztafetę, gdyż cząsteczki przekazują energię potrącając sąsiadów. *Unoszenie* zachodzi wówczas, gdy ciepłe powietrze (lub woda) unosi się, bo jest mniej gęste od otaczającego go chłodnego powietrza. *Promieniowanie* to ciepłe promienie, które czujesz w pobliżu ognia. Promienie ciepła nazywamy *podczerwonymi*. Tak jak światło mają charakter elektromagnetyczny (str. 153) i mogą przechodzić przez pustą przestrzeń.

CIEPŁO I TEMPERATURA

Ciepło to poruszające się cząsteczki. Im szybciej się poruszają, tym jest cieplej. Temperatura to miara szybkości poruszania się cząsteczek, natomiast ciepło to połączona energia wszystkich poruszających się cząsteczek.

Podgrzanie substancji podnosi jej temperaturę, sprawiając, że cząsteczki poruszają się szybciej. Stopień podnoszenia się temperatury po dodaniu ciepła zależy od substancji. Na przykład określona ilość ciepła podnosi temperaturę gazu zwanego argonem bardziej niż gazu zwanego tlenem. Cząsteczki tlenu wchłaniają część ciepła nie poprzez szybsze poruszanie się, lecz poprzez wirowanie dlatego, że mają inny kształt niż cząsteczki argonu.

Kiedy ciepła substancja styka się z zimną substancją, część jej cząsteczek zderza się z cząsteczkami zimnej substancji, przyśpieszając ich ruch, a część zimnych zderza się z ciepłymi spowalniając. Ta wymiana energii zachodzi do momentu wyrównania temperatur.

W gazie *cząsteczki mogą się swobodnie poruszać, wypełniając przestrzeń. W miarę wzrostu temperatury poruszają się szybciej.*

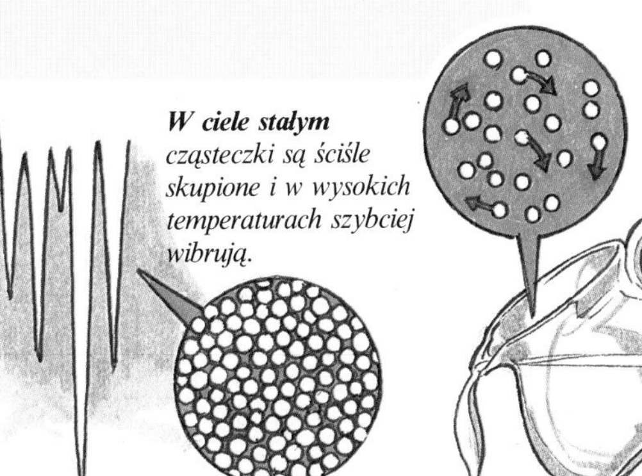

W ciele stałym *cząsteczki są ściśle skupione i w wysokich temperaturach szybciej wibrują.*

W cieczy *istnieją nadal silne siły przyciągania między cząsteczkami, ale mogą też zacząć się poruszać.*

Cień na pustyni
Cienie składają się z ciemnego cienia i bladego półcienia.

ŚWIATŁO

Światło pozwala nam widzieć i rosnąć roślinom oraz dostarcza nam ogromną większość ciepła i energii. Jednakże stanowi tylko jedną z wielu form promieniowania elektromagnetycznego, które obejmuje też fale radiowe i promieniowanie kosmiczne. Światło to po prostu forma promieniowania dostępna naszym oczom.

CIENIE

Kiedy światło trafi na nieprzezroczysty przedmiot, rzuca cień za tym przedmiotem, tam, gdzie nie sięga światło. Wyrazistość cienia zależy od jasności światła i od jego odległości od przedmiotu. Duże źródła światła – np. niebo w pochmurny dzień – rzucają delikatne cienie. Małe, jasne światła, np. reflektory, rzucają bardzo ostre cienie.

Każdy cień składa się w gruncie rzeczy z dwóch części. W środku znajduje się bardzo ciemny *cień* – światło w ogóle tam nie dociera. Wokół krawędzi znajduje się wąski pas jaśniejszego cienia zwanego *półcieniem*.

Zaćmienie Słońca następuje wówczas, gdy Księżyc przesuwa się na wprost Słońca i rzuca cień na Ziemię. Zaćmienie Księżyca następuje gdy cień Ziemi pada na Księżyc.

CO SPRAWIA, ŻE RZECZY SĄ WIDOCZNE

Chociaż w ciągu dnia otacza nas światło, tylko niewiele rzeczy je emanuje. Słońce i gwiazdy, świece, światło elektryczne, zegarki z fosforescencją i świetliki to wszystko źródła światła. Większość rzeczy widzimy tylko dlatego, że odbijają światło wysyłane ze źródeł światła. Jeśli coś nie wydziela ani nie odbija światła, to jest niewidoczne, tak jak powietrze.

Spójrz na promienie lasera przecinające noc (str. 175), a stwierdzisz, że światło podróżuje po prostej. Kiedy promienie światła trafiają na przedmiot, odbijają się, ulegają wchłonięciu lub przenikają obiekt. Substancje przepuszczające światło, takie jak szkło, nazywamy *przezroczystymi*; te, które przepuszczają je w złożony sposób, takie jak matowe szkło, nazywamy *półprzezroczystymi*; te, które zatrzymują światło albo odbijają je nazywamy *nieprzezroczystymi*.

KORPUSKUŁY CZY FALE?

Od setek lat naukowcy spierają się, czym jest światło. W siedemdziesiątych latach XVII wieku istniały dwie sprzeczne koncepcje. Izaak Newton (1642-1727) twierdził, że światło składa się z maleńkich, szybko poruszających się kulek zwanych *korpuskułami*; holenderski badacz Christiaan Huygens (1629-1695) twierdził, że są to *fale*, takie jak fale na jeziorze.

Większość naukowców opowiadała się za koncepcją korpuskuł (cząstek). Ale w 1805 roku Thomas Young zademonstrował, jak światło przechodzące przez dwie szczeliny tworzyło na ekranie za szczelinami wzór na przemian ciemnych i jasnych pasów. Young twierdził, że tworzą je zachodzące na siebie fale światła w każdej szczelinie. Inne eksperymenty zdały się potwierdzać teorię falową. W latach sześćdziesiątych XIX stulecia Clerk Maxwell wykazał, że światło to część szerokiego zakresu fal elektromagnetycznych.

Pozostały jednak wątpliwości. Jeśli światło składa się z fal, jak może do nas dotrzeć światło z gwiazd, skoro w przestrzeni kosmicznej nie ma niczego, co przenosiłoby fale? W 1900 roku Max Planck stwierdził, że sposób, w jaki ciepło

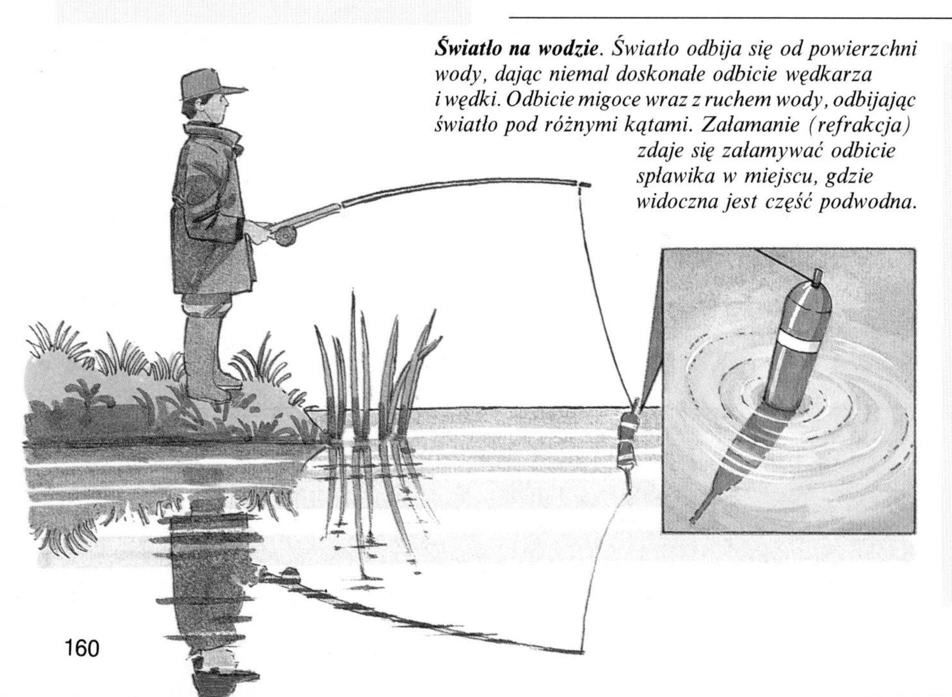

Światło na wodzie*. Światło odbija się od powierzchni wody, dając niemal doskonałe odbicie wędkarza i wędki. Odbicie migoce wraz z ruchem wody, odbijając światło pod różnymi kątami. Załamanie (refrakcja) zdaje się załamywać odbicie spławika w miejscu, gdzie widoczna jest część podwodna.*

ODBICIE I REFRAKCJA

Kiedy światło trafia na powierzchnię, jego całość albo część ulega *odbiciu*. Natrafiając na większości powierzchni ulega *rozproszeniu*. W przypadku luster i innych połyskliwych powierzchni każdy promień odbija się, tworząc ten sam wzór, co przy natrafieniu na powierzchnię, ukazując doskonałe odbicie lustrzane. Kiedy światło przenika coś przezroczystego, jak np. szklankę wody, promienie ulegają załamaniu albo *refrakcji*. Dlatego baseny wydają się czasem płytsze, niż są w rzeczywistości, a łyżeczka w szklance z wodą wygląda na złamaną. Dzieje się tak dlatego, że światło przenikając szklankę wody ulega spowolnieniu.

promieniuje z gorącego przedmiotu można zrozumieć tylko wtedy, gdy się przyjmie, że jest emitowane w maleńkich porcjach energii, które nazwał kwantami, od łacińskiego „jak wiele".

W 1902 roku Philipp Lenard odkrył efekt *fotoelektryczny* wykorzystywany obecnie w ogniwach słonecznych. Odkrył, że kiedy światło trafia na pewne metale, uwalniają się elektrony (str. 150). Później Albert Einstein zasugerował, że *zjawisko fotoelektryczne*, można wyjaśnić tym, że światło składa się z maleńkich porcji energii podobnych do kwantów. Większość naukowców uważa obecnie, że światło składa się z porcji energii zwanych *fotonami*. Fotony nie są cząstkami ani falami; czasem zachowują się jak fale, czasem jak cząstki.

Światło z elektronów. Światło pochodzi z atomów. Kiedy atom ulega wzbudzeniu przez np. iskrę elektryczną, zostaje *pobudzony* i elektron może zostać odepchnięty dalej od jądra. Przypomina to trochę rozciąganie gumy. Gdy guma zostaje jak gdyby zwolniona, elektron wraca na miejsce, wystrzelając po drodze foton.

Długość fali wystrzelonego fotonu zależy od długości skoku elektronu wracającego na swój właściwy poziom. To z kolei zależy od struktury atomu. Dlatego każdy gaz emituje własne pasmo barw (zwane *widmem emisyjnym*). Pochłania również unikalne pasmo (*widmo absorpcyjne*).

Promieniowanie elektromagnetyczne

Światło jest jedną z wielu form *promieniowania elektromagnetycznego*, które jest formą energii, promieniującej w przestrzeń w małych porcjach, każda o właściwej sobie długości fali. Pełny zakres nazywa się widmem elektromagnetycznym. Na jednym końcu są fale radiowe, telewizyjne i inne długie fale. Nieco krótsze są *mikrofale*, takie jak te używane do gotowania. Następne miejsce zajmuje *promieniowanie podczerwone*, którego nie widzimy, lecz które odczuwamy jako ciepło. Jeszcze krótsze fale ma *światło*, które widzimy. Poza zakresem dostępnym naszym oczom jest *promieniowanie ultrafioletowe*, które zapewnia nam opaleniznę, a czasem powoduje raka skóry. *Promienie rentgena* to krótkie fale, które przenikają ciało, ale nie kość, dlatego używane są do zdjęć wnętrza ciała. Najkrótsze, obdarzone największą energią fale to *promieniowanie gamma* uwalniane w reakcjach jądrowych i przez substancje radioaktywne oraz promieniowanie *kosmiczne* emitowane przez gwiazdy.

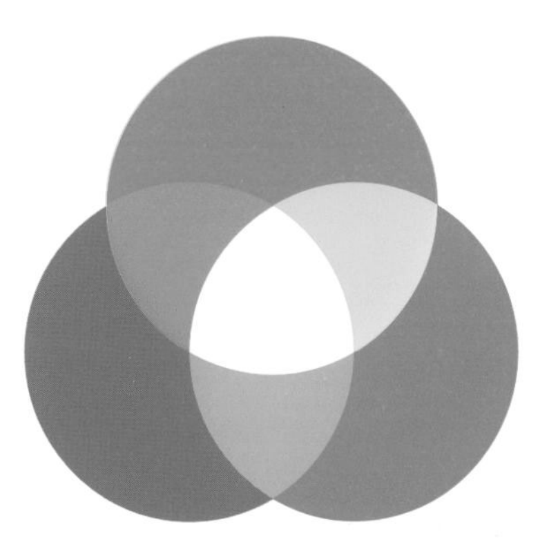

Barwy

Kiedy widzimy różne kolory, widzimy różne długości fal światła. Światło słoneczne zdaje się pozbawione barwy, ale w rzeczywistości jest *białym światłem*, mieszanką wszystkich barw tęczy. Możesz zobaczyć te barwy, jeśli ustawisz trójkątny szklany pryzmat w ciemnym pokoju tak, by mogło przez niego przejść cienkie pasemko światła słonecznego. Krótkie fale ulegają w pryzmacie szczególnie dużej refrakcji, toteż światło tworzy wachlarz, ukazując spektrum barw od czerwonej do fioletowej (powyżej). Rzeczy mają określony kolor w świetle słonecznym, ponieważ odbijają te kolory, a wchłaniają resztę.

Można spreparować dowolny kolor, mieszając w różnych proporcjach trzy kolory zwane *barwami podstawowymi* (po lewej). Tymi trzema podstawowymi barwami są: czerwona, niebieska i zielona. Nasze oczy reagują tylko na te trzy kolory, a inne barwy rozpoznajemy na podstawie ich zawartości czerwieni, błękitu i zieleni. Barwy na obrazie pochodzą z wchłaniania pewnych barw, a odbijania reszty. Tam, gdzie widzimy czerwony, farba wchłania światło błękitne i zielone. Tak więc kolory w obrazie składają się z innych trzech dopełniających barw podstawowych: żółtej, magenty (czerwono-fioletowej) i niebiesko-zielonej.

Prędkość światła

Światło – i wszelkie promieniowanie elektromagnetyczne – podróżuje w próżni z prędkością ok. 300 000 kilometrów na sekundę, co oznacza, że mogłoby obiec Ziemię ponad 500 razy w ciągu minuty. Podróżuje wolniej w powietrzu, a jeszcze wolniej w wodzie, ale nadal jest to ogromna prędkość.

Einstein wykazał, że dla wszystkiego, co jest wolniejsze od światła prędkość jest czymś względnym. Jeśli idziesz 5 km/godz., idziesz z tą prędkością tylko dla kogoś na Ziemi. Dla kogoś w przestrzeni kosmicznej poruszasz się z prędkością ok. 1205 km/godz. (5 km/godz. plus prędkość obrotu Ziemi). Ale nic nie może podróżować szybciej niż światło, dlatego prędkość światła nie jest względna, lecz stała w całym wszechświecie.

DŹWIĘK

Codzienne dźwięki, od szumu wiatru w trawie do huku odrzutowca, powstają dzięki ruchowi powietrza. Kiedy szczeka pies albo ktoś brzdąka na gitarze, powietrze wibruje, a te wibracje wydają dźwięk słyszalny dla twego ucha.

Fale akustyczne *rozchodzą się we wszystkich kierunkach ze źródła dźwięku, tracąc stopniowo energię.*

FALE AKUSTYCZNE

Wibracje, które przenoszą dźwięk w powietrzu nazywamy *falami akustycznymi.* Fale akustyczne nie przypominają fal morza, które powstają liniowo na powierzchni wody. Fale akustyczne podróżują poprzez naprzemienne ściskanie i rozciąganie powietrza. Kiedy powstaje dźwięk, cząsteczki w otaczającym powietrzu zostają ściśnięte. Następnie cząsteczki same ściskają te, które znajdują się w ich sąsiedztwie, a potem zostają ściągnięte na miejsce przez cząsteczki za sobą.

Fale akustyczne podróżują szybciej w ciałach stałych i cieczach niż w powietrzu, ponieważ cząstki są ściśle ułożone. W próżni panuje absolutna cisza, ponieważ nie ma cząsteczek, które przenosiłyby dźwięk.

Częstotliwość i wysokość tonu. Huk grzmotu brzmi zupełnie inaczej niż pisk hamującego samochodu. Różnica dotyczy głównie częstotliwości fal wytwarzających dźwięk. Jeśli fale następują po sobie bardzo szybko, wytwarzają dźwięk o wysokim tonie i wysokiej częstotliwości. Jeśli następują powoli, dźwięk ma niską częstotliwość, czyli niski ton.

Częstotliwość dźwięku mierzymy zwykle w hercach (Hz) lub w cyklach (falach) na sekundę. Ludzie są najbardziej wrażliwi na dźwięki o 5000 Hz (głos ludzki). Ale słyszą dźwięki o częstotliwości 20 Hz (huk grzmotu) i 20 000 Hz (pisk nietoperzy). Dźwięki zbyt niskie, by ludzie mogli je usłyszeć nazywamy *infradźwiękami;* dźwięki zbyt wysokie nazywamy ultradźwiękami.

Tony składowe górne. Większość dźwięków zawiera mieszaninę różnych częstotliwości – *podstawową wysokość tonu* i *tony składowe górne.* Te ostatnie pomagają rozpoznawać dźwięki. Na przykład flet wydaje czysty dźwięk, a większość tonów górnych harmonizuje z wysokością podstawową. Skrzypce mają jaśniejszy ton i chropowate tony górne. Cymbały mają tyle nieharmonijnych tonów górnych, że nie mają jasnej skali podstawowej.

SZYBKOŚĆ DŹWIĘKU

Dźwięk rozchodzi się z różną szybkością w różnych substancjach. Szybciej rozchodzi się w ciepłym niż w zimnym powietrzu. Prędkość dźwięku w powietrzu o temp. 20°C wynosi około 344 m/sek. W czystej wodzie osiąga 1500 m/sek, w solidnej stali rozchodzi się z prędkością 6000 m/sek. *Liczba Macha* to jednostka wyrażająca stosunek prędkości poruszającego się w gazie ciała do prędkości dźwięku. Wyznacza podział na zjawiska poddźwiękowe i naddźwiękowe.

Wibrująca struna *Jeśli przyjrzysz się uważnie strunie skrzypiec lub gitary, zauważysz drgania wysyłane w powietrze przez fale akustyczne. Im krótsza struna, tym szybciej drga, wydając wyższy dźwięk.*

SKALA DECYBELOWA

Głośne dźwięki to dźwięki mające dużą energię, wzbudzające duże fale; ciche dźwięki mają dużo mniej energii i wzbudzają mniejsze fale. Ilość energii w dźwięku można zmierzyć, ale głośność mierzy się zwykle w *belach* lub raczej w dziesiątych częściach bela zwanych *decybelami* (dB). Skala decybelowa jest logarytmiczna, to znaczy dźwięk 2 dB jest dziesięć razy głośniejszy niż dźwięk 1 dB, a dźwięk 20 dB jest 100 razy głośniejszy.

10 dB *Szum liści*

20-50 dB *Szept*

60-90 dB *Domowy zestaw hi-fi*

70-100 dB *Szybki pociąg elektryczny*

120 dB *Grzmot nad głową*

140 dB *Start samolotu ponaddźwiekowego*

180 dB *Startująca rakieta.*

WODA

Woda jest najpowszechniejszym związkiem chemicznym na Ziemi. Jako lód i ciecz pokrywa 70% powierzchni Ziemi. Jest niezbędna do życia, wypełnia każdą żywą komórkę i tworzy trzy czwarte naszego ciała. Odgrywa ważną rolę w ogromnej liczbie procesów fizycznych i chemicznych, od zaparzania herbaty do produkcji energii jądrowej.

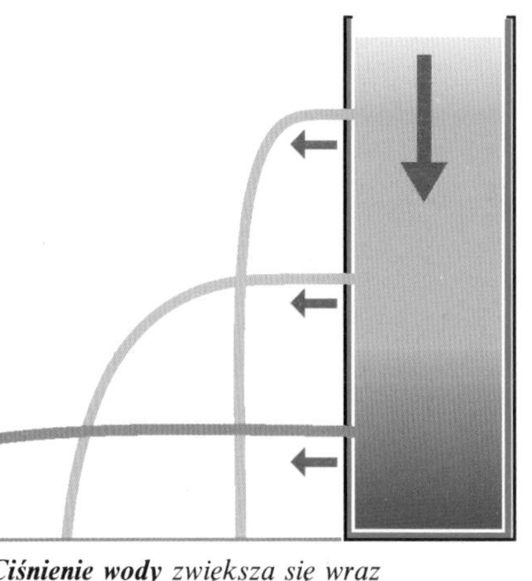

***Ciśnienie wody** zwiększa się wraz z głębokością, jak wykazuje prosty eksperyment z dziurkami w plastikowej butelce z wodą. Woda tryska znacznie dalej z najniższej dziurki.*

WYJĄTKOWE WŁAŚCIWOŚCI

Woda jest wyjątkową substancją, ponieważ występuje powszechnie w trzech stanach – stałym, ciekłym i gazowym. Normalnie jednak woda jest cieczą i chociaż część wody paruje w każdej temperaturze powyżej punktu zamarzania (0°C), nie wrze do temperatury 100°C. Równie dziwne jest to, że woda rozszerza się zamarzając, jak żadna inna substancja. Dlatego zamarznięte rury pękają. Dlatego też lód pływa, ponieważ rozszerzanie się sprawia, że lód ma mniejszą gęstość.

Woda zachowuje się tak z powodu swego składu chemicznego. W każdej cząsteczce wody znajdują się dwa atomy wodoru i jeden atom tlenu – stąd wzór chemiczny wody to H_2O (str. 151). Ale układ atomów powoduje, że jedna strona cząsteczki jest naładowana inaczej niż druga. Tę różnicę nazywamy *biegunowością*, a wodę nazywa się cząsteczką polarną.

Jeden ze skutków biegunowości polega na tym, że ujemny koniec jednej cząsteczki zostaje przyciągnięty do dodatniego końca drugiej, tworząc *wiązanie wodorowe*. Woda pozostaje w stanie ciekłym, ponieważ wiązania wodorowe spajają cząsteczki tak silnie, że cząsteczki nie mogą uciec, by przekształcić się w gaz. Zamrożone cząsteczki organizują się w siatkę krystaliczną, dlatego lód jest mniej gęsty od wody.

Innym skutkiem biegunowości jest to, że woda stanowi dobry rozpuszczalnik. W rzeczywistości rozpuszcza różne substancje tak dobrze, że czysta woda w naturze prawie nie występuje. Na przykład woda morska zawiera 3,5% soli (głównie chlorku sodu, czyli soli kuchennej). Wszystkie żywe istoty korzystają z *wodnych* (opartych na wodzie) roztworów, takich jak krew, soki trawienne i komórki wewnętrzne, dla wypełniania niezbędnych funkcji biologicznych.

FALE

Fale są wytwarzane przez wiatr wiejący nad morzem. Fale mogą pokonywać duże odległości, ale zawarta w nich woda ledwie się porusza, obracając się jak rolki pod pasem transmisyjnym. Gdy woda jest zbyt płytka, by dokonać pełnego obrotu, fale się załamują.

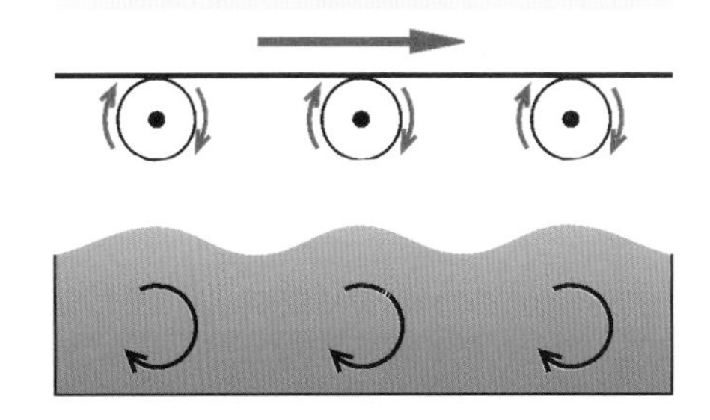

WYPÓR HYDROSTATYCZNY

2200 lat temu starożytny grecki matematyk Archimedes odkrył, że obiekt waży mniej w wodzie niż w powietrzu – dlatego dasz radę podnieść ciężką osobę, jeśli pływa w basenie lub w morzu. Przyczyną *wyporu hydrostatycznego* jest ciśnienie wody skierowane ku górze. Kiedy obiekt jest zanurzony w wodzie, ciężar obiektu prze w dół. Ale woda wokół obiektu odpycha go z siłą równą ciężarowi wody *wypartej* (wypchniętej) przez obiekt. Obiekt zatonie, jeśli jego ciężar nie zostanie zrównoważony przez skierowane ku górze ciśnienie wody. Jeśli zostaje zrównoważony, zaczyna pływać. Obiekty o mniejszej gęstości niż woda pływają, a te o większej gęstości od wody toną.

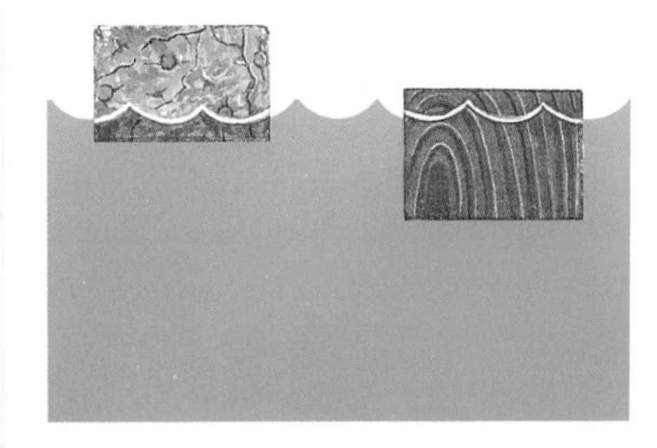

***Równowaga wyporu**. Jeśli wrzucisz do wody, klocek drewna o objętości 100 cm^3 najpierw zanurzy się, lecz potem wypłynie, wypierając objętość wody równą swemu ciężarowi. Jeśli klocek waży 70 g wypływa, póki nie wyprze dokładnie 70 g wody. 70 g wody to 70 cm^3, dlatego drewno podskakuje dopóki nie zostanie zanurzonych 70 cm^3. Blok styropianu tych samych rozmiarów może ważyć 30 g. Tak więc blok styropianu płynie wyżej, bo podtrzymuje go 30 cm^3 wody.*

***Statki pływają** ponieważ ich kadłuby zawierają powietrze, ale pływają z różnym zanurzeniem, bo różni się gęstość wody. Okręty mają mniejsze zanurzenie w słonej wodzie niż w wodzie słodkiej, ponieważ słona woda jest gęstsza, i mają mniejsze zanurzenie w zimnych morzach niż w ciepłych. Statki mają zaznaczoną tak zwaną linię Plimsolla (poniżej), która pozwala na właściwe dostosowanie ciężaru ładunku do wód tropikalnych (T), słodkich (F), lata (S) i zimy (W).*

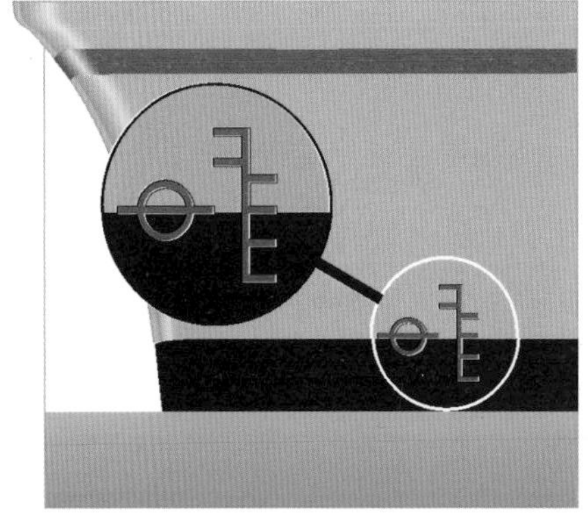

ODKRYCIA I WYNALAZKI

Przez stulecia wynaleziono niezliczone maszyny, jedne proste, inne – niezwykle złożone. Czasem najprostsze wynalazki, takie jak zegar i produkcja masowa, mają największy wpływ na nasz sposób życia.

Wczesny zegar. *Jest to zegar bębnowy wykonany w Norymberdze ok. 1590 r. Istnieje tylko wskazówka godzinowa, ale zegar pokazuje również pozycję Słońca i fazy Księżyca.*

MŁYN WODNY

Przez ponad 1500 lat młyn był jedynym źródłem energii poza siłą mięśni. Grecy opisywali koło wodne już 100 lat p.n.e. Strumień wody ze strumienia obraca koło łopatkowe umieszczone na osi. Oś obracając się, obracała kamień młyński, który mełł zboże o inny kamień.

W III wieku n.e. Rzymianie używali pionowych kół. Koła zębate przekazywały moc z poziomej osi koła wodnego na oś pionowego kamienia młyńskiego. Przy *kole wodnym podsiębiernym*, koło ledwie zanurzało się w płynącym strumieniu. Przy *kole wodnym nasiębiernym* woda była kierowana na koło i chwytana w zawieszone na kole wiadra. Ciężar wody poruszał młyn.

„Domesday Book" wymienia ponad 5000 młynów w Anglii w 1086 roku. Przed 1800 rokiem było ich w Europie ponad pół miliona. Odgrywały rolę elektrowni dla mnóstwa wiosek – nie tylko mełły zboże, ale też zasilały miechy i młoty przy wyrobie żelaza. Mełły szmaty na papier, wytłaczały oliwę z oliwek, wierciły lufy strzelb i spełniały wiele innych zadań.

Rewolucja przemysłowa zaczęła się nie od mocy pary, ale od mocy wody. Pierwsze wielkie fabryki zbudowano nie wokół kopalni, lecz nad rwącymi strumieniami. Kiedy Richard Arkwright (1732-1792) zbudował fabrykę bawełny w Cromford (Derbyshire) w 1771 roku, była ona napędzana wodą.

DRUK

Chińczycy drukowali na papierze już w II wieku n.e. Litery wycinano w klocku drewna. Potem zanurzano je w farbie i drukowano tekst na papierze. Do XIV wieku drukarze dysponowali klockami dla wszystkich spośród ok. 80 000 chińskich znaków (ideogramów) i zapełniali kartki, składając klocki, nie musieli więc rzeźbić każdej strony oddzielnie – system ten znany jest jako *druk ruchomy*. Ale nadal był to powolny, pracochłonny proces.

Rewolucja w drukarstwie rozpoczęła się w Europie ok. 1450 roku od wynalazku niemieckiego złotnika Johannesa Gutenberga (ok. 1398-1468). Gutenberg znalazł sposób wykonywania dowolnej liczby identycznych liter szybko i prosto poprzez odlewanie ich w metalu. Nazywa się to składem drukarskim. Litery przeznaczone na każdą stronę zamykano następnie w jednej ramie, pokrywano farbą drukarską i odciskano na papierze przy pomocy pras o dużej mocy. W 1448 roku Gutenberg wydrukował Biblię, 27 lat później William Caxton (ok. 1422-91) wydrukował pierwszą książkę po angielsku. Przed końcem XV stulecia 240 drukarni w Europie drukowało rocznie tysiące książek, od dzieł Arystotelesa po opowieści miłosne Boccaccia. Pierwszą znaną książką wydrukowaną w Polsce w języku polskim był *Raj duszny*, wydrukowany przez drukarnię Unglera w Krakowie w 1513 roku.

ZEGARY I ZEGARKI

Pierwsze zegary mechaniczne pojawiły się w angielskich i włoskich klasztorach pod koniec XIII wieku, by zwoływać mnichów regularnie na modlitwę. Nie wiadomo, kto je wynalazł, ale za ich odkryciem kryła się idea *wychwytu*. Wychwyt pozwalał na zatrzymywanie ciężarka zsuwającego się po linie w regularnych odstępach. Spadający ciężarek poruszał wiele kółek zębatych. Za każdym razem, gdy ciężarek spadał, kółka poruszały się nieco do przodu, posuwając zegar. Najwcześniejsze zegary miały poziomą listewkę zwaną wychwytem, do której

Drzeworyt z 1522 r. przedstawiający dawnych drukarzy przy pracy *ukazuje, jak stronice drukarskie odciskano na kartce papieru pod prasą o dużej sile. Takich pras używano pierwotnie do wytłaczania wina z winnych gron, ale Gutenberg przystosował je do potrzeb drukarstwa.*

Maszyny parowe. *Hero z Aleksandrii wynalazł maszynę parową w pierwszym wieku naszej ery, ale traktował ją jako zabawkę. Pierwsza pracująca maszyna parowa została wynaleziona w 1698 r. przez Thomasa Savery do pompowania wody w kopalni. Pierwszy parowóz został zbudowany w 1801 r. przez Richarda Trevithicka.*

Przędzarka *została wynaleziona około 1764 roku przez Jamesa Hargreavesa.*

Linia montażowa *została wprowadzona w fabryce samochodów Forda w 1908 r. w celu produkcji Modelu T Forda w ilościach, które obniżyłyby koszt produkcji. Henry Ford zaczerpnął inspirację z metody przesuwania mięsa w rzeźni. System przyśpieszył montaż samochodów – przesuwały się one wzdłuż pasa transmisyjnego i na nim montowano kolejne części.*

przyczepione były ciężarki. Gdy ciężarki przesuwano na zewnątrz, zegar tykał wolniej; gdy przesuwano je do wewnątrz, tykał szybciej.

Na początku zegar wydzwaniał dzwonkiem określoną godzinę. Ale już w połowie XIV wieku zegary miały tarcze i wskazówki. Około 1410 roku zegary posiadały już spiralne sprężyny, służące do napędzania kółek. Sprężyna była zwinięta i powoli się rozwijała; wychwyt zatrzymywał ją w regularnych odstępach. Sprężyna pozwoliła na produkowanie małych zegarów i zegarków. Angielska nazwa zegarka (watch) pochodzi od tego, że pomagały one wyznaczać straże (watches) nocą.

PRZĘDZARKI

Naturalne włókna, takie jak wełna i bawełna mają tylko kilka centymetrów długości. Żeby utkać z nich materiał, trzeba je skręcić razem w długą przędzę. Przez setki lat robiono to nawijając je po prostu na patyk. Jednak od 1300 roku n.e. ludzie przędli włókna na kole napędzanym nogą, który to pomysł powstał w Indiach.

Wczesna maszyna do pisania. *Jest to maszyna Hammonda z 1895 roku. Wypróbowano wiele rozwiązań dotyczących klawiatury, zanim zdecydowano się na rozwiązanie układu liczb i liter, którego używamy do dzisiaj.*

Około 1764 roku przędzalnik z Lancashire James Hargreaves wymyślił urządzenie zwane przędzarką, która nawijała przędzę na osiem poruszanych ręcznie wrzecion jednocześnie. To radykalnie zwiększyło ilość przędzy, którą można było przerobić. Ale nadal urządzenie to stosowano w domu. Urządzeniem, które zapoczątkowało rewolucję przemysłową (str. 137) było wynalezione w dwa lata później przez Richarda Arkwrighta urządzenie zwane ramą wodną. Wprawiał je w ruch pas napędzany przez koło wodne. W 1771 roku Arkwright zainstalował to urządzenie w młynie w Cromford, w hrabstwie Debyshire, by stworzyć pierwszą na świecie fabrykę.

ROWER

Pierwszy rower z pedałami i hamulcem został wynaleziony przez szkockiego kowala Kirkpatrick Macmilana w 1839 roku. W odróżnieniu od współczesnych rowerów nie miał łańcucha. Natomiast pedały poruszały tylne koło za pomocą prętów połączonych z korbami, które obracały się jak pedały.

W 1870 roku James Starley (1830-1881) zaprojektował pierwszy rower Penny Farthing. Rowerzysta siedział na siodełku na szczycie ogromnego koła o średnicy 1,5 m lub więcej. Tylne kółko było bardzo małe. Ponieważ koło było tak duże, lekkie naciśnięcie pedałów wprawiało rower w ruch, a rowerzyści mogli osiągnąć dużą prędkość. Niestety na rower Penny Farthing trudno było wsiąść i łatwo było z niego spaść.

Przełom dla rowerzystów nastąpił w końcu lat siedemdziesiątych XIX wieku, gdy James Starley wynalazł bezpieczny rower. Przypominał on współczesny rower, posiadał równej wielkości koła, łańcuch do obracania tylnego koła i ramę w kształcie rombu. Odkąd koła zyskały miękkie *pneumatyczne* (wypełnione powietrzem) opony, opatentowane przez Johna Dunlopa w 1888 roku, rower stał się bardzo popularny.

SILNIK ELEKTRYCZNY

Silniki elektryczne są wykorzystywane do poruszania wszystkiego od pociągów po szczoteczki do zębów. Podstawowa zasada (str. 153) została zademonstrowana przez Michaela Faradaya w 1821 roku. Ale pierwszy praktycznie zastosował tę zasadę, konstruując silnik, kowal z Vermont, Thomas Davenport. Używał go do wiercenia otworów w stali. Ponieważ jednak baterie wyczerpywały się, silniki te nie odniosły sukcesu komercyjnego. Dopiero kiedy w 1873 r. wynaleziono dynamo (prądnicę prądu stałego), silniki elektryczne zaczęto stosować masowo.

DATY

- **1509** – Zegarek wynaleziony przez Petera Henle w Norymberdze
- **1609** – W Holandii wynaleziono teleskop
- **1698** – Wynaleziono pompę parową
- **1709** – Abraham Darby odkrywa, jak produkować surówkę poprzez wytapianie koksu
- **1825** – Pierwsza parowa kolej pasażerska
- **1838** – Elektryczny telegraf
- **1860** – Wynaleziono silnik spalinowy
- **1876** – Bell wynalazł telefon
- **1878** – Elektryczne lampy uliczne w Londynie
- **1903** – Pierwszy lot zasilany energią dokonany przez braci Wright
- **1936** – Pierwszy przekaz telewizyjny
- **1946** – Pierwszy elektroniczny komputer
- **1948** – Wynaleziono tranzystor

ODKRYCIA I WYNALAZKI II

Nie wszystkie ważne odkrycia dotyczyły mechaniki. Przez stulecia wynaleziono wiele nowych materiałów w celu ulepszenia lub zastąpienia substancji naturalnych, dokonano też wielu istotnych odkryć w dziedzinie medycyny i opieki zdrowotnej.

Szkło

Szkło jest jednym z najstarszych i najbardziej użytecznych z produkowanych przez człowieka materiałów. Używa się go do wszystkiego – od wazonów do szyb kuloodpornych. Starożytni Egipcjanie i mieszkańcy Mezopotamii umieli produkować szkło już 5000 lat temu. Ale dopiero w 1500 roku p.n.e. wykonywali szklane flakony i miski. Miski formowano, rzeźbiąc w solidnym szkle lub zanurzając woreczek z piaskiem w tacy z roztopionego szkła.

W 300 roku p.n.e. aleksandryjscy producenci szkła nauczyli się je kształtować. W I wieku p.n.e. Syryjczycy wynaleźli sposób kształtowania szkła poprzez wydmuchiwanie przez rurkę. Technika szybko się rozpowszechniła. Nadal produkuje się w ten sposób żarówki i butelki, tyle że teraz wydmuchują szkło maszyny, a nie ludzie.

Nieliczni bogaci Rzymianie mieli szklane szyby, ale dopiero od XII wieku zaczęto używać szkła do okien. Wówczas producenci szkła odkryli, jak robić witraże – kolorowe szkło używane do robienia pięknych okien przedstawiających różne sceny w kościołach i katedrach.

Przed końcem XV wieku weneccy rzemieślnicy nauczyli się robić szkło niemal całkowicie przezroczyste i produkowali soczewki do okularów, a później mikroskopy i teleskopy.

W XIV wieku stwierdzono, że cienkie, płaskie szkło na okna zwane *kronem* można robić poprzez odwirowywanie szkła z wielkiej kuli na końcu pręta.

Pomimo to szyby szklane pozostały drogie i dopiero w XIX wieku zwykli ludzie zaczęli mieć szyby w oknach. Wówczas rozpoczęto po raz pierwszy masową produkcję szkła, a okna w dużych domach stały się duże i przezroczyste, zaś ogrodnicy zaczęli budować szklarnie. Joseph Paxton zbudował w Londynie w 1851 roku Pałac Kryształowy, używając 300 000 tafli szkła osadzonych w żelaznych ramach.

Okulary. *Idea posługiwania się szklanymi soczewkami w celu polepszenia wzroku została opisana przez angielskiego mnicha i naukowca Rogera Bacona w XIII wieku. Niektórzy ludzie w Wenecji i w Chinach nosili w tym czasie wypukłe okulary do pracy. Wklęsłe soczewki pomagające krótkowidzom w patrzeniu na daleką odległość pojawiły się w XV wieku.*

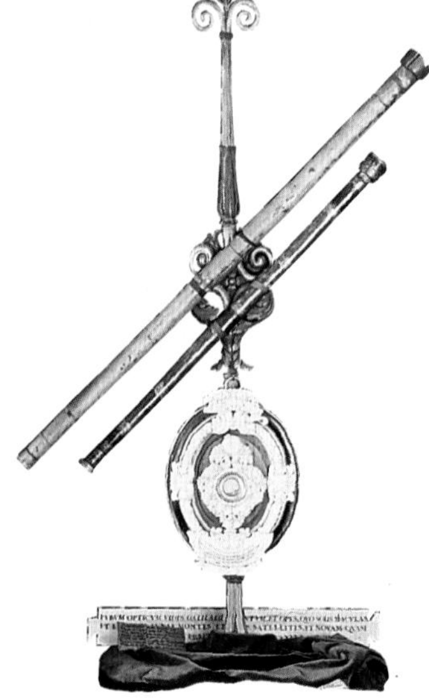

Teleskop *został prawdopodobnie wynaleziony przez holenderskiego wytwórcę okularów Hansa Lippersheya w 1608 roku. Galileusz wykonał własny teleskop (powyżej) w 1609 roku. Jako pierwszy człowiek obserwował pierścienie Saturna i cztery księżyce Jowisza.*

Szczepionki

Szczepionki chronią ludzi przed chorobami spowodowanymi wirusami i bakteriami, wykorzystując własny układ obronny organizmu. Ich działanie polega na dostarczeniu człowiekowi małej dawki choroby, zbyt małej, by mogła mu zaszkodzić, lecz dostatecznie dużej, by pobudzić ciało do produkcji specjalnych białek zwanych *przeciwciałami,* które atakują bakterie. Te przeciwciała znajdują się w naszym ciele, by zwalczać zarazki zakażenia.

Koncepcja wywodzi się ze sposobu zwalczania ospy zwanej *szczepieniem szczepionką ospową* znanej długo w Turcji i zaadaptowanej w Anglii na początku XVIII wieku przez Lady Mary Wortley Montagu. W owym czasie ospa była straszliwą chorobą i wielu ludzi na nią umierało albo zostawało oszpeconych na całe życie przez potworne „dzioby". Szczepienie ospy polegało na wstrzyknięciu pod skórę płynu wziętego z pęcherzyków osoby chorej na łagodną postać ospy. Szczepionka ta była skuteczna, ale często szczepionego zarażono ospą i umierał.

Angielski lekarz wiejski Edward Jenner dokonał ważnego odkrycia. Zauważył, że dojarki zarażone ospą krowią, łagodną ospą, na którą chorują krowy, były odporne na ospę prawdziwą. W 1796 roku umieścił płyn z pęcherzyków ospy krowiej pod skórą chłopca zwanego James Phipps. Wkrótce okazało się, że James jest odporny na ospę. W 1798 roku Jenner opublikował swoją koncepcję szczepienia i w ciągu 20 lat na całym świecie zaszczepiono miliony ludzi.

W XIX wieku Ludwik Pasteur odkrył szczepionki przeciw innym chorobom, hodując bakterie w specjalnych *kulturach* bakteryjnych. W ten sposób stworzył szczepionkę przeciw cholerze w 1880 roku, wąglikowi w 1881 roku i wściekliźnie w 1885 roku. Obecnie istnieją szczepionki przeciw większości najgorszych chorób zakaźnych, m.in. błonicy, gruźlicy i chorobie Heinego-Medina.

Antybiotyki

Antybiotyki to substancje zabijające zarazki. Pierwotnie wiele z nich było naturalnymi substancjami spotykanymi w pleśni. Teraz wiele z nich produkuje człowiek.

Pierwszym antybiotykiem była *penicylina*, odkryta w 1927 roku przez Alexandra Fleminga w szpitalu St Mary's

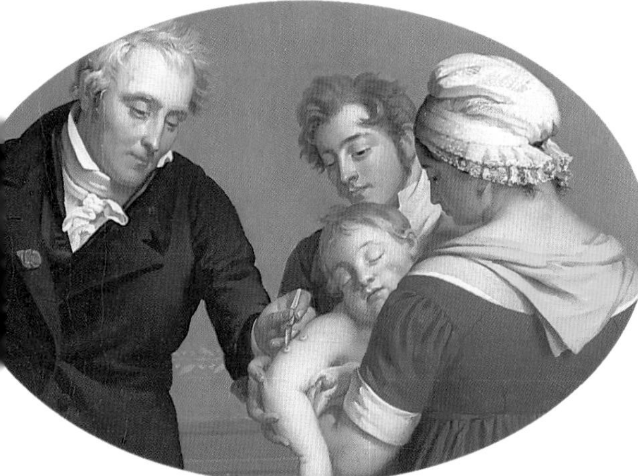

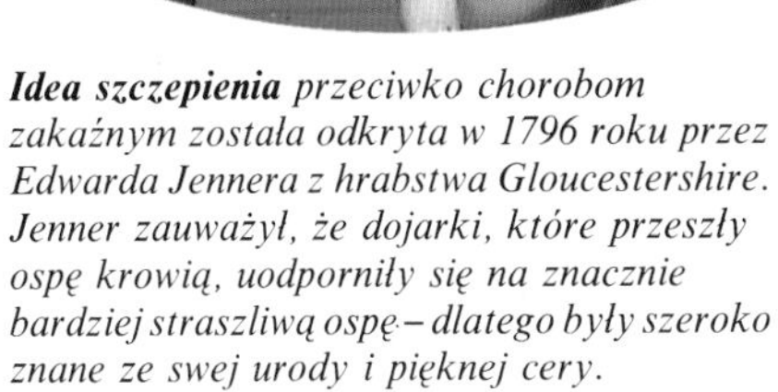

Idea szczepienia *przeciwko chorobom zakaźnym została odkryta w 1796 roku przez Edwarda Jennera z hrabstwa Gloucestershire. Jenner zauważył, że dojarki, które przeszły ospę krowią, uodporniły się na znacznie bardziej straszliwą ospę – dlatego były szeroko znane ze swej urody i pięknej cery.*

Promienie Roentgena *przenikają papier, drewno i ciało, ale nie przenikają metalu ani kości. Już w kilka miesięcy po odkryciu w 1895 roku przez Wilhelma Roentgena korzystali z nich lekarze, by „zajrzeć" do wnętrza ciała. Są nadal szeroko stosowane, ale zastępują je coraz częściej skanery (str. 196). Promienie rentgenowskie są także używane w radioterapii do leczenia raka.*

CZY WIESZ, ŻE...?

Fonograf został wynaleziony przez Thomasa Edisona w 1877 roku, by zapisywał i odtwarzał dźwięk przy pomocy stalowej igły na pokrytych parafiną paskach papieru.
Edison wynalazł też w 1879 roku ulepszoną żarówkę elektryczną, mikrofon w roku 1877, a w roku 1880 kineskop do rzutowania ruchomych obrazów.
Cement został po raz pierwszy zastosowany przez Rzymian w budowlach takich jak Koloseum.
Rury kanalizacyjne zastosowano w Mohendżo Daro w Pakistanie ponad 4000 lat temu.
Karty do gry wynalazły kobiety w chińskich haremach 1000 lat temu.
Lody przywiózł do Włoch z Chin Marco Polo w 1295 r.
Wiktoriański inżynier Isambard Kingdom Brunel zaczerpnął inspirację do swojej koparki tunelu od drążących drzewo mięczaków.

w Londynie. Stwierdził on, że pleśń penicylinowa zabija pewne bakterie. Przed 1940 rokiem Florey i Chain w Oksfordzie uczynili z niej skuteczny lek.

W czasie II wojny światowej produkowano masowo penicylinę i inny antybiotyk, *streptomycynę* (skuteczny przeciw gruźlicy). Teraz istnieje wiele rodzajów antybiotyków, w tym leki o *szerokim zakresie działania* jak np. tetracyklina, używana przeciw wielu gatunkom bakterii oraz bardziej specyficzne, takie jak *polimiksyna* skuteczna wobec określonego rodzaju bakterii. Niestety, wiele z nich ma mniejszą skuteczność niż dawniej, ponieważ powstały nowe szczepy bakterii uodpornione na antybiotyki.

Pasteryzacja

Pasteryzacja to sposób oddziaływania na pożywienie, szczególnie mleko, w celu zabicia bakterii. Ideę tę rozwinął Ludwik Pasteur w latach sześćdziesiątych XIX stulecia. W owym czasie sądzono, że procesy powodujące fermentację wina i octu oraz kwaśnienie mleka mają charakter chemiczny. Pasteur stwierdził, że mają one miejsce tylko w powietrzu, ponieważ bakterie w nim zawarte powodowały zmiany. W 1862 roku odkrył, że podgrzewanie mleka do dokładnie 63°C przez trzydzieści minut, a potem gwałtowne jego ochładzanie zabija bakterie nie zmieniając bardzo smaku mleka. Takie mleko można było dłużej przechowywać. Dziś pasteryzacja pozwala niszczyć zarazki gruźlicy i brucelozy.

Plastik

Plastik jest jednym z najbardziej niezwykłych materiałów wytwarzanych przez człowieka. Używa się go wszędzie od statków kosmicznych i części samochodowych po butelki i sztuczne części ciała. Plastik ma niezwykłe właściwości dzięki kształtowi cząsteczek, z których jest wykonany. Tylko z kilkoma wyjątkami plastik wytwarza się z długich organicznych cząsteczek zwanych *polimerami*, złożonych z wielu mniejszych cząsteczek zwanych *monomerami*. Na przykład polietylen to łańcuch 50 000 małych cząsteczek etylenu.

Nieliczne polimery istnieją w postaci naturalnej np. celuloza, główna substancja drzewna w roślinach. Już w połowie XIX wieku wiedziano, że celulozę można przerobić na kruchą substancję, azotan celulozy. W 1862 roku brytyjski chemik Alexander Parkes odkrył, że po dodaniu kamfory azotan celulozy stał się twardy, ale elastyczny i możliwy do ugniatania. Niestety, nie udało mu się wprowadzić do handlu swojego „parkesynu".

Jednak w 1869 roku Amerykanin John Hyatt stworzył podobną substancję, której używano zamiast kości słoniowej do wytwarzania kul bilardowych. Nazwał ją celuloidem. Kiedy skorzystano z celuloidu przy produkcji filmu przez George'a Eastmana i Kodaka w 1889 roku, jego sukces był zapewniony.

Teraz istnieją setki rodzajów plastiku m.in. pleksiglas, polietylen, polichlorek winylu i celofan, a każdy ma właściwe sobie zastosowanie. Problem z plastikiem polega na tym, że trudno się go pozbyć, bo nie gnije, a palony – topi się, często wydzielając szkodliwe wyziewy.

Bakelit *został wynaleziony w 1909 roku przez Leo Baekelanda poprzez oddziaływanie na żywicę fenolową, otrzymaną ze smoły węglowej, formaldehydem. Bakelit był pierwszym wytworzonym całkowicie przez człowieka plastikiem. Raz ugnieciony twardniał i był odporny na ciepło. Był dobrym izolatorem elektrycznym, więc używano go do kontaktów i włączników. Miał też wiele innych zastosowań.*

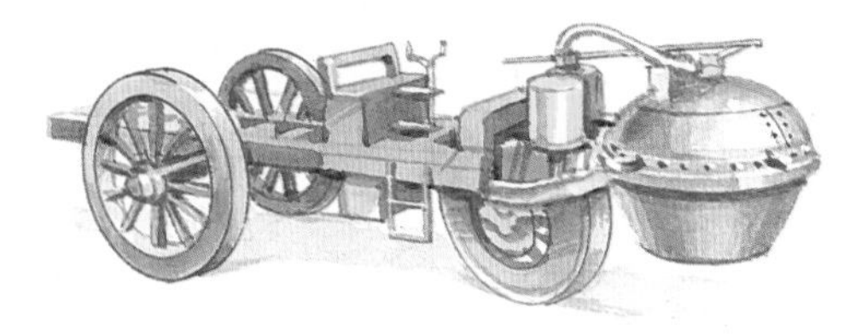

SAMOCHODY

Samochody są głównymi środkami transportu dla miliardów ludzi na całym świecie i zdominowały nasze miasta jak żadne inne maszyny. Istnieje teraz na świecie dość samochodów, by stworzyć korek opasujący dziesięciokrotnie kulę ziemską.

PIERWSZE SAMOCHODY

Nicolas Cugnot zbudował pojazd parowy (powyżej) już w 1769 roku. Ale pojazd parowy Cugnota był zbyt ciężki i powolny, by mógł być praktyczny. Blisko sto lat później, w 1862 roku inny Francuz, Etienne Lenoir, zbudował lekki *silnik spalinowy* o dużej mocy, taki jak we współczesnych samochodach. Lenoir umieścił swój silnik w starym wozie konnym, więc koła poruszały się za pośrednictwem łańcucha wokół osi. Koncepcja ta tak dobrze się sprawdziła, że wkrótce zbudowano pierwsze eksperymentalne samochody - wiele z nich, jak pojazd Lenoira, to były przystosowane wozy konne, dlatego wczesne samochody nazywano „pojazdami bez koni". W 1885 roku pojawiły się w sprzedaży pierwsze samochody wyprodukowane przez zakład Karla Benza, w Mannheim, w Niemczech.

NAPĘD BENZYNOWY

Większość samochodów jest napędzanych przez silniki benzynowe. Ich działanie polega na spalaniu paliwa (mieszanki benzyny i powietrza) w rurach w silniku zwanych *cylindrami*. Kiedy paliwo podlega *zapłonowi* przez dużą iskrę elektryczną, szybko rozszerza się i popycha *tłok* w dół cylindra. Następnie tłok porusza prętem zwanym *wałem korbowym*, a ten obraca koła za pośrednictwem wielu kół zębatych (str. 157). W większości samochodów silnik porusza tylko dwa koła - zwykle z przodu - nazywane kołami napędzającymi. W samochodach przystosowanych do poruszania się w terenie, poza drogami, *napęd jest na* cztery koła. W celu polepszenia osiągów i zmniejszenia zużycia paliwa wiele współczesnych samochodów posiada systemy elektroniczne i komputery, by wyliczyć czas zapłonu i przygotować odpowiednią mieszankę paliwa.

Ogromnym problemem związanym z motoryzacją są *spaliny* - tzn. wszystkie ciepłe gazy, jakie pozostają po spaleniu się paliwa. Spaliny samochodowe są największym źródłem skażenia powietrza w wielkich miastach. Wydziela się trujący gaz, pył i inne gazy, które mogą się przyczynić do globalnego ocieplenia (str. 98). Wiele nowych samochodów ma *katalityczny konwertor* w rurze wydechowej, który filtruje część trujących gazów.

Benz rocznik 1885*. pierwszy samochód wyprodukowany na sprzedaż, był trójkołowy.*

SAMOCHODY O WYSOKICH OSIĄGACH

Samochody o wysokich osiągach łatwo rozpoznać po ich opływowej sylwetce. Kształt jest *aerodynamiczny*, by samochód mógł przebić się przez powietrze z minimalnym oporem. Silnik o dużej mocy znajduje się nie z przodu, lecz w środku lub z tyłu, by nadać samochodowi stabilność i skierować bezpośrednio napęd na tylne koła. *Wtryskiwacze paliwa* wtryskują określoną ilość paliwa do cylindrów, a *elektroniczny zapłon* sprawia, że iskra przeskakuje w określonym czasie. Szerokie opony sprawiają, że duża powierzchnia gumy ma kontakt z ziemią, co daje maksymalną przyczepność przy przyspieszaniu lub hamowaniu.

Ford Model T*. Era powszechnej motoryzacji rozpoczęła się w 1908 roku modelem T Forda, który był pierwszym produkowanym masowo samochodem.*

Samochód o wysokich osiągach *– Ferrari 348 b model 1990.*

KOLEJE

Replika Rakiety George'a Stephensona.

Powstanie kolei przed 150 laty zmieniło na zawsze świat, umożliwiając przewóz na dalekie odległości pasażerów i dużej ilości towarów oraz na nie spotykany dotąd rozwój miast. Wielu ludzi uważa, że pociąg może się okazać najlepszym środkiem transportu na przyszłość, gdyż samochody wyrządzają zbyt dużo szkód środowisku.

TORY

Wszystkie pociągi jadą po stalowych torach. Zwykle koła mają kryzę, która dopasowana jest do toru. Koła są wykonane ze stali, toteż pociągi mogą przewozić ciężkie towary z dużą prędkością.

Dawniej tory układano z krótkich odcinków, zatem pasażerowie często słyszeli turkot kół przejeżdżających z jednego odcinka na drugi. Współczesne maszyny do układania szyn układają je w jedną ciągłą szynę, by pociąg jechał bez wstrząsów. Tory zwykle układa się na belkach drewnianych lub cementowych zwanych *podkładami*. Pociągi zmieniają kierunek jazdy na *zwrotnicach*.

LOKOMOTYWY I WAGONY

Niemal wszystkie pociągi mają lokomotywę, która zapewnia moc i szereg wagonów pasażerskich albo wagonów towarowych. Pierwsze lokomotywy były parowe. Spalano w nich węgiel, by zagotować wodę na parę, która poruszała koła. Większość współczesnych lokomotyw ma silniki elektryczne albo silniki diesla, poza takimi krajami jak Chiny, gdzie jest tyle węgla, że pociągi parowe mogą istnieć. Pociągi napędzane silnikami diesla przewożą też dla siebie paliwo. Pociągi elektryczne czerpią elektryczność albo z tzw. trzeciej szyny leżącej przy torach, albo poprzez wysięgnik zwany *pantografem* z drutów umieszczonych powyżej.

PIERWSZE POCIĄGI

Koleje sięgają czasów babilońskich (4000 lat temu), kiedy to pchano wózki po żłobionych kamieniach. Ale dopiero w 1804 roku Anglik Richard Trevithick poprowadził parową lokomotywę po szynach i wówczas rozpoczęła się era kolejnictwa.

Najwcześniejsza kolej parowa przewoziła węgiel z kopalni. W 1825 roku pionierzy kolejnictwa, George Stephenson i jego syn Robert, otworzyli pierwszą kolej pasażerską, Stockton – Darlington. W pięć lat później powstała linia kolejowa między Liverpoolem a Manchesterem. Otworzyła ona erę rozkwitu kolejnictwa – już w 1855 roku w Europie i Ameryce Północnej istniała gęsta sieć kolei.

SZYBKIE POCIĄGI

Przyszłość kolejom zapewniło wprowadzenie elektrycznych pociągów o dużej szybkości. Szybkie pociągi jeżdżą po specjalnie skonstruowanych szynach i rozwijają prędkość ok. 350 km/godz. lub większą. Pierwszym szybkim pociągiem była japońska strzała, czyli Shinkansen, zbudowana w 1964 roku, która pokonuje 1176 km z Tokio do Fukuoka w niecałe 6 godzin. W Europie Francja ma Train a Grand Vitesse (TGV). Planuje się budowę szerokiej sieci tych pociągów w całej Europie, które przewoziłyby ludzi z miasta do miasta w czasie konkurującym z samolotami.

W dalszej przyszłości pociągi nie będą się poruszać na kołach, lecz będą unosiły się płynnie z ogromną prędkością nad specjalnymi szynami, utrzymywane przez siłę odpychania magnetycznego (str. 153). Siła odpychania magnetycznego również porusza pociągi *magnetycznej lewitacji* (maglevs). Istnieją już na świecie eksperymentalne pociągi magnetycznej lewitacji.

Pociąg parowy *w złotej erze pary w latach trzydziestych XX wieku.*

Francuski TGV *(powyżej), szybki pociąg wiezie pasażerów z prędkością do 300 km/godz.*

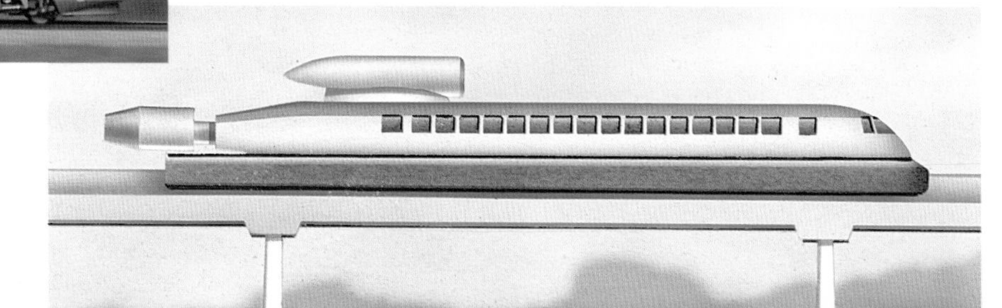

Maglev *(po prawej) może być poruszany przez silniki odrzutowe takie jak w samolotach odrzutowych.*

SAMOLOTY

Samoloty są najszybszym ze wszystkich środkiem transportu. Pokonują w kilka godzin drogę, którą lądem czy morzem pokonywano całymi dniami. Ponad 50 milionów ludzi odlatuje rokrocznie z najruchliwszych lotnisk świata takich jak O'Hare w Chicago czy Heathrow w Londynie.

BALONY

Przed samolotami ludzie latali balonami wypełnionymi gazem lżejszym od powietrza. 21 listopada 1783 roku w Paryżu dwóch ludzi uniosło się w powietrze w ogromnym papierowym balonie wypełnionym powietrzem, skonstruowanym przez braci Montgolfier. W dwa tygodnie później dwóch ludzi przeleciało nad Paryżem w balonie z pokrytego gumą jedwabiu wypełnionym wodorem. W XIX wieku loty balonowe były modnym sportem. Kiedy idea lotów balonowych odrodziła się w latach sześćdziesiątych XX wieku, zaczęto się posługiwać tańszym, bezpieczniejszym systemem ogrzewanego powietrza.

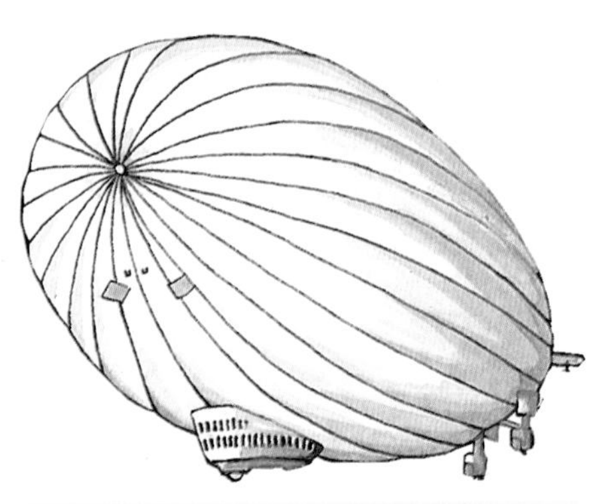

STATKI POWIETRZNE

Problem z balonami polegał na tym, że unosiły się tam, gdzie niósł je wiatr. Ale w 1852 roku Francuz Henri Giffard zrobił balon w kształcie cygara i opatrzył go napędzanymi parą śmigłami, by zapewnić mu *sterowność*. Napędzane silnikami benzynowymi i zbudowane na trwałym szkielecie „statki powietrzne" stały się pierwszymi dużymi samolotami. W latach dwudziestych XX stulecia ludzie podróżowali przez Atlantyk w komforcie takim jak na transatlantyku w ogromnych sterowcach. Ale moda na nie minęła wskutek szeregu katastrof spowodowanych przez zapalny gaz, wodór.

SAMOLOTY ODRZUTOWE

Odrzutowce zmieniły podróże lotnicze, odkąd je wprowadzono w latach pięćdziesiątych XX wieku. Są nie tylko szybkie i ciche (wewnątrz), lecz również przewożą pasażerów wysoko, poza wpływami pogody, w specjalnych *kabinach ciśnieniowych* w celu uchronienia ich przed niskim ciśnieniem na dużych wysokościach.

Dzisiejsze samoloty odrzutowe wyglądają z zewnątrz podobnie do tych z lat pięćdziesiątych, chociaż mają istotne różnice. *Kadłuby* samolotów są budowane z nowych, silnych i lekkich materiałów, takich jak tytan, plastik i włókno węglowe.

Zaprojektowane przez komputer skrzydła zmniejszają zużycie paliwa i zwiększają bezpieczeństwo. Takie potężne samoloty jak Boeing 747 zwane „jumbo jetami" przewożą za jednym razem ponad 400 pasażerów.

Układy sterowania. Współczesne odrzutowce mają skomplikowane elektroniczne układy sterowania i nawigacji, które zapewniają bezpieczeństwo lotu. *Pilot automatyczny* został wprowadzony już w latach trzydziestych, by zapewnić samolotom możliwość automatycznie sterowanego lotu na wprost i na jednym poziomie. W latach pięćdziesiątych latały one pomiędzy rozmieszczonymi na ziemi *radiolatarniami odzewowymi*. Dzisiaj nowoczesne systemy kierowania elektronicznego monitorują pozycję samolotu i pomagają pilotowi nawet podczas startu i lądowania.

Dawniej klapy na skrzydłach sterujące kierunkiem samolotu były obsługiwane przez pilota poprzez system dźwigni i linek. Większość współczesnych odrzutowców posiada klapy sterowane poprzez hydrauliczne silniki napędzane elektrycznie. Niektóre klapy są kontrolowane przez sygnały świetlne przesyłane przez światłowody.

Pilot i załoga pilotują samolot z *pokładu załogi*. W samolotach z lat osiemdziesiątych pokład załogi opatrzony był mnóstwem tarcz i przycisków, z których większość podwojono dla drugiego pilota. Teraz kiedy komputery przejęły coraz więcej funkcji, większość samolotów ma szklane *kabiny pilota*. Tarcze i przyciski ustąpiły miejsca eleganckiemu ekranowi, na którym pilot może zmieniać obraz za naciśnięciem guzika.

KLAPY STEROWNICZE

Samoloty są sterowane w powietrzu przez zawieszone na zawiasach klapy na krawędziach spływu, tj. tylnych krawędziach skrzydeł i ogona.

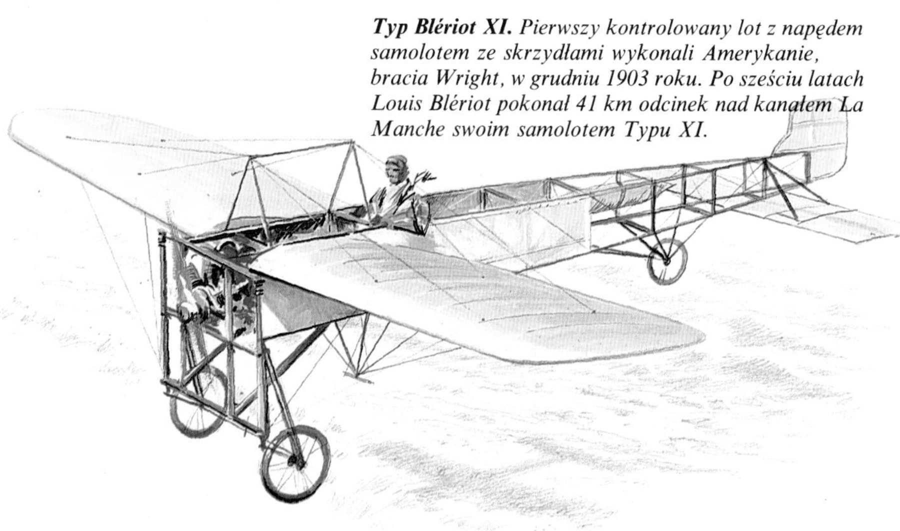

Typ Blériot XI. *Pierwszy kontrolowany lot z napędem samolotem ze skrzydłami wykonali Amerykanie, bracia Wright, w grudniu 1903 roku. Po sześciu latach Louis Blériot pokonał 41 km odcinek nad kanałem La Manche swoim samolotem Typu XI.*

JAK DZIAŁAJĄ SKRZYDŁA

Skrzydła samolotu są unoszone przez powietrze płynące ponad i pod nimi, kiedy przecinają powietrze. Ponieważ górna część skrzydeł jest zakrzywiona, powietrze pchane na skrzydło przyśpiesza i rozciąga się. To rozciągnięcie powietrza zmniejsza jego ciśnienie. Pod skrzydłem zachodzi zjawisko przeciwne i tu ciśnienie podnosi się. W wyniku tego skrzydło jest zasysane od góry i popychane od dołu. Siła nośna zależy od kąta i kształtu skrzydła, a także prędkości jego prześlizgiwania się w powietrzu. Samoloty uzyskują dodatkową siłę nośną, zwiększając prędkość i opuszczając ogon, tak że główne skrzydła przecinają powietrze pod ostrzejszym kątem.

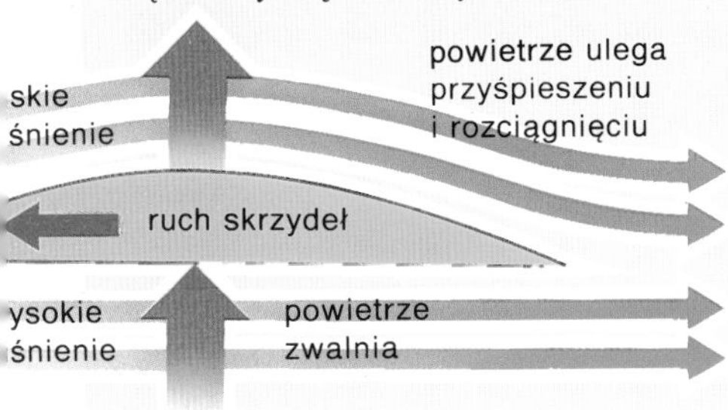

***Małe helikoptery**, jak ten na zdjęciu, są idealne do wszystkich zadań np. do nadzoru ruchu i opryskiwania upraw.*

W najprostszych samolotach istnieją *stery wysokości* na *usterzeniu poziomym* (tylnych skrzydłach), by samolot mógł nurkować lub wspinać się w górę. Na krawędzi spływu głównych skrzydeł znajdują się *lotki*, żeby samolot mógł przechylać się na każdą stronę, opuszczając jedno lub drugie skrzydło. Istnieje też idący do góry *ster kierunku* na stateczniku ogonowym, by móc odchylić go w lewo lub w prawo.

By unieść się do góry, pilot pociąga za *drążek sterowniczy* w kabinie; by zanurkować, pilot popycha go do przodu; by wykonać beczkę pochyla drążek. Naciskanie pedału daje kontrolę nad sterem kierunku. Podobnie jak na rowerze, samolot pochyla się na zakręcie, pilot używa więc jednocześnie drążka sterowniczego i steru kierunku.

W samolotach odrzutowych istnieje więcej klap poza podstawowymi lotkami, klapami wysokości i sterem kierunku. Większość, na przykład, posiada na płacie *interceptor* przypominający wielkie drzwi na szczycie głównych skrzydeł, by zwolnić lot samolotu przy lądowaniu. Interceptory pomagają także w wykonywaniu beczek. Większość odrzutowców ma wysoko podnoszące się klapy na przedzie skrzydła, które kołyszą się w dół, by zapewnić dodatkową siłę nośną przy starcie.

HELIKOPTERY

Zdolne do latania na wprost, w górę i w dół, krążenia w jednym miejscu przez wiele minut i lądowania na kilkumetrowym skrawku, helikoptery są najbardziej wszechstronne ze wszystkich statków powietrznych. Kluczem do ich sukcesu jest wirująca w górze łopatka wirnika. Łopatka wirnika przecina powietrze jak skrzydło normalnego samolotu, by unieść helikopter w powietrze. Wirnik ogonowy zapewnia to, że wiruje wirnik, a nie helikopter.

Trzeba wielkich umiejętności, by pilotować helikopter, ponieważ ma on trzy stery, a nie dwa jak zwykłe samoloty – ster kierunku, *sterowanie skoku ogólnego* i *okresowe przekręcanie łopat*. Żeby poruszać się w górę lub w dół, pilot używa sterowania skoku ogólnego, by zmienić kąt lub sterowanie łopat. Żeby poruszać się w przód lub w tył, lub wykonać skręt, pilot używa okresowego przekręcania łopat, by przechylić całe łopaty wirnika w kierunku, w którym pragnie lecieć.

SILNIKI ODRZUTOWE

Wcześniejsze samoloty napędzane są przez wirujące śmigła obracane przez cylindrowe silniki. Dziś większość samolotów, poza małymi, napędzana jest przez silniki odrzutowe, które mogą nadać dużym samolotom pasażerskim prędkość do 2200 km/godz. – tzn. prędkość dwa razy większą od prędkości dźwięku. Najprostsze odrzutowce zwane *samolotami turboodrzutowymi* działają na tej zasadzie, że gorący strumień powietrza ulatuje tylną dyszą, nadając samolotowi ruch do przodu. Takie silniki ma ponaddźwiękowy samolot komunikacyjny Concorde i szybkie samoloty wojskowe. Ale większość samolotów pasażerskich ma cichsze i tańsze w eksploatacji *silniki turbinowe dwuprzepływowe*, które łączą gorący strumień powietrza z ciągiem, jaki daje obracające się wielołopatkowe śmigło dające dodatkowy impet przy małych prędkościach.

***Odrzutowce wojskowe**, jak ten na zdjęciu Hornety F 18, latają tak szybko, że pilot nie może się rozglądać, więc informacja pojawia się na ekranie przed jego oczyma.*

***Concorde** jest jedynym na świecie pasażerskim samolotem ponaddźwiękowym – tzn. jedynym, który leci szybciej niż dźwięk. W rzeczywistości wartość jego prędkości wynosi 2,25 liczby Macha tzn. jest 2,25 razy większa od prędkości dźwięku. Ale jego silniki turboodrzutowe są bardzo głośne i spalają wiele paliwa. Musi też latać tak wysoko, że może naruszać warstwę ozonową atmosfery (str. 98).*

STATKI

Ludzie podróżowali na statkach po rzekach i oceanach przez ponad 40 000 lat i statki odgrywały dużą rolę w historii. Statki nadal codziennie przewożą większą część ładunków i tysiące ludzi na całym świecie.

Wczesne łodzie

Wczesne łodzie wykonywano, wypalając wnętrze pnia i drążąc go. Lżejsze, łatwiejsze do kierowania, lecz mniej trwałe łodzie wykonywano, naciągając skóry zwierzęce na drewniany szkielet. Przykładem coracles nadal spotykane na rzekach Walii (poniżej). Innym sposobem było uszczelnianie plecionki bitumem, jak to się nadal robi w irackiej *gufa*. W Mezopotamii, gdzie na bagnach znajdowały się rozległe obszary trzciny, łodzie wykonywano z wiązek trzciny. 4000 lat temu szkutnicy w starożytnym Egipcie budowali okręty o długości 40 m, łącząc 1000 lub więcej deszczułek drewna za pomocą powroza z trawy. Przed 1000 rokiem p.n.e. kupcy feniccy przepływali Ocean Atlantycki w przysadzistych okrętach morskich z długich desek z cedru libańskiego, połączonych drewnianym ożebrowaniem.

OD WYDRĄŻONYCH CZÓŁEN DO DIESLA

Nikt nie wie, kiedy powstały łodzie, ale wiemy, że Aborygeni pojawili się w Australii przed 50 000 lat, a w tym samym czasie inne ludy zamieszkały wyspy Pacyfiku. Musieli więc dysponować odpowiednimi, łodziami oceanicznymi.

Najstarsze odnalezione szczątki łodzi liczą 10 000 lat. Jest to czterometrowe czółno wydrążone w pniu sosny znalezione w Pese w Holandii. Te łodzie były poruszane wiosłami. Żagli użyto prawdopodobnie na handlowych łodziach z trzciny w Mezopotamii ok. 5000 lat temu; drewniane łodzie żaglowe pływały w górę i w dół Nilu przynajmniej 5500 lat temu. Egipcjanie, Fenicjanie, Grecy i Chińczycy mieli duże floty handlowe i wojenne.

Przez długi czas statki handlowe, takie jak te na Morzu Śródziemnym, używały żagli, podczas gdy okręty wojenne miały rzędy wioślarzy, by móc się poruszać szybko w dowolnym kierunku. Dopiero w XVII wieku te wiosłowe *galery* ustąpiły miejsca statkom żaglowym. W 1787 roku zbudowano pierwszy statek z żelaza. W sześć lat później markiz d'Abbans zbudował pierwszy statek parowy. Przed 1900 rokiem prawie wszystkie statki miały żelazny kadłub i były poruszane parą. Para ustąpiła potem miejsca silnikom diesla

***Żagiel łaciński** (po lewej). Najwcześniejsze łodzie żaglowe miały kwadratowe żagle i zależały od wiatru wiejącego z tyłu. Przed 200 rokiem n.e. łodzie jak arabska współczesna dhow miały trójkątne żagle łacińskie. Zmieniając ich kąt żelarze mogli korzystać z wiatru z boku i z tyłu.*

***Średniowieczny statek handlowy** (po prawej). W ciągu ponad 1000 lat statki handlowe mało się zmieniły. Były sterowane wiosłem z boku i rzadko miały więcej niż dwa żagle. Około 1200 roku wiosło sterownicze zastąpiono zawieszonym na zawiasach sterem na rufie (tył statku), co zwiększyło sterowność. Jednocześnie dodano więcej żagli i do trzech masztów. Korzystano z żagli kwadratowych i łacińskich, co powodowało, że statek czerpał wiatr z wielu kierunków. W XV wieku podróżnicy, tacy jak Vasco da Gama i Kolumb, używali lekkich, szybkich statków zwanych karawelami dokonując pamiętnych podróży przez ocean.*

CZY WIESZ, ŻE...?

Chińczycy używali sterów na zawiasach i trzech masztów na tysiąc lat przed ich zastosowaniem w Europie.

Najstarszym statkiem jest królewski statek egipskiego faraona Cheopsa zbudowany 2528 lat p.n.e.

„The Great Eastern", parowiec Brunela z 1858 roku mógł przewieźć 4000 osób.

Zbudowany w 1940 roku transatlantyk „Queen Elizabeth" mógł przepłynąć Atlantyk w czasie ponad 3 dni.

Tankowiec „Seawise Giant" wodowany w 1976 miał długość pół kilometra i wraz z ropą ważył 645 000 ton.

Parowce i statki z silnikiem diesla

Pierwszym parowcem, który osiągnął sukces komercyjny był 17-metrowy kanałowy parowiec „Charlotte Dundas" należący do Williama Symingtona, wodowany na kanale Forth i Clyde w Szkocji w 1801 roku. Jak wszystkie wczesne parowce „Charlotte Dundas" był poruszany kołem łopatkowym. W roku 1836 Francis Smith i John Ericsson odkryli niezależnie *śrubę napędową*, co przyczyniło się do sukcesu parowców. Żelazne kadłuby i napęd parą wodną oznaczały, że wielkość statków nie miała praktycznie granic, toteż w ciągu następnych 100 lat stawały się one coraz większe. Od 1900 roku turbina parowa Parsonsa poruszała je jeszcze szybciej. Statki pasażerskie lat trzydziestych i czterdziestych jak *Queen Mary* i *Quen Elizabeth* były gigantycznymi pływającymi pałacami. *Queen Mary* miała ponad 80 000 ton i mogła zabrać 2000 pasażerów. Dziś statki są poruszane głównie przez silniki diesla i stały się w dużym stopniu zautomatyzowane – gigantyczne supertankowce mogące przewieźć 300 000 ton ropy, mają załogę poniżej 20 osób.

Angielski okręt wojenny z 1588 roku. *Na takim statku Francis Drake opłynął świat dookoła.*

…a burta
…ła budka dla stabilności
Żagle wydymają się na wietrze
Bukszpryt, by umożliwić szybkie zwroty
Wąski, opływowy kadłub dla zapewnienia szybkości i stabilności
Rzędy dział

Galeony

Kiedy w XVI wieku rozwijały się hiszpańskie kolonie w Nowym Świecie, ogromne żaglowce zwane *galeonami* przepływały Atlantyk, wioząc złoto i inne skarby do Hiszpanii. Galeony były wspaniałymi okrętami, z barwnymi flagami i ozdobnymi rzeźbami. Całe tuziny żagli na trzech wysokich masztach, wysokie *kasztele* przydawały im wspaniałości. Ważyły one nawet ponad 1000 ton. Galeony były bogato wyposażone w działa, by móc odpierać ataki ze strony piratów angielskich. Kiedy jednak Hiszpanie wysłali Wielką Armadę (flotę), by dokonała inwazji na Anglię w 1588 roku, nie mogła się ona mierzyć ze statkami angielskimi. Okręty angielskie były dużo szybsze i lżejsze. Z każdej strony miały na dole rzędy dział. Podczas bitwy okręt obracał się bokiem, by wymierzyć wszystkie działa we wroga. Przez 300 lat taki sposób walki był dominujący, późniejsze statki miały rzędy dział, które mogły wypalić jednocześnie.

Klipry

Być może najbardziej interesującymi ze wszystkich żaglowców były *klipry* z XIX wieku (po prawej). Nazwę zyskały stąd, że próbowały zredukować czas rejsu, kiedy sunęły szybko z ładunkiem indyjskiej i chińskiej herbaty na rynki Anglii i Ameryki. Klipry miały małe kadłuby i ogromną powierzchnię ożaglowania, by jak najlepiej wykorzystać wiatr. Niektóre osiągały prędkość 30 węzłów (60 km/godz.) lub większą. W 1866 roku klipry *Taeping*, *Serica* i *Ariel* przepłynęły 25 700 km w 99 dni z ładunkiem herbaty z Foochow w Chinach do Londynu.

Pod wiatr

Żaglowce mogą żeglować, gdyż wiatr nie popycha żagla, lecz zasysa go. Żagiel przypomina skrzydło samolotu (str. 171). Kiedy wiatr wieje wokół krzywizny żagla, przyśpiesza, a ciśnienie spada, powodując zasysanie – jak nad skrzydłem samolotu – dopóki żagiel jest utrzymywany pod właściwym kątem. W efekcie statek jest zasysany do przodu.

ENERGIA JĄDROWA

W jądrze każdego atomu zawarta jest ogromna ilość energii. Reaktory jądrowe umieszczone w elektrowniach wyzwalają tę energię, rozszczepiając atomy uranu lub plutonu.

ODPADY NUKLEARNE

Każda faza procesu jądrowego pozostawia niebezpieczne odpady radioaktywne. Kontakt z tymi odpadami może powodować raka, mutacje, a nawet nagłą śmierć. Śmiertelna radioaktywność z czasem wygasa, ale może to trwać 80 000 lat. Tylko najbardziej niebezpieczne płynne radioaktywne odpady są odprowadzane do morza; gazowe odpady są odprowadzane w powietrze. Rośnie ilość stałych odpadów radioaktywnych, a naukowcy na całym świecie debatują, co z nimi zrobić. Jedni uważają, że należy je umieścić pod ziemią; inni uważają, że bezpieczniej umieścić je nad ziemią, gdzie można je obserwować.

ROZSZCZEPIENIE JĄDRA

Tak jak elektrownie na węgiel czy ropę, tak elektrownie atomowe używają pary do poruszania turbin, które wytwarzają elektryczność. Różnica polega na tym, że elektrownie atomowe uzyskują ciepło do podgrzewania pary, rozszczepiając atomy uranu, zamiast spalać węgiel czy ropę. Proces ten nazywa się rozszczepieniem jądra, bo rozszczepieniu ulega jądro atomu. Naukowcy mają nadzieję wyprodukować kiedyś energię poprzez fuzję nuklearną, tzn. zlanie wszystkich jąder, który to proces odbywa się na Słońcu.

Kiedy atom ulega rozszczepieniu, wystrzeliwuje promienie gamma, neutrony oraz wydziela dużo ciepła. W bombie atomowej cała ta energia ulega uwolnieniu w małym ułamku sekundy. W reaktorze jądrowym *pręty sterownicze* gwarantują, że energia wyzwala się stopniowo w ciągu kilku miesięcy. Pręty sterownicze wchłaniają część neutronów, zanim rozszczepią inne jądra.

Większość reaktorów korzysta z *izotopów* uranu 235. Są to specjalne atomy zawierające w jądrze 235 protonów i neutronów, nie zaś normalnie 238. Ale paliwo w reaktorze to zwykle małe grudki dwutlenku uranu w cienkich próbówkach przedzielonych *rozpórkami.* 3 kg paliwa uranowego dostarcza energię, która zapewnia elektryczność dla miasta o 1 milionie mieszkańców na jeden dzień.

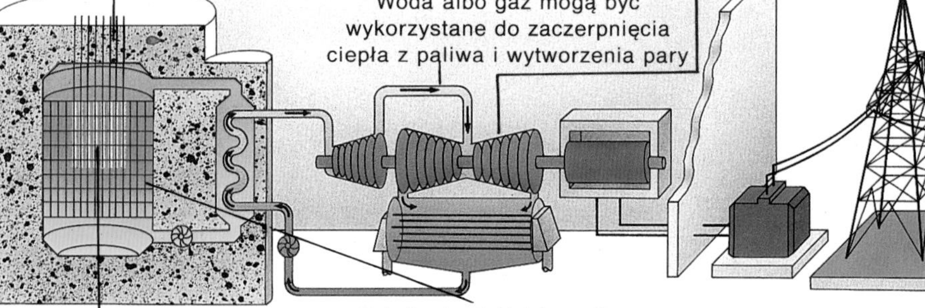

Reakcja łańcuchowa *Rozszczepienie jądra zależy od reakcji łańcuchowej. Kiedy atom uranu z paliwa zostaje uderzony przez neutron, ulega rozszczepieniu, uwalniając energię w formie ciepła. Uwalnia również dwa albo trzy neutrony, które wystrzeliwują i zderzają się z innymi jądrami uranu. Zderzenie rozszczepia również te jądra, uwalniając jeszcze więcej energii i szybko poruszające się neutrony. I tak toczy się ten proces. Reaktory powielające działają na tej zasadzie, że zmuszają uwolnione neutrony do połączenia się z pewnymi jądrami uranu w celu wytworzenia plutonu.*

TYPY REAKTORÓW

Istnieją różne rodzaje reaktorów jądrowych. Pierwsze reaktory, *N-reaktory* były przeznaczone do wytwarzania plutonu do bomb. Reaktory *magnox* wytwarzają pluton i elektryczność. *Reaktory wodno-ciśnieniowe* najpierw instalowano w atomowych łodziach podwodnych, a teraz są najbardziej powszechnie stosowanym rodzajem. W odróżnieniu od *nowoczesnych reaktorów gazowych* reaktory wodno-ciśnieniowe można budować w fabrykach. *Reaktory powielające* wytwarzają więcej paliwa, niż spalają, ale w znacznie bardziej radioaktywnej formie.

Wykorzystane paliwo *(powyżej) jest przesyłane do przeróbki w specjalnych pojemnikach. Przeróbka nie zmniejsza ilości odpadów, ale daje nowe paliwo i pluton do bomb atomowych, pozostawiając bardzo radioaktywne płynne odpady.*

LASERY I HOLOGRAMY

Światło laserowe jest najjaśniejszym znanym światłem, jaśniejszym nawet od Słońca. Lasery tworzą wiązkę grubości ołówka, tak intensywną, że zdolna jest przebić dziurę w stali oraz tak prostą i wąską, że można ją skierować dokładnie na zwierciadło na Księżycu, 384 401 km od Ziemi.

JAK UŻYWA SIĘ LASERÓW

Laserów używa się na wiele sposobów, poza spektakularnymi pokazami. Na przykład geologowie wysyłają wiązki laserowe z satelitów w celu precyzyjnego pomiaru ruchu kontynentów. Lekarze używają ich do delikatnych operacji chirurgicznych oka i bezkrwawych cięć ciała. Odtwarzacze płyt kompaktowych i kaset wideo używają światła laserów do wybierania delikatnych rowków na płytach. Wojskowi posiadają lasery rentgenowskie, które mogą niszczyć pociski nieprzyjaciela.

ŚWIATŁO LASEROWE

W urządzeniu laserowym znajduje się rurka zawierająca mieszaninę gazów, takich jak hel i neon oraz płynny lub solidny kryształ rubinu. *Lasery gazowe*, na przykład lasery argonowe, dają wiązkę o słabej mocy do wykonywania delikatnych zbliżeń, np. operacji chirurgicznych oka. *Lasery chemiczne* wykorzystują ciekły fluorowodór w celu wytworzenia intensywnych wiązek stosowanych jako broń.

Do rurki doprowadzone są dwie elektryczne końcówki, które wytwarzają iskrę elektryczną. Iskra dostarcza dodatkowej energii atomom materiału laserowego i pobudza je do wystrzeliwania fotonów – małych błysków światła. Fotony są wystrzeliwane przez materiał laserowy we wszystkich kierunkach, uderzając w inne atomy i pobudzając je również do wystrzelenia fotonów. Wkrótce miliardy identycznych fotonów poruszają się w rurce.

Lustra na obu końcach odbijają fotony poruszające się w dół i w górę rurki, które przyśpieszają, poruszając się w przód i w tył raz za razem, a dołączają do nich kolejne fotony. Jedno z luster jest przeznaczone do przepuszczenia części fotonów, które po chwili przebijają się. Od razu laser wypuszcza intensywną wiązkę. Niektóre lasery wysyłają ciągłą wiązkę. Silne *pulsujące lasery* wystrzelają wiązkę w regularnych odstępach.

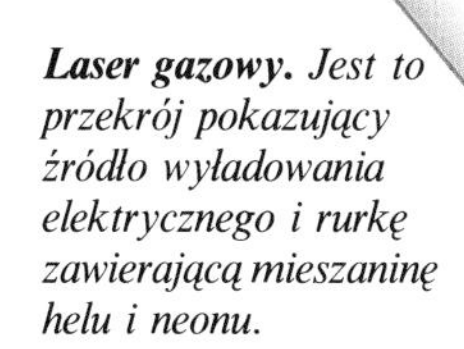

Laser gazowy. *Jest to przekrój pokazujący źródło wyładowania elektrycznego i rurkę zawierającą mieszaninę helu i neonu.*

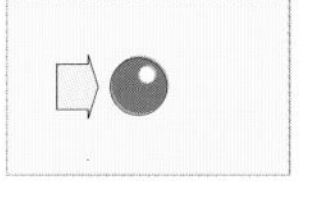

Proces laserowy rozpoczyna się, kiedy iskra pobudza atomy w materiale laserowym.

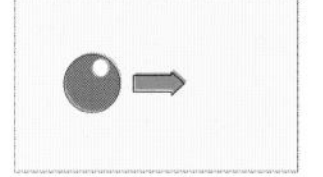

Pobudzony atom emituje foton – mały błysk światła.

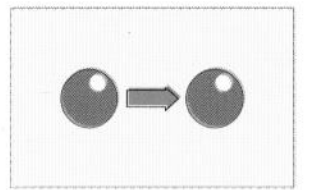

Kiedy fotony uderzają w inne atomy, te wystrzeliwują również fotony.

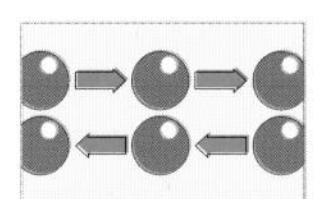

Identyczne fotony krążą w przód i w tył między lustrami na obu końcach.

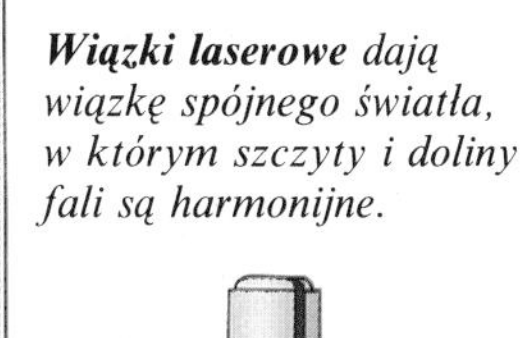

Wiązki laserowe *dają wiązkę spójnego światła, w którym szczyty i doliny fali są harmonijne.*

Większość świateł*, jak światło żarówki, jest niespójną mieszanką fal różnej długości i rozchodzi się we wszystkich kierunkach.*

DOSKONAŁE ŚWIATŁO

Zdumiewające, że wiązka lasera jest idealnie prosta. Tak prosta, że stanowi lepszą miarę niż najlepsza linijka. Światło lasera jest również spójne, co oznacza nie tylko, że ma tę samą długość fali (barwę), lecz również że fale są całkowicie harmonijne (str. 160).

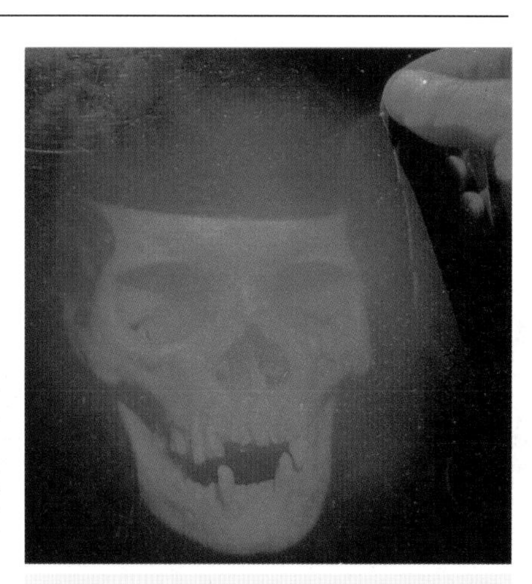

HOLOGRAMY

Hologramy to specjalne fotografie wykonane przy pomocy światła lasera, które dają obraz trójwymiarowy. Wykonuje się je, rozszczepiając na dwoje wiązkę laserową. Jedna połowa zwana *wiązką odniesienia* pada prosto na film. Druga odbija się najpierw od przedmiotu, przerywając jego elegancki wzór fal. Film zapisuje sposób, w jaki ten załamany wzór interferuje (różni się) od eleganckiego wzoru wiązki odniesienia.

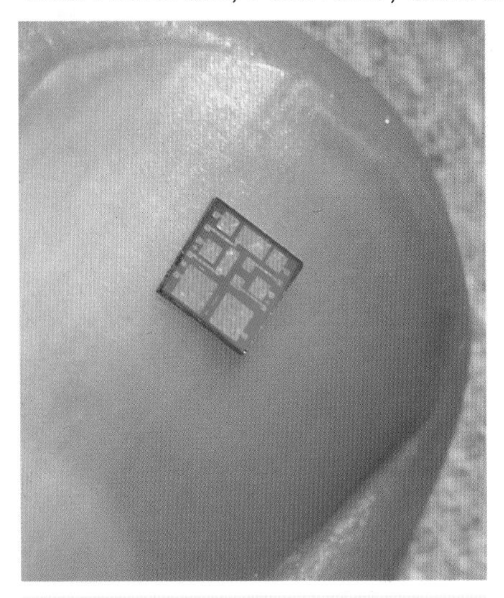

ELEKTRONIKA I KOMPUTERY

Elektronika jest jedną z najmłodszych nauk, gdyż liczy niecałe sto lat, ale urządzenia elektroniczne stały się już nieodzowną częścią naszego życia, zaangażowaną we wszystko, od bezpieczeństwa samolotów po systemy hi-fi.

PAMIĘĆ KOMPUTEROWA

Ponieważ obwody elektroniczne mogą być tylko włączone lub wyłączone, komputery posługują się systemem *binarnym* opracowywania danych. To system, który zamienia wszystkie cyfry i litery na 1 i 0, przy czym każda jest reprezentowana w komputerze przez jednostkę binarną, czyli *bit*. Bity są zgrupowane w *bajty*, *kilobajty* i *megabajty*. Część pamięci zwana ROM (*pamięcią stałą*) jest wbudowana w komputer przez producenta. RAM (pamięć o dostępie swobodnym) przyjmuje nowe dane i instrukcję w miarę potrzeby. Dane (programy, informacje) mogą być zmagazynowane na dyskach magnetycznych lub optycznych. Najczęściej stosuje się tzw. twarde dyski (wbudowane w komputer) o znacznej pojemności oraz dyskietki, tzw. pamięci zewnętrzne, które mieszczą mniej danych, ale można je wyjmować z komputera i przenosić.

SYGNAŁY ELEKTRONICZNE

Elektryczność stanowi nie tylko źródło energii; może być używana do przesyłania sygnałów, a to stanowi podstawę elektroniki. Elektronika dotyczy włączania i wyłączania maleńkich obwodów elektronicznych w celu przesłania informacji lub kontrolowania wykonania zadania.

W każdym urządzeniu elektronicznym, od telewizorów po systemy kontroli ruchu lotniczego, znajdują się małe obwody włączające się nieustannie i wyłączające, które „mówią" urządzeniu, co robić. Na przykład w komputerze kombinacje obwodów reprezentują miliony cyfr i innych danych opracowywanych przez komputer.

Urządzenia włączające. Układy elektroniczne korzystają z różnych urządzeń do włączania i wyłączania elektryczności, to m.in. oporniki i kondensatory. Ale najważniejszymi urządzeniami włączającymi są tranzystory.

Tranzystory są zbudowane z wykorzystaniem *półprzewodników*, takich jak german i krzem, których zdolność do przewodzenia elektryczności wzrasta wraz z temperaturą. Tranzystory kontrolują prąd na kilka sposobów, np. amplifikują go (wzmacniają), włączają i wyłączają.

Większość tranzystorów to pewnego rodzaju *triody*. Triody i *diody* wynaleziono pierwotnie w celu wzmacniania sygnałów radiowych. Diody to lampy elektronowe z dwoma elektrodami, które pozwalają płynąć prądowi tylko w jedną stronę. To oznacza, że można je wykorzystywać do *prostowania* prądu zmiennego (str. 152) przemienionego przez sygnał radiowy w prosty prąd stały.

Trioda ma trzecią elektrodę, której używa się do włączania większego prądu, tzn. znacznego wzmacniania słabego sygnału. To oznacza, że obwody o bardzo niskiej mocy mogą być stosowane do włączania i wyłączania różnych urządzeń, od

KOMPUTER W PRACY

Dopiero niedawno komputery stały się powszechne w pracy i w domu, stały się nieodzowną częścią codziennego życia. Istnieje niewiele dziedzin przemysłu, nauki i szkolnictwa, które z nich nie korzystają.

Komputery pomagają nam prowadzić interesy bardziej ekonomiczne i bezpieczne. Wykonują złożone obliczenia w ułamku sekundy. W samolotach, samochodach i statkach korzysta się z komputerów w celu monitorowania np. pozycji geograficznej, zużycia paliwa i temperatury silnika.

Wiele dziedzin posługuje się komputerami, np. stosuje się je przy wydawaniu książek. Komputery wykorzystywano na każdym etapie przygotowywania tej książki.

Kabina pilotów współczesnego samolotu. *We współczesnych samolotach stosuje się komputery na wiele sposobów.*

Fraktale

Starając się ulepszyć funkcjonowanie komputerów, ludzie dowiedzieli się wiele o cyfrach i systemach. Jednym ze zdumiewających odkryć było to, że komputery mogą tworzyć piękne wzory na podstawie prostych, powtarzających się wzorów matematycznych. Te wzory, zwane *fraktalami* naśladują cudownie nieregularne kształty, jakie widujemy w przyrodzie, takie jak drzewa czy linia brzegowa. Ponieważ te wzory były tworzone losowo, niektórzy uważają, że nie docenialiśmy roli przypadku w formowaniu naturalnych kształtów.

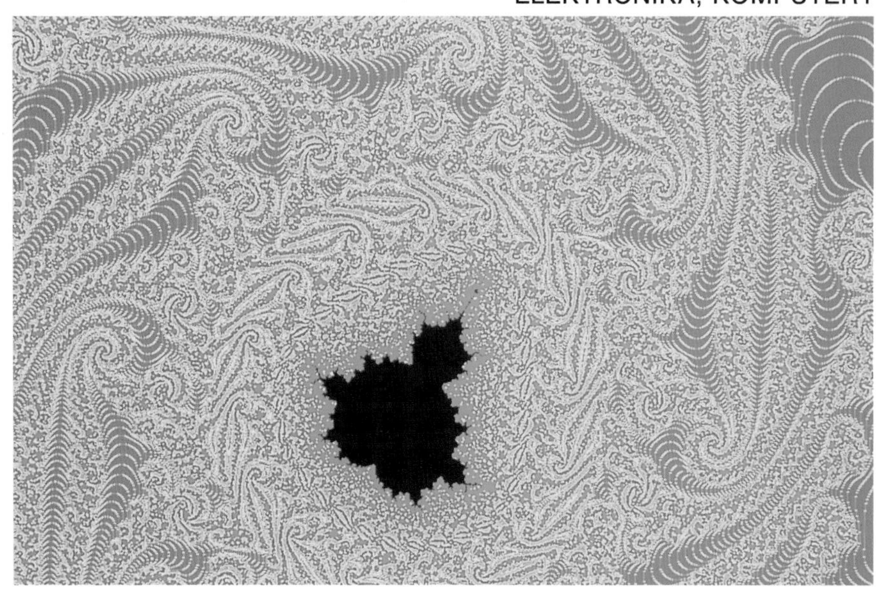

ekranu telewizyjnego do silników elektrycznych o dużej mocy.

Kości i obwody. Większość tranzystorów jest obecnie włączanych w *układy scalone*. Oznacza to, że wszystkie obwody są umieszczone w pojedynczej małej taśmie lub kości krzemu. Odkąd wynaleziono je w 1971 roku mikrokości stawały się coraz mniejsze i zawierały coraz bardziej skomplikowane obwody. Kości mogą przybierać różne formy od prostych obwodów sterujących zegarem do złożonych mikroprocesorów dla komputerów zawierających milion lub ponad milion tranzystorów.

Roboty

Systemy elektroniczne urzeczywistniły ideę robotów. Wiele fabryk dysponuje teraz robotami, które malują i spawają. Większość z nich to proste urządzenia wykonujące nudne lub niebezpieczne zadania rzetelnie i bezpiecznie. Kilka wyrafinowanych wersji ma „zmysły", np. kamery, które kierują nimi przy wykonywaniu zadań. Ale idea myślących robotów jest jeszcze odległa. Badania nad sztuczną inteligencją doprowadziły do powstania tak zwanych *specjalistycznych programów*. Są to programy komputerowe pomagające rozwiązywać takie problemy jak diagnozowanie choroby, która inaczej wymagałaby specjalisty. Ale są one dalekie od zdolności myślenia.

Systemy interakcyjne

Najwcześniejsze komputery niewiele tylko przewyższały kalkulatory; na wejściu umieszczano w nich cyfry i cyfry pojawiały się na wyjściu. Jednak komputery i pokrewne urządzenia stają się coraz bardziej *interakcyjne*. Oznacza to, że osoba korzystająca z nich może nieustannie przekazywać komputerowi nowe instrukcje. Na przykład interakcyjne systemy wideo mogą magazynować ogromne ilości informacji na kasetach wideo. Ktoś decyduje, jaką obrać drogę do tego źródła informacji. Systemy interakcyjne obejmują książki z dźwiękiem i animacją, w które można się zagłębić w dowolnym miejscu. Układy symulujące rzeczywistość składają się z wrażliwych na dotyk rękawic, które przekazują ruchy komputerowi i tworzących specjalne iluzje wzrokowe oraz słuchowe.

Symulowanie rzeczywistości *może pewnego dnia zapewnić iluzję rzeczywistości: przed nami przesuwałyby się sceny reagujące na każdy nasz ruch.*

Systemy projektowania komputerowego *pomagają inżynierom projektować wszystko, od drapaczy chmur po mikrokości, „tworząc" próbny projekt na ekranie.*

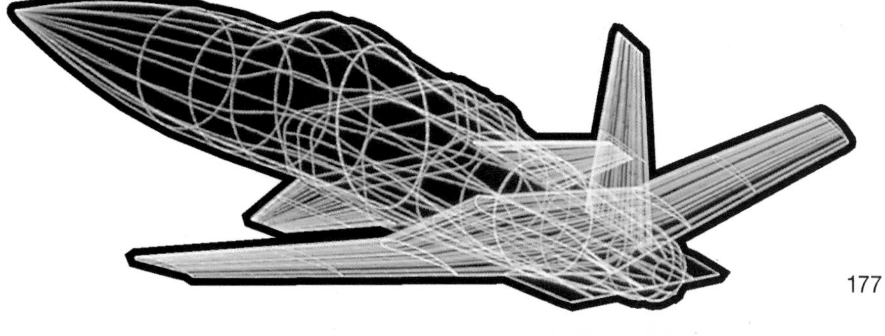

FOTOGRAFIA

Gdy chcesz mieć zdjęcie do paszportu, czy miłą pamiątkę jakiegoś wydarzenia, nie ma szybszej i prostszej metody wykonania wiernego zapisu niż zdjęcie wykonane aparatem fotograficznym.

PIERWSZE FOTOGRAFIE

Aparaty fotograficzne powstały bardzo dawno, ale fotografię wynaleziono w 1820 roku. Pierwszą znaną fotografię zrobił Francuz, Joseph Niepce, w 1826 roku, ale była bardzo niewyraźna, a naświetlanie trwało osiem godzin. W 1839 roku inny Francuz, Louis Daguerre, wynalazł sposób robienia ostrych zdjęć w ciągu kilku minut na miedzianej płytce pokrytej srebrem. *Dagerotypy* wkrótce stały się bardzo popularne przy zdjęciach portretowych, ale nie można było zrobić odbitki. Proces *pozytywu-negatywu* używany do robienia odbitek (w dole po prawej) został wynaleziony przez Anglika, Henry Fox Talbota, w 1839 roku.

APARATY FOTOGRAFICZNE

Niemal wszystkie fotografie wykonuje się za pomocą aparatu fotograficznego. Aparat to światłoszczelne pudełko z otworem w przedniej ściance zawierającym szklany obiektyw, przez który pada do wewnątrz jasny, ostry obraz świata. Obraz jest zapisywany na błonie (patrz poniżej) lub w kamerach wideo-elektronicznie za pośrednictwem ogniw wrażliwych na światło.

Najprostsze aparaty mają migawkę do odsłonięcia obiektywu i zamknięcia jej w celu krótkiego wystawienia błony na światło oraz *mechanizm przewijający*, żeby przewinąć po każdym zdjęciu błonę za obiektywem. Jednak większość współczesnych aparatów fotograficznych ma różne obwody elektroniczne, by zapewnić każdemu zdjęciu właściwą ilość światła (*samonaświetlanie*) i doskonałą ostrość (*automatyczna regulacja ostrości*).

Rodzaje aparatów fotograficznych

Istnieją różne aparaty dostosowane do różnych *formatów* (rozmiarów) błony. Małe aparaty 110 mają błonę 11 mm szerokości, umieszczoną w specjalnym ładunku. Aparaty średnioformatowe korzystają z rolek o szerokości 68 mm. Najbardziej popularny format to 35 mm, który daje negatywy i slajdy o rozmiarach 24 × 36 mm. Większość aparatów typu *compact* korzysta z błony 35 mm; podobnie *lustrzanki jednoobiektywowe* używane przez wielu profesjonalistów.

Lustrzanki jednoobiektywowe mają celownik ze specjalnym lusterkiem i pryzmatem (str. 161), żeby ukazać fotografowi taki sam obraz, jaki wyjdzie na zdjęciu. Można również wymienić obiektyw na inny, by dać szeroki obraz (*obiektyw szerokokątny*) lub powiększyć obiekt (*teleobiektyw*).

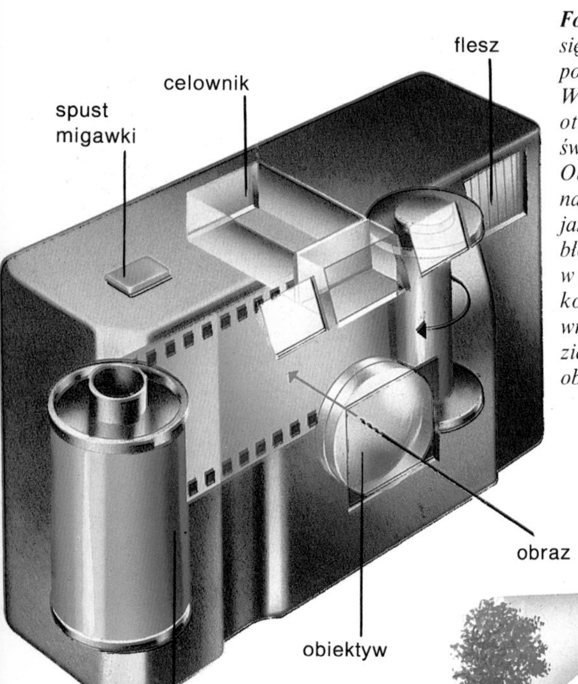

Fotografie na błonie. *Zdjęcia wykonuje się zwykle za pośrednictwem procesu pozytywowo-negatywowego. W czarno-białej fotografii obraz otrzymuje się na powierzchni światłoczułej, pokrytej bromkiem srebra. Obraz jest ciemny tam, gdzie jest najwięcej kryształków. W negatywie jasne miejsca w scenie są ciemne na błonie. W pozytywie jasne miejsca w scenie są jasne na zdjęciu. W fotografii kolorowej stosuje się trzy warstwy wrażliwe na czerwone, błękitne lub zielone światło. Te warstwy są w trakcie obróbki zmieniane na kolorowe barwniki.*

1. Naświetlanie. *Kiedy robi się zdjęcie światło subtelnie zmienia część ziaren na błonie.*

2. Wywoływanie. *Naświetloną błonę zanurza się w odczynnikach chemicznych (wywoływaczu), co powoduje powstanie obrazu widzialnego. Wywołaną błonę płucze się w utrwalaczu.*

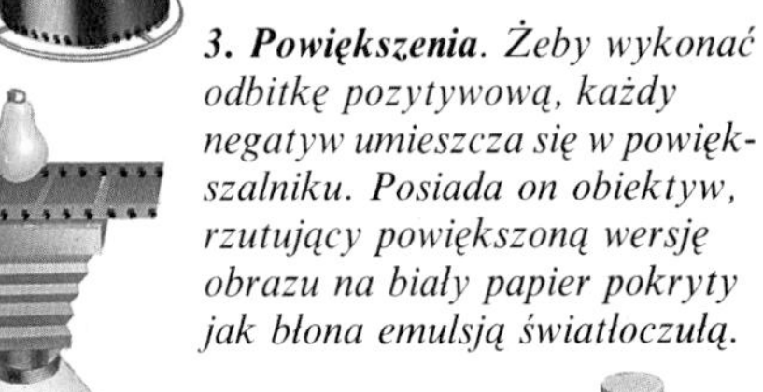

3. Powiększenia. *Żeby wykonać odbitkę pozytywową, każdy negatyw umieszcza się w powiększalniku. Posiada on obiektyw, rzutujący powiększoną wersję obrazu na biały papier pokryty jak błona emulsją światłoczułą.*

4. Odbitka. *Światło w powiększalniku zostaje na krótko włączone, by naświetlić papier odbitki. Następnie wywołuje się odbitkę.*

TELEWIZJA

Telewizja codziennie sprowadza świat do naszych domów. Wszelkiego rodzaju programy, od komedii sytuacyjnych do wiadomości, są pokazane tak wyraziście, że widzowie mają niemal poczucie jakby tam byli.

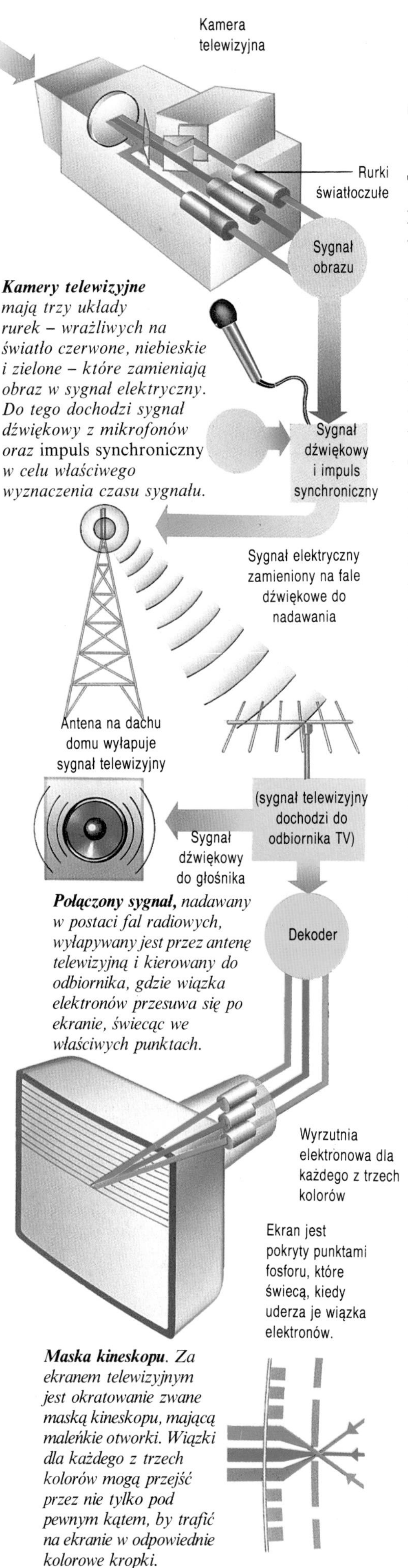

***Kamery telewizyjne** mają trzy układy rurek – wrażliwych na światło czerwone, niebieskie i zielone – które zamieniają obraz w sygnał elektryczny. Do tego dochodzi sygnał dźwiękowy z mikrofonów oraz* impuls synchroniczny *w celu właściwego wyznaczenia czasu sygnału.*

***Połączony sygnał,** nadawany w postaci fal radiowych, wyłapywany jest przez antenę telewizyjną i kierowany do odbiornika, gdzie wiązka elektronów przesuwa się po ekranie, świecąc we właściwych punktach.*

***Maska kineskopu.** Za ekranem telewizyjnym jest okratowanie zwane maską kineskopu, mającą maleńkie otworki. Wiązki dla każdego z trzech kolorów mogą przejść przez nie tylko pod pewnym kątem, by trafić na ekranie w odpowiednie kolorowe kropki.*

RADIOFONIA

Idea radiofonii sięga osiemdziesiątych lat XIX wieku, a jej autorem był niemiecki fizyk, Heinrich Hertz. Hertz odkrył, że duże iskry elektryczne wysyłają fale promieniowania elektromagnetycznego (str. 161) zwane *falami radiowymi.* Stwierdził następnie, że fale radiowe mogą wytwarzać prąd w innym obwodzie elektrycznym, *odbiorniku.* Wkrótce włoski wynalazca Guglielmo Marconi odkrył, że włączając i wyłączając obwód nadawczy, można przesyłać zakodowane informacje po falach radiowych do odbiornika. W 1901 roku przesłał w ten sposób wiadomość przez Atlantyk.

Później nauczono się nastawiać odbiorniki na określone długości fal. Przed 1920 rokiem naukowcy znaleźli sposób przekształcania fal w fale imitujące dźwięk poprzez dodanie drugiego, mniejszego wzorca fal do głównej *fali nośnej.*

W 1926 roku szkocki wynalazca John Logie Baird zademonstrował sposób zamiany obrazu na zakodowany sygnał elektryczny poprzez skaningowanie linii w punkty światła. W 1929 roku Wladimir Zworykin zademonstrował kamerę z szeregiem małych ogniw, która reagowała na światło, wysyłając sygnał elektryczny (podobny jak we współczesnych kamerach telewizyjnych). Ten sygnał elektryczny można było następnie nadać pod postacią fal radiowych, wychwycić w odbiorniku, zdekodować i odtworzyć w formie obrazu w odbiorniku telewizyjnym.

Obraz telewizyjny jest obecnie transmitowany przez sieć nadajników rozsianych po całym kraju. Sygnał można także odbić od satelitów w przestrzeni kosmicznej, dzięki czemu mamy *telewizję satelitarną*, lub przesłać kablami elektrycznymi, dzięki czemu dysponujemy *telewizją kablową.*

ODBIORNIK TELEWIZYJNY

Odbiornik TV składa się głównie z *lampy elektronopromieniowej* (kineskopowej). Jest to pusta rurka przypominająca ogromną żarówkę z *katodą* (naładowanym ujemnie urządzeniem elektrycznym) na wąskim końcu i ekranem TV na końcu szerokim. Katoda wystrzeliwuje ciągłą wiązkę ujemnych cząstek (*elektronów*) na ekran telewizyjny. Tam, gdzie ona uderza, pokrycie fosforowe ekranu zaczyna świecić. Żeby powstał obraz, wiązka elektronów przesuwa się szybko w przód i w tył po ekranie tak, że świeci on w pewnych punktach – dzieje się to tak szybko, że mamy wrażenie, jakby ekran zapalał się od razu. Obraz, który widzimy to wzór świecącego fosforu. W telewizji kolorowej są trzy wyrzutnie elektronowe, które sprawiają, że na ekranie świecą czerwone paski fosforowe, jeden dla koloru niebieskiego, jeden dla koloru zielonego.

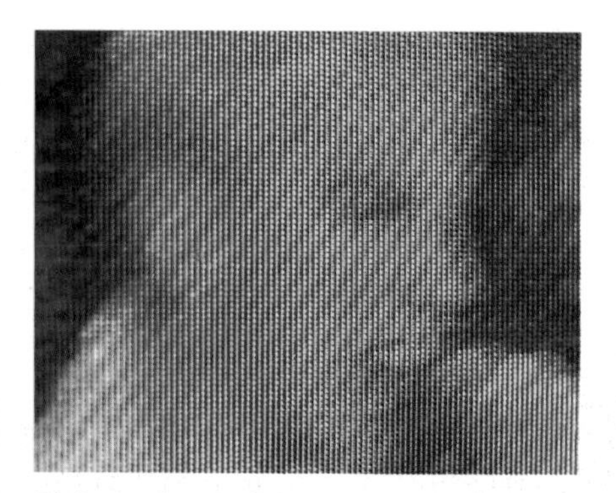

***Linie na ekranie.** We wczesnej telewizji wyrzutnie elektronów dokonywały skaningu ekranu 405 razy, dając niewyraźny obraz. Obraz stał się bardziej ostry, kiedy w 1960 roku wprowadzono system 625 linii. Chociaż linie tworzą się zbyt szybko, by można je było zobaczyć gołym okiem, widać je na fotografii (powyżej). W przyszłości wysokiej klasy telewizja może stosować 2000 lub więcej linii, dając obraz niemal tak ostry jak w kinie czy na fotografiach.*

NAGRYWANIE DŹWIĘKU

Przed laty król posyłał po najlepszych w kraju muzyków i kazał im grać na swoim dworze. Dzisiaj, dzięki możliwości nagrywania dźwięku, możemy słuchać światowej sławy artystów i orkiestr we własnych domach.

***Inżynier** (powyżej) steruje powstawaniem nagrania na wielościeżkowym urządzeniu.*

FALE NA SYGNAŁY

Dźwięk powstaje, kiedy obiekty drgają w powietrzu. Kiedy naciskasz jeden z klawiszy fortepianu, młoteczek uderza w struny i wprawia je w drganie. Drgania powodują wystąpienie fal dźwiękowych, które docierają do twojego ucha. Nagranie dźwięku „wychwytuje" fale dźwiękowe, zamieniając je w magnetyczne wzorce na taśmie. Kiedy odtwarzasz taśmę, magnetyczne wzorce zamieniają się z powrotem w dźwięki, takie jak te wydawane w czasie nagrywania.

NAGRYWANIE NA TAŚMIE

W studio nagraniowym dźwięk jest nagrywany na plastikową taśmę, pokrytą warstwą magnetycznych cząsteczek. Przypomina ona taśmę w kasecie, ale jest szersza i porusza się szybciej. Mikrofony w studio wybierają dźwięk każdego instrumentu i zamieniają dźwięk na sygnały elektryczne. Inżynier przy pulpicie sterowniczym wybiera odpowiedni do nagrania poziom dźwięku. Magnetofon zapisuje sygnały na osobnych ścieżkach taśmy. Jeśli jeden muzyk zagra złą nutę, może nagrać ponownie swoją partię, a reszta nagrania pozostaje nie zmieniona. Wielościeżkowa taśma zostaje później odtworzona na pulpicie sterowniczym i „zmiksowana" do dwóch ścieżek. Te przegrywa się na stereofoniczny magnetofon, próbuje się różnych miksów, dopóki nie osiągnie się właściwego efektu. To nagranie „matka" kopiuje się do produkcji płyt stereo i kaset sprzedawanych w sklepach.

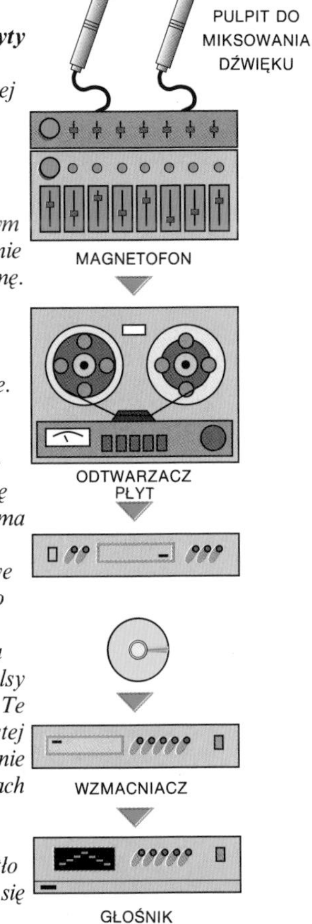

***Jak produkuje się płyty kompaktowe** (po prawej). Po wstępnej sesji nagraniowej (patrz powyżej) następuje sesja „miksowania". Na pulpicie sterowniczym odgrywa się ponownie wielościeżkową taśmę. Inżynier miksuje dźwięk i zapisuje rezultat pracy na innym magnetofonie. Wyprodukowana taśma zwana jest taśmą-matką. Żeby wyprodukować płytę kompaktową, ta taśma zostaje odegrana, a sygnały dźwiękowe zostają przesłane do głowicy zapisującej mechanicznej, która zamienia je na impulsy światła laserowego. Te żłobią rowki w czystej płycie, którą następnie kopiuje się w tysiącach egzemplarzy. Przy odgrywaniu płyty kompaktowej, światło laserowe odbijające się od płyty zostaje zamienione na sygnały elektryczne. Wzmacniacze wzmacniają te sygnały. Głośniki zamieniają sygnały na dźwięki.*

JAK DZIAŁA PŁYTA KOMPAKTOWA

Na płycie kompaktowej dźwięk zapisuje się jako wzorzec maleńkich rowków. Rowki żłobi się w czystej płycie przez wiązkę lasera. Laser zamienia sygnały elektryczne z taśmy na sygnały świetlne. Kiedy płyta jest odtwarzana, wiązka lasera zostaje skierowana na płytę. Odbite wzorce światła są zamienione z powrotem na sygnały elektryczne, które dochodzą poprzez wzmacniacz do głośników.

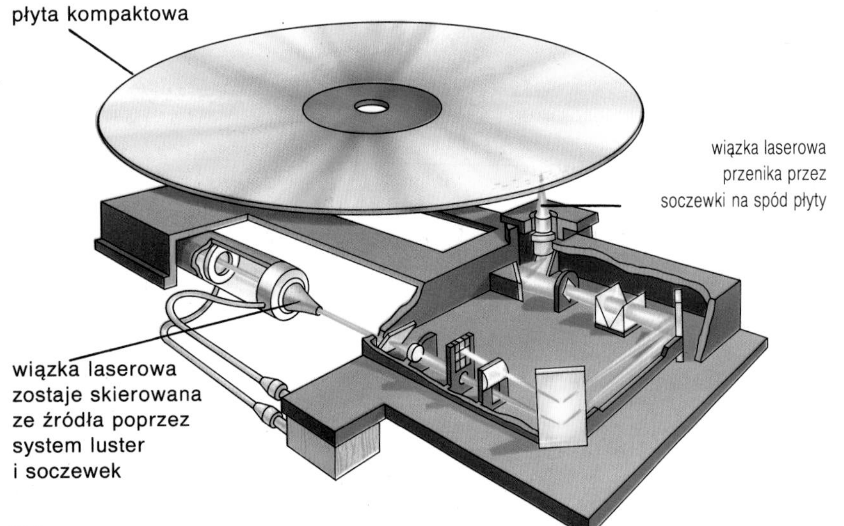

SPIRALNA ŚCIEŻKA

Rowki na spodzie płyty kompaktowej są ułożone w spiralną ścieżkę, która zaczyna się w środku płyty i biegnie do zewnętrznej krawędzi. Ścieżka ma szerokość 1,6 milionowej metra. Żłobi się ją na płycie z aluminium, którą pokrywa się warstwą plastiku dla ochrony przed uszkodzeniem.

ŁĄCZNOŚĆ

Codziennie w każdej sekundzie informacja jest przekazywana z jednej do innej części świata. Programy radiowe i telewizyjne, rozmowy telefoniczne, przekazy faksowe, informacje na temat pogody i dane dotyczące interesów wszystkie bazują na telekomunikacji.

ŚWIATŁOWODY

Te cienkie rurki szklane pokryte na zewnątrz plastikiem to światłowody. Zastępują one we współczesnej telekomunikacji miedziane kable. Przenoszą sygnały w postaci światła laserowego.

WIDEOFONY

Mężczyzna na poniższym zdjęciu korzysta z telefonu, jaki wszyscy możemy mieć już za kilka lat. Wideofon pozwala mu oglądać osobę, z którą rozmawia. Światłowody przenoszą więcej informacji niż kable miedziane. Część z nich może mieć formę obrazu.

PRZEKAZYWANIE SYGNAŁÓW

Nie tak wiele lat temu całą tę informację trzeba było przekazywać za pomocą kabli zawieszonych nad ziemią lub umieszczonych pod ziemią albo przekazywać przez naziemne nadajniki radiowe. Dzisiaj światowa sieć telekomunikacji zależy od satelitów. Te znajdują się na orbicie nad Ziemią tak, że mogą przekazywać sygnały radiowe z jednej części świata do drugiej.

ORBITA GEOSTACJONARNA

Wiele satelitów komunikacyjnych jest umieszczone na orbicie, zwanej orbitą geostacjonarną, ponad 36 000 km nad powierzchnią Ziemi. Na tej dokładnie wysokości satelita okrąża Ziemię w tym samym czasie, jaki zajmuje jej jeden obrót wokół własnej osi. To oznacza, że satelita jest zawsze nad tym samym punktem na Ziemi.

ODBIÓR I PRZEKAZYWANIE

Satelity są wyposażone w urządzenia radiowe do odbioru i przekazu. Spodek-odbiorca jest umieszczony tak, by kierować się dokładnie na spodek-przekaźnik na Ziemi. Ponieważ satelita komunikacyjny jest zawsze w tym samym punkcie względem Ziemi, spodki mogą być umieszczone w odpowiedniej pozycji. Spodek odbiorczy satelity odbiera sygnały z umieszczonego na Ziemi przekaźnika i przekazuje je do własnego przekaźnika. Ten wysyła sygnały z powrotem do spodka-odbiornika, który może znajdować się tysiące kilometrów od powierzchni Ziemi. Dzięki satelitom widzimy w telewizji wydarzenia, które rozgrywają się na drugim końcu świata o ułamek sekundy później niż się rozegrały.

SATELITY SPECJALNE

Niektóre satelity odbierają i przekazują wiele różnych informacji, ale inne zostały wystrzelone w celu wykonywania specjalnych zadań. Jednym z takich satelitów jest INMARSAT. To skrót nazwy Międzynarodowego Satelity Morskiego. INMARSAT zapewnia statkom i platformom naftowym na morzu łączność wzajemną ze sobą i ze stacjami radiowymi na lądzie. Innym specjalnym satelitą jest NAVSTAR, który pomaga nawigatorom okrętowym i lotniczym, przekazując sygnały o czasie i pozycji. Satelity typu LANDSAT wykonały szczegółowe mapy powierzchni Ziemi. Inne satelity wysyła się, aby wykonywały eksperymenty i obserwacje w atmosferze.

__Większość satelitów__ (poniżej) ma działać samodzielnie wiele lat, muszą mieć więc stałe zasilanie elektryczne, które czerpią z energii słonecznej. Tafle, o kształcie skrzydeł, gromadzą promieniowanie słoneczne i zamieniają je w elektryczność, która jest magazynowana w bateriach.

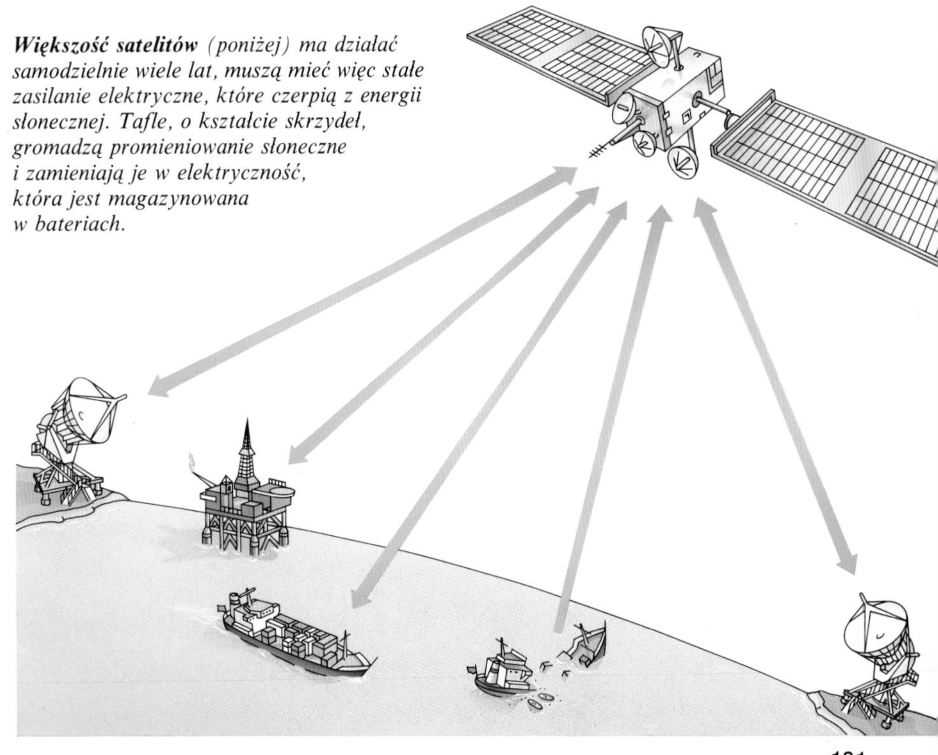

USTRÓJ POLITYCZNY

W ciągu ostatniego stulecia świat jest podzielony na państwa, na których czele stoją rządy. Rządy mogą być rozmaite, od brutalnych dyktatur krajów takich jak Haiti, po liberalne demokracje krajów takich jak Szwecja, ale wszystkie mają na celu wpływanie na zasady, według których kraj i jego obywatele postępują.

KRÓLOWIE, KRÓLOWE I CESARZE

W przeszłości większość społeczeństw była rządzona przez monarchów. Często o władcach twierdzono, że ich przodkami są bogowie i dlatego mają oni prawo do rządzenia, na przykład jak faraonowie w starożytnym Egipcie. W wiekach średnich chrześcijańscy władcy byli uważani za reprezentantów Boga, dlatego byli koronowani w kościołach. W późniejszych wiekach potężni królowie, jak Henryk VIII w Anglii i Ludwik XIV we Francji byli określani jako rządzący z Bożej łaski. Tej koncepcji kres położyły angielska wojna domowa i rewolucja francuska.

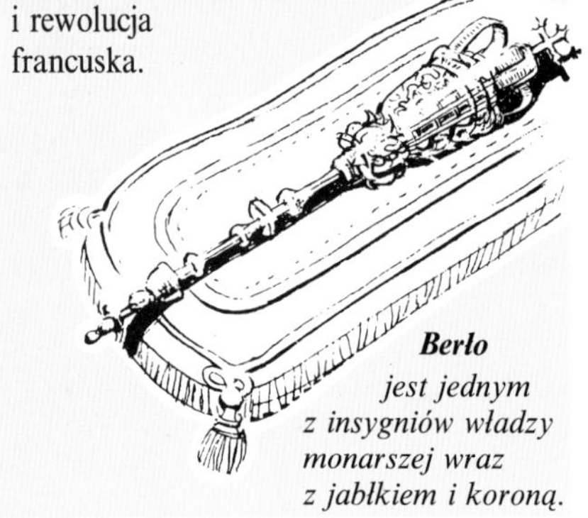

Berło *jest jednym z insygniów władzy monarszej wraz z jabłkiem i koroną.*

KONCEPCJE ZASAD RZĄDZENIA

Ludźmi od początków cywilizacji rządzili królowie i inni przywódcy. Ale nowoczesna teoria rządzenia sięga początków XVII w., kiedy to po raz pierwszy ludzie zaczęli stawiać pod znakiem zapytania prawa królów do sprawowania władzy z nadania Boga.

Angielski myśliciel Thomas Hobbes (1588-1679) dowodził, że bez rządów życie ludzkie byłoby „samotnicze, nędzne, przykre, brutalne i krótkie". Hobbes twierdził, że ludzie powinni być posłuszni królowi, który, z kolei, może utrzymywać pokój między nimi. Tę umowę nazwał on *umową społeczną.*

Późniejsi myśliciele, jak Rousseau (1712-1778) twierdzili, że ludzie powinni tylko wtedy być posłuszni prawom, jeśli sami współuczestniczyli w ich ustanawianiu. Ta myśl jest podstawą *demokracji*, która oznacza rządy społeczeństwa. Koncepcja demokracji pochodzi ze starożytnej Grecji (str. 118), ale dopiero w XVIII w. kraje takie jak Wielka Brytania zaczęły powoli wstępować na jej drogę.

NOWOCZESNE DEMOKRACJE

Obecnie demokracja zazwyczaj oznacza rząd stworzony z polityków, wybieranych do władz co kilka lat przez wszystkich dorosłych. Większość krajów demokratycznych posiada spisany zestaw praw, zwanych *konstytucją,* określającą jak rządy powinny być sprawowane. (Wielka Brytania nie posiada takiej konstytucji).

Niektóre demokracje, jak np. Francja, są republikami. Oznacza to, że głową państwa nie jest król, a wybieralny prezydent. W Stanach Zjednoczonych prezydent ma bardzo rozległą władzę. W innych krajach prezydent jest tylko nominalną głową państwa, a kraj jest rządzony przez kanclerza lub *premiera.*

Wielka Brytania, Hiszpania i kilka innych krajów demokratycznych są *monarchiami* — to znaczy posiadają króla lub królową — ale uprawnienia monarchy są ograniczone; kraj jest rządzony przez rząd kierowany przez premiera. Rząd jest tworzony najczęściej przez partię, która zdobyła największą liczbę miejsc w parlamencie.

Kapitol. *Kongres Stanów Zjednoczonych zasiada w budynku Kapitolu w Waszyngtonie; Izba Reprezentantów jest na jednym końcu, a Senat na drugim końcu gmachu.*

SYSTEM WŁADZY

Każdy kraj ma swój własny system, ale zazwyczaj istnieje podział władzy na: ustawodawczą, wykonawczą i sądowniczą. *Władza ustawodawcza* uzupełnia prawa i wydaje nowe; *wykonawcza* wprowadza je w życie; *sądownicza* zapewnia, że te prawa są stosowane bezstronnie. W Wielkiej Brytanii władzą ustawodawczą jest *parlament*, złożony z dwu izb: ważniejszej *Izby Gmin*, gdzie zasiadają posłowie, wybierani przez społeczeństwo i mniej ważnej *Izby Lordów*, składającej się z parów. Władzą wykonawczą jest premier i inni ministrowie. W Polsce parlament składa się z Sejmu i Senatu.

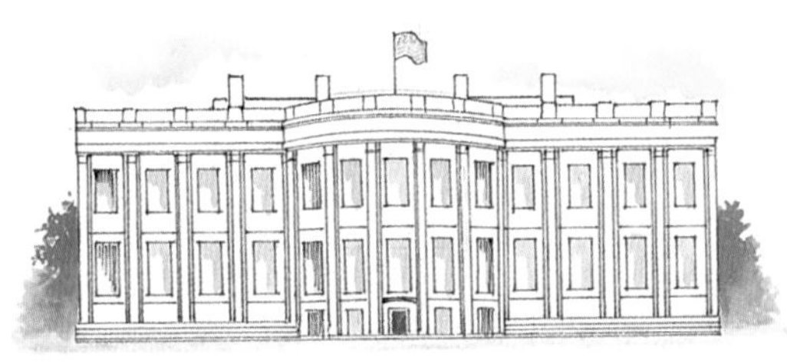

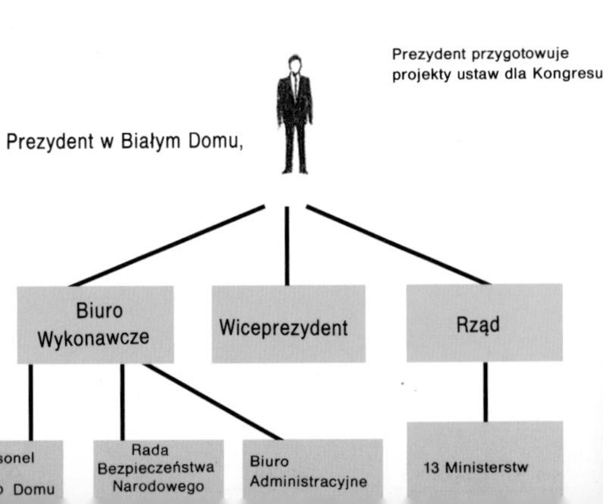

Autokracje. W systemach autokratycznych całą władzę sprawuje pojedyncza osoba lub mała grupa. W Iranie władzę posiadają przywódcy religijni; w innych krajach wojskowi. *Dyktator* jest to ktoś, kogo decyzje są prawem, jak Hitlera w nazistowskich Niemczech.

POLITYKA

Ludzie, którzy stają do wyborów są nazywani politykami. *Lewicowi* pragną wprowadzać zmiany, czasami uczynić rządy bardziej demokratycznymi lub wprowadzić w życie ideały socjalizmu. Politycy *prawicowi* pragną utrzymać taki system, jaki jest, czyli „zakonserwowany" i dlatego nazywani są *konserwatystami*. Zazwyczaj politycy o podobnych poglądach łączą się w grupę zwaną partią. W większości krajów demokratycznych partia, która uzyska najwięcej głosów tworzy rząd.

Systemy polityczne. Większość krajów jest *kapitalistyczna*, co oznacza, że większość majątku, łącznie z przemysłem i handlem jest własnością małych grup lub indywidualnych posiadaczy. W krajach *komunistycznych*, jak Chiny, wszelki majątek jest własnością społeczności, czy raczej rządu. *Socjaliści* uważają, że rząd powinien zapewnić każdemu obywatelowi równe prawa, przyzwoite zarobki, zadbać o zdrowie, wykształcenie i mieszkanie. *Faszyści* wierzą w dyscyplinę wojskową i w to, że oni i ich kraj są lepszymi od innych.

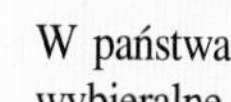

WYBORY

W państwach demokratycznych władze są wybieralne. W *wyborach powszechnych* wszyscy dorośli obywatele kraju mogą głosować na kandydatów (polityków), którzy pragną być wybranymi. Ludzie zazwyczaj głosują przez naniesienie znaku obok nazwiska lub partii na liście zwanej *kartą wyborczą*. Kto zostaje wybrany zależy od systemu wyborów, czyli *ordynacji wyborczej*. W systemach większościowych, zostaje wybrany ten kandydat, który zdobywa najwięcej głosów w swym *okręgu wyborczym*. Jeżeli jakaś partia przegrywa kilku głosami we wszystkich okręgach, może nie uzyskać żadnego miejsca w parlamencie. W systemie *wyborów proporcjonalnych* liczba wybranych z każdej partii zależy od tego, ile głosów uzyska taka partia w całym kraju.

Kampania wyborcza. *Politycy i ich zwolennicy poświęcają wiele wysiłku i pieniędzy dla pozyskania wyborców. Na zdjęciu pokazano kampanię wyborczą Jesse'go Jacksona w 1988 r.*

Rządy Saddama Husajna w Iraku *przypominają tyranię wschodnich władców czasów babilońskich: są bezwzględne, krwawe i nie znoszą żadnej krytyki.*

RZĄDY RADYKALNE

Wiele krajów ma rządy totalitarne – pozwalające nielicznym ludziom narzucać swą wolę reszcie kraju. Czynią to na wiele sposobów. Niektóre wykorzystują żołnierzy i czołgi. Inne wykorzystują potęgę pieniędzy, używają tajnej policji i szpicli dla wyeliminowania opozycji. Niektóre posługują się telewizją i prasą do nakłonienia ludzi do „właściwego" myślenia: jest to nazywane *propagandą*. Najbardziej gnębicielskie rządy wykorzystują kombinacje wszystkich tych sposobów. Komunistyczne Chiny są uważane za kraj rządzony w taki właśnie sposób. Podobnie jest w wielu innych krajach, chociażby w Iraku.

WŁADZA USTAWODAWCZA

SEJM + SENAT

WŁADZA WYKONAWCZA

PREZYDENT + RZĄD

WŁADZA W RZECZPOSPOLITEJ POLSKIEJ

Systemy demokratyczne wykształciły trzy rodzaje władzy:

1. USTAWODAWCZĄ
2. WYKONAWCZĄ
3. SĄDOWNICZĄ

W Polsce *władzę ustawodawczą* sprawują Sejm i Senat, które, gdy zbierają się razem, tworzą Zgromadzenie Narodowe.

SEJM wybierany w wyborach powszechnych, równych, bezpośrednich i tajnych liczy 460 posłów, którzy sprawują swój mandat przez cztery lata. Podstawowym zadaniem Sejmu jest tworzenie i uchwalanie ustaw, podejmowanie uchwał i kontrolowanie innych organów władzy i administracji państwowej. Sejm uchwala budżet państwa.

SENAT wybierany w wyborach powszechnych, bezpośrednich i tajnych liczy 100 senatorów, których kadencja trwa cztery lata (tak jak Sejmu). Senat rozpatruje projekty ustaw i swoje stanowisko przedstawia Sejmowi.

Władzę wykonawczą sprawuje rząd (Rada Ministrów) i prezydent.

PREZYDENT jest wybierany w wyborach powszechnych, bezpośrednich i tajnych na 5 lat i jest najwyższym przedstawicielem państwa polskiego zarówno w stosunkach wewnętrznych, jak i międzynarodowych. Między innymi zarządza wybory do Sejmu i Senatu, ratyfikuje i wypowiada umowy międzynarodowe, jest zwierzchnikiem sił zbrojnych, nadaje ordery i odznaczenia, występuje z wnioskiem do Sejmu o powołanie lub odwołanie prezesa rady ministrów (premiera).

RZĄD, na którego czele stoi premier, kieruje bieżącymi sprawami państwa.

Władzę sądowniczą sprawują trybunały i sądy, a przede wszystkim: Trybunał Konstytucyjny, Trybunał Stanu, Sąd Najwyższy, Naczelny Sąd Administracyjny (dodatkowe informacje nt. sądownictwa na str. 188-189).

SYSTEM WŁADZY =  WŁADZA USTAWODAWCZA + 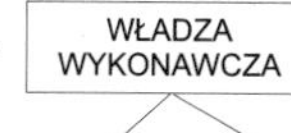 WŁADZA WYKONAWCZA + WŁADZA SĄDOWNICZA

SEJM SENAT PREZYDENT RZĄD

HANDEL I PIENIĄDZ

Handel dominuje w naszym życiu. Uczestniczysz w handlu i ty za każdym razem, gdy kupujesz puszkę napoju lub paczkę chrupek — zamieniając coś, co posiadasz (pieniądze) na coś, czego pragniesz (towar). Handel jest również sposobem, w jaki wytwórcy sprzedają swe produkty, sklepy sprzedają swe towary, kraje uzyskują swe dochody, a nawet czymś więcej.

ADAM SMITH

Wiele poglądów na to, jak działa rynek sformułował Adam Smith (1723-1790) w książce zatytułowanej *Bogactwo narodów (The Wealth of Nations)*, którą napisał w 1776 r. Smith twierdził, że ludzie z natury są samolubni. Jest to dobre, powiadał Smith, ponieważ każdy szuka pracy najlepszej dla siebie i wszyscy odnoszą z tego korzyści. Jeśli zapewnimy fabrykom swobodę produkowania tego, co chcą, a ludziom kupowania tego, co zechcą, to „niewidzialna ręka rynku" przyniesie bogactwo i każdemu właściwe towary.

RYNEK

W większości krajów świata na *rynku* działają towar i pieniądz. Przez rynek ekonomiści rozumieją każde miejsce, gdzie coś jest sprzedawane. Rynek to nie tylko ludzie kupujący puszki napoju w lokalnym sklepie, ale także wszystkie kraje, które mogłyby kupić określony rodzaj towaru.

Podaż i popyt. Ekonomiści twierdzą, że *gospodarki rynkowe* — czyli wszystkich krajów poza komunistycznymi — działają dzięki *podaży i popytowi*. Teoretycznie fabryki, sklepy produkują i dostarczają przedmioty jedynie wtedy, gdy istnieje zapotrzebowanie na nie, gdy ludzie ich potrzebują. Więcej ludzi chce kupić okulary przeciwsłoneczne podczas słonecznej pogody, niż wtedy, gdy leje deszcz. Tak więc zapotrzebowanie zmienia się. Fabryki okularów — będą więc zmieniać wielkość produkcji (podaż) według tego, ile mogą one sprzedać. Zwiększone zapotrzebowanie na wyroby spowoduje, że fabryki przyjmą więcej robotników i więcej wyprodukują; jeżeli zapotrzebowanie spadnie ograniczą produkcję i zwolnią robotników.

Fabryki muszą ustalać właściwą cenę. Jeżeli zażądają za dużo, mniej ludzi będzie kupować okulary przeciwsłoneczne. A inne fabryki, które produkują okulary przeciwsłoneczne taniej, mogą odnieść sukces w sprzedawaniu swego wyrobu. W ten sposób ceny i podaż (dostawy) zmieniają się przez cały czas, zgodnie z tym czy ludzie chcą, czy też nie, nabywać przedmioty.

Ta sama teoria dotyczy każdego,

Finanse rządowe. *Wykres poniżej pokazuje, skąd rząd otrzymuje pieniądze (i z nich tworzy budżet państwa) i obszary, na których są one wydawane.*

podatek na ubezpieczenie społeczne od pracodawców
podatek dochodowy
podatek od przedsiębiorstw
inne
podatek spadkowy i od darowizn
podatek akcyzowy (alkohole, napoje i wyroby tytoniowe)
cła

zasiłki dla bezrobotnych
obrona
inne
szkolnictwo
transport
emeryci
funkcjonowanie urzędów
służba zdrowia
ubezpieczenia socjalne

BILANS HANDLOWY

Kraje handlują między sobą, by uzyskać pieniądze na zakupy żywności i rzeczy, których nie mogą produkować same. Niektórzy ludzie są zwolennikami *wolnego handlu*, co oznacza, że nie powinny istnieć żadne ograniczenia tego, jakie towary i usługi są obiektem handlu. Inni uważają, że nadzór – jak na przykład nakładanie ceł na towary zagraniczne – jest konieczny dla chronienia przemysłów krajowych przed zagraniczną konkurencją. Większość krajów stosuje mieszankę obu zasad.

Kraje oceniają sukcesy swego handlu za pomocą *bilansów płatniczych*. Jest to różnica pomiędzy wielkością ich sprzedaży za granicę (*eksport*) a wielkością ich zakupów (*import*). *Dochodami* są również opłaty za usługi, takie jak bankowe i hotelowe ale przede wszystkim opłaty za towary, które można zapakować, takie jak węgiel czy telewizory.

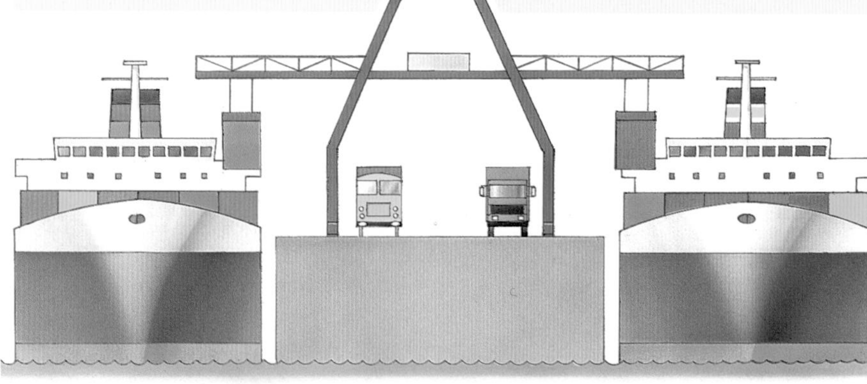

kto pracuje. Ktoś, na czyją pracę jest wielkie zapotrzebowanie, może uzyskiwać wysokie zarobki; ktoś, na czyją pracę zapotrzebowania nie ma, zarabia znacznie mniej.

Ograniczenia. Ta teoretyczna koncepcja rynku często nie sprawdza się w praktyce. Na przykład fabryki mogą nie znaleźć robotników, by produkować więcej, gdy popyt wzrasta. Natomiast spadek zapotrzebowania może pozostawić miliony ludzi bez pracy. To co wygodne dla fabryk, nie musi być takim dla pracowników. Podobnie, gdy istnieje tylko jedna firma zaopatrująca rynek, może ona utrzymywać ceny wyższe niż możliwości finansowe ludzi, ale nie ma nikogo, kto by sprzedawał taniej. To jest nazywane *monopolem.*

Rządy często „wpływają" na rynek. Mogą one dawać dodatkowe pieniądze fabrykom, by pomóc im przejść przez okresy niskiego zapotrzebowania. Mogą zapobiec nadmiernym zarobkom, mogą kontrolować uczciwość działania monopoli.

RZĄDY I GOSPODARKI

W większości krajów rządy odgrywają ważną rolę w handlu. W *gospodarkach planowanych centralnie*, jak chińskiej, rząd posiada większość zakładów pracy i decyduje, co mają produkować lub sprzedawać. W *gospodarce wolnorynkowej* osoby i przedsiębiorstwa są właścicielami zakładów i dostosowują wielkość produkcji do rynku. Gospodarki takie, jak brytyjska i amerykańska są mieszane. Oznacza to, że prywatne firmy produkują rzeczy i niektóre usługi, podczas gdy w rękach rządu pozostaje transport kolejowy czy elektrownie. W Polsce też istnieje gospodarka mieszana.

POMNAŻANIE PIENIĘDZY

Jeśli ktoś chce zacząć jakieś przedsięwzięcie, może najpierw kupić *akcje* wybranego przedsiębiorstwa. Każdy, kto kupuje akcje, staje się w części jego właścicielem i może czerpać z tego dochody. Wartość akcji zmienia się - zwiększa lub obniża - zależnie od tego, jak idą interesy. Ludzie kupują akcje na *giełdzie* w nadziei, że odsprzedadzą je później z zyskiem.

Wielkie sumy pieniędzy *przechodzą z rąk do rąk na światowych rynkach finansowych, gdzie ludzie spekulują kupując akcje z nadzieją, że ich wartość wzrośnie.*

CZY WIESZ, ŻE...?

Pierwsze monety zostały użyte w Lydii, w Turcji, przed ponad 2700 laty.
Funt swą nazwę zawdzięcza temu, że Anglosasi używali funta (na wagę) srebra podzielonego na 240 monet jako pieniędzy. Do 1972 r. funt liczył sobie 240 pensów.
Banknoty zostały użyte po raz pierwszy przez Chińczyków w XI wieku n.e.
Opłata celna jest to podatek od towarów importowanych.
We Wspólnocie Europejskiej mają być zniesione opłaty celne na towary przewożone między krajami członkowskimi.

PIENIĄDZE

Pieniądze są to zazwyczaj metalowe krążki i kawałki papieru — ale możesz za nie kupować wszelkiego rodzaju rzeczy. Tak dzieje się, ponieważ pieniądze są obietnicą zapłacenia. Gdy ty używasz pieniędzy, by kupić coś od kogoś, on może użyć tej obietnicy, by kupić coś od kogoś innego, i tak dalej. W przeszłości ludzie używali wszystkiego jako pieniędzy, od kamieni i muszelek po pasy i futra. Ważną rzeczą jest, iż wszyscy są zgodni co do wartości pieniądza, gdy wymieniasz go na coś innego.

Papier, na którym banknoty są drukowane nie ma wartości: są one po prostu obietnicą zapłacenia. Wiele banknotów ma nadruk „Obiecuję wypłacić posiadaczowi na żądanie..." Gdy pierwsze banknoty były wydawane, bank, który je wydawał, obiecywał wymieniać je na złoto.

Tak więc, w teorii, możesz wymienić banknoty na złoto. W praktyce większość rządów nie wydaje już złota w zamian za banknoty.

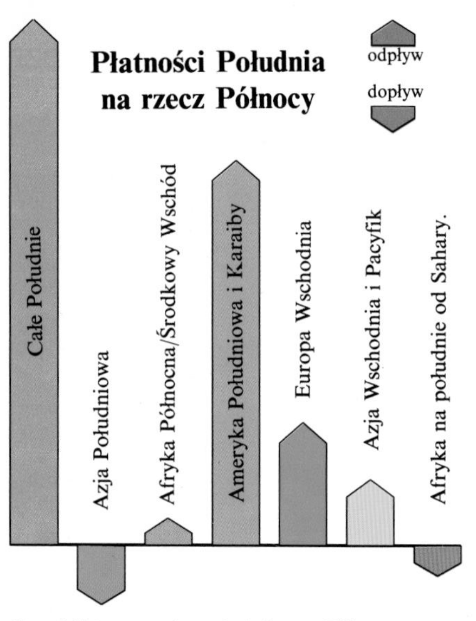

***Ponad linią:** przepływ pieniędzy na Północ*
***Poniżej linii:** przepływ pieniędzy na Południe*

KRAJE BIEDNE I BOGATE

Świat jest podzielony na bogatych i biednych. W Europie, Północnej Ameryce, Japonii i Australii żyje wielu ludzi ubogich, ale większość prowadzi całkiem wygodne życie. W reszcie świata, włączając wszystkie kraje Afryki i Ameryki Łacińskiej, większość ludzi jest straszliwie biedna, a wielu umiera z głodu.

PROBLEM ZADŁUŻENIA

W latach siedemdziesiątych kraje Północy zachęcały te, leżące na Południu, do pożyczania pieniędzy na budowę i rozwój swego przemysłu. Spłacanie samych odsetek od tych pożyczek kosztuje obecnie Południe wielkie sumy. Średnio biedne kraje płacą 17% odsetek rocznie. Południe płaci obecnie Północy o 50 mld dolarów więcej w formie odsetek, niż Północ darowuje Południu w formie pomocy. Zadłużenie Afryki jest większe niż całkowity dochód roczny kontynentu.

PÓŁNOC I POŁUDNIE

Prawie wszystkie najbogatsze kraje świata znajdują się na półkuli północnej, i dlatego mówi się o podziale Północ-Południe, gdy mowa o bogatych i biednych. Północ obejmuje Amerykę Północną, część krajów europejskich, Japonię, niektóre kraje azjatyckie, a również Australię i Nową Zelandię (chociaż leżą na półkuli południowej). Południem jest cała reszta świata.

Na Południu niemal każdy jest biedny, ale ponad miliard ludzi, blisko jedna piąta ludności świata, żyje w skrajnej nędzy. Trudno jest opisać, co oznacza „skrajna nędza". Ludzie nie mają prawdziwych domów, w miastach sypiają na ziemi lub stłoczeni w brudnych chałupach bez wody, światła, ogrzewania i kanalizacji. Nigdy nie mają wystarczającej ilości pożywienia i wody. Chorują na liczne choroby. Ich dzieci umierają wcześnie. W Zambii, na przykład, dzieci mają dwudziestokrotnie mniejszą szansę dożycia wieku 10 lat, niż w Niemczech. I przez całe swe krótkie życie (np. większość ludzi w Mali umiera przed 50 rokiem życia) są oni obiektem wyzysku.

Około 450 milionów ludzi głoduje lub się źle odżywia. Miliony umierają corocznie z braku żywności lub z chorób związanych z brakiem żywności w krajach takich jak Etiopia i Somalia.

DOCHÓD NA OSOBĘ

Powiększająca się przepaść między bogatymi a biednymi jest widoczna w wielu dziedzinach, ale ekonomiści często oceniają ją na podstawie Produktu Narodowego Brutto (PNB) na osobę (per capita), to znaczy, ile mogłaby otrzymać każda osoba, gdyby cały dochód kraju został rozdzielony równo między jego mieszkańców. W Stanach Zjedoczonych każdy otrzymałby 36 300 dolarów, w Sierra Leone zaś 500 dolarów.

Gdy dodasz Produkty Narodowe Brutto wszystkich krajów, stwierdzisz, że Północ, gdzie żyje jedna czwarta ludności świata, wypracowuje ponad trzy czwarte sumy wszystkich PNB; Południe, z trzema czwartymi ludności, uzyskuje mniej niż jedna czwarta światowego PNB.

Państwa o najwyższym dochodzie na osobę (w dolarach USA; 2001 r.)			
1. Luksemburg	43400	11. Austria	27 000
2. USA	36 300	12. Monako	27 000
3. San Marino	34 600	13. Niemcy	26 200
4. Liechtenstein	33 000	14. Belgia	26 100
5. Szwajcaria	31 100	15. Finlandia	25 800
6. Norwegia	30 800	16. Holandia	25 800
7. Dania	28 000	17. Francja	25 400
8. Kanada	27 700	18. Islandia	24 800
9. Irlandia	27 300	19. Wielka Brytania	24 700
10. Japonia	27 200	20. Szwecja	24 700

Państwa o najniższym dochodzie na osobę (w dolarach USA; 2001 r.)			
1. Sierra Leone	500	11. Afganistan (2000 r.)	800
2. Timor Wschodni	500	12. Jemen	820
3. Somalia	550	13. Niger	820
4. D. R. Konga	590	14. Mali	840
5. Burundi	600	15. Kiribati	840
6. Tanzania	610	16. Nigeria	840
7. Malawi	660	17. Zambia	870
8. Etiopia	700	18. Madagaskar	870
9. Komory	710	19. Gwinea Bissau	900
10. Erytrea	740	20. Kongo	900

GŁÓD

W 1990 r. na świecie głodowało 100 mln ludzi, szczególnie w krajach północno-wschodniej Afryki — Etiopii, Somalii i Sudanie — oraz w Bagladeszu. Różne były przyczyny tego stanu. W Etiopii na przykład, lata suszy i wojny miały niszczący wpływ na produkcję żywności. Ale nawet w tych krajach produkowana żywność jest często przeznaczana na eksport do bogatszych krajów świata. Nawet gdy żywność jest dostępna, wielu ludzi nie może sobie pozwolić na jej kupno.

Wysychające tereny. *Widoki z usychającymi drzewami i zwierzętami grzebiącymi w pyle spalonej ziemi są coraz powszechniejsze w Afryce Północnej. Wielu ekspertów uważa, że Sahara staje się stopniowo coraz większa. Susza powoduje, że powiększają się obszary nieszczęścia.*

POSTĘP PRZEMYSŁOWY?

Wielu ekonomistów utrzymuje, że Północ jest bogata dzięki rozwiniętemu przemysłowi. Dlatego kraje na Południu były zachęcane do pożyczania pieniędzy na rozwój własnego przemysłu. Ale istnieje wiele innych przyczyn nędzy — chociażby historia wykorzystywania i kolonizowania Południa przez Północ. Często usiłowania zbudowania przemysłu nie wydźwignęły narodów z nędzy, a uczyniły coś odwrotnego. W krajach takich jak Brazylia i Meksyk ludzie przenieśli się do rozrastających się miast, jak Sao Paulo i Mexico City, tylko po to, by żyć w jeszcze większej biedzie niż wcześniej na prowincji. Pęd do szybkiego uprzemysłowienia oznacza również, że fabryki są często niebezpieczne dla pracujących w nich i straszliwie zanieczyszczają otoczenie.

Tragiczne jest to, że Południe pożyczyło tyle pieniędzy na rozwój przemysłu (patrz wykres), że biedne kraje obecnie spłacają więcej odsetek niż otrzymują pomocy humanitarnej.

CZY WIESZ, ŻE...?

Corocznie 14 milionów dzieci na Południu umiera na skutek niedożywienia. 4,6 miliona dzieci umiera na biegunkę. 2 miliardy ludzi nigdy nie ma dostatecznej ilości wody do picia; 3 miliardy ludzi zarabia mniej niż 500 dolarów rocznie.

Północ zużywa 80% światowej energii, 85% chemikaliów, 90% samochodów, 25 razy więcej wody i 200 razy więcej energii na osobę.

3500 wielkich przedsiębiorstw kontroluje 70% handlu światowego i uzyskuje 30% jego dochodów.

ROZWIĄZANIA?

Wiele wysiłków „rozwinięcia" Południa przyniosło negatywne skutki. Wielkie projekty, jak potężne tamy i elektrownie, przynoszą wspierającej Północy wiele sławy, ale mogą wpędzać kraje Południa w długi i stwarzać inne problemy. Na przykład olbrzymia tama asuańska w Egipcie zakłóciła przebieg przyborów Nilu, które od wieków pomagały biednym chłopom w nawadnianiu gruntów.

Zbiór bananów *w Republice Dominikańskiej. (z lewej)*

W niektórych krajach *wody jest za mało dla uprawy roślin. Tutaj woda z oaz jest używana do nawadniania upraw.*

Górnik używający nowoczesnego sprzętu *w kopalni złota w Zimbabwe.*

Rio de Janeiro *(Brazylia) – panorama miasta, na pierwszym planie slumsy biedaków.*

Kara

Sposób, w jaki winny przestępstwa zostaje ukarany, zależy od wagi przestępstwa. W przeszłości nawet osoby winne drobnej kradzieży mogły być powieszone, a egzekucje były bardzo popularnym widowiskiem. Od około 200 lat, kara więzienia była normą dla wszystkich przestępstw poza morderstwem, i obecnie miliony ludzi nadal przebywa w więzieniach na całym świecie. Kara śmierci za morderstwa jest utrzymana w niektórych stanach Stanów Zjednoczonych, ale jest dzisiaj rzadka w Europie, gdzie osoby skazane za morderstwa są zamykane na wiele lat w więzieniach. W niektórych krajach islamskich kary są wymierzane zgodnie z dawnym prawem: publiczna chłosta, obcięcie ręki za kradzież, kara śmierci przez ścięcie.

PRAWO

Każde społeczeństwo stara się mieć zasady i przepisy pomagające ludziom współżyć i utrzymywać porządek. We wszystkich krajach we współczesnym świecie te żasady są spisane jako prawa, wprowadzane w życie przez rządy lub przywódców religijnych.

POCHODZENIE PRAW

W krajach anglojęzycznych wiele praw ma swe korzenie w prawie zwyczajowym. Jest to zestaw praw przekazanych z czasów średniowiecza, opierających się na ogólnie przyjętych zwyczajach. Te prawa były często tak niesprawiedliwe, że w XV w. angielski kanclerz wydał pierwszy z wielu dekretów dla przywrócenia równości lub bezstronności.

W większości krajów europejskich prawo ma swe korzenie w systemie praw stworzonym przez starożytnych Rzymian. Prawo rzymskie porządkowało sprawy instytucji państwowych i poszczególnych obywateli.

W wielu krajach muzułmańskich prawa są oparte na Koranie.

PRAWO KARNE I CYWILNE

System prawny większości krajów wyróżnia dwa podstawowe działy: prawo karne i prawo cywilne.

Prawo karne jest skierowane przeciwko przestępstwom takim jak morderstwo, kradzież i gwałt. To, czym jest przestępstwo, zależy od określeń w danym kraju, ale w zasadzie jest to czyn, który albo rani kogoś, albo narusza jego własność, albo obraża rząd. Gdy celem prawa cywilnego jest rozstrzyganie sporów, to prawo karne jest przeznaczone dla karania ludzi za przestępstwa.

Typowa sytuacja, to taka, gdy ktoś oskarżony o popełnienie przestępstwa jest stawiany przed sądem, by być osądzonym. Zazwyczaj to rządowe agencje (prokuratury), a nie osoby prywatne stawiają kogoś przed sądem. Jest to nazywane oskarżeniem. W sądzie prokuratura, która postawiła kogoś przed sądem, stara się udowodnić, że oskarżony popełnił

W SĄDZIE

Ludzie od dawna szukali sposobu, który najlepiej pozwalałby odkryć prawdę, czy oskarżona osoba jest winna. W średniowieczu podejrzanych często osądzano na podstawie tzw. *prób* – np. przez palenie, topienie lub pojedynek. Myślą przewodnią tych metod była wiara, że jeżeli oskarżeni są niewinni, Bóg ich ocali. Obecnie, w procesach przed sądem prawnicy dowodzą racji przy pomocy świadków i dowodów, jeden przemawia (*obrońca*) za oskarżonym, a drugi (*oskarżyciel, prokurator*) przeciwko niemu. *Obowiązek udowodnienia* spoczywa na oskarżeniu, tzn. do oskarżenia należy udowodnienie, że oskarżony jest winny. Prawnik broniący nie potrzebuje udowadniać, że jego *klient* jest niewinny, a tylko, że argumenty oskarżenia są słabe. Na koniec rozprawy, np. w krajach anglosaskich, *ława przysięgłych* orzeka, czy argumenty oskarżenia zostały udowodnione ponad wszelkie wątpliwości. W Polsce przebieg rozprawy jest podobny do opisanego, różnica polega na tym, że nie ma ławy przysięgłych; są ławnicy, którzy tylko w niewielkim stopniu mają wpływ na wyrok. O orzeczeniu winy i karze decyduje sędzia.

Pierwsze prawa

Najwcześniejsze pisane prawa zostały ustanowione w Mezopotamii przez króla Ur-Nammu, ok. 2100 r. p.n.e. Określały one odszkodowania za zranienia i kary za ucieczki niewolników oraz za czary. Znacznie bardziej szczegółowy był kodeks Hammurabiego z Babilonii, spisany w 1758 r. p.n.e. Znaleziono go na początku XX w. w Suzie. Obejmował on wszystko, od kar za przestępstwa, takie jak morderstwo i kradzież, po ugody dłużnicze, umowy ślubne, podatki i ceny towarów.

Prawa szczepowe. *W wielu społeczeństwach nie istnieją prawa pisane. Każdy wie, że nie powinien popełniać określonych czynów. W przypadku sporów lub potrzeby ukarania, decyzja bywa podejmowana przez przywódcę lub grupę starszych.*

przestępstwo. Jeżeli dowody nie są dostatecznie przekonujące, oskarżeni są *uniewinniani*; jeżeli są uznani za winnych, sędzia lub urzędnik wydaje wyrok (orzeka o karze).

Prawo cywilne dotyczy rozstrzygania sporów między osobami (lub instytucjami), takich jak spory o kontrakty (umowy) czy wypadki podczas pracy (zwane sporami odszkodowawczymi). Osoby (lub instytucje), które przegrają sprawę cywilną zazwyczaj zostają zobowiązane do wypłacenia odszkodowania.

ROZPRAWA

W krajach prawa zwyczajowego rozprawy są *sporne*. Oznacza to, że po obu stronach występują prawnicy, którzy starają się przekonać sędziego, iż mają rację. Prawnik, który jest bardziej przekonywujący wygrywa sprawę. Poważniejsze przestępstwa są osądzane przez sąd przysięgłych, grupę około 12 zwykłych ludzi, którzy decydują, czy oskarżony jest winny. Po tym sędzia wydaje wyrok.

W krajach, które wywodzą swoje prawo z tradycji prawa rzymskiego rozprawy są *inkwizycyjne*. Tutaj sędzia zadaje pytania, by wydobyć prawdę przed podjęciem decyzji.

Odwołania (apelacje)

Jeżeli ktoś uważa, że został niesłusznie uznany za winnego albo wyrok był zbyt wysoki, prawa wielu krajów pozwalają, by złożył odwołanie (*apelację*) i sprawa była rozpatrywana ponownie. Ale zasada, że nikt nie powinien być dwukrotnie oskarżany o to samo przestępstwo oznacza, iż oskarżenie może zazwyczaj apelować. System apelacyjny różni się w wielu krajach.

W Anglii odwołania w sprawach karnych wędrują z sądu najniższego szczebla do Sądu Koronnego, dalej do Sądu Apelacyjnego i ostatecznie do Izby Lordów. W Stanach Zjednoczonych odwołania w sprawach dotyczących prawa federalnego wędrują z Sądu Okręgowego do Apelacyjnego, i potem do Sądu Najwyższego (poniżej). Polski system apelacyjny jest zbliżony do amerykańskiego.

Prawo międzynarodowe

166 krajów, członków ONZ, uzgodniło kodeks prawa międzynarodowego, aby określać swe wzajemne zachowanie. Wynikłe spory są rozstrzygane przez 15 sędziów Trybunału Międzynarodowego w Hadze, w Holandii.

CZY WIESZ, ŻE...?

Zgodnie z prawem Hammurabiego dziecko, które uderzyło swego ojca mogło stracić rękę, którą uderzyło.

W Anglii w 1600 r. wielu przestępców wybierało raczej tortury, niż przyznanie się do winy, gdyż przyznanie się powodowało, że ich rodziny traciły całą swą własność.

W średniowiecznej Europie niektórzy przestępcy byli wieszani, rozrywani i ćwiartowani – wieszano ich za szyje, rozpruwano brzuch za życia, obcinano głowę i rozcinano na cztery części.

RELIGIA

Poprzez całą historię świata wierzenia religijne były ważną częścią życia wielu ludzi – często wpływając na ich codzienne postępowanie. Obecnie na świecie istnieje mnóstwo religii, każda ze swym zestawem wierzeń i wartości, od chrześcijaństwa po taoizm.

BUDDYZM

Buddyzm jest religią 300 mln ludzi w Azji Południowo-Wschodniej. Opiera się na naukach księcia Sidhartha Gautama, Buddy, który żył w północno-wschodnich Indiach pomiędzy 563 a 483 r. p.n.e. Budda obserwując cierpienia ludzi, po długich rozmyślaniach doszedł do przekonania, że cierpienia wywodzą się z pożądania i zbyt silnych związków osobistych. By być wolnymi od bólu, musimy uwolnić się od pożądania i osiągnąć stan spokoju zwany *nirwaną*, przez postępowanie ośmiokrotną ścieżką: doskonałego zrozumienia, doskonałych celów, mowy, działania, sposobu życia, wysiłku, myślenia i medytacji. Buddyści wierzą, że po śmierci wszyscy zostajemy ponownie urodzeni w nowych ciałach. Ale przebieg naszego życia zależy od naszej *karmy* — sposobu, w jaki zachowywaliśmy się w tym i poprzednich życiach.

RELIGIE PIERWOTNE

Większość wielkich religii jest poświęcona jednemu Bogu lub kilku bogom, ale nie zawsze tak było. Wielu pierwotnych ludzi było *animistami*, wierzyli bowiem, że duch boży jest we wszystkim, od zwierząt po skały. Jeszcze obecnie istniejące społeczeństwa plemienne są często animistyczne. Wierzą, że określone rośliny, zwierzęta lub kamienie są szczególnie ważne dla bezpieczeństwa i szczęścia plemienia. Te przedmioty są nazywane *totemami*. Wierzą, również, że kontakt z pewnymi przedmiotami lub osobami jest zakazany. Stanowią one *tabu*.

Starożytne cywilizacje, jak egipska czy grecka, posiadały znacznie bardziej skomplikowane wierzenia religijne; były *politeistyczne*. Oznacza to, że ludy te miały wielu bogów, ale byli oni częścią tego samego systemu. Egipcjanie np. mieli 2000 bogów, ale wszyscy ważniejsi byli spokrewnieni z Ra, bogiem Słońca i Stwórcą. Główni bogowie greccy byli powiązani z Zeusem i górą Olimp (str. 118). Istniały świątynie poświęcone tym bogom i wykształceni kapłani, którzy jako jedyni znali tajemnice wiary. Religia była ważną częścią porządku społecznego.

ISLAM

Islam ma liczbę wiernych szacowaną na 1100-1300 mln. Powstał w VII w. w Arabii z objawień proroka Mahometa, który według wierzeń muzułmańskich był największym i ostatnim z proroków wysłanych przez boga (*Allacha* w języku arabskim).

Słowo islam oznacza poddanie się i muzułmanie wierzą, że muszą być posłuszni Bogu całkowicie i opierają swe życie na *pięciu filarach*, wymienionych w świętej księdze, *Koranie*. Są nimi: wyznanie wiary, modlitwa, płacenie podatków na cele socjalne, post i odbycie pielgrzymki do świętego miasta Mekki w Arabii Saudyjskiej.

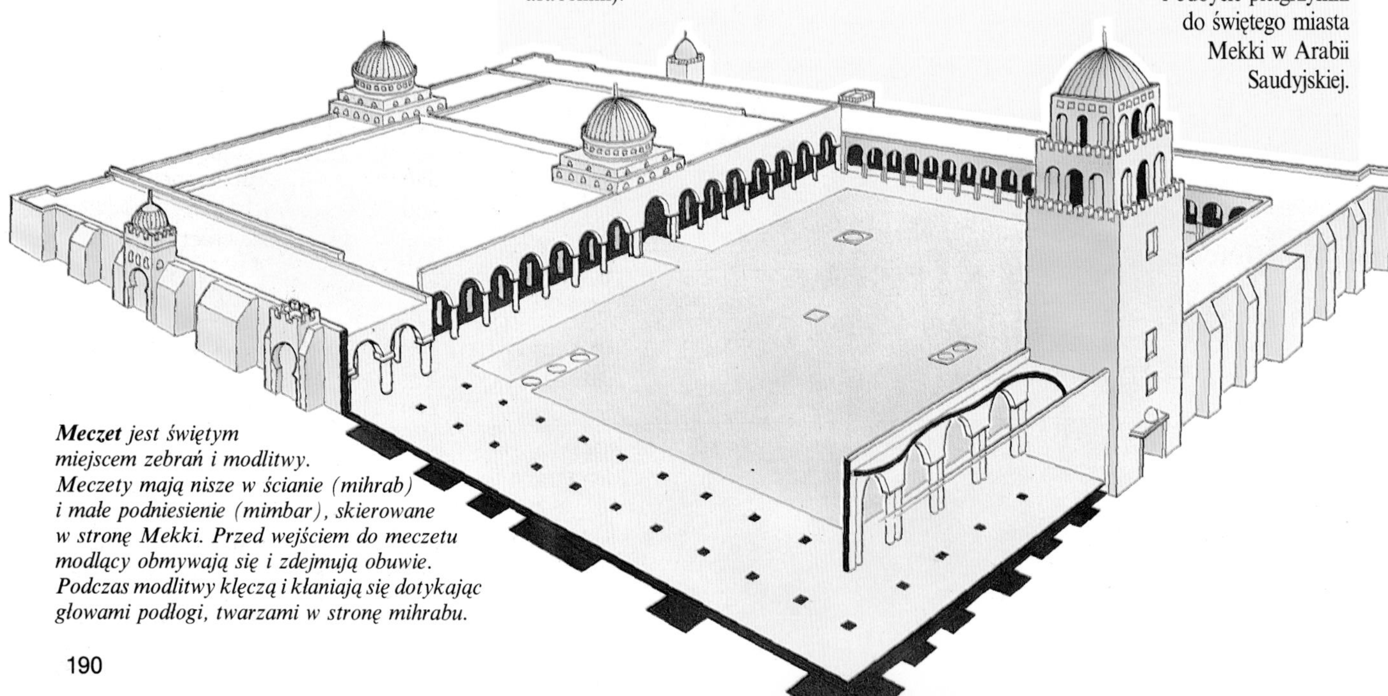

Meczet *jest świętym miejscem zebrań i modlitwy. Meczety mają nisze w ścianie (mihrab) i małe podniesienie (mimbar), skierowane w stronę Mekki. Przed wejściem do meczetu modlący obmywają się i zdejmują obuwie. Podczas modlitwy klęczą i kłaniają się dotykając głowami podłogi, twarzami w stronę mihrabu.*

Gwiazda Dawida jest jednym ze świętych symboli judaizmu. Król Dawid (1012-972 r. p.n.e.) był żydowskim bohaterem narodowym. Jednym z wielu jego wielkich czynów było napisanie świętych wersetów, Psalmów.

JUDAIZM

Żydzi byli pierwszymi, którzy przed 4000 lat uwierzyli w jedynego Boga, Jahwe. Bóg zawarł umowę z ich przodkiem, Abrahamem, że będzie on ich Bogiem, a oni będą jego ludem, jeżeli będą przestrzegać jego 613 praw i rozpowszechniać jego słowo. Pokolenia później Bóg wyzwolił Żydów z niewoli i wręczył spisane prawo ich przywódcy, Mojżeszowi. Te prawa są zawarte w Pięcioksięgu zwanym *Tora*, i one wiodą Żydów przez wszystkie aspekty życia i modlitwy. Żydzi wyglądają przybycia Mesjasza (Wyznaczonego przez Boga), który, jak wierzą, przyniesie czas pokoju i bezpieczeństwa.

CHRZEŚCIJAŃSTWO

Chrześcijaństwo jest największą religią świata, z ponad 1500 mln wyznawców. Chrześcijanie wierzą, że Mesjaszem był Jezus Chrystus, Żyd, który narodził się w Betlejem przed 2000 lat. Chrystus jest Synem Boga. Gdy został ukrzyżowany przez swych wrogów i umarł, zmartwychwstał, by połączyć się z Bogiem w Niebiosach. Chrystus zmarł, aby odkupić nasze grzechy. Po Wniebowstąpieniu Chrystusa Jego uczniowie — apostołowie — rozpowszechniali Jego naukę na wszystkie strony świata. Istnieją obecnie trzy wyznania chrześcijańskie: rzymskokatolicyzm, którego głową jest papież w Rzymie; protestantyzm i wschodni kościół ortodoksyjny.

RELIGIE WSPÓŁCZESNE

Obecnie główne religie światowe, takie jak chrześcijaństwo, judaizm, islam, są monoteistyczne — to jest przyjmują, że istnieje tylko jeden Bóg. Niemniej Hindusi modlą się do wielu bogów. W Chinach konfucjaniści opierają swe życie na naukach Konfucjusza (str. 122), wierząc, że społeczeństwo jest szczęśliwe i żyje w pokoju jedynie wtedy, gdy ludzie postępują zgodnie z wolą Niebios. Taoiści wierzą, że za wszystkimi wydarzeniami kryje się mistyczna siła, i każdy ma swą własną, specjalną wyznaczoną mu drogę. W Japonii shintoiści uzyskują siłę i bogactwo dzięki czczeniu *kami* (świętej energii).

SPORY RELIGIJNE

Przez setki lat wielu ludzi było prześladowanych za swe religie. Pierwsi chrześcijanie byli zabijani za swe przekonania, a podczas Reformacji protestanci i katolicy torturowali się nawzajem — najbardziej znana jest Noc Świętego Bartłomieja, w 1572, gdy zmasakrowani zostali francuscy protestanci, zwani *hugenotami*.

Religia była również centralnym punktem wielu zażartych konfliktów w trakcie historii, łącznie z wyprawami krzyżowymi (str. 127) i problemami w Ulsterze (str. 205).

HINDUIZM

Hinduizm zrodził się przed 5000 lat i jest jedną z najstarszych religii świata. Jest on również jedną z najbardziej skomplikowanych. Hindusi czczą wielu rozmaitych bogów, ale wszyscy wierzą w *dharma*, czyli właściwą drogę życia. Hinduizm uznaje, że wszyscy mamy za sobą życie przeszłe. Jeżeli nasze życie było dobre, rodzimy się ponownie w wyższym bycie; jeżeli było złe, rodzimy się jako zwierzęta lub owady. Przez przestrzeganie *dharma* (norm moralnych) możemy osiągnąć stan *moksha* i nigdy już nie być zmuszonymi do dalszych narodzin.

CZY WIESZ, ŻE...?

Jest ponad 11 milionów Żydów zamieszkałych poza Izraelem i 3,5 miliona mieszkających w Izraelu.

Święty tekst hinduski, Mahabharata, ze swymi 200 000 linijek jest najdłuższym kiedykolwiek napisanym poematem.

Islam zabrania muzułmanom rysowania roślin, zwierząt i ludzi, dlatego dekorują oni przedmioty ornamentami geometrycznymi.

William Tyndale w 1535 r. został spalony za przetłumaczenie Biblii na zwykłą angielszczyznę.

Dżiniści w Indiach nie zabijają żadnych istot żyjących. Nie jedzą oni mięsa ani ryb, a większość nie je jajek. Kapłani-dżiniści zamiatają drogę przed sobą, by uniknąć rozdeptania owadów.

Trzy miliony muzułmanów corocznie odwiedza podczas pielgrzymki święte miasto Mekka w Arabii.

*Słowo **kawiarnia** powstało w wyniku przejęcia przez język polski francuskiego słowa **café***

Nowe słowa

Język cały czas wzbogaca się o nowe słowa. Najwięcej nowych słów pojawia się w dziedzinie techniki i nauki. Słowo *laser*, pochodzi od pierwszych liter nazwy Light Amplification by Stimulated Emission of Radiation (polskie: wzmocnienie światła przez pobudzaną emisję promieniowania. Raczej długie i niewygodne – a więc wymyślono słowo "laser". Wiele naukowych i technicznych słów bazuje na słowach łacińskich i greckich – *telewizja* to po prostu łacińskie *visio* = widzenie, połączone z greckim słowem *tele*, oznaczającym daleko.

Języki narodowe często przyswajają wyrazy z języków obcych. W 1977 r. Francuzi byli tak rozdrażnieni wielością słów angielskich będących w użyciu we Francji, że rząd zabronił ich używania we wszystkich dokumentach oficjalnych.

JĘZYKI

Na świecie istnieje ponad 5000 języków mówionych, każdy ze swoimi własnymi słowami, dźwiękami i gramatyką. Niektóre, jak angielski, są używane przez wiele milionów ludzi na całym świecie. Inne, jak trumai w Wenezueli, są używane przez mniej niż 100 osób.

PIERWSZE SŁOWA

Niektórzy twierdzą, że pierwszymi słowami były miłosne pochrząkiwania między zakochanymi ludźmi. Nie ma jednak prawdziwie naukowego sposobu dowiedzenia się ani nie ma też żadnego sposobu określenia, kiedy ludzie zaczęli mówić. Dokładne studium czaszek pierwszych człekokształtnych (str. 110) sugeruje, że australopitek, który pojawił się około 3,5 miliona lat temu, nie mógł mówić. Tak jak małpy, ten człekokształtny nie posiadał gardła pozwalającego na wytwarzanie dźwięków mowy.

Niemniej, człowiek neandertalski, który pojawił się około 70 000 lat temu, prawdopodobnie był w stanie wydawać kilka rozpoznawalnych dźwięków. Naukowcy zgadzają się, że ludzie po raz pierwszy nauczyli się mówić 50-30 000 lat temu. Ale jest możliwe, że znacznie wcześniej mogli porozumiewać się za pomocą znaków. Pisma nie znali jednak do około 5000 lat temu.

RODZINY JĘZYKÓW

W XVIII w. *filologowie* (językoznawcy) zaczęli porównywać języki. Wiedzieli oni już, że francuski, hiszpański, włoski i inne języki z obszaru niegdyś zajmowanego przez imperium rzymskie wywodzą się z łaciny, języka Rzymian. Ich badania dowiodły, że istniały uderzające podobieństwa pomiędzy tymi i wielu innymi językami w Europie i Azji, włączając sanskryt, najstarszy język Indii.

Uczeni wywnioskowali, że wszystkie te języki indoeuropejskie wywodzą się z jednego języka, który nazwali *praindoeuropejskim*. Obecnie uważa się, że był on używany przez grupę półkoczowniczych ludów zwanych Kurganami, którzy żyli w południowej Rosji przed 6000 lat. Następnie uczeni opracowali kompletne drzewo genealogiczne dla ukazania, jak

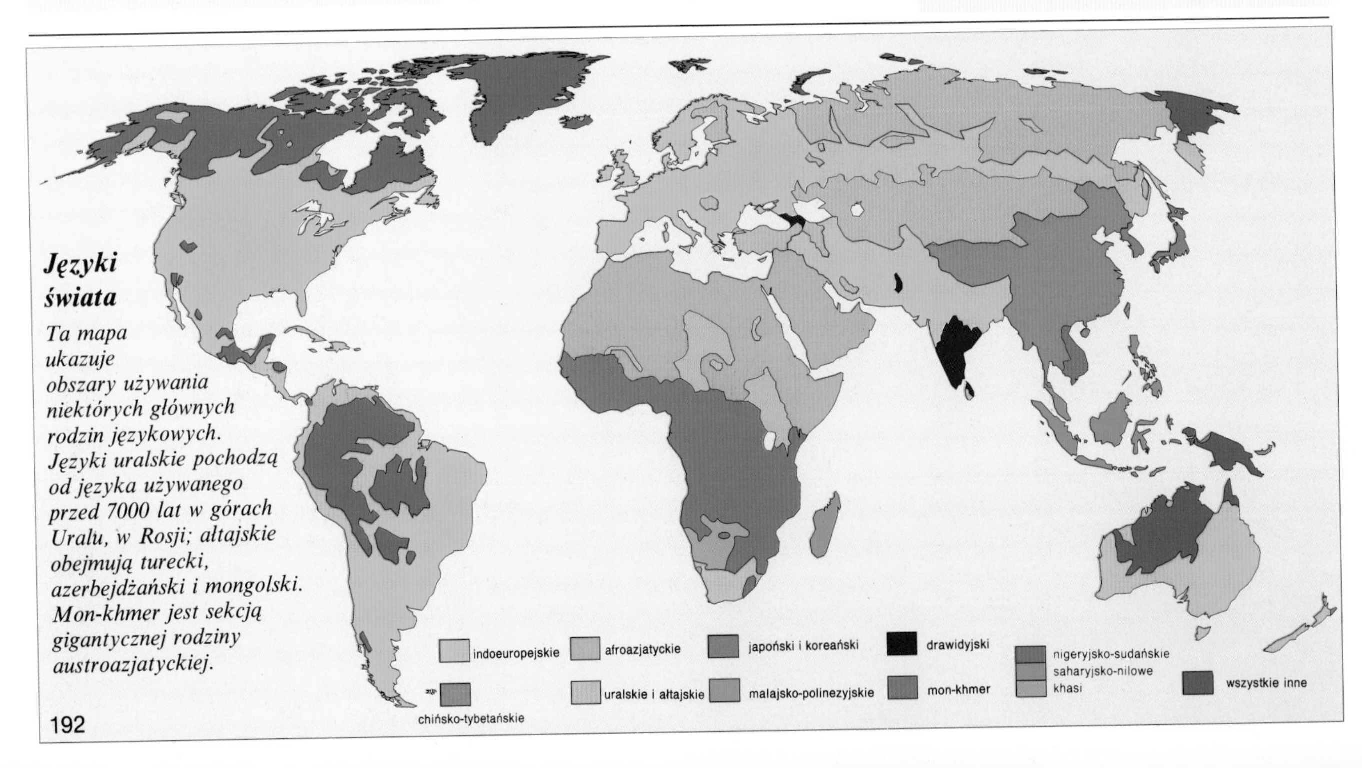

Języki świata

Ta mapa ukazuje obszary używania niektórych głównych rodzin językowych. Języki uralskie pochodzą od języka używanego przed 7000 lat w górach Uralu, w Rosji; ałtajskie obejmują turecki, azerbejdżański i mongolski. Mon-khmer jest sekcją gigantycznej rodziny austroazjatyckiej.

Łacińskie dzieła. Ta przepiękna księga („Book of Kells") została sporządzona przez irlandzkich zakonników w VIII w. Tak jak większość ksiąg w owych czasach jest ona napisana po łacinie. Aż do XVI wieku pisano po łacinie, a nie w swych językach narodowych. Gramatyka łacińska wywarła istotny wpływ na pisaną angielszczyznę.

Gramatyka

Każdy język ma swój własny zestaw zasad, czyli gramatykę, określającą sposób użycia słów i ich porządek. Język dzieli się na zdania lub wyrażenia. Zdanie proste ma podmiot – to jest obiekt, o którym zdanie mówi, oraz orzeczenie, czasownik, opisujący co podmiot robi. Może ono również zawierać określenie, czyli coś dotknięte akcją. W zdaniu „Dziewczyna pocałowała chłopca", dziewczyna jest podmiotem, pocałowała – orzeczeniem (czasownikiem), a chłopiec – dopełnieniem. W 75% języków światowych układ zdania jest następujący: podmiot-orzeczenie-dopełnienie (francuski, angielski) lub podmiot-dopełnienie-orzeczenie (japoński). W walijskim czasownik jest pierwszy. W angielskim porządek zdania może być zmieniony dla wywołania specjalnego efektu. Na przykład poeta może powiedzieć: "Strange fits of passion have I known" (określenie-podmiot--orzeczenie), a nie „I have known strange fits of passion" (podmiot-orzeczenie-określenie). (W języku polskim porządek zdania nie jest tak dalece sformalizowany)

odbywała się ewolucja, łacina, grecki, sanskryt – wszystkie są „dziećmi" języka praindoeuropejskiego; francuski i inne języki romańskie są „dziećmi" łaciny.

Języki światowe. Większość języków świata jest podzielona na rodziny, aczkolwiek językoznawcy nie są zgodni co do tego, jak one powinny być pogrupowane.

Języki indoeuropejskie obejmują prawie wszystkie języki używane w Europie. Język baskijski północno-wschodniej Hiszpanii jest wyjątkiem, bez powiązań z jakimkolwiek znanym językiem. Celtycki i angielski, francuski i niemiecki, polski, rosyjski i bułgarski, hinduski i bengalski, i wiele innych są językami indoeuropejskimi.

W Indiach południowych ludzie mówią językami *drawidyjskimi*, takimi jak telugu i tamilski. W Chinach i Tybecie miliardy ludzi używa setek języków *sino-tybetańskich*, łącznie z chińskim, burmańskim i tybetańskim. Afryka jest ojczyzną większej liczby języków, niż jakikolwiek inny kontynent – około 1300 – używanych przez 400 mln ludzi. 1000 z nich należy do rodziny *nigro-kongolańskiej*, obejmującej 500 języków Bantu, jak suahili używany w Kenii i zulu w Południowej Afryce. W Amerykach języki indiańskie należą do wielu różnych rodzin.

CZY WIESZ, ŻE...?

Ponad 2 miliardy ludzi mówi językami indoeuropejskimi.

Ponad miliard ludzi mówi po chińsku.

350 milionów mówi angielskim jako swym ojczystym językiem.

Ponad 600 języków jest używanych tylko na Nowej Gwinei.

Taksacja oznaczała niegdyś wynajdywanie błędów.

Kiosk pochodzi z tureckiego.

Pomidor pochodzi z języka indian amerykańskich.

Yen po chińsku oznacza życzenie.

Zmiana dźwięków

Filologowie dawno już zauważyli podobieństwa między słowami w wielu różnych językach, które nie mogą być tylko dziełem przypadku. Zwróć na przykład uwagę na podobieństwa między słowami ojciec, matka i brat pokazanymi z prawej strony w językach tak różnych jak polski, irlandzki i sanskrycki. Na początku XIX wieku, Jacob Grimm (1785-1863), obecnie bardziej znany jako twórca baśni, zauważył, że słowa zawsze różnią się w jednakowy sposób. Słowa *father* i *fish* w angielskim brzmią *pater* i *piscis* po łacinie. Innymi słowy, „p" słów łacińskich staje się miękkim „f" w angielskim. Podobnie *pater*, *mater* i *tres* języka łacińskiego stają się *father*, *mother* i *three* w angielskim, kiedy to litera „t" zmiękczona zostaje do „th". Grimm odkrył łącznie dziewięć zmian dźwiękowych, pokazując jak zmieniały się języki.

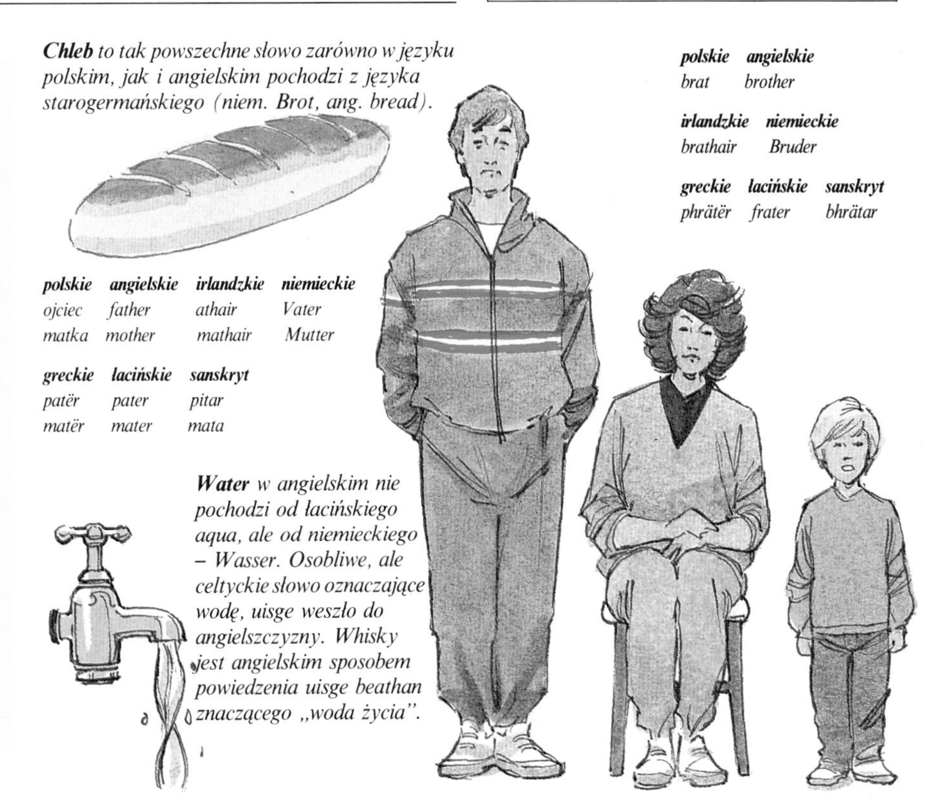

Chleb to tak powszechne słowo zarówno w języku polskim, jak i angielskim pochodzi z języka starogermańskiego (niem. Brot, ang. bread).

Water w angielskim nie pochodzi od łacińskiego aqua, ale od niemieckiego – Wasser. Osobliwe, ale celtyckie słowo oznaczające wodę, uisge weszło do angielszczyzny. Whisky jest angielskim sposobem powiedzenia uisge beathan znaczącego „woda życia".

PISMO

Pismo jest prostym i skutecznym sposobem komunikacji z ludźmi, z którymi nie możemy porozmawiać. Jest to też doskonały sposób prowadzenia sprawozdań zarówno dla celów oficjalnych, jak po to, by coś pamiętać...

PISMO KLINOWE

Nazwano tak jeden z najstarszych systemów pisma. Używali go Sumerowie, Babilończycy, Asyryjczycy, a także mieszkańcy innych terenów Środkowego Wschodu w czasach pomiędzy 3100 i 75 rokiem p.n.e. Pismo klinowe stosowało grupy znaków, wyglądających jak małe kliny. Znaki powstawały przez odciśnięcie rylca w wilgotnej glinie tabliczki. Z początku grupy klinów stanowiły uproszczone rysunki. W miarę rozwoju alfabetu, klinów używano do reprezentacji dźwięków, z jakich składały się słowa, a nawet sylab (części słów). Pokazana wyżej tabliczka zawiera opis sceny z życia dworskiego w starożytnej Asyrii.

WCZESNE PISMO

Pismo pojawiło się po raz pierwszy, równolegle i niezależnie na Środkowym Wschodzie – w Chinach oraz w Ameryce Środkowej. Nikt nie wie na pewno, dlaczego człowiek zaczął pisać, lecz pierwsze pisane symbole były prawdopodobnie używane przez władców do demonstracji ich mocy oraz przez urzędy miejskie do spisywania i oznaczania żywności i innych dóbr. W Ameryce Środkowej zaś pismo umieszczano wyłącznie na pomnikach królewskich.

Pisarze i urzędnicy. Niewielu ludzi umiało czytać i pisać – posługiwać się wysoce rozwiniętymi i skomplikowanymi systemami pisma. Zazwyczaj jedynie kilku specjalnie wyszkolonych skrybów posiadało tę umiejętność. W Mezopotamii na Środkowym Wschodzie pisma uczono bardzo niewielu chłopców.

Również w starożytnym Egipcie pisać umieli tylko skrybowie i nieliczni urzędnicy. Niektórzy z nich pracowali dla króla, spisując dobra, które miały być obłożone podatkami. Inni oferowali swoje usługi każdemu, kto potrzebował przeczytać lub wysłać list. Skrybowie uczyli się pisać na tabliczkach. Gdy już posiedli tę trudną umiejętność, pisali tuszem na papierze sporządzonym z rdzeni pędów papirusa, pociętych na wąskie paski i sprasowanych. Robili też notatki na kawałkach potłuczonej porcelany, zwanych ostrakami.

Pergamin i manuskrypty. W średniowieczu sztuka pisania i czytania przechowała się w klasztorach. Począwszy od roku 100 naszej ery mnisi pisali na pergaminie, papierze

	1500 p.n.e.	100 p.n.e.	DZISIAJ
czowiek			人
wzgórze			山
drzewo			木
ptak			鳥

Pismo chińskie zmieniało się stopniowo przez tysiące lat – od obrazków do kształtów oznaczających słowa albo dźwięki.

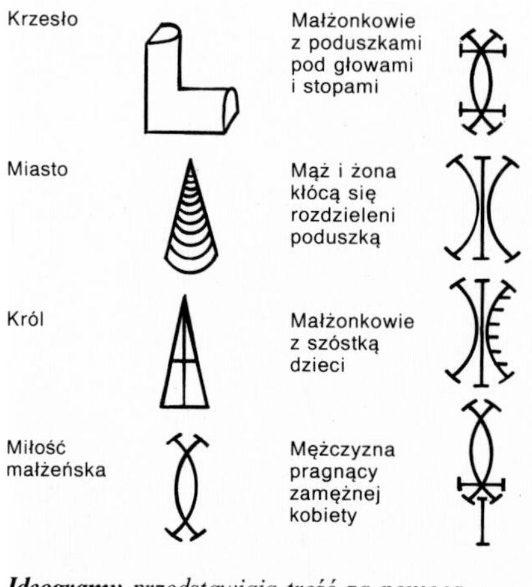

***Ideogramy** przedstawiają treść za pomocą symboli. Po lewej stronie – ideogramy hetyckie z około 1500 p.n.e. Po prawej – nigeryjskie z 1904.*

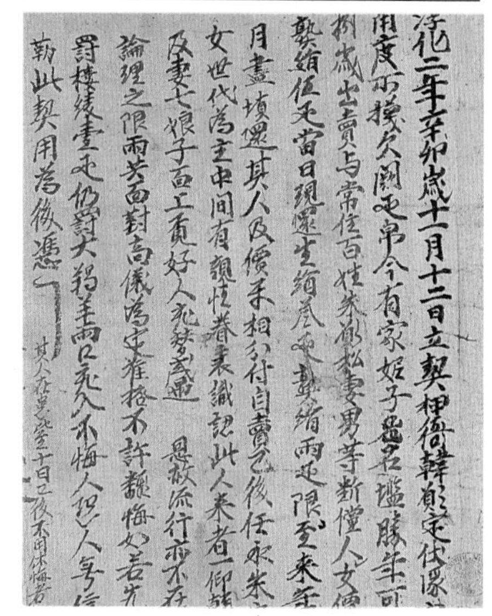

OBRAZKI I DŹWIĘKI

Człowiek prowadził zapiski na gładkiej, glinianej powierzchni już 10 000 lat temu. Najstarszym znanym pismem są znaki na glinianych tabliczkach, pochodzące z sumeryjskiego miasta Uruk, datowane na około 3500 lat p.n.e. Mówią o sprzedaży gruntów, sprawach handlowych i podatkach.

Do oznaczania różnych dźwięków w słowie dzisiejsze pismo stosuje litery. Najwcześniejsze odmiany pisma posługiwały się obrazkami (pismo piktograficzne) albo symbolami (pismo ideograficzne), ukazującymi rzeczy bezpośrednio. Linia falista na przykład oznaczała morze, a charakterystyczna kompozycja kresek – człowieka.

Niektóre hieroglify egipskie (następna strona) są pismem obrazkowym. Później ludzie zaczęli używać symboli dla oznaczenia różnych słów (nie przedmiotów). Takie pismo nazywamy logograficznym. Jest nim pismo chińskie. Ponieważ dla każdego niemal słowa potrzeba innego symbolu, język chiński stosuje prawie 50 000 różnych znaków.

sporządzanym z niegarbowanej skóry zwierzęcej, na przykład owczej lub cielęcej. Skóra była moczona, oczyszczana i naciągana, a następnie ścierana kredą i pumeksem. Arkusze pergaminu zestawiano często w *kodeksy*.

W czasach gdy czytanie i pisanie należało do rzadkich umiejętności, mnisi włożyli ogromną ilość pracy w *manuskrypty* (ręcznie przepisywane księgi); wiele z nich zostało wspaniale *iluminowanych* (ilustrowanych) ornamentyką i obrazami.

Epoka druku. Z nadejściem książki drukowanej w XV wieku (s.164), coraz więcej ludzi uczyło się czytać i pisać. Wciąż jednak władcy zatrudniali urzędników do pisania listów – nie tylko oficjalnych, lecz także miłosnych. Z początkiem XIX wieku około 60% mężczyzn i 45% kobiet umiało trochę czytać i pisać – czyli podpisać się. Dziś większość mieszkańców Europy i Ameryki uczy się pisać w szkołach, a współczynnik piśmiennych jest wysoki. W krajach takich jak Kuba czy Tanzania prowadzi się intensywne kampanie oświatowe, w ramach których coraz więcej ludzi uczy się czytać i pisać.

Alfabet grecki *ma 24 litery.*

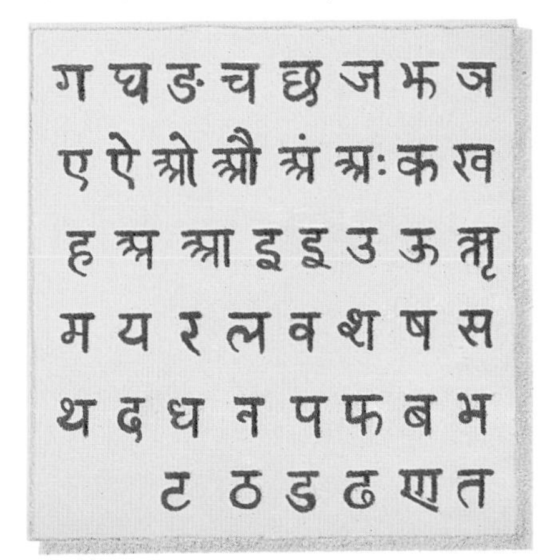

Devangari *(46 liter) to alfabet języka hindi.*

АБВГДЕЁЖЗ
ИЙКЛМНОП
РСТУФХЦЧШ
ЩЪЫЬЭЮЯ

Cyrylica*, używana w Rosji, ma 33 litery.*

Alfabety

Większość dzisiejszych pism posługuje się alfabetami. Słowa tworzy się z liter, które reprezentują odpowiednie dźwięki. Angielski stosuje litery pisma łacińskiego. Podobnie jak greka, cyrylica (rosyjski), alfabety hebrajski i arabski, pochodzą od najstarszego znanego alfabetu, wprowadzonego w Syrii około 3500 lat temu. Alfabet syryjski rozwinięty został przez Fenicjan, a następnie przez starożytnych Greków około 1000 lat p.n.e.; Etruskowie ze starożytnej Italii przekazali go Rzymianom.

Starożytny Egipt

Pismo starożytnego Egiptu to *hieroglify*. Ich przykłady odnaleziono w licznych świątyniach i piramidach, które dotrwały do naszych czasów. Jest to bardzo skomplikowany system, stosujący ponad 700 różnych znaków. Z początku każdy przedmiot reprezentowany był przez swój obraz, zwany piktogramem. W miarę rozwoju pisma, piktogramy zaczęły odnosić się do słów i dźwięków. Grupy tych dźwięków zwane fonogramami, posłużyły do konstrukcji nowych słów.

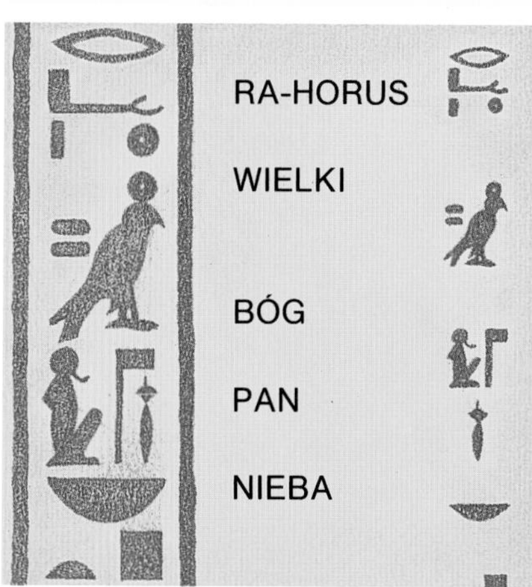

Hieroglify

Hieroglify (powyżej) ze świątyni Ramzesa II (1290 – 1224 p.n.e.). Zapisywane są od lewej do prawej bądź od prawej do lewej, a także z góry na dół. Figury obrazków zwrócone są ku początkowi tekstu, tak więc powyższe znaki czyta się od strony prawej do lewej. Znak w kształcie oka w lewym górnym rogu to „usta". Tutaj użyty został do oznaczenia dźwięku „r". Sokół reprezentuje boga Horusa.

Amputacja (powyżej), która polegała na odcięciu całej lub części kończyny była niezwykle bolesnym zabiegiem dopóki nie zastosowano środków znieczulających w latach czterdziestych ubiegłego wieku. Wcześniej operacja taka kończyła się często śmiercią pacjenta. Ten drzeworyt ukazuje operację odcięcia kończyny dolnej.

MEDYCYNA

Aż do początków obecnego stulecia większość ludzi umierała przed ukończeniem 50 roku życia. Szybki rozwój nowoczesnej medycyny pozwolił pokonać wiele chorób. Teraz ludzie w krajach rozwiniętych żyją zwykle dłużej niż 70 lat, ale niedostatki opieki medycznej w krajach Trzeciego Świata są nadal poważnym problemem.

Medycyna jest jednocześnie nauką i sztuką uzdrawiania, istniejącą po to, aby ratować życie ludzkie i ulżyć w cierpieniu.

Mówimy o kimś, że jest chory jeśli jakaś część jego ciała nie funkcjonuje prawidłowo. Może to być skutkiem urazu, zakażenia lub też odziedziczenia uszkodzonych genów. Bywają też choroby psychiczne nazwane inaczej umysłowymi.

Organizm ludzki jest wspaniałą maszyną zdolną do samonaprawiania i odbudowywania, pod warunkiem, że będą mu dostarczone: świeże powietrze, woda i pożywienie. Jeśli jednak rozwinie się w nim jakaś poważna choroba, może on potrzebować pomocy medycznej dla uzyskania poprawy.

Opieka medyczna składa się z postawienia diagnozy, czyli rozpoznania choroby lub urazu i właściwego leczenia.

MEDYCYNA ZAPOBIEGAWCZA

Współczesna medycyna przywiązuje dużą wagę do zapobiegania chorobom, czemu służą stosowane szeroko w świecie programy szczepień ochronnych i oświata zdrowotna.

Inżynieria genetyczna próbuje wyeliminować choroby dziedziczne jak na przykład hemofilia.

ROZPOZNANIE

Aby ustalić przyczyny dolegliwości,lekarz najpierw zapoznaje się z wcześniejszymi problemami zdrowotnymi pacjenta prowadząc z nim rozmowę, a następnie przystępuje do badania fizykalnego i próbuje zlokalizować miejsce i rodzaj urazu czy infekcji. Jeśli to konieczne, kieruje pacjenta na dodatkowe testy, jak badania radiologiczne, badania krwi, moczu czy próbek różnych tkanek. Techniki obrazowe służą badaniu narządów wewnętrznych

POCZĄTKI CHIRURGII

Od tysięcy lat ludzie wiedzieli o gojących właściwościach niektórych roślin, ale mimo to w czasach prymitywnej chirurgii więcej pacjentów umarło niż zostało uratowanych. Często dlatego że aż do XVI w. niewiele wiedziano o budowie ludzkiego ciała, a ponadto często występowały zakażenia. Zaburzenia w organizmie wywołane zabiegiem chirurgicznym często były dla pacjenta zabójcze, dopóki nie zastosowano środków znoszących ból. Ryzyko związane z operacją chirurgiczną zostało dodatkowo zmniejszone z chwilą wprowadzenia przez Listera w latach sześćdziesiątych XIX w. antyseptyki.

SZPITALE

Nowoczesne szpitale podzielone są na oddziały przeznaczone do różnych sposobów leczenia. Ofiary wypadków i przypadki nagłe przyjmowane są w Oddziale Pomocy Doraźnej, skąd kierowane są do Pracowni Radiologicznej lub, jeśli to konieczne, do sali operacyjnej. Oddziały ogólne przeznaczone są do prowadzenia leczenia zachowawczego lub dla rekonwalescentów po operacjach. Na oddziałach intensywnej opieki medycznej stan ciężko chorych pacjentów kontrolowany jest za pomocą różnych aparatów. Pracownia radiologiczna służy do badań diagnostycznych. Oddział fizjoterapii posiada odpowiednie wyposażenie do prowadzenia ćwiczeń gimnastycznych z pacjentami po urazach i z chorobami narządów ruchu.

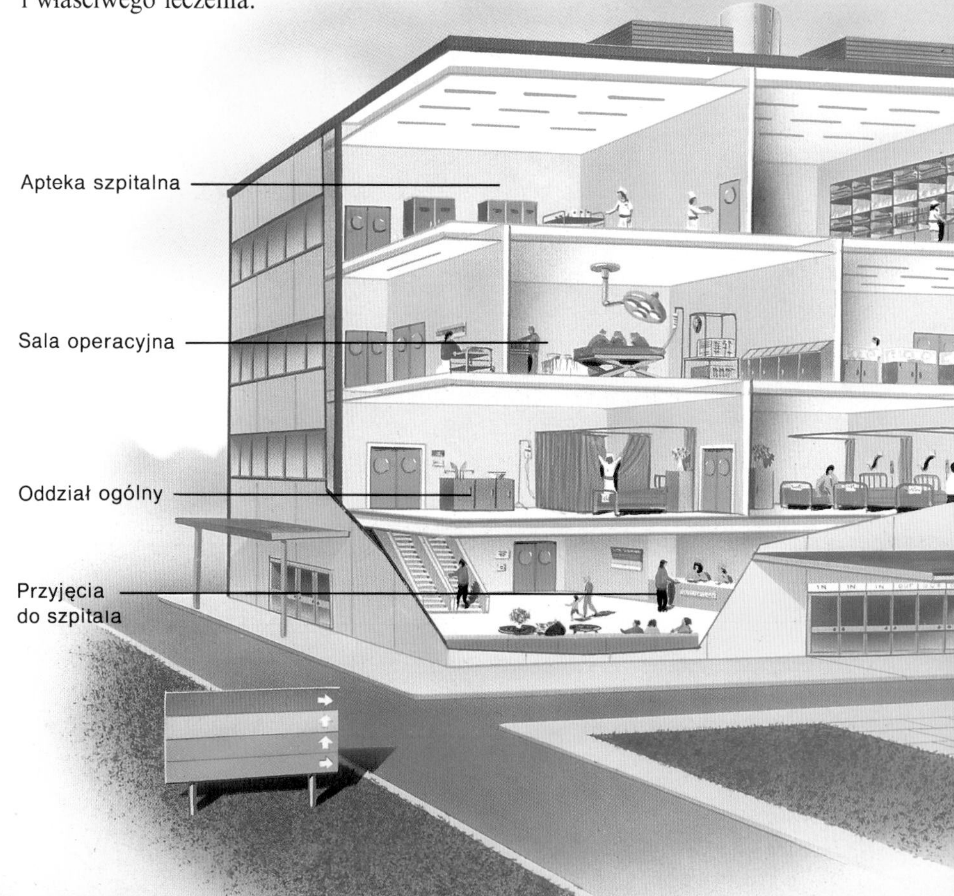

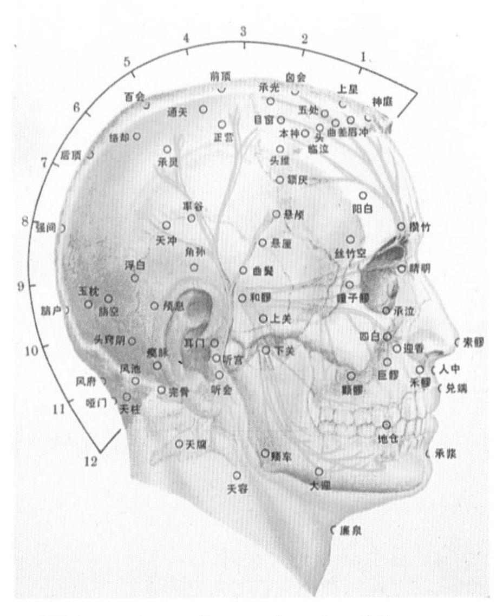

Wykres akupunktury *ukazuje miejsca na ciele, w które należy wkłuwać specjalne igły w celu ulżenia w różnych dolegliwościach.*

MEDYCYNA ALTERNATYWNA

Niektóre formy medycyny alternatywnej oparte są na starożytnych praktykach; na przykład akupunktura powstała w starożytnych Chinach. Zadziwia ona skutecznością w zwalczaniu bólu poprzez wkłuwanie igieł w ściśle określone miejsca na ciele.
Wiele ludów prymitywnych korzysta z pomocy miejscowych czarowników lub szamanów, którzy leczą za pomocą ziołowych wywarów lub sił magicznych. Powszechnie używają oni leków pochodzenia roślinnego.
Homeopaci leczą choroby za pomocą bardzo małych dawek substancji, które podane w większej ilości mogłyby wywołać te same choroby.
Osteopatia polega na manipulowaniu kośćmi i mięśniami w celu zniesienia bólu wywołanego ich uszkodzeniem.

Czarownik Indian Ameryki Północnej. *Wiele dawnych cywilizacji i prymitywnych ludów ufało czarownikom, którzy je leczyli.*

w poszukiwaniu takich chorób jak na przykład różne guzy.

LECZENIE

Lekarz może przepisać leki wspomagające organizm w walce z zakażeniem lub naprawie uszkodzonych tkanek. Leki wytwarza się z produktów naturalnych, jak niektóre rośliny, lub sztucznie otrzymywanych substancji chemicznych. Podzielone są one na grupy zależnie od wpływu jaki wywierają na organizm. Znamy leki, które zwalczają bakterie, zapobiegają chorobom zakaźnym, regulują pracę serca i przepływ krwi, pracę mózgu i wiele innych.

Jeśli konieczne jest wykonanie operacji chirurgicznej, pacjent przyjmowany jest do szpitala, gdzie chory narząd zostaje naprawiony lub usunięty. Transplantacja jest tą dziedziną chirurgii, która polega na zastępowaniu chorych narządów zdrowymi. Chirurgia laserowa stosuje silną wiązkę światła, za pomocą której przecina się lub naprawia chore tkanki. Dzięki mikrochirurgii można naprawiać nawet najdelikatniejsze struktury, na przykład zeszyć końce nerwów. Medycyna nuklearna, która stosuje materiały radioaktywne, służy zarówno rozpoznawaniu,jak i leczeniu chorób. Radioterapię stosuje się często w leczeniu nowotworów. Pacjenci w szczególnie ciężkim stanie wymagają intensywnej terapii, która polega na stosowaniu silnych leków, aparatów podtrzymujących funkcje życiowe organizmu i całego systemu urządzeń nadzorujących czynności poszczególnych narządów.

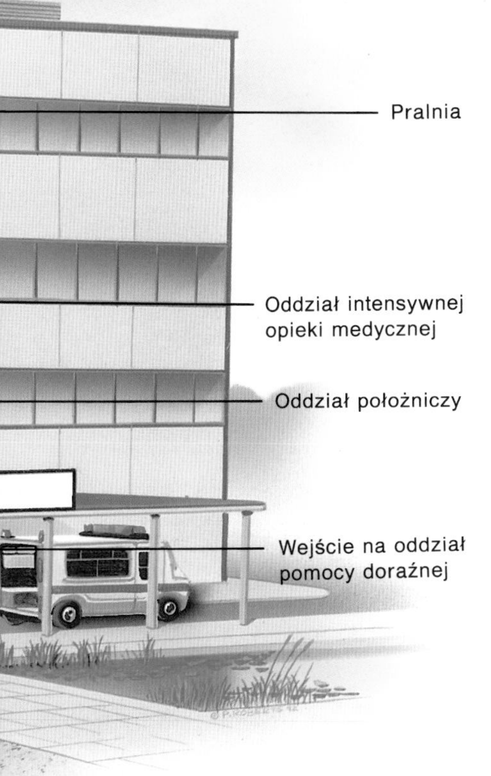

TECHNIKI OBRAZOWE

Diagnostyka radiologiczna została zrewolucjonizowana przez tomograf komputerowy. Jego kamera porusza się wokół pacjenta ukazując szczegółowe przekroje poszczególnych części ciała. Seria takich ujęć może utworzyć trójwymiarowy obraz przedstawiający na przykład szczegóły budowy i wymiary guza. Kamera innego urządzenia wykorzystuje zjawisko rezonansu magnetycznego wywoływanego w atomach wodoru przez fale radiowe. Dzięki temu otrzymuje się bardzo szczegółowy obraz na przykład mózgu (poniżej).
Tomografia pozytonowa polega na wyłapywaniu sygnałów wysyłanych przez substancje radioaktywne podane pacjentowi. Pozwala to na obserwowanie zachowania się różnych komórek w organizmie człowieka i przemian w nim zachodzących.

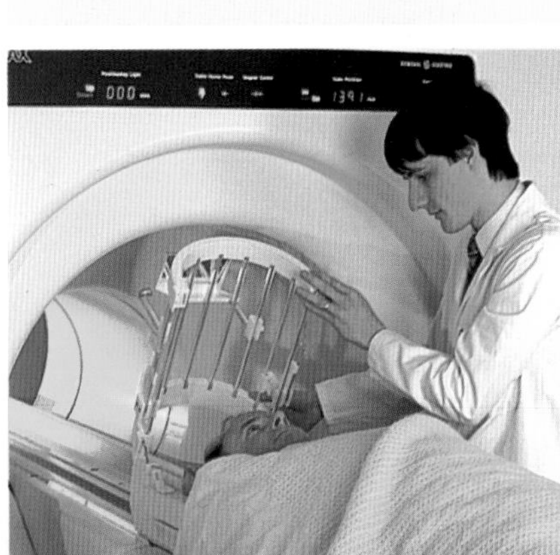

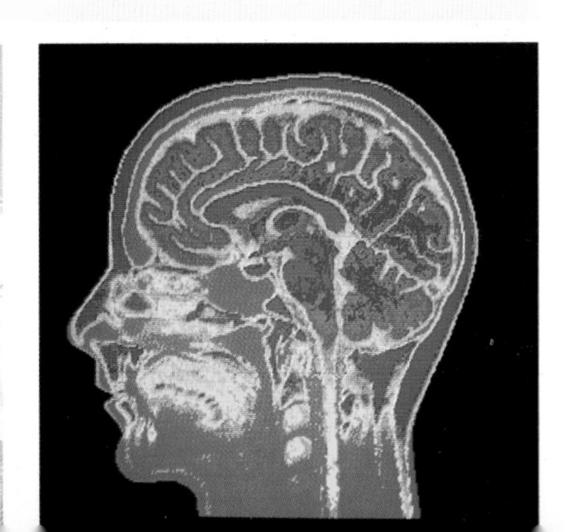

TEATR I FILM

Teatr jest jedną z najstarszych form rozrywki; kino – jedną z najmłodszych. Obydwie jednak polegają na opowiadaniu historii albo przedstawianiu tematu przy pomocy aktorów. W teatrze każde przedstawienie jest żywe i inne, kino zaś ma możliwość tworzenia niepowtarzalnych efektów specjalnych.

CZASY SZEKSPIRA

Budynki pierwszych nowożytnych teatrów pojawiły się w latach siedemdziesiątych XVI w. W Anglii miały one konstrukcję drewnianą, jak Globe Theatre w Londynie (powyżej). Były to okazałe, okrągłe budowle z centralnie usytuowaną sceną, otoczoną miejscami dla publiczności: wszystko pod gołym niebem. Entuzjastyczne tłumy oglądały wystawiane przez profesjonalnych aktorów sztuki Szekspira, Christophera Marlowe'a (1564–1593) i Bena Jonsona (1572–1637). W Hiszpanii publiczność gromadziła się na otwartych dziedzińcach zwanych *corrales*. Czasy te to tzw. złota epoka hiszpańskiego dramatu: napisano i wystawiono wówczas tysiące wspaniałych sztuk. Do najznakomitszych dramatopisarzy należał Lope de Vega (1562–1635), autor El Perro del Hortelano (Pies ogrodnika).

TEATR

W starożytnej Grecji wystawiano sztuki już 2500 lat temu. Wczesne dramaty miały często charakter religijny i grano je w świątyniach. Średniowieczne *misteria* opowiadały w barwny i udramatyzowany sposób historie biblijne.

W Anglii i Hiszpanii pierwsze prawdziwe teatry wzniesiono w czasach Williama Szekspira (1564-1616), autora tak słynnych sztuk jak *Hamlet* czy *Romeo i Julia*. Teatry te stały pod gołym niebem; dopiero u schyłku XVII wieku zaczęto przykrywać je dachami.

Wiele wczesnych sztuk opiewało losy bohaterów i królów, umieszczając akcję w egzotycznych miejscach. W ostatnim stuleciu sztuki teatralne częściej odnoszą się do rzeczywistych wydarzeń i sytuacji. W latach sześćdziesiątych powstało wiele popularnych utworów o codziennym życiu w zwykłych domach.

Scena i światła

Dziś w tworzeniu atmosfery pomagają aktorowi snopy światła.

Różne efekty uzyskuje się nakładając na reflektory filtry barwne lub specjalną emulsję.

W tradycyjnych teatrach scena usytuowana jest za łukiem tak zwanego *proscenium* i ukazuje się oczom widzów po odsłonięciu kurtyny na początku przedstawienia. W wielu nowoczesnych teatrach scenę otaczają bezpośrednio miejsca dla widzów z trzech albo nawet z czterech stron.

KINO

Pierwszy ruchomy obraz powstał w Washington Heights w Nowym Jorku, stworzył go Francuz Louis le Price w latach 1885-87. Pierwsze kino zbudowano w stanie Georgia w 1895 r. Do 1912 r. tysiące ludzi w Stanach Zjednoczonych płaciło niklowanymi pięciocentówkami za seanse w tak zwanych „niklowych" kinach. Wiele

TEATR KLASYCZNY

W starożytnej Grecji i Rzymie tysiące ludzi oglądało dramaty w wielkich, otwartych teatrach, jak ten w Atenach (po lewej). Aktorzy posługiwali się zazwyczaj wielkimi maskami. Wystawiali nie tylko komedie,ale i tragedie, pełne dramatycznych wydarzeń. Za ojca tragedii antycznej uważany jest Ajschylos (525–456 p.n.e.), autor m.in. trzech sztuk o Orestesie. Równie wspaniałe są dramaty Sofoklesa (497–405) p.n.e.) i Eurypidesa (485–406 p.n.e.). *Król Edyp* Sofoklesa opowiada o królu, który nieświadomie zabił swego ojca i poślubił własną matkę. *Medea* Eurypidesa to tragedia o kobiecie winnej śmierci własnych dzieci.

Efekty specjalne

Filmowcy od samych początków kina stosowali triki, chcąc pokazać sytuacje, niemożliwe do sfotografowania albo nierealne – na przykład latający statek. Jedną z takich technik jest „travelling mate", która umożliwiła Supermanowi latanie. Najpierw aktorów filmowano na niebieskim tle, sporządzając „matte", która mogła poruszać się po całym ekranie. Następnie, niezależnie od aktorów, kręcono tło. Potem łączono zdjęcia tła i aktorów. Obecnie filmowcy pracują nad efektami specjalnymi za pomocą komputerów. Technika komputerowa pozwala na połączenie sterowanych cyfrowo modeli, aktorów i prawdziwych scen w tak doskonały obraz, że trudno odróżnić co jest wytworem fantazji, a co prawdziwym zdjęciem.

wczesnych filmów powstało w Hollywood w Kalifornii, jako że do filmowania potrzebna była dobra pogoda. Hollywood pozostało centralnym ośrodkiem amerykańskiego przemysłu filmowego do dziś.

Pierwsze filmy były czarno-białe i nieme. Muzyka do filmu powstawała na bieżąco w kinie za sprawą pianisty albo organisty, kwestie aktorów pojawiały się jako napisy na ekranie. Pierwszym filmem dźwiękowym był nakręcony w 1927 r. *The Jazz Singer* (Śpiewak jazzbandu). Kolor wynaleziono wkrótce potem, stosowano jednak rzadko – aż do lat pięćdziesiątych, gdy opracowane przez Eastmana metody obróbki filmu zostały powszechnie przyjęte. W latach siedemdziesiątych powstały systemy pozwalające emitować dźwięk najwyższej jakości, co uczyniło filmy takie jak *Gwiezdne wojny* (Star Wars) niezwykle dramatycznymi – publiczność miała wrażenie uczestniczenia w walce.

CZY WIESZ, ŻE...?

Lope de Vega napisał ponad 1800 sztuk – 60 razy więcej niż Szekspir.

Teatr był wygnany z Anglii w latach 1642-1660, ponieważ rządzący wówczas purytanie uznali go za niemoralny.

Koszty wyprodukowania w 1991 filmu „Terminator 2: Dzień sądu" (Judgement Day) z Arnoldem Schwarzeneggerem w roli głównej zostały oszacowane na 104 miliony dolarów.

Pierwszy pokaz filmowy odbył się w 1895 r.

Jurassic Park jest filmem, w którym najpełniej wykorzystano technikę komputerową.

Pierwsze gwiazdy filmowe

Odkąd istnieje kino, są w nim gwiazdy. W czasach kina niemego, w latach dwudziestych, najpopularniejszymi gwiazdami byli komicy w rodzaju Bustera Keatona czy Charliego Chaplina. Chaplin budził sympatię milionów jako obdarty włóczęga w meloniku i z laską w dłoni. Piękne kobiety, jak Mary Pickford i Carole Lombard, nadały Hollywood czar, którego nigdy już nie stracił. Wielu gwiazdom kina niemego nie powiodło się przejście do kina dźwiękowego. Jedną z pierwszych gwiazd filmu dźwiękowego była niemiecka aktorka Marlene Dietrich, która zyskała rozgłos filmem *Niebieski anioł* (Blue Angel, 1930).

Shirley Temple

Humphrey Bogart

Może największą ze wszystkich gwiazd była Marilyn Monroe (1926-1962). Tragiczna śmierć uczyniła ją symbolem bezlitosnego wykorzystywania przez przemysł filmowy młodości i urody.

Marilyn Monroe

Arnold Schwarzenegger

Wczesny plakat filmowy Chaplina

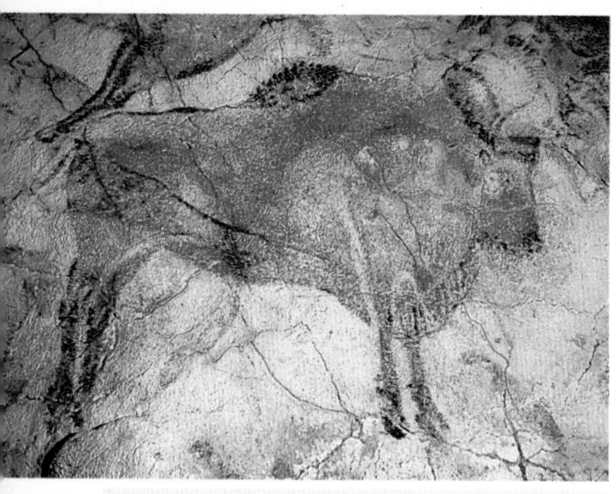

Człowiek epoki kamiennej malował zwierzęta na ścianach jaskiń – ten bizon powstał prawie 30 000 lat temu.

SZTUKI PIĘKNE

Ludzie malują obrazy i tworzą piękne kształty dla przyjemności i inspiracji od czasów prehistorycznych, a każda cywilizacja i kultura ma swój własny styl malarstwa i rzeźby.

SZTUKA JASKIŃ

Najstarsze przejawy sztuki odnajdujemy już w pozostałościach z epoki kamiennej, sprzed 30 000 lat. Istnieje wiele figurek kamiennych tęgich kobiet, nazywanych Wenus i datowanych na 20 000 lat p.n.e. Jest też wiele starych malatur na ścianach jaskiń w południowej Francji i północnej Hiszpanii. Najwcześniejsze z nich pochodzą sprzed 30 000 lat. Najsłynniejsze odkryto w Lascaux we Francji i Altamirze w Hiszpanii; namalowano je pomiędzy 15 000 a 10 000 lat p.n.e.

Nieznany malarz używał patyka i barwników uzyskanych z kolorowych gleb i glinek; ruda żelaza oraz żółta ochra pozwalała na przykład uzyskać czerwienie i brązy. Na ścianach jaskiń przedstawiano na ogół jelenie, bizony, konie, dzikie bydło, mamuty, wełniste nosorożce oraz wiele innych zwierząt. Postacie ludzkie i inne tematy pojawiają się na nich tylko z rzadka.

SZTUKA ZACHODU

Kiedy mieszkańcy Europy i Ameryki mówią o sztukach pięknych, mają na ogół na myśli malarstwo i rzeźbę powstałą w Europie i Ameryce w ciągu ostatnich 700 lat. Oczywiście, wiele wspaniałych obrazów stworzono gdzie indziej, nie są one jednak częścią tej samej tradycji.

Malarstwo średniowieczne. W wiekach średnich artyści malowali głównie na zamówienie kościołów – na podłożu drewnianym albo bezpośrednio na ścianach świątyń. Malarstwo to przedstawia sceny z życia Chrystusa i świętych. Jest czyste i bogate kolorystycznie, lecz wydaje nam się płaskie, zbliżone do rysunku i nienaturalne. Około 1300 roku artysta włoski Giotto (1267-1337) zaczął malować postacie i krajobrazy w sposób bardziej zbliżony do natury i życia, jego następcy podążyli tym tropem. Po raz pierwszy ludzkie postaci zdawały się mieć pod luźną szatą ciało.

Renesans był jednym z najwspanialszych okresów w historii sztuki, zwłaszcza we Włoszech. Artyści renesansowi zafascynowani byli czystą, doskonale proporcjonalną sztuką starożytnej Grecji i Rzymu.

W malarstwie Masaccia (1401-1428) postaci po raz pierwszy odwzorowywane były z natury. Artyści tacy jak Piero della Francesca (1420-1492) i Leon Alberti (1404-1472) zastosowali perspektywę, sposób oddania głębi za pomocą zbiegających się linii. Leonardo da Vinci (1452-1519) studiował anatomię, by uczynić swe postacie realistycznymi. Renesans osiągnął swój pełny rozkwit na początku XVI wieku, kiedy to w Rzymie działali Michał Anioł (1475-1564), Rafael (1483-1520) oraz architekt Bramante (1444-1514).

Wiek XVII. Pod koniec XVI wieku artyści zaczęli odchodzić od klasycznych wzorów renesansowych, a styl sztuki stał się bardziej ekspresyjny, energiczny. Rubens

IDEA KLASYCZNA
Sztuka klasyczna antycznej Grecji i Rzymu miała głęboki i długotrwały wpływ na sztukę Zachodu. Zwłaszcza w czasach Odrodzenia artyści tacy jak Alberti i Donatello przybywali do Rzymu, by studiować antyczne ruiny i rzeźby oraz naśladować czysty, wyważony i elegancki styl artystów klasycznych. Namalowane przez Michała Anioła postaci na sklepieniu Kaplicy Sykstyńskiej (na lewo) posiadają niemało z owej wielkości klasycznych herosów.

Pigmenty. *Farbom na palecie artysty kolor nadają pigmenty. Do początku XIX wieku pigmenty były pochodzenia mineralnego i roślinnego. Od 1856 do farb stosuje się barwniki syntetyczne.*

MALARSTWO

Stosuje farby olejne lub akrylowe, akwarele bądź też, w przypadku fresków, wykorzystuje mokry tynk. Malarze wczesnorenesansowi mieszali pigmenty z białkiem jaja (*tempera*), zastąpionym później przez olej lniany (*olej*).

IMPRESJONIŚCI

W latach siedemdziesiątych XIX w. grupa artystów francuskich zwanych impresjonistami stworzyła jedne z najpopularniejszych dziś obrazów. Ich jasna paleta, miękko kolorowane krajobrazy i sceny z życia francuskiego są odejściem od wystudiowanego detalu dotychczasowego malarstwa, starają się uchwycić spontaniczne, pozbawione uwagi dla szczegółów codzienne spojrzenie na świat. Właśnie dlatego twórców tych nazwano impresjonistami. Najsłynniejszymi z nich byli Monet (1840-1926), Renoir (1841-1919) i Degas (1834-1917).

(1577-1640) i Velasquez (1599-1660) malowali, chętniej niż herosów i świętych, zwykłych ludzi. W Holandii Vermeer (1632-1675) przedstawiał z perfekcyjną dokładnością detalu pełne harmonii wnętrza.

Portrety i pejzaże. W XVIII wieku ludzie bogaci zaczęli zamawiać obrazy do wystroju domów – ukwiecone wnętrza Bouchera (1703-70) i portrety Gainsborougha (1727-88). W początkach wieku XIX wielu artystów sprzeciwiało się rozmiarom i skutkom estetycznym rewolucji przemysłowej, malując namiętne romantyczne wydarzenia – Gericault (1791-1824) i Delacroix (1798-1863) oraz nastrojowe pejzaże – Constable (1776-1837) i Turner (1775-1851). Z połową XIX wieku artyści tacy jak Courbet (1819-1877) zwrócili się ku chłodniejszym emocjonalnie, bardziej realistycznym przedstawieniom i zbliżonym do życia tematom.

RZEŹBA

Jednym z najsłynniejszych dawnych rzeźbiarzy był Donatello (1386-1466), twórca posągu Dawida – pierwszego, naturalnych rozmiarów, brązu renesansowego. Postać Dawida rzeźbił również Michał Anioł – jest ona bardziej muskularna i wyrzeźbiona w marmurze, podobnie jak wiele innych wielkich dzieł artysty. Najsłynniejszym chyba rzeźbiarzem od czasów Odrodzenia był Francuz Auguste Rodin (1840-1917), którego rzeźby takie jak *Zamyślony* i *Pocałunek* zdają się być zamrożoną w bezruchu rzeczywistością.

Przed wiekiem XX rzeźbiarze koncentrowali się głównie na tworzeniu realistycznych przedstawień ludzi i zwierząt. Obecnie większość artystów tworzy kompozycje abstrakcyjne lub półabstrakcyjne – przykładem mogą tu być gładkie, organiczne kształty z otworami Henry'ego Moore'a (1898-1986).

POP ART

W latach sześćdziesiątych naszego wieku młodzi artyści – David Hockney (1937-) i Andy Warhol (1926-87) – odczuli nieprzystawalność sztuki abstrakcyjnej do współczesnego życia i próbowali szeroko rozwinąć popularny styl zwany Pop Art. Oto obraz Davida Hockney'a (po lewej) zatytułowany „A bigger splash".

Wielu współczesnych artystów *malowało również sceny realistyczne; większość jednak – abstrakcje. Kubiści, począwszy od Picassa (1881-1973), deformowali przedmioty w różne kształty. Kandinsky (1866-1944) uczynił kolor i formę ważniejszymi od samego tematu (po prawej).*

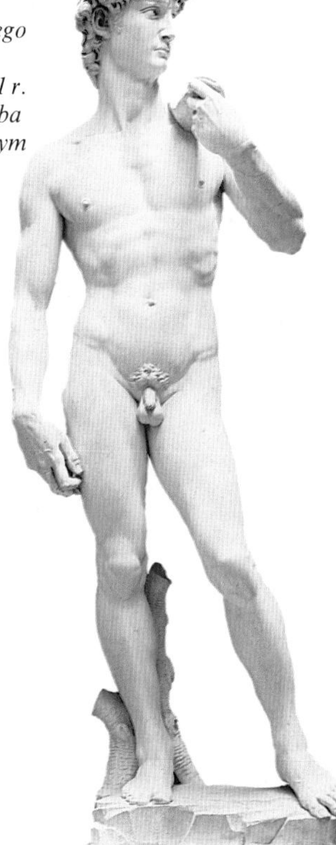

Michał Anioł *wyrzeźbił swojego Dawida we Florencji w 1501 r. Do dzisiaj rzeźba znajduje się w tym mieście.*

MUZYKA

Istnieje muzyka rockowa i rap, klasyczna i chóralna, jazz i jive, swing i salsa oraz wiele innych jej rodzajów. Łączy je to, że zawsze są to dźwięki zorganizowane w porządek nutowy i rytmiczny.

ZAPIS MUZYCZNY

Przy zapisywaniu muzyki stosuje się specjalną *notację*. Dzięki niej kompozytor jest w stanie wyrazić każdy szczegół muzyki na tyle dokładnie, że inny muzyk może odtworzyć utwór tak, jak został pomyślany. Nuty są zapisywane w jednej lub kilku równoległych pięcioliniach połączonych razem. Zapis obejmujący pięciolinię: niższą (z *kluczem basowym*) odnosi się do dźwięków niskich, wyższą (z *kluczem wiolinowym*) - do dźwięków wysokich.

Wysokość dźwięku określa pozycja nuty na pięciolinii, zaś długość - prosty kod. Cała nuta trwająca cztery uderzenia jest białym kółkiem; półnutę - dwa uderzenia - oznaczamy kółkiem z ogonkiem; ćwierćnuta, trwająca jedno uderzenie jest czarną kulką z ogonkiem; ósemka - połowa ćwierćnuty ma przy ogonku chorągiewkę itd. Zapis melodii podzielony jest na krótkie fragmenty zwane *taktami*. Przy określonym *metrum* w każdym takcie musi być tyle samo uderzeń.

Muzykę zapisuje się w kluczu, którego symbol widnieje na początku każdej pięciolinii. System tonalny jest oparty na następstwie nut zwanym skalą dur-moll.

MUZYKA KLASYCZNA I ORKIESTROWA

Korzenie muzyki klasycznej i orkiestrowej sięgają średniowiecznych klasztorów, gdzie mnisi wykonywali śpiewy zwane *cantus planus*, odbijające się echem od kamiennych ścian. Z początkiem XII wieku śpiewacy zaczęli dodawać do melodii drugi, a potem nawet trzeci głos. Była to już *polifonia* - wielogłosowość. W Reims we Francji, Machault (1300-1377) dołączył do polifonii rytm. Utwory polifoniczne były w większości *wokalne* (przeznaczone do wykonania przez śpiewaków), a kompozytorzy tacy jak Palestrina (1525-1594) czy Monteverdi (1567-1643) tworzyli wspaniałe *msze wokalne* (na użytek kościoła) i madrygały (dla rozrywki władców i dam).

W XVI wieku zaczęto tworzyć muzykę polifoniczną przeznaczoną do wykonywania na instrumentach takich jak *viole* (rodzaj instrumentu smyczkowego) i lutnie. W większości były to nowe popularne tańce - *pavana, galliarde*. W miarę rozwoju sztuki wykonawczej kompozytorzy (np. Monteverdi) tworzyli pełne ekspresji dzieła na głosy solo i chór.

Barok i klasycyzm. W wieku XVII kompozytorzy zainteresowali się *harmonią* - techniką akordową (polegającą na wykorzystaniu zgodnego współbrzmienia dźwięków), odchodząc od równoległych melodii. Powstawały utwory instrumentalne o wymyślnej formie jak *sonaty* i *concerto*. Największym spośród kompozytorów tamtych czasów był Jan Sebastian Bach (1685-1750). W XVIII wieku zespoły muzyczne rozrosły się do orkiestr, a muzyka zyskała jeszcze bardziej złożoną strukturę, przy czym kompozycje nie wychodziły poza ramy ściśle określonej formy. Symfonie, czyli

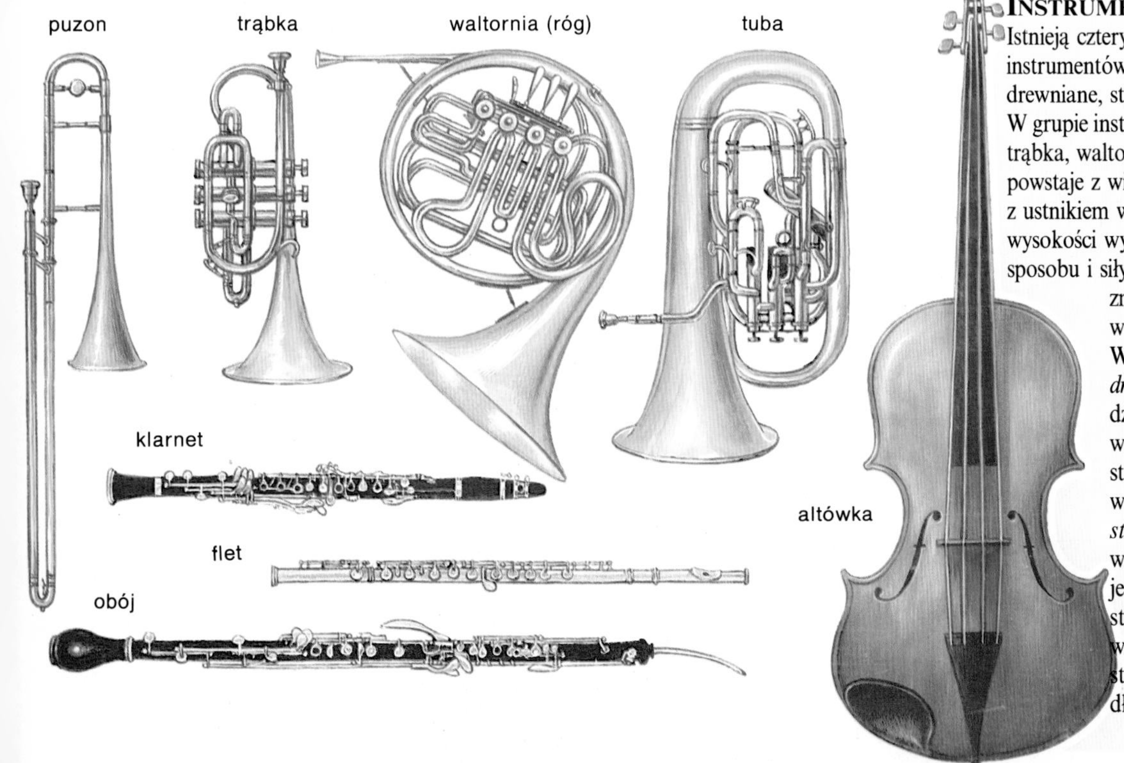

INSTRUMENTY

Istnieją cztery główne rodzaje instrumentów: dęte blaszane, dęte drewniane, strunowe oraz perkusyjne. W grupie instrumentów *blaszanych* (puzon, trąbka, waltornia, czyli róg, i tuba) dźwięk powstaje z wibracji stykających się z ustnikiem warg muzyka. Dźwięki różnej wysokości wydobywa się przez zmianę sposobu i siły zadęcia oraz długości rury, zmienianej za pomocą wentyli, w której wibruje słup powietrza. W instrumentach dętych *drewnianych* (klarnet, obój) dźwięk powstaje dzięki wprawianemu w drgania stroikowi, zamontowanemu w ustniku. W instrumentach *strunowych* (skrzypce, wiolonczela) źródłem dźwięku jest pobudzona do drgań struna. Muzyk zmienia wysokość dźwięku, dociskając struny palcami, co reguluje ich długość drgającą.

Rock i rap

Współczesna twórczość muzyczna, pełna tanecznych rytmów, czerpie wiele z muzyki Murzynów amerykańskich– zwłaszcza z *jazzu* i *bluesa* (smutnych, rytmicznych pieśni), którymi rozbrzmiewał Nowy Orlean pod koniec wieku XIX. W latach pięćdziesiątych czarnoskóre zespoły gitarowe stworzyły *rock and roll.* Gdy w nurt ten włączyli się biali, jak Buddy Holly czy Elvis Presley, rock and roll stał się muzyką wszystkich nastolatków.

W latach sześćdziesiątych w rytmie rock and rolla grało wiele grup rockowych, np. The Beatles. W latach dziewięćdziesiątych muzyka popularna ponownie zwróciła się do tryskających energią rytmów tanecznych takich jak *rap* i *house*, zrodzonych w latach osiemdziesiątych w środowiskach Murzynów.

***Miles Davis** (1926-92) był wielkim trębaczem jazzowym, grał* bebop. *W latach czterdziestych zdobył sławę jako muzyk jazz-rockowy*

sonaty na orkiestrę, rozpoczynała prawie zawsze część szybka, środkowa była powolna, a zakończenie znowu żywe. Mozart (1756-1791) potrafił w ramach tych sztywnych, *klasycznych* struktur stworzyć jedne z najpiękniejszych dzieł orkiestrowych, jakie kiedykolwiek powstały.

Romantyzm i współczesność.
W początkach XVIII wieku muzyka klasyczna, elegancka i wyrafinowana, ustąpiła miejsca wielkim, nastrojowym, pełnym emocji utworom Beethovena (1770-1827). Romantycznie brzmiąca muzyka tego kompozytora otworzyła drogę do olśniewającej pianistyki Chopina i Liszta. Inspiracją dla niektórych kompozytorów romantycznych była muzyka ludowa krajów, z których pochodzili. Należał do nich Rosjanin Piotr Czajkowski (1840-1893).

W początkach naszego wieku, kompozytorzy tacy jak Strawiński (1882-1971) i Bartók (1881-1945) zaczęli doceniać *dysonanse* (niezgodne, ostre współbrzmienia dźwięków), tworząc dramatyczne, ekscytujące kompozycje.

Instrumenty klawiszowe

Instrumenty klawiszowe są używane od ponad 400 lat, ponieważ można na nich realizować akordy wielodźwiękowe – pozwalają na równoczesne brzmienie nawet 10 dźwięków. W muzyce wieku XVII i XVIII dominował klawesyn. XIX- i XX-wieczni kompozytorzy, jak Chopin (1810-1849) czy Rachmaninow (1873-1943), pisali utwory na dysponujący donośnym dźwiękiem i coraz bardziej popularny fortepian. Obecnie we wszystkich rodzajach muzyki używa się nowoczesnych, niezwykle wszechstronnych syntezatorów.

Orkiestra

Istnieją różne rodzaje orkiestr, od małych orkiestr smyczkowych po wielkie symfoniczne, liczące 90 i więcej muzyków. Pierwsze orkiestry pojawiły się w XVII w. Były małymi, często przypadkowymi zespołami, zogniskowanymi wokół klawesynu albo organów.

W czasach Mozarta klawesyn i organy przestały być tak popularne. Ustalony został klasyczny skład orkiestry, złożonej z około 40 muzyków w grupach smyczków, instrumentów dętych drewnianych, dętych blaszanych i perkusji. W ciągu wieku XIX orkiestra wciąż się rozrastała, a kompozytorzy – tacy jak Ryszard Strauss – tworzyli monumentalne utwory, wymagające wielkiej sekcji instrumentów blaszanych. Ostatnio brzmienie orkiestr wzbogaciło się o dźwięki egzotycznych perkusji i elektrycznych syntezatorów.

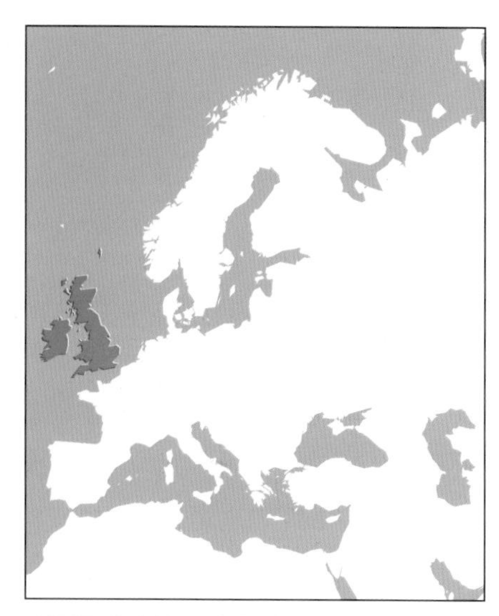

WYSPY BRYTYJSKIE

Wyspy Brytyjskie to grupa około 400 wysp. Ich linia brzegowa ma ponad 20 000 kilometrów. Są dwie duże wyspy, Wielka Brytania i Irlandia, które wchodzą w skład terytoriów dwóch państw – Zjednoczonego Królestwa Wielkiej Brytanii i Republiki Irlandii.

WYSPY BRYTYJSKIE

Obszar: 314 395 km²
Ludność: Zjednoczone Królestwo 59 500 000
Republika Irlandii 3 790 000
Najwyższy punkt: Ben Nevis, 1343 m n.p.m.
Najdłuższa rzeka: Shannon, 370 km

KRAJE

Zjednoczone Królestwo (Anglia, Walia, Szkocja, prowincja Irlandii Północnej), Republika Irlandii.

GOSPODARKA

Rolnictwo: Intensywne, zmechanizowane rolnictwo zaspokaja dwie trzecie brytyjskiego zapotrzebowania na żywność. Hodowla trzody jest rozwinięta na zachodzie i w Irlandii.
Zasoby naturalne: Oprócz ropy naftowej na Morzu Północnym i węgla Wielka Brytania ma niewiele zasobów; musi w znacznej mierze polegać na imporcie.
Przemysł: Zjednoczone Królestwo nie jest dzisiaj takim producentem jak niegdyś, chociaż np. produkcja samochodów osobowych i ciężarówek nadal jest wysoka. Ponad połowa siły roboczej pracuje obecnie w usługach – trend wzmacniający się zwłaszcza od lat 80. XX w.

USTRÓJ POLITYCZNY

Wielka Brytania jest monarchią konstytucyjną, rządzoną przez rząd tworzony przez partię, która zdobyła większość w Izbie Gmin. Przywódca tej partii zostaje premierem. Republika Irlandii ma prezydenta o znikomej władzy. Krajem rządzi *taoiseach* (premier) i rząd mianowany przez *dail* (parlament).

JĘZYKI

Większość mówi po angielsku. W Irlandii, Szkocji i Walii mówi się także po irlandzku, szkocko-celtycku i walijsku.

RELIGIA

Angielscy protestanci są większością w Zjednoczonym Królestwie, rzymskokatolicy w Irlandii. Wyznaje się także: islam, hinduizm, judaizm.

ZJEDNOCZONE KRÓLESTWO

Zjednoczone Królestwo składa się z czterech historycznych krain – Anglii, Szkocji, Walii i Irlandii Północnej.

Anglia z tych czterech krajów jest największa i najgęściej zaludniona – z bujną zielenią pofałdowanych wzgórz i żyznych ziem uprawnych. Południowy wschód, z trawiastymi wzniesieniami i szerokimi dolinami, jest gęsto zaludniony i intensywnie uprawiany. Gospodarstwa mleczarskie przeważają na zachodzie i południowym zachodzie. Na północy ludność skupia się w wielkich miastach przemysłowych, wyżynne i górzyste obszary są rzadziej zaludnione.

Walia jest krainą wzgórz i gospodarstw hodujących owce, poza południem, które jest przemysłowe i gdzie kiedyś wydobywano w wielkich ilościach wysokiej jakości węgiel kamienny.

Szkocja to głównie dzikie bagna, niewysokie góry i doliny, a większość mieszkańców żyje w środkowych nizinnych okręgach wokół Glasgow i Edynburga.

Prawie jedna trzecia mieszkańców Irlandii Północnej mieszka w Belfaście. Reszta jest rozsiana wśród jej wzgórz i dolin i wokół największego jeziora Wielkiej Brytanii, Lough Neagh.

Ludność. Pośród ludności Anglii jest wielu potomków Anglów, Sasów i Normanów, którzy najeżdżali wyspy w wiekach średnich. Wielu Szkotów, Irlandczyków i Walijczyków jest potomkami Celtów, którzy zamieszkiwali Brytanię od VII w. p.n.e. W ciągu wieków na Wyspy Brytyjskie przybyło wielu ludzi, tworząc bogatą mieszankę kultur i narodowości. W XX w. przybyli tu emigranci z Europy, Azji i Karaibów.

W XIX w. Wielka Brytania była państwem bogatym i potężnym, pierwszym krajem, w którym dokonywała się rewolucja przemysłowa. Wielka Brytania panowała nad rozległym imperium obejmującym m.in. Indie, Kanadę i Australię. Od początku XX w. imperium brytyjskie zaczęło się rozpadać i zostało zastąpione przez dobrowolną Wspólnotę Narodów. Potęga ekonomiczna kraju zaczęła podupadać.

Po II wojnie światowej rząd laburzystowski upaństwowił wiele gałęzi przemysłu, wprowadził państwo opiekuńcze, by pomagać potrzebującym, i zorganizował pierwszą na świecie państwową bezpłatną służbę zdrowia. Nie pomogło to rozwiązać problemów

__Aukcja owiec__ w Walii. Owce były ostoją brytyjskiej gospodarki w średniowieczu. Są nadal ważne w dzisiejszej Walii.

__Kopanie torfu.__ Torf (obumarła roślinność bagienna) jest używany jako paliwo i nawóz, ale stopień zniszczenia torfowisk w Irlandii stanowi problem.

Pałac Westminsterski w Londynie, siedziba angielskiego parlamentu, ukończony w 1860 roku.

Blackpool, z długimi, piaszczystymi plażami i lokalami rozrywkowymi od dawna był popularnym ośrodkiem urlopowym wczasowiczów z całego kraju.

gospodarczych kraju. Niektórzy uważają, że upaństwowione gałęzie przemysłu, jak górnictwo węglowe i hutnictwo, były zbyt rozbudowane i niewydajne. W 1973 roku Wielka Brytania przystąpiła do EWG.

Przełom XX i XXI w. W 1979 roku został wybrany konserwatywny rząd kierowany przez Margaret Thatcher. Rząd ten sprywatyzował upaństwowiony przemysł, przekształcił państwo opiekuńcze i starał się poprawić gospodarkę przez zredukowanie inflacji. Mimo dodatkowych dochodów z wydobycia ropy naftowej spod Morza Północnego bezrobocie rosło szybko, przestarzały przemysł wytwórczy upadał, a problemy społeczne zaostrzyły się.

W wyborach 1992 roku poglądy konserwatystów w sprawach europejskich i EWG pozwoliły im po raz czwarty uzyskać najwięcej miejsc w parlamencie i utrzymać ster rządów w swoim ręku.

W 1997 roku po 18 latach rządów konserwatystów wybory wygrała Partia Pracy, a premierem został Tony Blair.

REPUBLIKA IRLANDII

Znaczne opady i dość ciepły klimat sprawiają, że trawy Irlandii są bujne i wiecznie zielone, przez co wyspa zyskała przydomek „szmaragdowej". Przeszłość tego kraju jest jednak daleka od baśniowego bogactwa. Od 1172 roku znajdował się on pod dominacją angielską i większość Irlandczyków była biedna. W latach 40. XIX w. w czasie tzw. wielkiego głodu, spowodowanego zarazą ziemniaczaną, zmarło milion ludzi. Kilka milionów wyemigrowało do Stanów Zjednoczonych. Wielka Brytania podzieliła Irlandię w 1920 roku, włączając sześć hrabstw prowincji ulsterskiej do Zjednoczonego Królestwa. W 1922 roku, po zagorzałej wojnie o niepodległość powstało Wolne Państwo Irlandzkie. Republikę Irlandii (Eire) ustanowiono w 1948 roku. Od tego czasu Eire zaczęła prężniej rozwijać swoją gospodarkę. Nie straciła jednak swojego wiejskiego charakteru i nadal wielu młodych ludzi opuszcza kraj, żeby znaleźć pracę w Anglii. Na poprawę sytuacji gospodarczej Irlandii wpłynęło przyjęcie jej w 1973 roku do EWG.

LONDYN

Londyn obok Tokio i Nowego Jorku należy do największych w świecie ośrodków finansowych i handlowych. Przemiany handlowe na całym świecie dokonują się w rytm operacji finansowych w City – „mili kwadratowej" w samym sercu londyńskiego centrum finansowego. Londyn jest również wielkim centrum kulturalnym. Duża liczba teatrów, muzeów i galerii sztuki sprawia, że miliony turystów przybywa każdego roku, by zwiedzić jego budynki historyczne: twierdzę Tower, katedrę Świętego Pawła i pałac Buckingham. W XIX w. Londyn był największym miastem świata. Od tego czasu wiele innych miast przegoniło Londyn, a liczba jego mieszkańców powoli zmniejsza się, gdyż londyńczycy przenoszą się do podmiejskich ośrodków.

IRLANDIA PÓŁNOCNA

Ludność Eire jest głównie rzymskokatolicka, Irlandii Północnej zaś protestancka, pochodząca od szkockich osadników, którzy przybyli tu w XVII w. Jest to jedna z przyczyn pozostania Ulsteru (owych sześciu hrabstw) w Zjednoczonym Królestwie, po uzyskaniu niepodległości przez Irlandię w 1922 roku. W latach 60. XX w. protesty katolickiej mniejszości przeciwko dyskryminacji doprowadziły do licznych zamachów bombowych i mordów po obu stronach. W 1969 roku wojska brytyjskie zostały wysłane, by spróbować przywrócić spokój. W 1972 roku rząd brytyjski wprowadził bezpośrednie rządy w tej prowincji.

Glencoe w Szkocji. Niegdyś w górach Szkocji (region Highland) było dużo niewielkich gospodarstw. W XIX w. wielu gospodarzy musiało opuścić swoje gospodarstwa. Na ich miejscu powstawały owcze farmy. Dzisiaj Highland jest opustoszałym rejonem, a takie gospodarstwa należą do rzadkości.

CZY WIESZ, ŻE...?

Flaga brytyjska, często nazywana Union Jack, jest kombinacją dawnych flag Anglii, Irlandii i Szkocji.

Wielka Brytania jest ósmą co do wielkości wyspą świata – największa jest Grenlandia.

Ilość stali zużytej na platformy wiertnicze na Morzu Północnym wystarczyłaby do zbudowania ponad dwustu wież Eiffla.

Wielka Brytania otrzymała swą nazwę bardzo dawno, nie dlatego, że kraj ten był wielki, ale dlatego, że jest większy od mniejszej Brytanii – Bretanii we Francji.

W Patagonii, w Argentynie żyje więcej osob mówiących po walijsku niż w Walii.

Stowarzyszenie ubezpieczeniowe Lloyd'sa, Lloyd's of London, zostało założone w londyńskiej kawiarni w 1688 roku.

EUROPA PÓŁNOCNA

Szwecja, Norwegia, Dania, Finlandia, Islandia i duńska Grenlandia należą do najbardziej na północ wysuniętych krajów świata, zamieszkałych przez ludzi. Na obszarach położonych daleko na północy, poza kołem polarnym słońce latem świeci krótko, zimą zaś jest ciemno przez wiele dni.

EUROPA PÓŁNOCNA

Obszar: 1 258 080 km²* (bez Grenlandii)
Ludność: 24 124 000
Najwyższy punkt: Glittertind, Norwegia, 2472 m n.p.m.
Najdłuższa rzeka: Glomma, Norwegia, 598 km

KRAJE
Dania, Finlandia, Norwegia, Szwecja, Islandia

GOSPODARKA
Rolnictwo: Poza Danią jedynie niewielkie obszary nadają się pod uprawę. Nowoczesne gospodarstwa Danii produkują przetwory mleczne i mięsne.
Zasoby naturalne: Norwegia, Szwecja i Finlandia mają silne przemysły drzewne i wykorzystują energię hydroelektryczną. Szwecja dysponuje wielkimi złożami rud żelaza, Norwegia – ropy naftowej i rybami w Morzu Północnym. Islandia żyje głównie z rybołówstwa.
Przemysł: Nowoczesny i dobrze rozwinięty, zwłaszcza w Szwecji, gdzie bardzo ważną rolę odgrywa przetwórstwo rud żelaza. Norwegia jest jednym z czołowych przewoźników morskich świata.

USTRÓJ POLITYCZNY
Finlandia i Islandia są republikami, pozostałe kraje – monarchiami konstytucyjnymi, kierowanymi przez wybierane rządy.

JĘZYKI
Każdy kraj ma odrębny język, ale poza fińskim są one ze sobą spokrewnione.

OBSZAR
Szwecja, Finlandia i Norwegia leżą na Półwyspie Skandynawskim. Na zachodzie jest on poszarpany i górzysty. Czapy lodowe i lodowcowe połyskujące na wysokich płaskowyżach są niewielkimi pozostałościami ogromnych połaci lodu i lodowców, które niegdyś pokrywały północ Europy, żłobiąc głębokie wcięcia zwane fiordami u wybrzeży Norwegii i pozostawiając w Szwecji i Finlandii tysiące jezior. Miasta są nieliczne: większość ludności zamieszkuje strefę nadbrzeżną, pracując głównie w bardzo rozwiniętym rybołówstwie bądź gospodarce leśnej.

Dania i południowa Szwecja mają znacznie łagodniej ukształtowane tereny z żyznymi ziemiami pod uprawy. Rolnictwo w Danii jest intensywne i wysoko zmechanizowane.

LUDNOŚĆ
Jeszcze przed sześćdziesięciu paru laty kraje tego regionu były stosunkowo biedne i wielu ich mieszkańców wyemigrowało do Ameryki Północnej. Dzisiaj Szwedzi, Norwegowie, Finowie i Duńczycy cieszą się bardzo wysokim poziomem życia. Wykorzystali znakomicie swe zasoby naturalne, m.in. rudę żelaza, drewno, energię wód, łącząc je z wysokiej jakości produkcją. Szwecja jest znana z wyrobu precyzyjnych maszyn, sprzętu AGD, np. Electrolux, i samochodów, jak Volvo i Saab. Finlandia eksportuje doskonałe drewno i produkty jego przetworzenia, jak celuloza i papier.

Kraje skandynawskie są znane z postępowych poglądów i szczodrego systemu opieki społecznej. Norwegia i Szwecja przyznały kobietom prawo do głosowania już ponad 100 lat temu, na długo przed większością krajów europejskich. Szwecja przyznaje coroczną Nagrodę Nobla za osiągnięcia w kilku dziedzinach nauki, literaturze oraz ekonomii, Norwegia zaś za działalność na rzecz zbliżenia między narodami.

LAPOŃCZYCY
Lapończycy z dalekiej północy Norwegii, Szwecji i Finlandii są od dawna myśliwymi, rybakami i pasterzami. Jest ich blisko 35 000 i mają swój własny język i styl życia. Wielu z nich jest hodowcami reniferów. Mieszkają w namiotach ze skór reniferów i przenoszą się ze swoimi stadami z zimowych terenów wypasu, na północnych obrzeżach, do letnich pastwisk wysoko w północnej części Gór Skandynawskich.
Stada reniferów zostały dotknięte skutkami wybuchu atomowego w Czernobylu w 1986 roku i wielu Lapończyków porzuciło swe tradycyjne zajęcia i przeniosło się do nowoczesnych miast.

CZY WIESZ, ŻE...?

Finlandia ma ponad 60 000 jezior.

Szwedzki socjalistyczny premier Olof Palme został zamordowany w 1986 roku.

Jedna trzecia Danii to małe wyspy – jest ich 482.

Szwecja wydaje 60% swojego produktu narodowego brutto (str. 184) na opiekę społeczną i inne usługi publiczne, więcej niż jakikolwiek inny kraj.

Sogne Fjord *w Norwegii jest jednym z największych fiordów wyrzeźbionych przez lodowce. Fiordy mają bardzo strome ściany i sięgają czasem ponad 1000 m w głębiny morza. Sogne Fjord jest najdłuższy, wcina się 204 km w głąb lądu.*

NIEMCY, AUSTRIA I SZWAJCARIA

Niemieckojęzyczne kraje w centrum Europy – Niemcy, Austria i Szwajcaria – rozciągają się od wysokich szczytów alpejskich na południu po wybrzeża Bałtyku i Morza Północnego. Należą do najbogatszych państw świata.

NIEMCY

Spora część północnych Niemiec jest niziną, z wrzosowiskami i mokradłami, oraz żyznymi terenami rolniczymi. Południe to w większej części gęsto zadrzewione wzgórza i góry, jak Góry Szwarcwaldu i Harcu, wspinające się do wysokich szczytów Alp. Na północ od Alp spływają dwie wielkie rzeki, Dunaj i Ren. Ren jest ważnym szlakiem komunikacyjnym i spora część niemieckiego przemysłu koncentruje się wzdłuż niego, a zwłaszcza jego dopływu, rzeki Ruhry. Dzisiaj nowe gałęzie przemysłu rozwijają się w miastach południa, na przykład w Stuttgarcie.

Podzielone i zjednoczone. Gdy w 1945 roku kończyła się II wojna światowa, Niemcy leżały w gruzach i były podzielone na dwie strefy okupacyjne, z których w 1949 roku powstały dwa państwa. Niemiecka Republika Demokratyczna powstała na obszarach okupowanych przez Związek Radziecki, jako kraj komunistyczny. Niemcy Zachodnie, okupowane przez zachodnich aliantów, i połowa starej stolicy – Berlina (leżącego wewnątrz Niemiec Wschodnich) – stały się Republiką Federalną Niemiec. Obie części Berlina w latach 1961–1989 były rozdzielone wielkim betonowym murem.

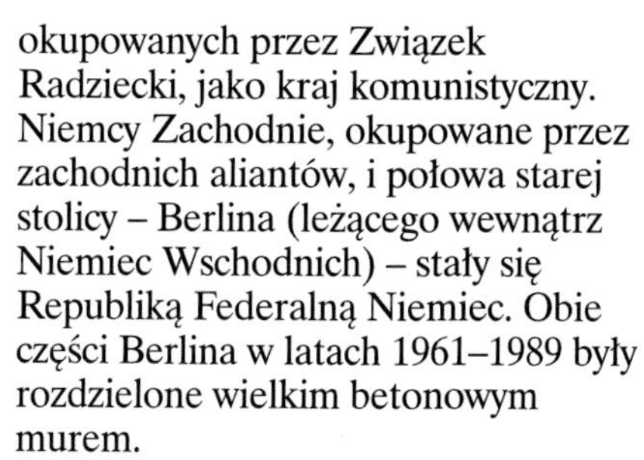

Niemcy Zachodnie odbudowały swoją gospodarkę, która dzięki pomocy zachodu szybko stała się jedną z najprężniejszych w świecie. Niemcy znane są ze swej techniki i produktów wysokiej jakości, takich jak samochody BMW czy Mercedes.

Gdy w 1989 roku został zburzony Mur Berliński, niemiecki „cud gospodarczy" stracił nieco blasku. Niemcy Wschodnie i Zachodnie połączyły się w jedno państwo w 1990 roku. Część mieszkańców landów zachodnich wyrażała obawy, czy koszty zjednoczenia, a w szczególności poziom bezrobocia w landach wschodnich, nie zachwieją ich dobrobytem. Mimo tych obaw Niemcy są nadal bardzo bogatym krajem.

W 1991 roku parlament niemiecki na powrót uczynił Berlin stolicą Niemiec. Od tego czasu wybudowano m.in. nowoczesne centrum handlowe miasta.

NIEMCY

Obszar: 356 954 km²
Ludność: 82 700 000
Najwyższy punkt: Zugspitze, 2963 m n.p.m.
Najdłuższa rzeka: Ren, odcinek (w granicach Niemiec 867 km)

GOSPODARKA

Rolnictwo: Zatrudnia jedynie 1% ogółu pracujących, ale dostarcza 75% żywności dla Niemiec, zwłaszcza mięsa, produktów mleczarskich, pszenicy, buraków cukrowych i wina.
Zasoby naturalne: Niemcy mają cenne zasoby leśne i węgiel, ale importują większość surowców energetycznych, na przykład ropę naftową i gaz.
Przemysł: Niemcy są trzecią potęgą przemysłową świata, po Stanach Zjednoczonych i Japonii.

USTRÓJ POLITYCZNY

Niemcy są republiką federalną, co oznacza, że kraje, landy, jak Bawaria, mają znaczne uprawnienia. Istnieją dwie izby parlamentu – Bundestag wybierany w ogólnonarodowych wyborach proporcjonalnych (str. 182) i Bundesrat, składający się z przedstawicieli landów. Szefem rządu jest kanclerz.

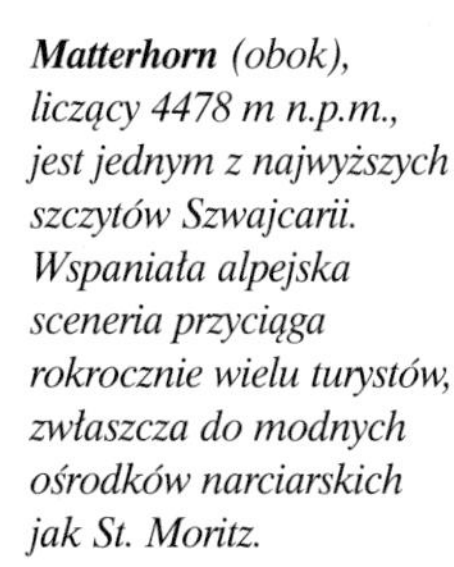

Matterhorn (obok), liczący 4478 m n.p.m., jest jednym z najwyższych szczytów Szwajcarii. Wspaniała alpejska sceneria przyciąga rokrocznie wielu turystów, zwłaszcza do modnych ośrodków narciarskich jak St. Moritz.

Bawaria (poniżej) w południowych Niemczech jest krainą sosnowych lasów i zamków jak z bajki, a również przemysłu.

Wiedeń jest stolicą Austrii, siedzibą wielu międzynarodowych organizacji (m.in. OPEC, europejska siedziba ONZ). Jest miastem wielu zabytków, m.in.: katedra św. Stefana, rezydencje Hofburg i Schoenbrunn.

AUSTRIA I SZWAJCARIA

Szwajcaria i Austria są przepięknymi górzystymi krajami, ze szczytami sięgającymi w Szwajcarii ponad 4000 m. Oba państwa są również bogate, zwłaszcza Szwajcaria, która wzbogaciła się na bankowości i produkcji małych, cennych przedmiotów, jak zegarki. Austria jest dzisiaj wielkim centrum sportów zimowych i ma nowoczesny przemysł. Szwajcaria jest krajem neutralnym politycznie, co sprawia, że na jej terytorium odbywa się wiele konferencji pokojowych. Austria zaś przez dziesiątki lat odgrywała rolę mocarstwa, tworząc m.in. z Węgrami monarchię austro-węgierską. W Szwajcarii mówi się po francusku, włosku, niemiecku i retoromańsku. W Austrii językiem urzędowym jest niemiecki.

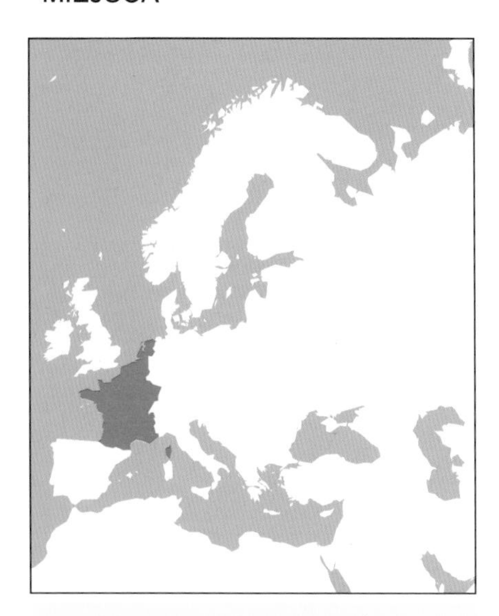

FRANCJA I KRAJE BENELUKSU

Francja rozciaga się od urwistych wybrzeży atlantyckich Bretanii po Lazurowe Wybrzeże nad Morzem Śródziemnym, jest trzecim pod względem powierzchni krajem europejskim, ustępując Rosji i Ukrainie. Kraje Beneluksu – Belgia, Holandia i Luksemburg należą do najmniejszych państw.

FRANCJA I BENELUKS

Obszar: 618 942 km²
Ludność: 85 827 000
Najwyższy punkt: Mont Blanc, 4807 m n.p.m.
Najdłuższa rzeka: Loara, 1012 km

GOSPODARKA

Rolnictwo: Francja jest największym w Europie producentem żywności. Kraje Beneluksu prowadzą bardzo intensywną gospodarkę rolną z farmami mlecznymi na terenach polderów i kwiaciarskimi w pobliżu wybrzeża.
Zasoby naturalne: Francja i Belgia mają znaczne zasoby naturalne, przede wszystkim węgiel i rudę żelaza. Holandia zajmuje się handlem.
Przemysł: Francuski to głównie tekstylia, chemikalia, perfumeryjny, stal, samoloty i samochody.

USTRÓJ POLITYCZNY

Francja jest republiką, na której czele stoi prezydent, Belgia, Holandia i Luksemburg są monarchiami konstytucyjnymi.

RELIGIA

Francja i Belgia są głównie katolickie, połowa Holendrów jest katolikami, a połowa protestantami.

JĘZYK

Holenderski w Holandii; flamandzki i francuski w Belgii; francuski we Francji; francuski, niemiecki i luksemburski w Luksemburgu.

FRANCJA

Jest krajem o rozmaitych krajobrazach, od wiejskich, z małymi miasteczkami, zamkami, wioskami z malowniczymi starymi siedzibami chłopskimi, po wielkie miasta, jak Paryż, Lyon, Lille i Marsylia, gdzie skoncentrowany jest przemysł. Środkową część kraju pokrywają spadziste wzgórza i wulkaniczne szczyty Masywu Centralnego, na którego południowych stokach, opadających ku wybrzeżu Morza Śródziemnego, w cieple słońca rośnie winorośl, owoce i warzywa. Niskie, faliste tereny na południowym zachodzie są nieco chłodniejsze; tutaj głównymi uprawami są zboża i buraki cukrowe. Najwyższymi górami są Alpy na południowym wschodzie i Pireneje wzdłuż granicy hiszpańskiej.

Francja z koszmaru II wojny światowej szybko się otrząsnęła i stała się siłą napędową Wspólnoty Europejskiej.

Unowocześnienie przemysłu uczyniło z Francji czwartą potęgę przemysłową świata, po USA, Japonii i Niemczech. Rolnictwo francuskie nie ma sobie równych w Europie i jest drugie w świecie, po USA, a przemysł perfumeryjny i kosmetyczny wzniósł się na niedoścignione wyżyny.

KRAJE BENELUKSU

Belgia, Holandia i Luksemburg są niewielkimi krajami, lecz gęsto zaludnionymi. Mają bardzo stare miasta handlowe, wielkie metropolie przemysłowe i porty, jak Rotterdam, jeden z największych i najnowocześniejszych na świecie. Poza wzgórzami Ardenów w południowej Belgii, większość regionu jest nizinna, zwłaszcza Holandia, gdzie nasypy zwane *dykes* odgrywają ważną rolę w ochronie kraju przed zalaniami morskimi.

Pola tulipanowe *(z lewej). Poldery (grunty osuszone) są idealne pod plantacje tulipanów.*

Wyrób koronek *(z prawej). Belgia od średniowiecza jest centrum tkactwa i koronkarstwa.*

CZY WIESZ, ŻE...?

Wieża Eiffla w Paryżu, zbudowana w latach 1887–89 wyłącznie z żelaznych belek, ma wysokość 300,5 m.
Rotterdamski port przemieszcza ponad 1 mln ton ładunków dziennie.
Francja jest największym producentem wina na świecie i drugim producentem winogron, po Włoszech.
Paryż jest siedzibą najsłynniejszej na świecie firmy perfumeryjnej, Guerlain.
Amsterdam ma 80 km kanałów.
Europejski Trybunał Sprawiedliwości w Luksemburgu rozstrzyga spory dotyczące praw europejskich.
Parlament Europejski ma swą siedzibę w Strasburgu we Francji.

WSPÓLNOTA EUROPEJSKA

Kraje Europy Zachodniej są połączone politycznie i gospodarczo w Unii Europejskiej. UE łączy 15 państw: Francję, Niemcy, Włochy, Holandię, Luksemburg, Belgię, Portugalię, Wielką Brytanię, Irlandię, Hiszpanię, Danię, Austrię, Szwecję, Finlandię i Grecję. Unia Europejska wprowadziła wspólny rynek, który sprzyja handlowi, wolności przemieszczania się między krajami członkowskimi. W 2002 roku w 11 państwach UE (poza Wielką Brytanią, Danią i Szwecją) do powszechnego obrotu weszło euro, wspólna waluta.

Francuskie sery *(poniżej). Francuzi są znani z wyrafinowanych potraw, a francuscy chłopi wytwarzają najdoskonalsze sery na świecie.*

HISZPANIA, PORTUGALIA I WŁOCHY

Hiszpania, Portugalia i Włochy są trzema wielkimi państwami Europy południowej, mającymi swoje długie i wyróżniające się historie, architekturę i wina. Klimat mają zróżnicowany: od lodowatych górskich obszarów północnych Włoch do saharyjskich upałów na południu i w centralnej Hiszpanii.

PÓŁWYSEP IBERYJSKI

Hiszpania i Portugalia są niezależnymi państwami zajmującymi Półwysep Iberyjski, obszerny trzon lądowy w południowo-zachodniej Europie. Na północnym wschodzie górski łańcuch Pirenejów oddziela go od reszty Europy. Zachodnie wybrzeże nawiedzają sztormowe fale Oceanu Atlantyckiego, podczas gdy spokojniejsze wody Morza Śródziemnego obmywają brzegi południowe.

Hiszpania jest jednym z największych w Europie terenów produkcji wina, a również jednym z najbardziej górzystych jej obszarów. Większość hiszpańskiego terytorium stanowi Meseta, wysoki płaskowyż usiany górami. Każdego roku miliony turystów odwiedzają ten kraj.

REGIONY HISZPANII

Hiszpania jest podzielona na 17 regionów politycznych mających własne parlamenty. Gdy w 1992 roku odbywała się Letnia Olimpiada w Barcelonie, w północno-wschodniej Katalonii, w trakcie wspaniałej ceremonii otwarcia przedstawiono wiele miejscowych pieśni i tańców.

Portugalia jest jednym z najstarszych państw Europy, ale obecnie jednym z uboższych. Historia jej jako niezawisłego państwa datuje się na XII wiek. W XV i XVI wieku portugalscy podróżnicy prowadzili liczne europejskie wyprawy odkrywcze. Portugalski eksport obejmuje ubrania, tekstylia, papier i wina.

WŁOCHY

Włochy są również krajem górzystym, ale posiadają żyzne ziemie rolnicze na północy. Mają znacznie większy przemysł niż Hiszpania i Portugalia. W północnym „trójkącie przemysłowym", którego obszar wyznacza Turyn, Mediolan i Livorno, znajduje się wiele zakładów przemysłu ciężkiego, włącznie z produkcją samochodów. Włochy południowe są znacznie biedniejsze.

Porto *(powyżej), mocne słodkie wino, które pochodziło z doliny rzeki Douro w Portugalii, załadowane w beczkach na pokład statku żaglowego w portugalskim porcie.*

Wenecja *(z lewej) jest zbudowana na 117 wyspach u wybrzeży Włoch. Wśród wysp wije się ponad 150 kanałów. Wenecja posiada niektóre najpiękniejsze budowle Włoch.*

WŁOCHY

Obszar: 301 245 km^2
Ludność: 57 838 000

GOSPODARKA
Rolnictwo: Owoce, zboża, winogrona i wołowina
Przemysł: Ubrania, żywność i wino, produkcja samochodów, chemikalia, turystyka

HISZPANIA

Obszar: 504 750 km^2
Ludność: 38 479 000

GOSPODARKA
Rolnictwo: Owoce cytrusowe, oliwa, winogrona
Przemysł: tekstylia, produkcja wina, turystyka

PORTUGALIA

Obszar: 91 630 km^2
Ludność: 10 525 000

GOSPODARKA
Rolnictwo: Winogrona, cytrusy, pomidory, wieprzowina
Przemysł: Tekstylia, żywność, papier i wino

RZĄDY
Włochy i Portugalia są republikami z wybieranymi prezydentami. Hiszpania jest demokratyczną monarchią z parlamentem i monarchą.

CZY WIESZ, ŻE...?

Wulkany Etna i Wezuwiusz we Włoszech są nadal aktywne i czasami wybuchają.

Państwo Watykańskie w Rzymie jest najmniejszym państwem na świecie. Głową tego państwa jest papież.

Dwie prowincje hiszpańskie leżą około 1300 km od stałego lądu hiszpańskiego. Są to Wyspy Kanaryjskie leżące przy wybrzeżu afrykańskim. Nie otrzymały one swej nazwy od ptaków, ale od łacińskiego słowa *canis* (pies), od psów, które niegdyś masowo na nich żyły.

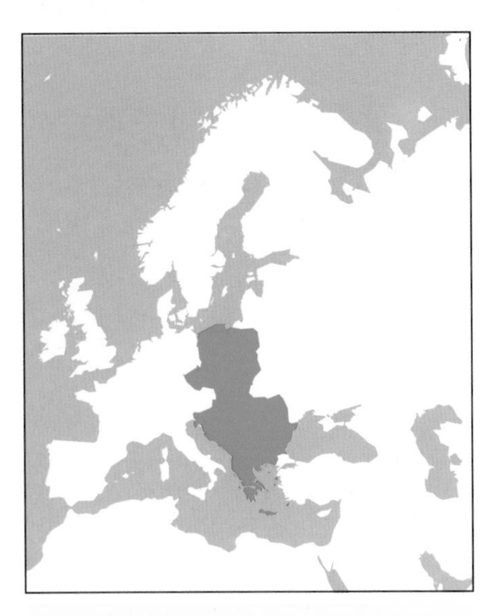

EUROPA POŁUDNIOWA I WSCHODNIA

Do 1980 roku prawie cała południowa i wschodnia Europa, od Wschodnich Niemiec po Albanię, stanowiła część świata komunistycznego. Załamanie się rządów komunistycznych przyniosło dramatyczne zmiany we wszystkich krajach.

EUROPA POŁUDNIOWA I WSCHODNIA

Obszar: 1 307 795 km^2
Ludność: 133 309 000
Najwyższy punkt: Musała, Bułgaria 2925 m n.p.m.
Najdłuższa rzeka: Dunaj, 2859 km

PAŃSTWA

Chorwacja, Słowenia, Bośnia i Hercegowina, Jugosławia, Macedonia, Albania, Czechy, Słowacja, Węgry, Bułgaria, Grecja, Rumunia, Polska

GOSPODARKA:

Rolnictwo: Większość ludzi pracuje na roli, zwłaszcza w Bułgarii i Albanii, uprawiając zboża i rośliny okopowe. W krajach południowych uprawia się winorośl i drzewa oliwne.
Zasoby naturalne: Większość krajów posiada zasoby węgla, zwłaszcza Polska, ale mało innych minerałów poza rudami chromu w Albanii i miedzią oraz siarką w Polsce.
Przemysł: Polska, Czechy, Słowacja, Węgry i Rumunia są stosunkowo wysoko uprzemysłowione, dobrze rozwija się produkcja maszyn ciężkich, samochodów, chemikaliów i przetwórstwo rolno-spożywcze.

RZĄDY

Większość tych krajów znajdowała się do niedawna pod władzą komunistów, teraz ma rządy demokratyczne. Zmiana ta ujawniła bardzo ostre konflikty narodowościowe w niektórych krajach, np. w Jugosławii.

JĘZYKI

W większości krajów tego obszaru ludzie posługują się językami słowiańskimi. Jedynie węgierski, grecki i rumuński nie należą do tej grupy języków.

RELIGIA

W Grecji, Bułgarii i Rumunii większość mieszkańców należy do Kościoła prawosławnego. Wielu ludzi w Bośni, Albanii i Bułgarii jest muzułmanami. W pozostałych krajach większość ludności jest rzymskokatolicka.

TEREN

Europa Wschodnia rozciąga się od Bałtyku na północy do Morza Egejskiego i Adriatyku na południu i Morza Czarnego na wschodzie.

Europa Wschodnia jest krainą gęsto zadrzewionych gór i rozległych, otwartych równin. Przez centrum przebiegają piękne góry Karpaty i Alpy Siedmiogrodzkie w Rumunii, które miały być ojczyzną legendarnego hrabiego Drakuli.

Z polskiej strony gór leży Równina Północno-Europejska, z licznymi jeziorami polodowcowymi wśród zalesionych piaszczystych wzgórz od północy i żyznymi glebami w Wielkopolsce. Na gorszych glebach rolnicy uprawiają owies, żyto i kartofle; na żyźniejszych pszenicę, jęczmień i buraki cukrowe.

Pomiędzy południowymi odnogami gór znajdują się trzy rozległe i żyzne niziny z centrami z Pragą w Czechach, Budapesztem na Węgrzech i Bukaresztem w Rumunii. Tutaj zimy są chłodne, ale lata ciepłe i rolnicy uprawiają kukurydzę, słoneczniki i tytoń. Na południowych zboczach gór znajdują się winnice i sady. Wielka rzeka, Dunaj, przewija się poprzez równinę węgierską i rumuńską, przecinając Alpy Transylwańskie głębokim przełomem, zwanym Żelazną Bramą. Statki płynące Dunajem pokonują tę przeszkodę wykorzystując system śluz.

Europa Południowa, często nazywana Bałkanami, jest nierówna i górzysta. Szczyt Musały w Bułgarii wypiętrza się na 2925 m; góra Olimp w Grecji jest tylko o 8 m niższa. Ponieważ góry zbudowane są z porowatych skał wapiennych (str. 94) skąpe letnie deszcze wsiąkają szybko w głąb, nie dając glebie wystarczającej wilgoci do uprawy, przez co nadają się jedynie do wypasu owiec i kóz.

Wielu mieszkańców południowej Europy żyje w pobliżu morza, wzdłuż powcinanych i nierównych wybrzeży Adriatyku i Grecji i na setkach wysp, rozsianych na Morzu Egejskim. Klimat jest tu ciepły i każde lato

Kościół rumuński. *Większość ludzi w Rumunii należy do Rumuńskiego Kościoła Ortodoksyjnego, a świątynie są podobne do rosyjskich cerkwi.*

Praga, *historyczna stolica Czech leżąca nad Wełtawą, jest jednym z najpiękniejszych miast Europy.*

sprowadza miliony turystów, przyciąganych przez słońce, piękne krajobrazy i plaże oraz ruiny starożytnych budowli greckich.

LUDZIE

Południowa i wschodnia Europa obejmują różnorodną mieszankę ludów. Europa wschodnia to Słowianie, zaś południowa to Grecy, Węgrzy, Rumuni.

Na przełomie wieku prawie cały obszar był zdominowany przez cztery wielkie mocarstwa: otomańską Turcję, Niemcy, Austrię i Rosję. Gdy rozpadły się one po I wojnie światowej, Polska, Czechosłowacja, Węgry i inne narody krótko cieszyły się niepodległością, nim znalazły się pod okupacją hitlerowską, a po zakończeniu II wojny światowej pod ścisłą kontrolą Związku Radzieckiego. Państwa te kierowane były przez rządy komunistyczne bardzo uzależnione od Związku Radzieckiego. W latach 1989-1990 wszystkie kraje bloku komunistycznego odsunęły, drogą bezkrwawej rewolucji, komunistów od władzy.

Era komunistyczna pozostawiła mnóstwo problemów politycznych i gospodarczych, których uporządkowanie może zająć dziesięciolecia. W niektórych krajach pojawił się problem granic. W 1992 r. z jednego państwa, Czechosłowacji, powstały dwa – Czechy i Słowacja (stolica Bratysława). Podobnie Chorwacja, Słowenia i Bośnia-Hercegowina wyodrębniły się z Jugosławii. Rozwiązywanie tych problemów spowodowało wiele konfliktów.

Gospodarki krajów socjalistycznych miały swego rodzaju specjalizację, np. w Polsce i Czechosłowacji zbudowany został przemysł ciężki, by zaopatrywać Związek Radziecki i inne kraje członkowskie. Wraz z upadkiem komunizmu przemysł ten stracił swoich odbiorców i upada, bo nie wytrzymuje konkurencji. Powoduje on również znaczne zanieczyszczenie środowiska naturalnego, gdyż stosowano bardzo przestarzałe technologie. Region śląski należy do najbardziej zanieczyszczonych w Europie. Stężenie zanieczyszczeń powietrza w Katowicach kilkakrotnie przekracza dopuszczalne normy.

Ludzie na wschodzie Europy są ogólnie biorąc – bardzo ubodzy w porównaniu z mieszkańcami Zachodu; nowe, demokratyczne rządy Polski, Czech i Węgier zabiegają o przyłączenie do Wspólnoty Europejskiej (EWG), bo pozwoli im to szybciej przezwyciężyć trudności gospodarcze. Nie wszyscy członkowie EWG patrzą przychylnie na te zabiegi.

Budapeszt *był dużym miastem, słynnym ze stylowych kawiarni w czasach, gdy Węgry były częścią monarchii Austro-Węgierskiej w XIX w.*

Współczesne Ateny *bardzo różnią się od starożytnej metropolii. Jest to hałaśliwe miasto, z powietrzem tak zanieczyszczonym, że większość samochodów może wjeżdżać do centrum tylko co drugi dzień.*

SOLIDARNOŚĆ I LECH WAŁĘSA

Gdy polski rząd komunistyczny wprowadził w 1980 roku znaczne podwyżki cen, zaprotestowali gdańscy robotnicy stoczniowi pod przywództwem Lecha Wałęsy. Ruch protestu ogarnął cały kraj i przybrał nazwę *„Solidarność"*. Przywódca polskich komunistów i szef rządu, Wojciech Jaruzelski, w grudniu 1981 roku ogłosił stan wojenny, zakazał działania „Solidarności", aresztował Wałęsę i wszystkich czołowych działaczy tej organizacji. Działalność opozycyjna podziemnej „Solidarności" zmusiła komunistycznych przywódców do ustępstw. W trakcie obrad „Okrągłego Stołu" w 1989 roku przywrócono legalność działania „Solidarności", i ogłoszono wybory do Zgromadzenia Narodowego. W wyborach „Solidarność" osiągnęła pełny sukces.

NIEPODLEGŁA GRECJA

W 1820 roku Grecja niszczała pod rządami otomańskich Turków od ponad 400 lat, a chwała starożytnych Aten należała do odległej przeszłości. W owym roku mieszkańcy Grecji zaczęli swą ciężką walkę o niepodległość. Zmagania przyciągnęły uwagę ludzi w całej Europie. Wśród nich był romantyczny poeta – lord Byron – który przybył, aby walczyć u boku Greków. W 1827 roku sułtan został zmuszony do uznania niepodległości Grecji, gdyż połączone siły floty brytyjskiej i francuskiej zatopiły jego okręty w zatoce Navarino. W 1981 roku Grecja przyłączyła się do Wspólnoty Europejskiej.

CZY WIESZ, ŻE...?

Lech Wałęsa, przywódca Solidarności był pierwszym związkowcem, który otrzymał Pokojową Nagrodę Nobla.

Nicolae Ceausescu, dyktator Rumunii od 1967, aż po swą śmierć w 1989, planował zburzenie wszystkich wiosek rumuńskich dla zwiększenia powierzchni gruntów uprawnych.

W Bułgarii żyje ponad 270 000 Cyganów.

Język bułgarski jest pisany cyrylicą (alfabetem podobnym do rosyjskiego); grecki – alfabetem greckim.

Budapeszt posiada największą w Europie fabrykę autobusów. Do zeszłego wieku istniały dwa miasta, Buda i Pest, rozdzielone przez rzekę Dunaj.

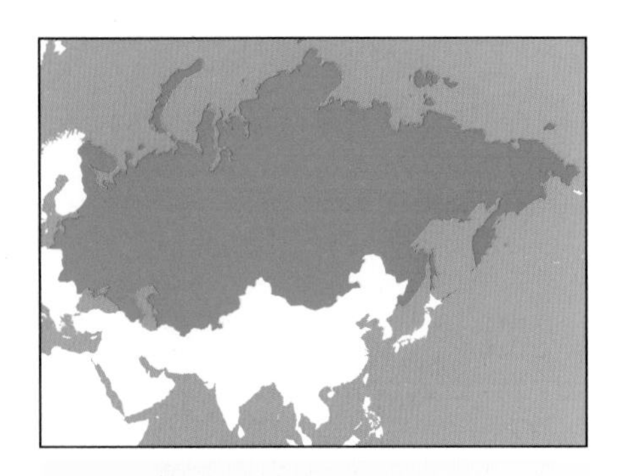

KRAJE BYŁEGO ZWIĄZKU RADZIECKIEGO

Do 1990 roku cała Północna Azja i wschodnia część Europy były jednym krajem, Związkiem Radzieckim, rozciągającym się na blisko 9 000 km od Bałtyku po Morze Beringa. Obecnie rozpadł się on na 15 samodzielnych republik, z których największa, Federacja Rosyjska jest nadal największym obszarowo krajem świata.

BYŁY ZWIĄZEK RADZIECKI

Obszar: 22 402 200 km^2
Ludność: 286 700 000
Najwyższy punkt: Pik Kommunizma w Pamirze, Tadżykistan, 7495 m n.p.m.
Najdłuższa rzeka: Jenisej, 4092 km

KRAJE

Armenia, Mołdawia, Estonia, Łotwa, Litwa, Gruzja, Azerbejdżan, Tadżykistan, Kirgistan, Białoruś, Uzbekistan, Ukraina, Kazachstan, Turkmenistan, Rosja.

GOSPODARKA

Rolnictwo: Bardzo zróżnicowane, od górskich regionów arktycznych na północy, do podzwrotnikowych upraw nad Morzem Czarnym na południu. Główne towary: jabłka, owoce cytrusowe, jęczmień, bawełna, produkty mleczarskie, kukurydza, ziemniaki, żyto, buraki cukrowe, pszenica, wełna.
Trzoda: renifery, konie, krowy, owce, świnie.
Zasoby naturalne: Właściwie istnieją zasoby wszystkich surowców kopalnych, a szczególnie: ropy naftowej, gazu ziemnego, węgla, azbestu, manganu, srebra, cyny i cynku.
Przemysł: Produkcja stali, rafinacja ropy naftowej, drewno, chemikalia i przerób bawełny.

RZĄDY

Do 1990 roku władza w Związku Socjalistycznych Republik Radzieckich (ZSRR) spoczywała w rękach partii komunistycznej, która tworzyła rząd ogólnonarodowy w stolicy kraju, Moskwie. Republiki ZSRR miały swe własne rządy, które również były komunistyczne. Od grudnia 1991 roku ZSRR rozpadł się i republiki stały się niezależnymi krajami. Niektóre z tych państw złączyły się w luźnym związku zwanym Wspólnotą Niepodległych Państw, która nie posiada centralnych władz państwowych.

JĘZYKI

Narody byłego Związku Radzieckiego używają ponad 80 języków i około 70 dialektów. Rosyjski jest najbardziej znanym językiem, używanym przez około 52% ludności.

TEREN

Krainy byłego Związku Radzieckiego różnią się znacznie swym klimatem i ukształtowaniem terenu. Na północy, granicząc z Arktyką znajduje się wielka bezleśna i zimna równina – *tundra.*

Przez większą część roku teren ten jest pokryty śniegiem. Bardziej na południe tundra powoli ustępuje miejsca *tajdze*, tysiącom kilometrów kwadratowych lasów iglastych. Dalej na południe leżą stepy, wielkie trawiaste tereny Azji centralnej. Obszary nad Morzem Czarnym, ulubione miejsce wypoczynkowe, mają klimat podzwrotnikowy i można tu uprawiać wszystkie rodzaje owoców południowych. Na najdalej na południe wysuniętych terenach znajdują się pasma górskie Kaukazu. Były Związek Radziecki na zachodzie graniczy z Finlandią, Norwegią, Polską, Słowacją, Rumunią, Węgrami; na południu znajduje się Turcja, Iran, Afganistan, Mongolia, Chiny i Korea Północna.

LUDZIE

Mieszkańcy 15 krajów zawsze różnili się. Jeszcze przed rozpadem Związku Radzieckiego domagali się niezależności. Każdy kraj ma własny język i tradycje, ale głównie używanymi językami są: słowiańskie, turecki, armeńskie, uralskie i gruziński. Szacuje się, że ponad 260 mln ludzi używa jednego z języków słowiańskich.

GRUZJA

Gruzja ma najprzyjemniejszy klimat ze wszystkich krajów byłego Związku Radzieckiego i jest popularnym terenem turystycznym. Graniczy ona z Morzem Czarnym z jego kontynentalnym klimatem i z Turcją. Wzdłuż wybrzeży Morza Czarnego usytuowanych jest wiele ośrodków wypoczynkowych. Kraj w ostatnich latach ucierpiał przez konflikty narodowościowe. Gruzja posiada duże zasoby manganu i węgla, ma też wiele rafinerii naftowych.

Wędrowni pasterze owiec *nadal kultywują tradycyjny sposób życia.*

Pałac Kremlowski *był symbolem władzy komunistycznej w Związku Radzieckim do jego upadku w 1991 roku.*

Religia była zwalczana w całym Związku Radzieckim, ale w jego granicach były praktykowane wszystkie główne wiary świata.

Ludzie w Azji Północnej (po prawej) są niezwykle dumni ze swych strojów narodowych.

Rosja

Teren Rosji rozciąga się od Morza Arktycznego do regionów podzwrotnikowych na południu i od granic krajów bałtyckich, Białorusi i Ukrainy na zachodzie aż po wybrzeże Pacyfiku na wschodzie. Zajmuje obszar 17 078 005 km^2, a liczba ludności wynosi 148 mln. Jej przemysły: metalowy, hutniczy i konstrukcyjny są najbardziej wydajne spośród wszystkich państw byłego Związku Radzieckiego, ale na obszarach północnych hodowla reniferów jest najważniejszą działalnością przynoszącą dochód. Rosja posiada największe zasoby ropy naftowej w byłym Związku Radzieckim i Europie, jak również wielkie lasy produkujące drewno. Wołga, wielka, spławna rzeka, płynie przez Rosję do Morza Kaspijskiego.

TRANSPORT

Na tak rozległym i trudnym obszarze transport zawsze stwarzał problemy. Przez setki lat kupcy starali się rozwiązać problem transportowania towarów z Azji Północnej na rynki Zachodu i Wschodu. Jedną z pierwszych tras handlowych był stary Jedwabny Szlak z Chin do Europy. Obecnie miasto Taszkent w Uzbekistanie, na trasie dawnego Jedwabnego Szlaku, jest nowoczesnym miastem z ponad 2,5 mln mieszkańców i centrum miejscowego przemysłu bawełnianego.

Inną próbą udostępnienia regionu była budowa kolei transsyberyjskiej, pokonującej odległość 9298 km w ciągu ośmiodniowej podróży z Moskwy do wybrzeży Pacyfiku. Przed rozpadem Związku Radzieckiego został zbudowany wielki rurociąg naftowy z Syberii do Europy, aby pompować ropę naftową na zachodnie rynki.

Dotychczas zorganizowany transport jest ciągle niewystarczający do przetransportowania towarów i surowców, szczególnie ropy i gazu ziemnego, do zagranicznych odbiorców.

DZIKIE ZWIERZĘTA

Północna część regionu obfituje w zwierzęta futerkowe, takie jak sobole, gronostaje, niedźwiedzie, lisy i bobry. Są tu również stada reniferów. Wody lądowe i morskie obfitują w wiele gatunków ryb takich jak łososie, jesiotry, śledzie, karpie, amury oraz skorupiaków – na przykład krabów.

Koniec Związku Radzieckiego

Gdy w 1991 roku został ogłoszony rozpad Związku Radzieckiego, przywódcy dwu największych krajów, prezydent Rosji, Borys Jelcyn i prezydent Ukrainy, Leonid Krawczuk, wydali oświadczenie głoszące: „ZSRR, jako podmiot prawa międzynarodowego i rzeczywistość geopolityczna, przestał istnieć”. Założono, że 15 krajów powinno stać się całkowicie odpowiedzialnymi za swą przyszłość. Nie było to tak proste, gdyż system radziecki zapewniał, że wszystko, od armii po system telefoniczny, było wzajemnie powiązane. Rozwiązanie takich problemów zajmie wiele lat. Dyskusje i spory o to, kto jest właścicielem czego, są zażarte.

CZY WIESZ, ŻE...?

Były Związek Radziecki posiada największe i najgłębsze jeziora świata.

Morze Kaspijskie, znajdujące się pomiędzy Azerbejdżanem, Turkmenistanem, Rosją i Kazachstanem jest jeziorem słonowodnym o powierzchni 371 000 km^2.

Jezioro Bajkał w Rosji ma ponad 1600 m głębokości. Zawiera 20% ziemskich zapasów słodkiej wody. Ponad 300 rzek wpływa do Bajkału, ale tylko jedna z niego wypływa (Angara).

Część Syberii w Rosji należy do najzimniejszych miejsc świata. Zanotowano tu już temperatury blisko -68°C.

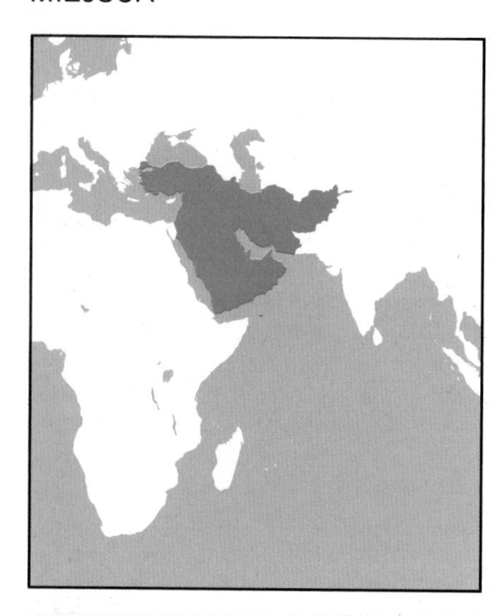

ŚRODKOWY WSCHÓD

Ponad 10 000 lat temu ludzie na Środkowym Wschodzie nauczyli się uprawy ziemi, a później zbudowali pierwsze miasta. Imperia perskie, bizantyjskie i islamskie dominowały na tym obszarze w różnych okresach nad tym obszarem, ale do czasu odkrycia ropy naftowej większość jego była bardzo biedna.

ŚRODKOWY WSCHÓD

Obszar: 6 180 746 km²
Ludność: 176 535 000
Najwyższy punkt: Demavend, Iran, 5601 m n.p.m.
Najdłuższa rzeka: Eufrat, 2815 km.

PAŃSTWA

Bahrain, Liban, Katar, Kuwejt, Izrael, Zjednoczone Emiraty Arabskie, Jordania, Syria, Oman, Irak, Jemen, Turcja, Iran, Arabia Saudyjska.

GOSPODARKA

Rolnictwo: Tam, gdzie ziemia może być nawodniona, rosną daktyle, owoce, bawełna, soczewica i zboża. Izrael jest znany ze swych pomarańcz z Jaffy. Oman hoduje drzewa na kadzidło.
Zasoby naturalne: Największym bogactwem naturalnym jest ropa naftowa i gaz ziemny.
Przemysł: Jedynie Izrael ma przemysł nie opierający się w całości na ropie naftowej. Syria, Turcja, Irak i Iran ciągle rozbudowywują swój przemysł.

RZĄDY

Kraje arabskie na Środkowym Wschodzie, poza Izraelem, są zdominowane przez tradycję islamską; rządy sprawują królowie, emirowie, sułtani, szejkowie, którzy mają władzę absolutną. Republikami są Jemen, Turcja (chociaż często była rządzona przez generałów) i Irak, którego prezydentem jest Saddam Hussein. Izrael jest republiką typu zachodniego.

JĘZYKI

Arabski jest używany we wszystkich krajach islamskich, poza Iranem, gdzie mówi się językiem farsi (perskim), i Turcją, gdzie mówi się po turecku. W Izraelu Żydzi mówią po hebrajsku.

RELIGIA

Islam jest dominującą religią w krajach arabskich. Liban ma wielu chrześcijan; w Izraelu przeważa judaizm.

SPORT

Sport jest mało popularny, ale coraz większą popularność zdobywa piłka nożna.

TEREN

Większość terenów Środkowego Wschodu to gorące, suche, skaliste pustynie, gdzie ludzie są nieliczni i rozsiani daleko od siebie. Wielkie obszary, jak Ar-Rab al–Chali, czyli Puste Strony są zupełnie niezamieszkałe. Istnieją też wysokie góry, jak Asir w Arabii Saudyjskiej i Jemenie w pobliżu Morza Czerwonego, i płaskowyże Turcji i Iranu, gdzie zimy mogą być przejmująco zimne. Ale istnieje tu również pas żyznych ziem, biegnący na zachód przez Irak wzdłuż rzek Tygrys i Eufrat, a na południe do Libanu. To w tym półksiężycu znajdują się ruiny najstarszych miast świata.

IRAN

Iran ma historię sięgającą tysięcy lat wstecz. Do 1935 roku był znany jako Persja. Ostatni szach (cesarz) Persji został obalony w 1979 roku przez rewolucję ludową pod przywództwem Ajatollaha Ruhollaha Chomeiniego.

Rewolucja została sprowokowana nie tylko przez uciążliwe rządy szacha, ale również przez wprowadzane przez niego „uzachodnianie" kraju, co wielu muzułmanów odczuwało jako naruszanie praw islamskich. Gdy Chomeini przejął władzę, wstrzymał wprowadzanie zachodnich wzorów i proklamował republikę opierającą się na podstawowych zasadach islamu (str. 126). Stosunki Iranu z mocarstwami

Beduin na wielbłądzie *przed budynkiem Skarbca w mieście Petra w Jordanii. Petra była stolicą starożytnego królestwa Nabatei.*

Ropa naftowa *przyniosła bogactwo wielu biednym krajom arabskim, takim jak Bahrain i Kuwejt.*

MORZE MARTWE

Morze Martwe na granicy Izraela i Jordanii jest najniższym punktem na Ziemi, 396 metrów poniżej poziomu morza. Jest to najbardziej zasolone jezioro na świecie. Choć regularnie zasilane świeżą wodą przez rzekę Jordan, wyparowuje stale w upalnym słońcu, pozostawiając wodę niewiarygodnie słoną. To wysokie zasolenie powoduje, że nie ma tam żywych organizmów i dlatego nazywane jest Morzem Martwym. Zasolona woda jest tak gęsta, że prawie niemożliwe jest utonięcie — ludzie pływają tak łatwo, że mogą leżeć na plecach w wodzie czytając gazetę lub pijąc herbatę!

zachodnimi pogorszyły się. Wkrótce potem zadawniony spór terytorialny o Shatt al Arab skłonił Irak do najazdu, rozpoczynając ośmioletnią wojnę, która kosztowała drogo obie strony. W 1989 roku Chomeini zmarł, kraj wybrał swego pierwszego prezydenta, i nastawienie do Zachodu zaczęło się zmieniać.

Rewolucja 1979 roku wstrzymała szybkie uprzemysławianie Iranu, które rozpoczął szach, opłacane wielkim eksportem ropy naftowej. Ropa nadal odgrywa ważną rolę w dochodach kraju, ale ludzie nastawiają się teraz bardziej na gospodarkę rolną na małą skalę, handel, rzemiosło i produkcję dywanów perskich, a nie na przemysł ciężki.

Jemeńska kobieta. *Ludzie w Jemenie należą do najbiedniejszych na świecie, ich dochód na głowę wynosi 3% dochodu Zjednoczonych Emiratów Arabskich.*

Kościół Św. Marii Magdaleny *na Wzgórzu Oliwnym w Jerozolimie (po prawej).*

IZRAEL

Mimo swej krótkiej historii i braku zasobów naturalnych Izrael – dzięki pomocy zagranicznej (głównie ze Stanów Zjednoczonych) i determinacji swych własnych obywateli – jest jednym z lepiej rozwiniętych krajów na Środkowym Wschodzie. Państwo to zostało powołane do istnienia w 1948 roku przez ONZ dla zapewnienia Żydom stałej ojczyzny i od tego czasu kraj rozkwitł gospodarczo. Nawadnianie i staranna uprawa pomogły produkować większość żywności na swe potrzeby, a nawet na eksport; przemysł produkuje chemikalia i maszyny na eksport. Dążenie do sukcesu doprowadziło Izrael do stałego i ostrego sporu ze swymi arabskimi sąsiadami, zwłaszcza krwawy spór toczy on z Palestyńczykami, żyjącymi na terenie zachodniego brzegu Jordanu, zajętego przez Izrael w 1967 roku.

KRAJE ARABSKIE

Ropa naftowa zmieniła wiele krajów arabskich w jedne z najbogatszych na świecie. Ludzie w Zjednoczonych Emiratach Arabskich, Bahrainie i Kuwejcie mają większy dochód na głowę niż obywatele innych krajów, z wyjątkiem Amerykanów.

Dochody ze sprzedaży ropy są przeznaczone na rozbudowę nowych portów lotniczych, dróg, fabryk, szkół i szpitali, jak również zapewniają życie w luksusie dla potężnej elity. *Zakłady odsalania wody* zbudowano w wielu miejscach dla zwiększenia zaopatrzenia w słodką wodę przez usuwanie soli z wody morskiej. Wielu ludzi z Europy i pobliskich krajów azjatyckich przyjechało tu, by pracować przy realizacji tych projektów. Wpływ obcokrajowców na sposób życia jest widoczny.

Wszystkie kraje arabskie mają stałe kontakty z państwami zachodnimi dzięki interesom i przez organizację skupiającą eksporterów ropy naftowej OPEC. Mimo to Arabowie są wiernymi muzułmanami i zachowują swe tradycje. Arabscy biznesmeni często biorą udział w spotkaniach handlowych ubrani w tradycyjne powiewne suknie, a od kobiet oczekuje się, że będą zasłaniać twarze zgodnie z wymaganiami islamu.

ŚWIĘTE MIEJSCA JEROZOLIMY

Jerozolima jest jednym z najstarszych miast świata, została założona około 6000 lat temu; znajdują się w niej miejsca święte dla chrześcijan, muzułmanów i żydów. Miasto podzielone było na część arabską należącą do Jordanii i część żydowską. W 1967 roku Izrael anektował część jordańską i prowadzi w stosunku do niej politykę okupanta. Najbardziej spornym miejscem jest Wzgórze Świątyni, święte i dla muzułmanów i dla żydów. Jedna jego strona jest Ścianą Płaczu, najświętszym miejscem dla żydów; meczet el-Aksa na szczycie stoi w miejscu, z którego Mahomet wstąpił do niebios. Niektórzy radykalni żydzi chcą zastąpić meczet świątynią żydowską.

CZY WIESZ, ŻE...?

Mahomet początkowo z szacunku dla Abrahama w czasie modlitwy zwracał się do Jerozolimy, ale gdy żydzi nie zaakceptowali twierdzenia Mahometa, że Abraham był muzułmaninem, zaczął zwracać się do Mekki, gdzie Abraham zbudował świątynię Kaaba, najświętsze miejsce islamu.

Szyby naftowe Kuwejtu przed inwazją Iraku produkowały 1 150 000 baryłek ropy naftowej dziennie.

Jerycho w Palestynie jest najstarszym miastem świata, ma co najmniej 10 000 lat.

Kanał Sueski łączący Morza Śródziemne i Czerwone został otwarty w 1869 roku. Ma 162 kilometry długości.

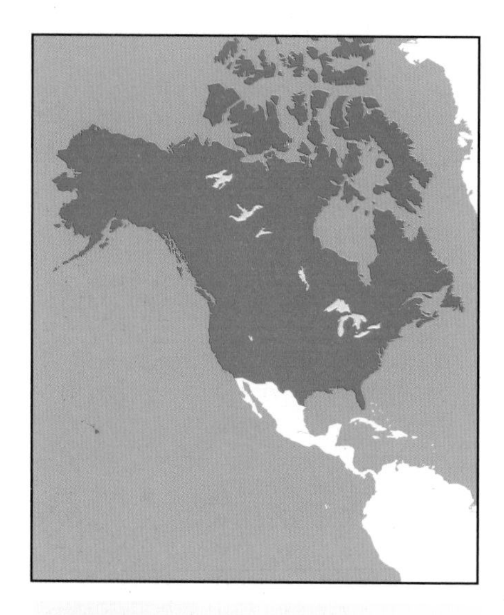

AMERYKA PÓŁNOCNA

Stany Zjednoczone Ameryki są najbogatszym i najpotężniejszym państwem świata. Mieszka tu około 250 mln ludzi; zajmują one 9363,1 tys. km^2 Ameryki Północnej, od lodowatych pustyń Alaski po gorące i parne Everglades (błota) Florydy. Kanada jest jeszcze większa, ma prawie 10 000 tys. km^2. Jest to drugi najrozleglejszy kraj świata, ale ma tylko 26 mln mieszkańców.

AMERYKA PÓŁNOCNA

Obszar: 19 285 515 km^2
Ludność: 275 509 873
Najwyższy punkt: Mc Kinley, Alaska, 6914 m n.p.m.
Najdłuższa rzeka: Missisipi--Missouri, 6418 km.

KRAJE

Stany Zjednoczone Ameryki, Kanada.

GOSPODARKA

Rolnictwo: Ponad 25% powierzchni Stanów to pastwiska, na których hodowane są wielkie stada bydła. Rolnictwo jest wysoko zmechanizowane i wytwarza nadwyżki na eksport. Głównymi plonami są kukurydza, pszenica, soja, bawełna.
Zasoby naturalne: Stany Zjednoczone mają bogate zasoby naturalne i są samowystarczalne we wszystkim, poza ropą naftową, chemikaliami i papierem gazetowym. Są one drugim największym producentem drewna na świecie.
Przemysł: Stany Zjednoczone produkują nieomal wszystko, w wielkich ilościach, od żelaza i stali do komputerów. Niezwykle ważna jest produkcja samochodów.

RZĄDY

Stany Zjednoczone są najstarszą demokratyczną republiką świata i są rządzone przez prezydenta, dwie Izby Kongresu i sądownictwo, zgodnie z konstytucją z 1788 roku (str. 138). Kanada jest niezależna od Wielkiej Brytanii od roku 1931. Jej rząd, jak brytyjski, jest kierowany przez premiera, którego partia ma większość w Izbie Gmin, jednej z dwu izb parlamentu. Premier jest formalnie mianowany przez monarchę brytyjskiego.

JĘZYKI

W Stanach Zjednoczonych używane są liczne języki, ale angielski jest przeważający, podobnie jak w Kanadzie, poza francuskojęzyczną prowincją Quebec.

RELIGIA

Większość północnych Amerykanów jest chrześcijanami, należącymi do rozlicznych Kościołów.

SPORT

Sport jest bardzo popularny. Szczególnie baseball, koszykówka i amerykańska piłka nożna.

TEREN

Dzikie Góry Skaliste są częścią Kordylierów, które ciągną się blisko 8000 kilometrów wzdłuż zachodu Ameryki Północnej, od Alaski po Meksyk. Na wilgotniejszej północy, nad gęsto zalesionymi zboczami, wypiętrzają się ośnieżone szczyty sięgające 6000 metrów. Większość suchego południa to spieczone pustynie z zasolonymi równinami i głębokimi kanionami.

Za Górami Skalistymi na wschód rozciąga się rozległa równina tysiącami kilometrów, aż do Appalachów, a na północy do starych twardych skał Tarczy Kanadyjskiej. Na suchszym zachodzie tej równiny znajdują się trawiaste tereny Wielkiej Równiny, gdzie miliony krów i owiec pasie się na ranczach. W centrum leży płaska preria, gdzie na polach ciągnących się tak daleko jak oko sięga rośnie pszenica. Dalej na południe, po obu stronach rzeki Missisipi, znajduje się pas upraw bawełny. W centrum kontynentu znajduje się pięć Wielkich Jezior – Superior, Michigan, Huron, Erie i Ontario, należących do największych jezior świata.

Na wschód od Appalachów leży nadbrzeżna Nizina Atlantycka, gdzie osiedlali się pierwsi Europejczycy. Jest to gęsto zaludniony obszar; jego największym miastem jest Nowy Jork, liczący 17 milionów mieszkańców.

LUDZIE

Na długo zanim przybyli pierwsi Europejczycy, Ameryka była ojczyzną Indian, czyli rodowitych Amerykanów. Kiedyś istniały setki rozmaitych szczepów indiańskich, każdy ze swymi zwyczajami i sposobem życia, od Pawnee, którzy żyli w kopulastych ziemiankach, po Czejenów, którzy mieszkali w wysokich namiotach – wigwamach – i polowali na bawoły. Od 1620 roku z Europy przybywało coraz więcej osadników. Ci zdobywcy Dzikiego Zachodu wypierali Indian z ich szczepowych terenów (str. 138).

Słupy totemowe *mają znaczenie sakralne dla Indian — rdzennych mieszkańców Ameryki Północnej.*

Eskimosi *mieszkali w lodowatej północy Kanady od XIV w., polując na foki i karibu oraz łowiąc ryby.*

Obecnie większość Indian żyje w specjalnych rezerwatach na południowym zachodzie i w górach.

Na początku osadnicy europejscy przybywali głównie z Wielkiej Brytanii, co powoduje, że większość ludzi w Północnej Ameryce mówi po angielsku – poza częścią Kanady, gdzie mówi się po francusku. Ale od 1840 roku zaczęli przybywać imigranci z całej Europy. Obecnie imigracja jest ograniczona, lecz biedni ludzie z Ameryki Łacińskiej często przekraczają nielegalnie granice Stanów Zjednoczonych.

Napięcia rasowe. Mieszanie rozmaitych kultur i nacji nadało Stanom Zjednoczonym przydomek „tygla do topienia", ale mieszanina nie jest spokojna i kraj jest dręczony przez napięcia rasowe, zwłaszcza w takich miastach, jak Los Angeles, Nowy Jork i Chicago, gdzie żyje wielu biednych ludzi rozmaitych ras. Na przykład bogactwo i uprzedzenia wielu białych, wywołują gniew czarnych potomków Murzynów sprowadzonych tu jako niewolników, a także biednych Latynosów (ludzi z Ameryki Łacińskiej), Portorykańczyków i innych.

Sposoby życia na całym kontynencie znacznie się różnią, od tradycyjnego życia Eskimosów w północnej Kanadzie, którzy zajmują się myślistwem i rybołówstwem, po pośpieszną krzątaninę Nowego Jorku, gdzie życie toczy się przez całą dobę. Małe miasteczka w centrum Ameryki są znane ze swych konserwatywnych poglądów; ciepłe wybrzeża kalifornijskie przyciągają młodych i bogatych.

BOGACTWO AMERYKI

Bogate w zasoby naturalne, z liczną i energiczną ludnością, Stany Zjednoczone zdominowały gospodarkę świata od końca II wojny światowej. W latach pięćdziesiątych i sześćdziesiątych Stany zagarnęły ponad 25% rynku światowego na towary przetworzone, Amerykanie zarabiali więcej pieniędzy, spożywali więcej żywności, zużywali więcej energii i posiadali więcej samochodów niż ktokolwiek inny na świecie.

Obecnie gospodarka amerykańska straciła nieco terenu na rzecz krajów takich jak Japonia, Niemcy i Korea, a kraj utrzymuje swój wysoki poziom życia częściowo przez zapożyczanie się na wielką skalę. Musi również importować olbrzymie ilości ropy naftowej, dla utrzymania w ruchu milionów swych samochodów.

Rząd i przedsiębiorcy niepokoją się stanem gospodarki, rozmyślają co zrobić z rosnącym importem z Japonii i jak utrzymać bogactwo Ameryki. Inni niepokoją się wpływem amerykańskich długów na resztę świata i wysysaniem przez jej wielkie spożycie żywności, energii i innych zasobów naszej planety.

Wielki Kanion *w Arizonie ma 450 kilometrów długości, 20 kilometrów szerokości i głębokość do 1615 metrów. Rzeka Kolorado płynie w dole kanionu.*

Houston, w Teksasie, *jest jednym z najszybciej rozwijających się miast Stanów Zjednoczonych i siedzibą agencji kosmicznej Stanów Zjednoczonych NASA w Johnson Space Center.*

STANY

Stany Zjednoczone nie są jednolitym krajem jak Polska czy Kanada, ale *federacją*, czyli grupą oddzielnych stanów, takich jak Teksas i Alaska, każdy reprezentowany przez gwiazdę na fladze państwowej, znanej jako „Stars and Stripes" — „Gwiazdy i paski". Na początku było tylko 13 stanów na wschodnim wybrzeżu, ale w miarę jak biali osadnicy posuwali się na Zachód w XIX w. dołączane były nowe stany. Obecnie jest ich 50, z czego tylko Alaska i Hawaje leżą poza właściwymi granicami; Alaska leży na północno-zachodnim skraju kontynentu, a Hawaje to wyspy leżące na Pacyfiku (dołączyły do Stanów dopiero w 1959 roku).

NOWY JORK

Nowy Jork jest największym miastem Ameryki Północnej; ma ponad 17 milionów mieszkańców. Jego widowiskowa sylwetka, drapacze chmur na tle nieba, należy do najbardziej znanych na świecie. Pierwszym drapaczem był budynek Flatironu, zbudowany w 1902 roku. Inne wielkie drapacze to Empire State Building (wysokość 381 metrów), przez 40 lat najwyższy budynek świata, i jeszcze wyższe, bliźniacze wieże World Trade Center (415 metrów). Miasto zostało założone w 1624 roku jako Nowy Amsterdam przez Holendra Petera Minuit, który kupił wyspę Manhattan od Indian za tkaniny, paciorki i błyskotki warte ówcześnie tylko 24 dolary. Minuit myślał, że kupuje 89 km^2 gruntu — w rzeczywistości było tylko 57 km^2, ale i tak była to dobra transakcja. Anglicy zajęli Nowy Amsterdam i zmienili jego nazwę na Nowy Jork w 1664 roku.

CZY WIESZ, ŻE...?

Cztery miasta rywalizowały o zostanie stolicą Kanady w 1858 roku – Quebec, Montreal, Kingston i Toronto. Ale królowa Wiktoria wybrała Ottawę, liczącą wówczas 4 lata.

Granica między Stanami Zjednoczonymi a Kanadą jest najdłuższą na świecie, ma ponad 6000 km.

Najwyższym budynkiem świata jest Sears Tower w Chicago, ma 443 metry wysokości.

Amerykanie zjadają co minutę 45 000 hamburgerów.

Ponad 1 milion litrów wody spływa wodospadem Niagara w każdej sekundzie.

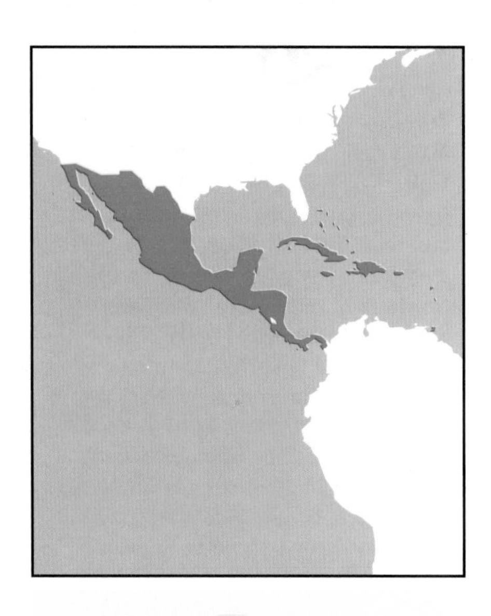

AMERYKA ŚRODKOWA I KARAIBY

Ameryka Środkowa jest wąskim pasem lądu, który łączy Amerykę Północną z Południową. W Panamie, gdzie Kanał Panamski łączy Morze Karaibskie z Oceanem Spokojnym ląd ma zaledwie 85 km szerokości. Na wschód od niej, wielkim łukiem o długości 4000 km, rozciągają się setki tropikalnych wysepek Karaibów.

AMERYKA ŚRODKOWA I KARAIBY

Obszar: Ameryka Środkowa 2 471 984 km^2
Ludność: Ameryka Środkowa 106 569 000
Najwyższy punkt: Citlaltépetl (Orizaba), Meksyk, 5699 m n.p.m.
Najdłuższa rzeka; Rio Grande, 2870 km

PAŃSTWA

Ameryka Środkowa: Salwador, Belize, Kostaryka, Panama, Gwatemala, Honduras, Nikaragua, Meksyk.
Karaiby: Barbados, Antiqua i Barbuda, Dominika, Martynika, Trynidad i Tobago, Portoryko, Jamajka, Bahama, Grenada, Haiti, Republika Dominikańska, Kuba.

GOSPODARKA

Rolnictwo: Kawa, bawełna, banany, a na Karaibach trzcina cukrowa na eksport. Ludzie hodują kukurydzę i pszenicę na własne potrzeby.
Zasoby naturalne: Jedynie Meksyk i Trynidad mają ropę naftową i gaz ziemny. Meksyk ma wiodące górnictwo srebra.
Przemysł: Meksyk rozwija przemysł chemiczny, samochodowy i tekstylny.

RZĄDY

Wszystkie kraje, poza Kubą, mają rządy wybierane w wyborach powszechnych. Stany Zjednoczone najechały Panamę w 1989 roku, a Grenadę w 1983 roku i pomagają utrzymać się prawicowym rządom przy władzy. Poparcie Stanów Zjednoczonych dla partyzantów prawicowych pomogło pokonać socjalistyczny reżim sandinistowski w Nikaragui w wyborach w 1990 roku.

JĘZYKI

Część ludności mówi językami rodzimymi, ale 90% Ameryki Środkowej mówi po hiszpańsku. Na Karaibach jest powszechny angielski.

RELIGIA

Dominującą religią jest chrześcijaństwo (katolicy i nie-katolicy). Wielu mieszkańców Jamajki jest rastafarianami.

SPORT

Piłka nożna jest popularna w Ameryce Środkowej, krykiet na Karaibach.

AMERYKA ŚRODKOWA

Ameryka Środkowa to obszar morza i gór. Szczyty Sierra Madre rozciągają się od Meksyku po Honduras, wypiętrzając się miejscami do ponad 5500 m. Wysoko w górach klimat jest chłodny, ale w dole wzdłuż wybrzeży znajdują się parne, tropikalne dżungle i mokradła. Wybrzeża te mają swoje, czasami wymyślne nazwy; jedno z nich nazwano bardzo stosownie Wybrzeżem Komarzym. Większość ludzi żyje na chłodniejszych zboczach skłaniających się ku Pacyfikowi lub w Meksyku i Kostaryce, na wysoko leżących *mesetas* (płaskowyżach) pomiędzy górami, hodując kawę, bawełnę i banany na stromych zboczach.

Klęski żywiołowe są częste w Ameryce Środkowej. Huragany niszczą wybrzeże karaibskie każdego lata. Rzadko który rok mija bez silnego trzęsienia ziemi. W Meksyku znajdują się największe czynne wulkany świata – Popocatepetl (5452 m), Ixtaccihuatl (5286 m) i Citlaltépetl (5699 m).

Ludzie. To tu właśnie Kolumb wylądował podczas swej historycznej podróży w 1492 roku (str. 135) i wkrótce Hiszpanie zaczęli osiedlać się. Ale przed nimi rozkwitały tu inne wczesne cywilizacje, np. Majów. Przybycie Hiszpanów zdziesiątkowało żyjącą tu rdzenną ludność. W 1519 roku tylko w Meksyku żyło 25 mln Indian; do 1600 roku został ich jedynie 1 mln. Żyli w półniewolnictwie. Nadal w Ameryce Środkowej, szczególnie w Gwatemali, żyje wielu autochtonów, ale większość ludzi to *mestizos* (Metysi), potomkowie mieszanych małżeństw ludności rodzimej i Hiszpanów.

Ubóstwo. Ludność Ameryki Środkowej należy do najuboższej na świecie. Większość pracuje na roli, uprawiając rośliny dla własnego spożycia lub pracując na plantacjach kawy. Mimo reformy rolnej w Nikaragui i Meksyku, wiele gruntów nadal należy do bogatej garstki. Wiele gruntów to ogromne plantacje kawy i trzciny cukrowej, których plony stanowią towar eksportowy.

Słodka niewola. *Większość ludzi na Karaibach jest potomkami niewolników sprowadzonych z Afryki do pracy na plantacjach trzciny cukrowej. Wielu nadal znajduje pracę uprawiając trzcinę cukrową na eksport.*

Rynek owocowy *na Grenadzie ukazuje część z wielu owoców tropikalnych i warzyw uprawianych na Karaibach – m.in. owoce mango, orzechy kokosowe, ananasy i banany.*

W latach siedemdziesiątych Meksyk zaczął eksploatować swe własne zasoby ropy naftowej i gazu, a meksykańscy chłopi tłumnie przenosili się do miast, by znaleźć pracę w rozwijającym się przemyśle. Zwłaszcza miasto Meksyk rozrosło się tak szybko, że obecnie należy do największych miast świata z ludnością liczącą 19 mln. Wielu biednych Meksykanów i innych mieszkańców regionu stara się przemknąć, omijając patrole graniczne, do Stanów Zjednoczonych, by znaleźć tam lepsze warunki życia.

Prawie wszystkie kraje Ameryki Środkowej były rozdzierane przez rewolucje i wojny domowe w jakimś okresie – Meksyk, Honduras i Kostaryka na początku tego wieku, a Nikaragua aż do 1990 roku. Walki w Salwadorze zakończyły się w 1992 roku, ale nadal trwają w Panamie. Belize jako jedyne z nich pozostało we względnym spokoju.

WYSPY KARAIBSKIE

Wyspy te, rozsiane wśród błękitnych wód Morza Karaibskiego są często nazywane Zachodnimi Indiami lub Antylami. Niektóre są tylko skalistymi kawałkami lądu, inne są duże i urozmaicone, z wysokimi górami i falistymi wzgórzami. Największymi są Kuba, Jamajka i Haiti, która jest rozdzielona na dwa państwa: Haiti i Republikę Dominikańską.

Huragany są stałym zagrożeniem na tych wyspach. Siła i prędkość wiatru są tak duże, że powodują zniszczenia budynków, lasów, upraw, giną nawet ludzie i zwierzęta. Dodatkowym zagrożeniem są powstające przy huraganach powodzie.

Ludzie. Tak w Ameryce Środkowej, jak i na Karaibach żyli niegdyś rdzenni mieszkańcy, jak Arawakowie i Karibowie. Ale większość wymarła wkrótce po przybyciu Europejczyków, od chorób i prześladowań. Obecni mieszkańcy Karaibów to w większości potomkowie Murzynów sprowadzanych przez Europejczyków w XVII i XVIII wieku do pracy na plantacjach trzciny cukrowej. W rezultacie większość ludzi mówi po angielsku lub francusku albo miejscową wersją tych języków.

Mieszkańcy Karaibów zostali uwolnieni z niewoli przed ponad stu laty, lecz większość znalazła się w nędzy i w niej pozostała. Do dziś wielu ludzi pracuje na olbrzymich plantacjach kawy i trzciny cukrowej za mizerne wynagrodzenia.

Ponad połowa ludności Karaibów pracuje na roli. Niektórzy pracują na plantacjach i uprawiają jednocześnie własne kawałki gruntu, by zapewnić wyżywienie swym rodzinom. Jedynie na kilku wyspach, takich jak Puerto Rico, istnieje niewielki przemysł. W ostatnich latach dodatkowym źródłem dochodu są turyści, którzy przybywają tam ze względu na ciepły klimat i czyste morze.

MUZYKA JAMAJKI

Muzyka zawsze była ważna dla biednych czarnych ludzi w Kingston na Jamajce. W 1960 roku zaczęli oni rozwijać swoje własne style, częściowo opierające się na amerykańskim soul. Najpierw były to *ska* i *rock steady*, rozpowszechniane pod znakiem firmy Trojan, a grane przez takie grupy jak np. Toots i Maytals. Potem, od końca lat sześćdziesiątych był to styl *reggae* z jego silnym, sprężystym, głęboko basowym rytmem i hipnotyzującym śpiewem. Pieśni reggae często wyrażały tendencje polityczne albo dotyczyły religii rastafariańskiej. Najbardziej znaną grupą reggae był Bob Marley i Wailers.

KUBA

W końcu XVIII wieku Kuba była kolonią hiszpańską zaludnioną przez imigrantów hiszpańskich i wyzwolonych niewolników murzyńskich. W 1903 roku uzyskała niepodległość, ale przez następne 50 lat większość Kubańczyków żyła w biedzie pod rządami skorumpowanych dyktatur, ostatnią była dyktatura Fulgencii Batisty. Batista został obalony przez rewolucję kierowaną przez Fidela Castro w 1959 roku. Castro skonfiskował całą własność amerykańską, obiecał Kubańczykom wolność i uczynił z Kuby kraj komunistyczny. Przetrwał konflikt w Zatoce Świń w 1961 roku, wspierany materialnie przez kraje socjalistyczne. Zapewnił Kubie dobre szkolnictwo i służbę zdrowia. Wysyłał również siły kubańskie, by wspierać rewolucje w Ameryce Łacińskiej i Afryce, zwłaszcza w Angoli. Poparcie Kubańczyków dla F. Castro stale maleje, szczególnie po upadku komunizmu w Europie Wschodniej, gdyż skończyło się wsparcie materialne dla dyktatury Castro. Kuba stanęła przed koniecznością samodzielnej gospodarki.

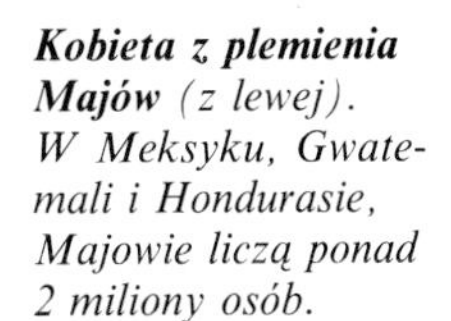

Kobieta z plemienia Majów *(z lewej). W Meksyku, Gwatemali i Hondurasie, Majowie liczą ponad 2 miliony osób.*

Kanał Panamski *był źródłem konfliktów od chwili wybudowania go w 1914 r. Obecnie znajduje się pod kontrolą Stanów Zjednoczonych, ale w 2000 r. przechodzi pod zarząd Panamy.*

Piramida Majów *(poniżej). Majowie pozostawili po sobie wiele śladów swej nadzwyczajnej cywilizacji (str. 123) łącznie z tą piramidą w dżungli.*

CZY WIESZ, ŻE...?

Teotihuacan w pobliżu miasta Meksyku, ze swymi wielkimi piramidami jest jednym z najlepiej zachowanych miast starożytnych. W czasie największej świetności, w 300 roku n.e., żyło tu 100 000 ludzi.

Paracutin liczący 300 m wulkan wyrósł w Meksyku w ciągu jednego roku.

Meksyk ma ponad 100 miliardów dolarów długu – ponad połowę swego całkowitego dochodu narodowego brutto (str. 184).

Ludność Meksyku pomiędzy 1940 a 1990 rokiem powiększyła się czterokrotnie.

Ludność Martyniki i Gwadelupy głosuje w wyborach francuskich.

AMERYKA POŁUDNIOWA

Ameryka Południowa jest czwartym co do wielkości kontynentem. Jej północne wybrzeża są omywane przez ciepłe tropikalne wody Morza Karaibskiego, a południowy kraniec, przylądek Horn, oddalony jest około 1000 km od Antarktydy. Na kontynencie znajduje się dwanaście niepodległych państw, wiele z nich bardzo biednych. Największe z nich, Brazylia, zajmuje prawie połowę obszaru.

AMERYKA POŁUDNIOWA

Obszar: 17 611 000 km^2
Ludność: 283 519 000
Najwyższy punkt: Aconcagua, Argentyna, 6960 m n.p.m.
Najdłuższa rzeka: Amazonka, 6515 km

PAŃSTWA

Od najmniejszego do największego: Gujana Francuska, Surinam, Urugwaj, Gujana, Paragwaj, Ekwador, Chile, Wenezuela, Boliwia, Kolumbia, Peru, Argentyna i Brazylia.

GOSPODARKA

Rolnictwo: Jedynie 5% terenów jest zajęte pod uprawy roślin, z których najważniejsze są kukurydza, pszenica, kawa i ryż. Brazylia i Kolumbia są wiodącymi światowymi eksporterami kawy.
Zasoby naturalne: Ameryka Południowa posiada wielkie zasoby mineralne – wiele z nich nie jest eksploatowane. Wenezuela jest zasobna w ropę naftową. Chile jest potężnym producentem miedzi na świecie, następnym po Stanach Zjednoczonych.
Przemysł: Przemysł zaczyna się rozwijać, zwłaszcza w Brazylii, która jest piątym światowym producentem samochodów.

RZĄDY

Większość Ameryki Południowej została oswobodzona spod władzy hiszpańskiej przez Simona Bolivara w początku XIX w. Rządy w wielu krajach były w rękach surowych dyktatorów wojskowych, takich jak Pinochet w Chile, usuwanych często przez rewolucje. Obecnie większość krajów dąży do demokracji.

JĘZYKI

Większość mieszkańców Ameryki Południowej mówi językami europejskich zdobywców: portugalskim w Brazylii i hiszpańskim w pozostałych krajach. Około 10 mln posługuje się językami rodzimymi; połowa z nich – językiem imperium inkaskiego, *quechua.*

RELIGIA

Większość jest katolikami, ale ludność indiańska kultywuje też własne wierzenia plemienne.

SPORT

Piłka nożna jest niezwykle popularna w miastach.

ANDY I AMAZONKA

Ameryka Południowa jest zdominowana przez dwie wielkie osobliwości natury. Przez cały zachód ciągną się wyniosłe góry, Andy, czyniące Chile, Ekwador, Peru i Boliwię jednymi z najwyżej położonych krajów świata. Żadna stolica nie znajduje się wyżej niż La Paz w Boliwii, na wysokości 3600 m. Na wschód, do Atlantyku, przez mokre lasy równikowe płynie potężna rzeka Amazonka. Niesie ona ze sobą więcej wody od jakiejkolwiek innej rzeki i miejscami ma 20 km szerokości.

Na południe od Amazonki leży Wyżyna Brazylijska, gdzie żyje większość Brazylijczyków. Dalej na południe, w Argentynie, na trawiastych nizinach zwanych *pampas* hodowane jest bydło rogate. Jeszcze dalej na południe owce pasą się na suchych, wietrznych płaskowyżach Patagonii. Wtłoczone pomiędzy Andy i Ocean Spokojny leży Chile, długie na ponad 4200 km, ale szerokie tylko na 430 km.

LUDZIE

Przed zdobyciem przez Hiszpanów i Portugalczyków w XVI wieku Ameryka Południowa była zamieszkana przez liczne plemiona indiańskie. Miliony wymarły po przybyciu Europejczyków – część zabita przez zdobywców, część przez europejskie choroby, na które nie byli oni odporni, a część przez okrutne traktowanie. Wielu z tych, którzy przeżyli, poślubiło hiszpańskich osadników, którzy przybyli tu w poszukiwaniu szczęścia. Ich potomkowie są nazywani *mestizos* (Metysi). Pomiędzy 1518 a 1850 rokiem zostało tu sprowadzone 7 mln murzyńskich niewolników, a w latach 1850–1930 przybyło tu 10 mln Europejczyków.

Obecnie w Ameryce Południowej istnieje mieszanka wielu rozmaitych

Figura Chrystusa Odkupiciela, *wysoko na górze Corcovado, dominuje nad Rio de Janeiro, wielkim portem Brazylii.*

Dopływ Amazonki przepływa przez brazylijską puszczę, będącą największą wilgotną puszczą podzwrotnikową świata.

ras, zwłaszcza w wielkich miastach. Ale nawet teraz istnieją wioski, czystej rasowo ludności w Andach, a w dżunglach Amazonii istnieją rodzime plemiona, które mają nikły kontakt ze światem zewnętrznym.

KONTYNENT BIEDY

Ameryka Południowa posiada najszybciej rosnącą liczbę ludności na świecie, ale większość ludzi żyje w nędzy. Na prowincji wiele ziem tworzy wielkie posiadłości zwane *latyfundiami*, które są w posiadaniu nielicznych bogaczy. Miliony ludzi przenosi się do szybko rozrastających się miast jak Sao Paulo. Ale tam często nie ma dla nich pracy ani domów, tysiące sypiają na gołej ziemi lub mieszkają w *favelas* (osiedlach bud) - w domach zbudowanych z materiałów zebranych na wysypiskach śmieci. W niektórych krajach południowo-amerykańskich, powoli rozwija się przemysł, który z czasem może zapewni dobrobyt. Ale wzrost jest powolny, ponieważ rządy są winne tyle pieniędzy bankom w Ameryce, Europie i Japonii, że nie mogą pozwolić sobie na inwestowanie w dalszy rozwój.

WILGOTNE LASY RÓWNIKOWE

Lasy Amazonii są wycinane na drewno i wypalane dla dania miejsca gospodarstwom, drogom i kopalniom. Tempo wyrębu jest przerażające - 260 km^2 dziennie. Zagłada dotyka niezliczoną ilość gatunków roślin i zwierząt, a atmosfera ziemska może doznać szkód nie do naprawienia.

Uru, plemię indiańskie koczujące na misternie skonstruowanych z wysuszonej trzciny pływających matach na jeziorze Titicaca, wysoko w Andach, między Boliwią i Peru.

PERONIZM

Od 1946 do 1955 roku Argentyna była rządzona przez prezydenta Juana Perona. On i jego młoda żona, Ewa, byli popularni wśród biedaków, przemysłowców i kleru. Dla przeforsowania swej idei - silnej i bogatej Argentyny - zwanej *peronizmem*, nadał sobie władzę dyktatorską i miażdżył wszelką opozycję. Jednak gospodarka nie rozkwitała i gdy w 1952 roku zmarła Ewa, poparcie dla niego zanikło. W 1955 roku po wojskowym zamachu stanu został wygnany. Peronizm był nadal popularny i w 1973 roku Peron powrócił na stanowisko prezydenta. Po jego śmierci w 1974 roku władzę przejęła jego druga żona, Izabela, ale już w 1976 roku została usunięta przez wojskowych.

FALKLANDY

Falklandy są to wyspy w pobliżu wybrzeży argentyńskich, nazywane przez Argentyńczyków Malvinas (Malwiny). Od 1833 roku należały do W. Brytanii i dlatego 2000 wyspiarzy mówi po angielsku. Argentyńczycy twierdzą, że wyspy należą do Argentyny. Po seriach rozmów dyplomatycznych siły argentyńskie zajęły 2 kwietnia 1982 roku stolicę wyspy, Port Stanley. Brytyjczycy odpowiedzieli zdecydowanym atakiem z morza i powietrza i po dwu miesiącach walk, w których zginęło wielu żołnierzy z obu stron, odbili wyspy 14 czerwca. Obecnie 4000 żołnierzy brytyjskich stacjonuje na wyspach, by chronić je przed ponowną inwazją.

CZY WIESZ, ŻE...?

Tutunendo w Kolumbii ze średnim opadem rocznym 1177 mm jest najbardziej zadeszczonym miejscem na świecie.

Najsuchszym miejscem na świecie jest pustynia Atacama w Chile. Średni roczny opad deszczu: 0,00 mm.

Najwyższy wodospad świata to Salto del Angel w Wenezueli, 1054 m.

Ekwador. Jego nazwa pochodzi od hiszpańskiego słowa *ecuador* – równik, który przebiega przez jego terytorium.

Handel narkotykami (głównie kokainą) w Boliwii i Kolumbii jest tak wielki, że prawdopodobnie przynosi więcej pieniędzy niż cały handel innymi towarami.

Przez ujście Amazonki przepływa jedna piąta światowej wody rzecznej.

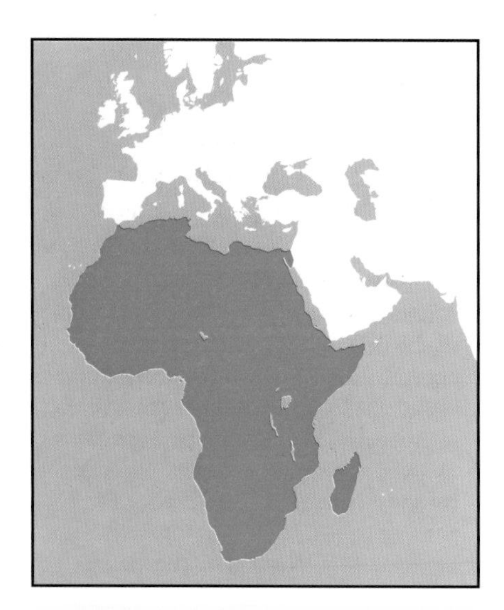

AFRYKA

Afryka jest drugim co do wielkości kontynentem świata, ciągnącym się 8000 km od Morza Śródziemnego na północy do Przylądka Dobrej Nadziei na południu. Jest również najgorętszym, ponieważ równik przebiega przez jej środek i temperatury na Saharze są najwyższe na Ziemi.

AFRYKA

***Obszar*:** 30 335 000 km^2
Ludność: 650 000 000
***Najwyższy punkt*:** Kilimandżaro, Tanzania, 5895 m n.p.m.
***Najdłuższa rzeka*;** Nil, 6695 km

KRAJE

Z ludnością liczącą ponad 7 milionów: Algieria, Angola, Burkina Faso, Kamerun, Kongo, Egipt, Etiopia, Ghana, Wybrzeże Kości Słoniowej, Kenia, Madagaskar, Malawi, Mali, Maroko, Mozambik, Niger, Nigeria, Rwanda, Senegal, Somalia, Afryka Południowa, Sudan, Tanzania, Tunezja, Uganda, Demokratyczna Republika Konga (d. Zair), Zambia, Zimbabwe, Ponadto istnieje 26 mniejszych państw.

GOSPODARKA

***Rolnictwo*:** Większość mieszkańców Afryki uprawia rośliny spożywcze dla siebie – kassawę, jam i banany na terenach wilgotniejszych, kukurydzę na terenach suchszych. Ale coraz więcej ziemi jest wykorzystywane dla roślin eksportowych, jak kakao, palmy olejowe, banany, orzeszki ziemne, kawa i kauczuk.
***Zasoby naturalne*:** Afryka Południowa ma duże zasoby miedzi, diamentów i złota. Ropa naftowa uczyniły Libię i kraje Afryki zachodniej, jak Nigeria, bogatymi jak na afrykańską miarę.
Przemysł: Rozwinięty przemysł znajduje się tylko w Afryce Południowej i Egipcie.

RZĄDY

Wiele krajów ma niestabilne rządy typu europejskiego, niepokojone napięciami między grupami szczepowymi. Wiele krajów zachodnioafrykańskich, jak Niger i Burkina Faso jest kierowane przez rządy wojskowe. Kraje jak Egipt, Kongo i Angola są republikami socjalizującymi.

JĘZYKI

W Afryce mówi się 1300 językami — większą liczbą niż na którymkolwiek innym kontynencie.

RELIGIA

Wielu Afrykanów wyznaje tradycyjne wiary. Północna Afryka jest głównie muzułmańska. Chrześcijaństwo jest powszechne na południe od Sahary.

TEREN

Większość Afryki jest rozległym płaskowyżem, przerywanym tu i ówdzie przez pasma górskie, takie jak Ruwenzori w Ugandzie. Na wschodzie płaskowyż jest przerwany przez rowy tektoniczne (Wielkie Rowy Afrykańskie), biegnące od Morza Czerwonego w dół, po Malawi, gdzie znajdują się jeziora tak wielkie, jak Rudolfa i Tanganika.

Na kontynencie afrykańskim leżą dwie wielkie równiny: półpustynna Kalahari na południu i rozległa pustynia Sahara na północy, rozciągająca się na przestrzeni 5500 km od Atlantyku do Morza Czerwonego. Wzdłuż równika w Afryce Zachodniej i Środkowej leżą gęste, zielone lasy tropikalne. Większość pozostałego terenu to trawiasta sawanna i tereny zarośli, po których wędrują słonie, antylopy, lwy, żyrafy, zebry i wiele innych zwierząt.

Gdzie żyją ludzie? Większość terenów jest tak gorąca i sucha, a warstwa gleby tak cienka, że w wielu miejscach Afrykanie od zawsze wiedli wędrowny lub półwędrowny tryb życia. Niektórzy stale przenoszą się z miejsca na miejsce wraz ze swymi stadami, poszukując nowych pastwisk. Inni oczyszczają teren z drzew i hodują rośliny przez kilka lat, po czym porzucają ziemię, by się odnowiła. Jest to nazywane *kultywacją ruchomą*. Jedynie na północy, wzdłuż doliny Nilu i na żyznych pasach nadbrzeżnych teren jest zasiedlony na stałe.

Ponad 70% ludności mieszka na wsi i wielu Afrykanów żyje nadal tak, jak żyli przodkowie, w malutkich wioskach zabudowanych szałasami, często liczących poniżej 50 mieszkańców. Ale w ostatnich 30 latach, gdy technika pozwoliła na lepszą uprawę ziemi, nie trzeba już tylu rąk do pracy na wsi, więc miliony Afrykanów ruszyło do rozrastających się miast, takich jak Kair w Egipcie i Abidżan na Wybrzeżu Kości Słoniowej.

LUDZIE

Afryka była zamieszkała przez ludzi znacznie wcześniej, niż jakiekolwiek inne miejsce na Ziemi; powstało tam i zginęło wiele godnych uwagi kultur i cywilizacji, łącznie ze staroegipską (str. 116), malijską i zimbabwiańską.

__Miliony Afrykanów__ żyje w małych wioskach, jak ta pokazana poniżej. Ludzie wymieniają żywność jaką wyhodowali na odzież i inne przedmioty.

Tuaregowie *należą do nielicznych ludzi, którzy wytrzymują palące słońce saharyjskiej pustyni. Są oni wędrowcami, którzy żyją w namiotach i pasą wielbłądy i kozy.*

Masajowie *są wysokimi, szczupłymi, koczującymi pasterzami z Kenii. Malują ciała czerwoną ochrą i noszą skomplikowane kołnierze z brązu i bransolety oraz naszyjniki z paciorków.*

Obecnie w Afryce istnieje niezwykła rozmaitość kultur i ras. Kraje na północy, takie jak Algieria, Maroko i Egipt są arabskie. Na południu większość ludzi to czarni Afrykanie, którzy należą do ponad 800 grup etnicznych, każda z własną kulturą i sposobem życia.

Niestety, gdy europejskie potęgi kolonialne rozcinały Afrykę na kolonie, w znacznej mierze ignorowały te różnice. Na całym kontynencie granice państw przecinają terytoria plemienne, rozdzielając ludzi i pozostawiając wiele małych grup w krajach zdominowanych przez inne, czasem wrogie szczepy. Jest to jedna z przyczyn, dla których tak wiele państw afrykańskich jest pustoszonych przez krwawe wojny domowe lub dostało się w ręce dyktatorów, takich jak cesarz Bokassa w Republice Środkowej Afryki czy Idi Amin w Ugandzie.

BIEDA I KLĘSKI GŁODOWE

W Afryce żyją najbiedniejsi ludzie świata. Produkt narodowy brutto (str. 186) Stanów Zjednoczonych wynosi blisko 20 000 dolarów na osobę; w Czadzie wynosi on 190, w Malawi 180, a Etiopii tylko 120 dolarów rocznie.

Nawet w krajach, które osiągają dobre dochody, jak Afryka Południowa, wielu ludzi żyje w skrajnej nędzy. Stłoczeni są w nędznych domach bez mebli, elektryczności, kanalizacji, ubrani w podarte ubrania.

Co gorsze, miliony Afrykanów umierają obecnie z głodu. Od 1980 roku skutki wojny i nadmiernego wykorzystania ziemi zostały spotęgowane przez klęskę suszy. Ludność Etiopii, Sudanu, Somalii i Mozambiku cierpi straszny głód. Tysiące afrykańskich mężczyzn, kobiet i dzieci umiera z głodu, gdy czytasz te słowa.

SAHARA

Pustynia Sahara zajmuje obszar większy niż całe Stany Zjednoczone Ameryki Północnej. Spada na nią mniej niż 100 mm deszczu w ciągu roku, a temperatura w cieniu często osiąga 50°C podczas dnia, by spadać do blisko zera w nocy. Ponad 70% obszaru to zwykły piasek, 15% to ruchome piaszczyste wydmy. Pustynia nie jest martwa, mieszka tam 2 mln ludzi; niektórzy są wędrownymi pasterzami, ale większość to rolnicy żyjący w oazach, gdzie hodują palmy daktylowe, cytrusy i inne rośliny.

MOZAMBIK

Przez 470 lat kraj ten był kolonią portugalską. Biali *prazeros* zajęli całą ziemię, utrzymując ludność w niewoli. Gdy Portugalczycy ostatecznie zostali wyrzuceni w 1975 r., kraj stał się republiką socjalistyczną. Przeciw tej formie rządów wystąpiła grupa partyzancka zwana Renamo. Przez kraj przetoczyła się fala terroru przeciw socjalistom, w której zginęło lub zostało rannych wiele niewinnych osób. Ludność żyła w stałej obawie, dzieci były porywane, a 5 mln mieszkańców zostało wygnanych ze swoich siedzib. Nawet gdy klęski suszy trapiły kraj, Renamo niszczyło zbiory i pomoc żywnościową. Akcje terrorystyczne Renamo ustały, ale zniszczenia w kraju są tak duże, że wiele tysięcy ludzi nadal umiera z głodu.

Sorgo *jest rodzajem zboża powszechnie uprawianego na suchszych terenach, na skraju lasów. Jest używane do wypieku chleba.*

Złoto *jest głównym artykułem eksportowym Afryki Południowej. Niektórzy czarni Południowi Afrykanie dojeżdżają codziennie z daleka do pracy w kopalniach Transwalu.*

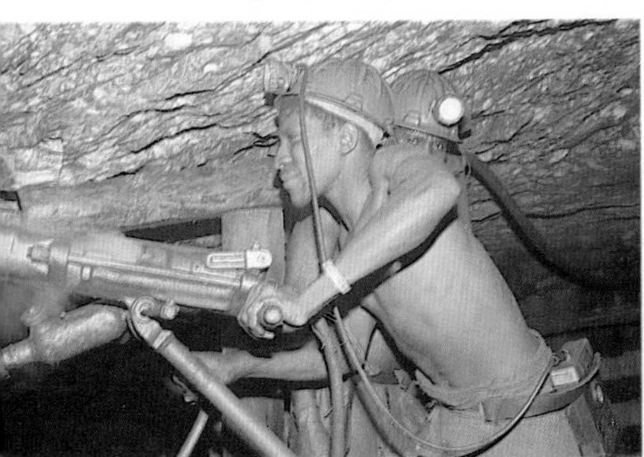

CZY WIESZ, ŻE...?

Największym jeziorem Afryki, pokrywającym prawie 70 000 km^2 jest jezioro Wiktorii (Ukerewe).

7,7 miliona litrów wody przepływa w każdej sekundzie przez wodospad Wiktorii na granicy Zambii i Zimbabwe.

Zimbabwe swą nazwą nawiązuje do zrujnowanego starego miasta z kamieni, Wielkiego Zimbabwe, które kwitło tu przed 500 laty.

Szczyt góry Kilimandżaro zawsze jest pokryty śniegiem.

Uniwersytet w Fezie w Maroku został założony w 859 roku n.e.; jest to najstarszy uniwersytet świata.

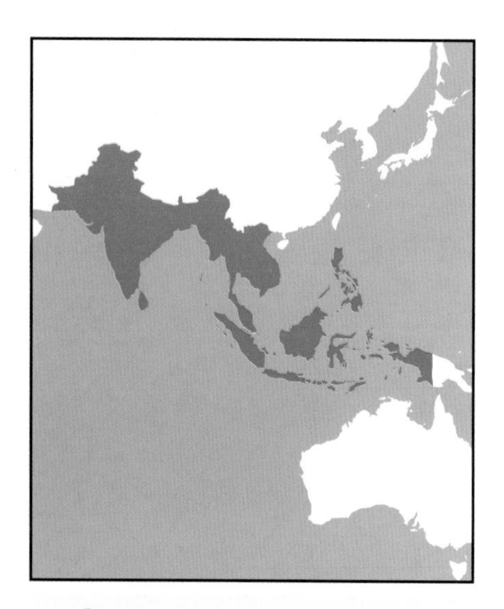

PÓŁWYSEP INDYJSKI

Oddzielony od reszty Azji przez piętrzące się szczyty Himalajów subkontynent indyjski, obejmujący Indie, Pakistan i Bangladesz, jest jednym z najgęściej zaludnionych regionów świata, z cywilizacją datującą się na 5000 lat.

PÓŁWYSEP INDYJSKI

Obszar: 4 235 204 km^2
Ludność: 1 082 264 000
Najwyższy punkt: K2 w Pakistanie, 8611 m n.p.m.
Najdłuższa rzeka: Indus, 3180 km

KRAJE

Bangladesz, Cejlon, India (Indie), Pakistan

GOSPODARKA

Rolnictwo: Dwie trzecie ludności zajmuje się uprawą zbóż, głównie ryżu i pszenicy; na eksport uprawia się trzcinę cukrową, herbatę, bawełnę, rośliny oleiste i jutę.
Zasoby naturalne: Zasoby węgla Indii dają energię dla przemysłu. Posiada ona również diamenty, aluminium, miedź i rudę żelaza.
Przemysł: India zajmuje 10 miejsce na liście najbardziej uprzemysłowionych państw świata. Ważne są tekstylia, ale nacisk jest obecnie kładziony na przemysł ciężki, łącznie z hutnictwem żelaza i stali, pojazdy, obrabiarki i farmaceutyki.

RZĄDY

India jest największą demokracją świata, ale przez wiele lat, do zabójstwa Rajiva Gandhiego w 1991 roku, rodzina Gandhi utrzymywała władzę w swych rękach. W 1971 roku Wschodni Pakistan oderwał się od Pakistanu Zachodniego, by stać się Bangladeszem. Pakistan również jest demokracją, ale często sprawuje tu władzę armia dyktatorska, zwłaszcza w czasach generała Zia, który został zamordowany w 1988 roku.

JĘZYKI

Na subkontynencie indyjskim używanych jest ponad 30 języków i 1500 dialektów. Hindi i angielski są głównymi językami w Indii i Pendżabie, w Pakistanie – urdu, zaś w Bangladeszu – bengalski.

RELIGIA

Wyznawanych jest wiele religii, ale Indie są w 83 % hinduistyczne; Pakistan i Bangladesz są głównie muzułmańskie. Na Cejlonie (Sri Lanka) przeważa buddyzm.

SPORT

Bardzo popularny jest krykiet.

TEREN

Północną ścianą Indii są Himalaje, najwyższy masyw górski na świecie; miejsce, do którego bogaci Hindusi często uciekają przed letnimi upałami. Na południu, w dorzeczu Indusu i Gangesu leżą żyzne niziny intensywnie uprawiane i gęsto zaludnione. Tutaj znajdują się największe miasta Indii – Delhi i Kalkuta. Jeszcze dalej na południe znajduje się rozległa wyżyna Dekanu, obrzeżona od wschodu i zachodu górami (Ghaty Wschodnie i Zachodnie).

Większość Indii jest gorąca; latem temperatura miejscami osiąga średnio 30°C. Jest to teren, gdzie istnieją dwie pory roku – sucha i deszczowa. Deszcze monsunowe (str. 86) przynoszą wyczekiwaną wodę, a nawadnianie pomaga w uprawie roślin w dosyć suchych terenach. Deszcze monsunowe są tak duże, że często zdarzają się powodzie, zwłaszcza w nisko położonym Bangladeszu.

LUDZIE

Po 45 latach niepodległości India nadal odczuwa skutki brytyjskiego panowania. Angielski jest, wraz z hindi, językiem oficjalnym; rządy i interesy są prowadzone w dużym stopniu tak, jak to było za panowania brytyjskiego. Nawet nowe samochody są budowane według starych wzorów brytyjskich. Co bardziej niepokojące, istnieją nadal napięcia spowodowane sposobem, w jaki tworzono dwa kraje, Indie i Pakistan (Wschodni i Zachodni), ze znacznej liczby ludzi nie mających wiele wspólnego. Pakistan Wschodni oddzielił się od Zachodniego w 1971 roku i powstało suwerenne państwo – Bangladesz. Walka Sikhów o oddzielenie się od Indii doprowadziła do zamordowania w 1984 roku premiera Indii, pani Indiry Gandhi. Wielu Hindusów jest biednych, ale Indie są w stanie wyprodukować dostateczną ilość żywności, by wyżywić swoje narody, a przemysł stale się rozwija.

GANDHI

Mahatma Gandhi prowadził kampanię na rzecz niepodległości Indii. Od 1966 do 1977 roku, i ponownie, od 1980 do 1984 premierem Indii była Indira Gandhi (nie była spokrewniona z Mahatmą). Po jej śmierci premierem został jej syn, Rajiv (Radżiw). On również został zamordowany w 1991 roku.

***Słonie** cieszą się wielkim szacunkiem większości Hindusów, od dawna były wykorzystywane do prac, takich jak przenoszenie pni drzewnych.*

***Rzeka Ganges** jest przez Hindusów uważana za świętą, a wzdłuż niej znajdują się miejsca uważane na szczególnie święte.*

AZJA POŁUDNIOWO--WSCHODNIA

Ciepła i wilgotna Azja Południowo-Wschodnia jest żyzną częścią świata, gdzie władcy, wyznający hinduizm i buddyzm, niegdyś budowali w lasach gigantyczne świątynie. Obecnie niektóre kraje tego regionu rozwijają się dzięki nowym gałęziom przemysłu lub dzięki źródłom taniej siły roboczej.

WARUNKI NATURALNE

Azja Południowo-Wschodnia jest terenem gór, wysp i rozległych nizin. Klimat jest ciepły, a monsuny przynoszą deszcze od czerwca do października. Góry, zarośnięte leśnym gąszczem, rozciągają się od Myanmaru (Birmy) przez Laos, Tajlandię po Wietnam. Między nimi leżą żyzne niziny i delty, gdzie żyje większość ludzi – wzdłuż rzeki Irawadi w Myanmarze, Menam w Tajlandii i Mekongu w Kambodży i Wietnamie. Najbardziej wysuniętymi na południe częściami Azji są: Półwysep Malajski, rozciągający się od Zatoki Syjamskiej po Morze Południowochińskie, i 3700 wulkanicznych wysp Indonezji. Większość Indonezji to wilgotne lasy równikowe; niziny między nimi są gęsto zaludnione.

LUDNOŚĆ

Azja Południowo-Wschodnia ma bogatą tradycję kulturową; obszar ten zamieszkiwało i zamieszkuje wiele różnych ludów. Większość ludności na północy jest biedna i utrzymuje się z uprawy ryżu, szczególnie w Laosie, Myanmarze i Wietnamie, a w Malezji i Myanmarze z nacinania drzew dla pozyskania kauczuku.

Singapur, Tajlandia, Indonezja rozwinęły bardzo wysoko przemysł przetwórczy, tekstylny i elektronikę.

POLA ŚMIERCI

Laos, Wietnam i Kambodża były koloniami francuskimi i pod koniec okresu kolonialnego, w latach 60. XX wieku, stały się obszarem walk o wpływy. Najkrwawsze toczyły się w Kambodży, gdzie w 1975 roku komunistyczni partyzanci, tzw. Czerwoni Khmerzy, obalili reżim wojskowy wspierany przez USA. Przywódca Czerwonych Khmerów, Pol Pot, należał do najokrutniejszych współczesnych dyktatorów. Na jego rozkaz wymordowano 2 mln Kambodżan. Sam Pol Pot został pokonany w 1978 roku przez Wietnamczyków. W 1991 roku podpisano traktat pokojowy, który zakończył wojnę domową w Kambodży. Pol Pot wycofał się z polityki. Zmarł w 1998 roku.

W Indonezji, dzięki tarasowej uprawie na zboczach wzgórz, każdy centymetr kwadratowy ziemi jest wykorzystany pod uprawę ryżu (z lewej).

***Tradycyjne tańce** Azji Południowo-Wschodniej są pełne gracji i precyzji – każdy gest i ruch ma specjalne znaczenie (poniżej).*

AZJA POŁUDNIOWO-WSCHODNIA

Obszar: 4 188 259 km²
Ludność: 506 896 000
Najwyższy punkt: Hkakado Razi w górach Kumon w Myanmarze, 5881 m n.p.m.
Najdłuższa rzeka: Mekong, 4425 km

KRAJE

Singapur, Kambodża, Laos, Wietnam, Malezja, Myanmar (poprzednio Birma), Indonezja, Filipiny, Tajlandia, Timor Wschodni, Brunei.

GOSPODARKA

Rolnictwo: Ponad trzy czwarte ludności uprawia ryż na własne potrzeby.
Zasoby naturalne: Malezja eksploatuje kauczuk, cynę i złoża ropy naftowej, Indonezja ma bogate, ale mało wykorzystane złoża ropy, gazu ziemnego, cyny, niklu i miedzi.
Przemysł: Przemysł rozwija się dynamicznie w Indonezji, Malezji i Singapurze, a także ostatnio w Wietnamie, zwłaszcza elektroniczny i odzieżowy.

USTRÓJ POLITYCZNY

Ustroje państw tego regionu stabilizują się bardzo powoli i trudno określić, jaki będzie ich ostateczny kształt. W Myanmarze na przykład władzę sprawują wojskowi, Tajlandia zaś i Malezja są monarchiami konstytucyjnymi i mają powszechnie wybierane władze. Najmłodsze z państw tego regionu, Timor Wschodni, stanowi Tymczasową Administrację ONZ Timoru Wschodniego. Dotychczas żaden kraj nie uznał oficjalnie istnienia Timoru Wschodniego.

JĘZYKI

Język tajski jest głównym językiem w Tajlandii, wietnamski w Wietnamie, khmerski w Kambodży, birmański w Myanmarze. Istnieje też wiele innych języków, np. 250 języków w Indonezji.

RELIGIA

Kambodża, Wietnam, Tajlandia i Myanmar są głównie buddyjskie, Indonezja zaś i Malezja muzułmańskie.

CZY WIESZ, ŻE...?

Mury XII-wiecznej świątyni Angkor Wat, w Angkor, dawnej stolicy imperium khmerskiego w Kambodży, mają ponad 1,5 km długości. Świątynię wzniósł król Surdżawarman.
Malakka, miasto na południu Półwyspu Malajskiego, w XVI i XVII wieku była wielkim kolonialnym portem handlowym.
Stolicę Tajlandii cudzoziemcy nazywają Bangkokiem, ale jej prawdziwa nazwa liczy sobie 17 słów. Pierwszym z nich jest „Krungthep", przez co miasto jest też znane pod nazwą Krung Thep.

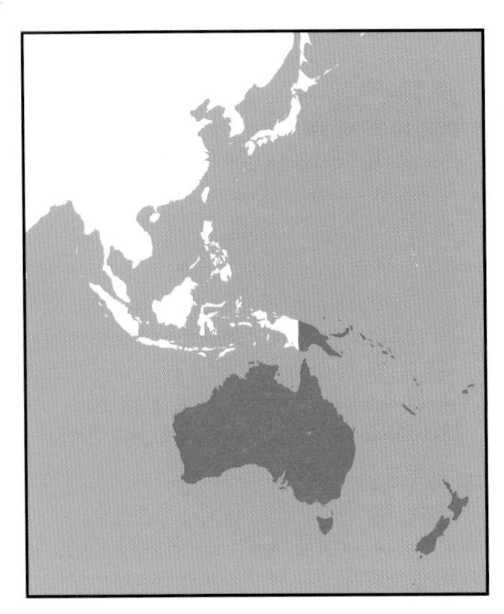

AUSTRALIA I OCEANIA

Australia i Oceania to zbiorowisko ponad 10 000 wysp rozsianych na Oceanie Spokojnym (Pacyfiku), największym oceanie świata. Rozciągają się na prawie jedną trzecią drogi wokół świata, 14 000 kilometrów od zachodniej Australii po Wyspy Wielkanocne.

AUSTRALIA

Jest wprawdzie najmniejszym kontynentem świata, ale też szóstym co do wielkości państwem.

Większość kraju to obszary pustynne i mało zaludnione; ludność żyje główne na południowym wschodzie, w Nowej Południowej Walii i Wiktorii, gdzie znajdują się największe miasta (Sydney i Melbourne), oraz wzdłuż wybrzeża wschodniego w Queensland i na południu wokół Adelaide i Perth, bardziej na zachód. Większość obszarów pozostaje jednak prawie niezamieszkała.

Na wschodzie Wielkie Góry Wododziałowe oddzielają względnie wilgotną równinę nadbrzeżną od znacznie bardziej suchej sawanny wewnątrz kontynentu, gdzie milionowe stada owiec i bydła są wypasane na wielkich ranczach zwanych *stations*. Dalej, w sercu kontynentu, leży rozległa pustynia, ciągnąca się niemal bez przerwy aż do wybrzeża zachodniego.

Ludność. Myśliwi-krajowcy, Aborygeni przybyli do Australii 40 000 lat temu. Gdy Brytyjczycy przypłynęli w końcu XVIII wieku, krajowcy zostali zepchnięci w głąb kraju, na suche tereny. Plagi przyniesione przez Brytyjczyków – choroby, masakry i utrata terenów łowieckich – zmniejszyły liczbę tubylców. U schyłku lat 80. XX wieku rząd australijski zaczął wprowadzać programy mające na celu zrównanie poziomu życia Aborygenów i białych mieszkańców.

Tylko nieliczni z pierwszych brytyjskich i irlandzkich osadników pragnęli przenieść się do Australii. Wiekszość byli to skazańcy, przewożeni w straszliwych warunkach statkami żaglowymi. Dopiero odkrycie złota i srebra w XIX wieku i perspektywa życia w ciepłym

WIELKA RAFA KORALOWA

Jest jedną z najniezwyklejszych naturalnych osobliwości świata. Jest to labirynt 2500 raf koralowych zajmujących obszar 207 000 km² i ciągnących się ponad 2000 km wzdłuż północno-wschodnich wybrzeży Australii. Tworzące rafę korale utworzyły wielobarwne i niezwykłe konstrukcje, będące środowiskiem dla bajecznie rozmaitych ryb tropikalnych. Na wyspach Heron i Lizard znajdują się ważne morskie stacje badawcze, a rafa jest odwiedzana przez tysiące płetwonurków. Dzisiaj Wielka Rafa Koralowa jest pod ochroną, gdyż napływ turystów stwarza zagrożenie dla jej środowiska naturalnego.

AUSTRALIA I OCEANIA

Obszar: 8 557 000 km²; Australia 7 682 300 km²; Nowa Zelandia 267 515 km²; Papua-Nowa Gwinea 462 840 km²
Ludność: 30 005 000; Australia, 19 160 000; Nowa Zelandia, 3 819 000; Papua-Nowa Gwinea, 4 926 000
Najwyższy punkt: Góra Wilhelma, Papua-Nowa Gwinea, 4509 m n.p.m.
Najdłuższa rzeka: Murray–Darling, 3750 km

KRAJE

Nauru, Tuvalu, Tonga, Kiribati, Samoa Zachodnie, Vanuatu, Fidżi, Wyspy Salomona, Wyspy Marshalla, Palau, Nowa Zelandia, Mikronezja, Papua-Nowa Gwinea, Australia.

GOSPODARKA

Rolnictwo: W Australii hoduje się miliony owiec na wełnę; Nowa Zelandia jest największym eksporterem baraniny i przetworów mlecznych i drugim największym eksporterem wełny. Gospodarka wysp Pacyfiku opiera się głównie na uprawie palmy kokosowej.
Zasoby naturalne: Australia jest samowystarczalna; ma wielkie złoża rudy żelaza, srebra i boksytów, cynku i niklu oraz ołowiu. Papua-Nowa Gwinea ma wielkie kopalnie miedzi i złota na wyspie Bougainville.
Przemysł: Rozwinięty i nowoczesny przemysł tylko w Australii.

USTRÓJ POLITYCZNY

Australia, Nowa Zelandia, Papua-Nowa Gwinea i Wyspy Salomona były niegdyś koloniami brytyjskimi. Obecnie mają własne parlamenty i praktycznie są niezależne. Formalnie głową państwa jest brytyjska królowa reprezentowana przez gubernatora generalnego w każdym z tych krajów; to on mianuje premiera. Tonga i Samoa Zachodnie są niezależnymi monarchiami konstytucyjnymi z własnym parlamentem. Fidżi i Vanuatu są republikami.

JĘZYKI I RELIGIA

Angielski jest wszędzie powszechnie używany, ale wielu wyspiarzy na Pacyfiku, Aborygeni w Australii i Maorysi na Nowej Zelandii mają własne języki. To samo dotyczy religii. Kościół anglikański dominuje, ale istnieje wiele miejscowych religii.

Mieszkańcy Papui-Nowej Gwinei *to wiele rodzinnych plemion, żyjących od 50 000 lat w równikowych lasach, porastających górzyste obszary wyspy. Na Papui-Nowej Gwinei używa się ponad 700 języków; jest to czwarta część wszystkich języków świata. Większość jednak mówi językiem motu lub rodzajem angielszczyzny, zwanej „Pidgin".*

Ayers Rock w sercu Australii jest masywną formacją z prekambryjskiego piaskowca popularną wśród turystów, a również świętą dla Aborygenów.

Strzyżenie owiec na ranczo na australijskiej sawannie. Australia jest największym na świecie eksporterem wełny.

australijskim klimacie zaczęły przyciągać coraz więcej białych imigrantów.

Dzisiaj Australia jest bardzo zamożnym krajem o własnym charakterze i stylu życia. Nadal chętnie przyjmuje imigrantów, zwłaszcza młodych i wykształconych. W Sydney np. jedna czwarta mieszkańców mówi w domu innym jezykiem niż angielski. Australijczycy o wiele częściej niż inne narody zmieniają miejsce zamieszkania i pracę. Ze względu na różnorodność krajobrazu, wynikającą z wielości klimatów, Australia przyciąga dzisiaj rzesze turystów.

NOWA ZELANDIA

Jest zielonym, górzystym krajem leżącym na dwu wyspach, które zostały zasiedlone przez Maorysów ponad 1000 lat temu. Brytyjczycy przybyli w połowie XIX wieku i zaczęli wycinać lasy, by zyskać tereny pod wielkie rancza hodowlane – bydła na Wyspie Północnej, owiec na Południowej. Eksport baraniny, wełny i produktów mlecznych daje nielicznej i młodej społeczności stabilny dobrobyt.

WYSPY PACYFIKU

Są często dzielone na trzy grupy, zgodnie z rasami lokalnymi zamieszkujących je ludności: Melanezja na zachodzie; Mikronezja na północy i Polinezja na wschodzie.

Większość wysp pozostaje pod kontrolą wielkich państw, jak Stany Zjednoczone, Francja, Wielka Brytania i Australia.

OSOBLIWOŚCI TERYTORIUM PÓŁNOCNEGO

Około 500 km na południowy zachód od Alice Springs, na terenach Uluru-Kata Tjuta National Park leży Ayers Rock, góra wyspowa. Wznosi się nad równinę 348 m i ma obwod 9,4 km.
Jest najsłynniejszym na świecie monolitem, świętą górą Aborygenów Anangu. Ayers Rock została wpisana na listę światowego dziedzictwa.
Do parku Uluru-Kata Tjuta przybywają rzesze turystów, dla których przygotowano kilka tras wycieczkowych. Najdłuższa, 10-km., wiedzie dokoła góry. Średnia temperatura latem wynosi 36°C, ale zdarzają się też upały 40-stopniowe. Zaleca się picie do 2 litrów wody w ciągu godziny.

ORZECHY KOKOSOWE

Ich uprawa odgrywa istotną rolę w gospodarce wielu wysp na Oceanie Spokojnym, zwłaszcza Wysp Salomona, Vanuatu i Fidżi, gdyż stanowią towar eksportowy. Sadzonki palm kokosowych na wielkich plantacjach przynoszą plon dopiero po 7–12 latach. Niedojrzałe owoce dostarczają mleka kokosowego, miąższ dojrzałych owoców jest źródłem wielu produktów. Mydło, margaryna i kosmetyki są wytwarzane na bazie oleju kokosowego, a włókno jest używane do wyrobu mat, lin i szczotek, drewno zaś jest doskonałym materiałem budowlanym.

CZY WIESZ, ŻE...?

W Australii rozwija się dynamicznie przemysł winiarski, zwłaszcza w Australii Południowej, gdzie najsłynniejszym miejscem uprawy winorośli jest Dolina Barossa.
Aborygeni wierzą, że mają zwierzęcych, roślinnych i ludzkich przodków, którzy stworzyli świat w czasie snu.
Bikini nie jest tylko nazwą dwuczęściowego kostiumu kapielowego, ale również atolu na Pacyfiku, gdzie dokonywano próby z bronią atomową.
W Broken Hill w Nowej Południowej Walii w Australii znajduje się największa na świecie kopalnia srebra.

Gmach opery w Sydney z mostem Portowym w tle – jeden z najsłynniejszych australijskich widoków.

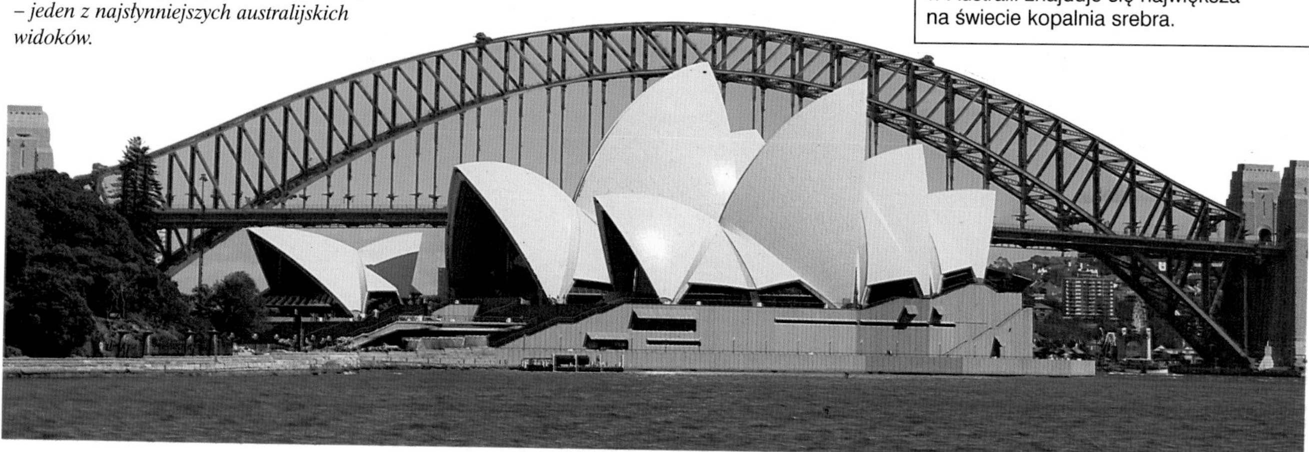

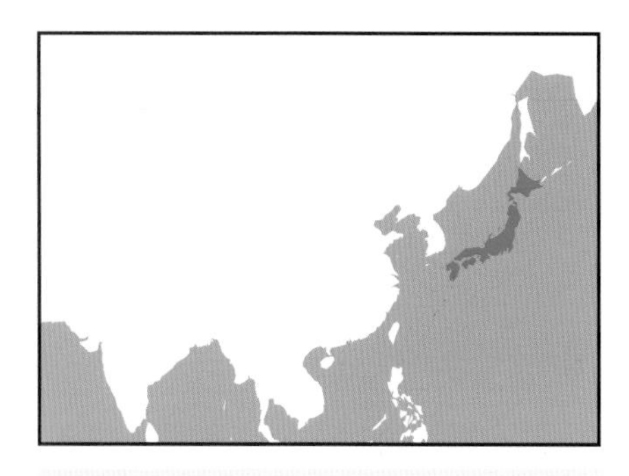

JAPONIA

Japonia składa się z czterech dużych wysp – Hokkaido, Honsiu, Sikoku i Kiusiu – oraz blisko 4000 małych. 75% ludności Japonii żyje na Honsiu, największej z wysp, ale najgęściej zaludnioną wyspą jest Kiusiu, która jest połączona z Honsiu tunelami kolejowymi.

GÓRY I MIASTA

Japonia jest górzystym krajem, ze spadzistymi, zalesionymi zboczami, rwącymi rzekami i licznymi wulkanami, wśród których dominuje Fudżi, najwyższy szczyt Japonii, święta góra Japończyków. Większość ludności mieszka na wąskich nizinach przybrzeżnych i wzdłuż dolin rzek. Dziewięciu na dziesięciu Japończyków mieszka w mieście. Tokio jest czwartym co do wielkości miastem świata, a tempo życia jest tu niesłychane. Około 28 mln ludzi ludzi żyje w zespole miejskim Tokio–Jokohama. Tokio jest miastem o zaskakujących kontrastach. Finansowo-handlowe centrum zajmują niewiarygodne wieżowce, w innych dzielnicach dominują niewysokie, średnio dwupiętrowe budynki.

JAPONIA DZIŚ

Japonia została pokonana w czasie II wojny światowej, a dwa jej wielkie miasta, Hiroszima i Nagasaki, legły w gruzach, zniszczone przez amerykańskie bomby atomowe. Japończycy są pracowitym narodem, eksportują rozliczne produkty i Japonia ma obecnie jedną z najlepiej rozwiniętych gospodarek świata. Japońskie miasta są bardzo nowoczesne, jednak Japończycy są także dumni ze swojej kultury i religii.

JAPONIA

Obszar: 377 815 km^2
Ludność: 126 540 000
Stolica: Tokio
Ludność: 11 936 000
Najwyższy punkt: Fudżi, 3776 m n.p.m.

GOSPODARKA

Rolnictwo: Jedynie 15% terenów nadaje się pod uprawę. Głównym zbożem jest ryż. Rybołówstwo japońskie jest jednym z najlepiej rozwiniętych na świecie.
Zasoby naturalne: Japonia ma niewielkie własne zasoby naturalne i większość surowców importuje, głównie ropę naftową i rudy żelaza.
Przemysł: Japonia słynie ze swych produktów elektronicznych. Produkuje również wiele stali, połowę statków świata i najwięcej na świecie samochodów.

USTRÓJ POLITYCZNY

Przez wieki Japonia była rządzona przez cesarzy, od 1946 roku jest jednak monarchią konstytucyjną. Cesarz nadal jest panującym władcą, ale kraj jest rządzony przez parlament i rząd.

RELIGIA

Większość Japończyków jest sintoistami lub buddystami, ale silne wpływy ma także konfucjanizm.

JĘZYK

Japoński

SZOGUNOWIE I SAMURAJOWIE

W latach 1254–1868 Japonią władali „główni dowódcy wojskowi", szogunowie, chociaż oficjalnie władzę sprawował cesarz. Każdy szogun miał potężne bractwo wojowników zwanych samurajami, którzy kierowali się bardzo surowym kodeksem honorowym, nazywanym buszido („Droga wojownika"). Jeżeli samuraj popełnił czyn niegodny, dla odzyskania honoru pozostawało mu popełnienie harakiri (samobójstwa) za pomocą swego sztyletu.

PRACOWNICY FIRM

Japońscy pracownicy prawie zawsze pracują w tej samej firmie przez całe życie. Pracownicy zwykle razem spędzają urlopy, razem uprawiają gimnastykę, razem też odśpiewują firmową pieśń na rozpoczęcie każdego dnia. Kierownicy są bardzo dumni ze swojej pracy i często spędzają przy niej wieczory. Taki tryb życia jest zbyt obciążający dla psychiki wielu ludzi i Japonia ma wysoki wskaźnik samobójstw.

CZY WIESZ, ŻE...?

Tunel kolejowy Seikan łączący Honsiu z Hokkaido jest najdłuższy na świecie (54 km).
Superekspresowy pociąg Shinkansen przejeżdża z Tokio do Fukuoki (1176 km) w ok. 6 godzin.
Co około 6 lat budynki w Tokio są rozbierane, a w ich miejsce budowane są nowe.
Japońskie dzieci w wieku 7 lat odrabiają zadania domowe przez ok. 5 godzin dziennie.
Japońskie pismo wykorzystuje ponad 3000 znaków.

***Ulice tokijskie** są najbardziej na świecie zanieczyszczone spalinami i policjanci drogowi muszą nosić maski.*

CHINY

Chińska Republika Ludowa jest najludniejszym krajem na Ziemi. Co piąty człowiek żyjący obecnie na świecie jest Chińczykiem. Chiny są również trzecim co do wielkości krajem świata.

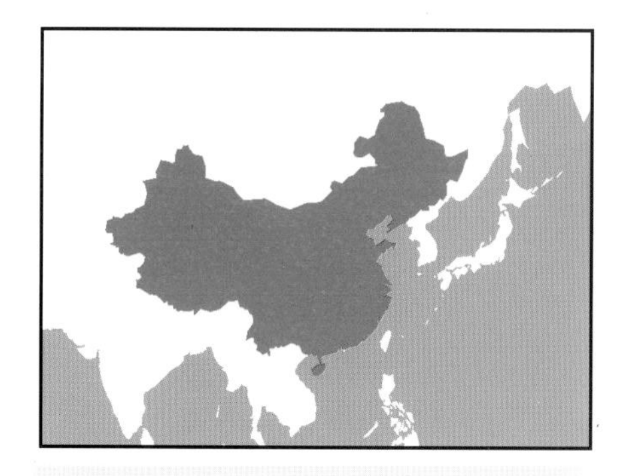

PRADAWNY KRAJ ROLNICZY

Chiny są rozległym i zróżnicowanym krajem, rozciągającym się od wyniosłych gór – Himalajów (najwyższych na świecie) na południowym zachodzie, po wielkie i niezaludnione tereny pustyni Gobi na północy i zielone niziny na wschodzie, w pobliżu rzek Jangcy i Huang-he, gdzie żyje większość ludności. Niektóre chińskie miasta mają ponad 3500 lat (str. 122), a współczesne, takie jak Pekin i Szanghaj, należą do największych na świecie. Czterech spośród pięciu Chińczyków nadal żyje na wsi, wielu uprawia ryż na zalewanych polach nazywanych *paddi*.

CHIŃSKA MEDYCYNA

Chociaż Chiny przyjęły nowoczesne zachodnie sposoby leczenia (np. chirurgię) i leki, pielęgnowane są tam również dawne metody, pochodzące sprzed tysięcy lat. Chińscy aptekarze sprzedają mnóstwo różnych środków ziołowych i innych naturalnych specyfików. Wielu pacjentom pomaga się przez akupunkturę, stary system leczenia i przynoszenia ulgi w bólach, polegający na wbijaniu igieł w skórę, w jeden z 800 ściśle określonych punktów.

CHINY KOMUNISTYCZNE

Do początku XX wieku Chiny były rządzone przez cesarzy. Ostatni cesarz został usunięty z tronu w 1911 roku. W 1949 roku, po długich walkach, do władzy doszli komuniści, kierowani przez Mao Ze-donga. Obecnie ludność wiejska mieszka i pracuje w wielkich komunach rolniczych, a ludność w miastach pracuje najczęściej w wielkich fabrykach. Życie Chińczyków znacznie poprawiło się pod rządami komunistów; choroby są rzadsze; niemal wszyscy potrafią czytać i pisać. Chiny są wielkim mocarstwem przemysłowym, ale ludzie mają mało swobody. Wielu Chińczyków jest więzionych za swe poglądy polityczne, a wezwania do wprowadzenia większej demokracji są tłumione – jak było to na pekińskim placu Tienanmen w 1989 roku, gdzie zabito wielu studentów i robotników.

CHINY

Obszar: 9 526 900 km^2
Ludność: 1 236 000 000
Stolica: Pekin
Najdłuższa rzeka: Jangcy, 6380 km
Najwyższa góra: Everest 8848 m n.p.m.

GOSPODARKA

Rolnictwo: 800 mln Chińczyków jest związanych z rolnictwem, uprawiają ryż, pszenicę, kukurydzę, kaolian (zboże podobne do sorga), słodkie kartofle, herbatę i wiele innych upraw. Powszechnie hodowane są świnie i drób.
Rybołówstwo: Chińczycy łowią wiele ryb słodkowodnych w wielkich rzekach wschodu.
Zasoby naturalne: Chiny mają wielkie złoża węgla, są znaczącym producentem ropy naftowej i posiadają wielki (choć niewykorzystany) potencjał hydroelektryczny. Mają też bogate złoża rud metali.
Przemysł: Przemysł Chin to przede wszystkim przemysł ciężki, ale w Chinach produkuje się też najwięcej na świecie rowerów.

USTRÓJ POLITYCZNY

Chiny pozostały jednym z nielicznych krajów komunistycznych

RELIGIA

Przed komunizmem większość Chińczyków wyznawała coś w rodzaju mieszaniny konfucjanizmu, taoizmu i buddyzmu.

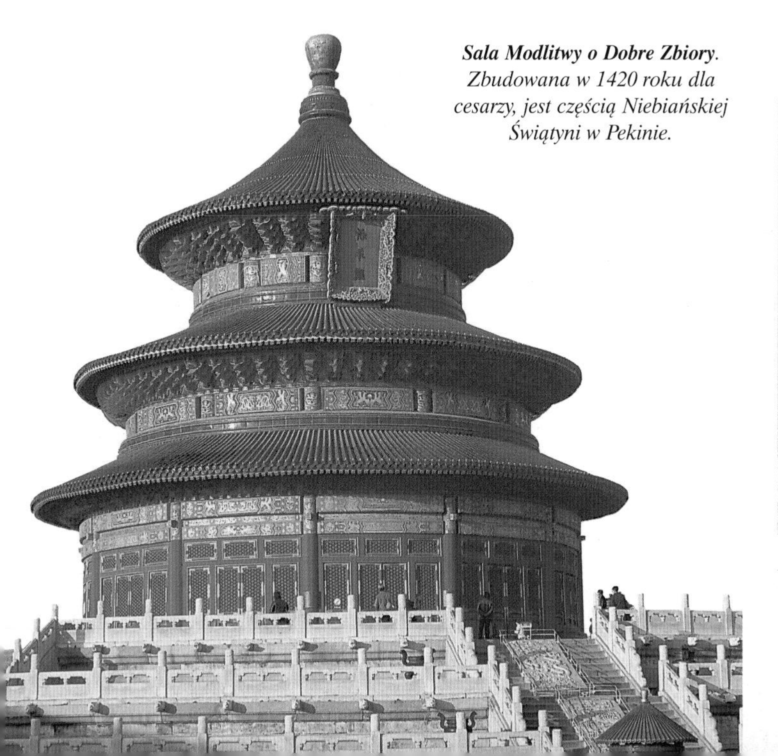

Sala Modlitwy o Dobre Zbiory. *Zbudowana w 1420 roku dla cesarzy, jest częścią Niebiańskiej Świątyni w Pekinie.*

Pola ryżowe *i hodowla ryb wzdłuż rzeki Jingbao w prowincji Guangxi w Chinach południowych. W dolinach na południu i na wschodzie jest uprawiany każdy dostępny kawałek gruntu, a strome zbocza często są tarasowane pod uprawę ryżu i innych roślin.*

Fakty i liczby

KONTYNENTY

KONTYNENT	POWIERZCHNIA (km^2)
Eurazja	54 993 492
Europa	*9 957 000*
Azja	*45 036 492*
Afryka	30 302 000
Ameryka Północna	25 680 331
Ameryka Południowa	17 793 000
Antarktyda	13 340 000
Australia	8 557 000

JEZIORA

JEZIORO	POWIERZCHNIA (km^2)
Morze Kaspijskie	376 000
Górne	83 270
Wiktorii	62 940
Huron	59 600
Michigan	58 020
Tanganika	32 900
Wielkie Niedźwiedzie	31 500
Bajkał	31 500

OCEANY I MORZA

OCEAN	POWIERZCHNIA (km^2)
Ocean Spokojny	178 684 000
Ocean Atlantycki	92 373 000
Ocean Indyjski	76 170 000

MORZA	POWIERZCHNIA (km^2)
Morze Arktyczne (*) (zaliczane niekiedy do oceanów)	14 090 000
Morze Południowochińskie	3 537 000
Morze Karaibskie	2 777 000
Morze Śródziemne	2 501 500
Morze Beringa	2 315 000
Morze Ochockie	1 603 000
Zatoka Meksykańska	1 602 000
Zatoka Hudsona	1 232 300
Morze Japońskie	1 007 500
Morze Wschodniochińskie	836 000
Morze Północne	575 000
Morze Czarne	461 980
Morze Czerwone	437 700
Morze Bałtyckie	422 160
Morze Żółte	417 000

WYSPY

WYSPA	POWIERZCHNIA (km^2)
Grenlandia	2 175 600
Nowa Gwinea	820 657
Borneo	737 000
Madagaskar	589 500
Ziemia Baffina	507 500
Sumatra	425 000
Honsiu	231 100
Wielka Brytania	229 878
Wyspa Ellesmere'a	212 199
Wyspa Wiktorii	217 300

SZCZYTY

SZCZYT	WYSOKOŚĆ (m)
Mount Everest	8848
K2	8611
Kanczendzonga	8586
Lhotse	8516
Yalung Kang	8502
Makalu	8463
Czo Oju	8201
Dhaulagiri	8167
Manaslu	8156
Nanga Parbat	8126
Annapurna	8091

NAJDŁUŻSZE RZEKI I NAJWYŻSZE SZCZYTY NA KONTYNENTACH

KONTYNENT	RZEKA	DŁUGOŚĆ (km)	SZCZYT	WYSOKOŚĆ (m)
Ameryka Pn.	Missisipi–Missouri	6020	McKinley	6194
Ameryka Pd.	Amazonka	6516	Aconcagua	6960
Eurazja	Jangcy	6380	Mount Everest	8848
Europa	Wołga	3688	Mount Blanc	4807
Azja	Jangcy	6380	Mount Everest	8848
Afryka	Nil	6695	Kilimandżaro	5895
Antarktyda	–	–	Vinson	5140
Australia	Murray–Darling	3750	Cook	3764

RZEKI

RZEKA	DŁUGOŚĆ (km)
Nil	6695
Amazonka	6516
Jangcy	6380
Ob–Irtysz	5570
Jenisej	5870
Huang-he	5464
Kongo	4667
Parana	4500
Mekong	4425
Amur	4416

UKŁAD SŁONECZNY

PLANETA	CZAS OBROTU DOOKOŁA SŁOŃCA	PRZECIĘTNA ŚREDNIA ODLEGŁOŚĆ OD SŁOŃCA (w mln kilometrów)
MERKURY	88 DNI	60
WENUS	224 DNI	108
ZIEMIA	365 DNI	149,6
MARS	687 DNI	228
JOWISZ	11,9 ROKU	778
SATURN	29,5 ROKU	1427
URAN	84 LATA	2870
NEPTUN	165 LAT	4497
PLUTON	248 LAT	5900

NAJJAŚNIEJSZE GWIAZDY NIEBA

GWIAZDA	GWIAZDOZBIÓR	JASNOŚĆ
SYRIUSZ	PIES WIELKI	− 1,5
CANOPUS	KILU (S)	−0,7
TOLIMAN	CENTAUR (S)	−0,3
ARKTUR	WOLARZ	0,0
WEGA	LUTNIA	0,0
CAPELLA	WOŹNICA	0,1
RIGEL	ORION	0,1
PROCJON	PIES MAŁY	0,4
BETELGUZA	ORION	0,4
ACHERNAR	ERYDAN	0,5

(S) – gwiazdozbiór półkuli południowej niewidoczny z półkuli północnej

DZIEJE ZIEMI

ERA	OKRES	POCZĄTEK OKRESU (mln lat)	KRĘGOWCE	BEZKRĘGOWCE	ROŚLINY
KENOZOIK	CZWARTORZĘD	2	POJAWIA SIĘ CZŁOWIEK	MIĘCZAKI STAWONOGI	
	TRZECIORZĘD	66	BUJNY ROZWÓJ SSAKÓW WYMARŁY DINOZAURY	BOGATY ŚWIAT OWADÓW	
MEZOZOIK	KREDA	144	DINOZAURY	WYGINĘŁY AMONITY	ROŚLINY KWIATOWE (OKRYTOZALĄŻKOWE)
	JURA	208	POJAWIAJĄ SIĘ PTAKI	SKORUPIAKI AMONITY	
	TRIAS	245	POJAWIAJĄ SIĘ DINOZAURY I SSAKI	FAUNA MORSKA	
PALEOZOIK	PERM	286	ZANIKAJĄ PŁAZY	WYMARŁY TRYLOBITY	ROŚLINY SZPILKOWE
	KARBON	360	POJAWIAJĄ SIĘ GADY		
	DEWON	408	POJAWIAJĄ SIĘ PŁAZY OBFITOŚĆ RYB	POJAWIAJĄ SIĘ OWADY	MCHY SKRZYPY PAPROCIE
	SYLUR	438	PIERWSZE RYBY	TRYLOBITY ZANIKAJĄ GRAPTOLITY	
	ORDOWIK	505			POJAWIAJĄ SIĘ PIERWSZE ROŚLINY
	KAMBR	570		TRYLOBITY GRAPTOLITY BAKTERIE	

MAPA ŚWIATA
GRENLANDIA
ALASKA (USA)
ISLANDIA
WIELKA BRYTANIA
KANADA
IRLANDIA
STANY ZJEDNOCZONE
HISZPANIA
MEKSYK
BAHAMY
ANTIGUA I BARBUDA
BARBADOS
MALI
KOLUMBIA
EKWADOR
BRAZYLIA
PERU
BOLIWIA
CHILE
ARGENTYNA
1 BELIZE
2 GWATEMALA
3 HONDURAS
4 SALWADOR
5 NIKARAGUA
6 KOSTARYKA
7 PANAMA
8 JAMAJKA
9 HAITI
10 DOMINIKANA
11 KUBA
12 WENEZUELA
13 GUJANA
14 SURINAM
15 GUJANA FRANCUSKA
16 PARAGWAJ
17 URUGWAJ
18 PORTUGALIA
19 MAROKO
20 SAHARA ZACHODNIA
21 MAURETANIA
22 SENEGAL
23 GAMBIA
24 GWINEA BISSAU
25 GWINEA
26 SIERRA LEONE
27 LIBERIA
28 WYBRZEŻE KOŚCI SŁONIOWEJ
29 BURKINA FASO
30 GHANA
31 TOGO
32 BENIN
33 GWINEA RÓWNIKOWA
34 GABON
35 KAMERUN
36 KONGO
37 REPUBLIKA ŚRODKOWO-AFRYKAŃSKA
38 UGANDA
39 RWANDA
40 BURUNDI
41 SOMALIA
42 KENIA
43 TANZANIA
44 MOZAMBIK
45 MALAWI
46 ZAMBIA
47 ZIMBABWE
48 BOTSWANA
49 SUAZI
50 LESOTHO
51 ANDORA
52 LUKSEMBURG
53 BELGIA
54 HOLANDIA
55 DANIA
56 NIEMCY
57 POLSKA
58 LITWA
59 ŁOTWA
60 ESTONIA
61 BIAŁORUŚ
62A CZECHY
62B SŁOWACJA
63 AUSTRIA
64 SZWAJCARIA
65 WŁOCHY
66 LIECHTENSTEIN
67 WĘGRY
68 SŁOWENIA
69 CHORWACJA
70 BOŚNIA I HERCEGOWINA
71A SERBIA I CZARNOGÓRA
71B MACEDONIA
72 MONAKO
73 TUNEZJA
74 MALTA
75 ALBANIA
76 GRECJA
77 BUŁGARIA

78 RUMUNIA
79 MOŁDAWIA
80 TURCJA
81 CYPR
82 IZRAEL
83 JORDANIA
84A DŻIBUTI
84B ERYTREA
85 SYRIA
86 LIBAN
87 GRUZJA
88 AZERBEJDŻAN
89 ARMENIA
90 KUWEJT
91 BAHRAJN
92 KATAR
93 ZJEDNOCZONE EMIRATY ARABSKIE
94 TURKMENISTAN
95 UZBEKISTAN
96 TADŻYKISTAN
97 KIRGISTAN
98 AFGANISTAN
99 NEPAL
100 BHUTAN
101 BANGLADESZ
102 MYANMAR
103 LAOS
104 TAJLANDIA
105 KAMBODŻA
106 WIETNAM
107 BRUNEI
108 SINGAPUR
109 PAPUA-NOWA GWINEA
110 TAJWAN
111 KOREA POŁUDNIOWA
112 KOREA PÓŁNOCNA
113 DEMOKRATYCZNA REPUBLIKA KONGA
114 TIMOR WSCHODNI
ROSJA
FINLANDIA
UKRAINA
KAZACHSTAN
MONGOLIA
CHINY
JAPONIA
IRAK
IRAN
PAKISTAN
INDIE
LIBIA
EGIPT
ARABIA SAUDYJSKA
OMAN
JEMEN
CZAD
SUDAN
ETIOPIA
SRI LANKA
FILIPINY
MALEZJA
INDONEZJA
WYSPY SALOMONA
ANGOLA
MADAGASKAR
AUSTRALIA
NOWA ZELANDIA
AFRYKA POŁUDNIOWA

ARTYŚCI

Nazwisko	Lata	Urodzenie	Osiągnięcia
LEONARDO da Vinci	1452-1519	Vinci, Włochy	Leonardo był znakomitym malarzem, ilustratorem, rzeźbiarzem jak również architektem, naukowcem i inżynierem. W swoich pomysłach daleko wybiegał przed epokę, w której żył. Znane są jego szkice urządzeń mechanicznych, na przykład łodzi podwodnej, samolotu i czołgu. Do historii przeszedł jednak głównie jako autor obrazu *Mona Lisa.*
MICHAŁ ANIOŁ (Michelangelo di Lodovico Buonarroti)	1475-1564	Caprese, Włochy	Zagorzały chrześcijanin. Był wyjątkowo utalentowanym architektem, rzeźbiarzem i malarzem. Najsłynniejsza jest jego rzeźba *Dawid* oraz malowidła na suficie w Kaplicy Sykstyńskiej w Watykanie, które przedstawiają sceny ze Starego Testamentu. Na szczególną uwagę zasługują *Stworzenie świata, Adam i Ewa, Noe* i *Potop.*
RAFAEL (Raffaello Sanzio)	1483-1520	Urbino, Włochy	Był pod wpływem dzieł Michała Anioła i Leonarda. Pracował w Watykanie, pokrywając ściany watykańskich budowli setkami malowideł o tematyce religijnej. Ich cechą charakterystyczną jest „trójwymiarowość" obrazów oraz ich realistyczny charakter.
Peter Paul RUBENS	1577-1640	Siegen, Niemcy	Rubens był bardzo znanym portrecistą. Malował także wielkie bitwy przedstawiające tłum, głównie tematy mitologiczne i biblijne. Postaci przedstawiane przez Rubensa wydają się dzisiaj raczej grube, ale w czasach malarza taki był kanon piękna.
REMBRANDT (Rembrandt Harmenszoon van Rijn)	1606-1669	Leiden, Niderlandy	Rembrandt był modnym portrecistą. Jego sława pozwalała mu przedstawiać ludzi takimi, jakich ich widział, ale mimo to ciągle miał zamówienia na nowe prace. Malował także sceny o tematyce religijnej.

Jan VERMEER	1632-1675	Delft, Niderlandy	Malował tylko 2 do 3 prac rocznie. Pracował w swoim domu w Delft. Ulubionym tematem Vermeera byli ludzie w ich domach, stąd jego obrazy dokładnie pokazują, jak wyglądały wówczas wnętrza mieszkalne, na przykład wzory na sufitach, ścianach, meble.
Francisco GOYA (Francisco de Goya Lucientes)	1746-1828	Fuendetodos, Hiszpania	Malarstwo artysty stanowiło podstawę dla wielkich królewskich gobelinów robionych w Madrycie. W 1786 roku został nadwornym malarzem króla Karola IV. Po infekcji ucha w roku 1792 stracił słuch i od tego czasu jego prywatne obrazy często przedstawiały ból i cierpienie. Jego malarstwo dworskie ciągle pozostawało jasne i kolorowe.
Joseph Mallord William TURNER	1775-1851	Londyn, Anglia	Turner uważał, że wszystko można przedstawić w malarstwie operując światłem i kolorem, a nie linią i kształtem. Malował romantyczne krajobrazy używając techniki, która dawała tylko wyobrażenie o tym, jak przedstawiana rzecz wyglądała w danym momencie. Jego poglądy zainspirowały innych malarzy, zwłaszcza we Francji, i dały początek nowemu stylowi w malarstwie *impresjonizmowi.*
Paul CEZANNE	1839-1906	Aix-en-Provence, Francja	Cezanne'a zainteresowały kształty geometryczne w scenach lub obiektach, które malował. Eksperymentował nad sposobami przedstawiania tych kształtów przy użyciu kolorów. Wywarł on ogromny wpływ na Picassa i *kubistów,* przedstawicieli nowego stylu w sztuce.
Pierre-Auguste RENOIR	1841-1919	Limoges, Francja	Renoir zaczynał swoją karierę jako ceramik – malował porcelanowe przedmioty, zanim zostały pokryte szkliwem. Jego styl zmienił się, gdy poznał malarstwo impresjonistyczne. Wkrótce sam stał się wiodącym malarzem impresjonistą.

Henri MATISSE	1869-1954	La Cateau, Francja	Matisse uważał, że kolor i kształt w malarstwie są wystarczająco piękne i nie trzeba ich zamykać w realistycznej formie. Jego krajobrazy wzbudzały zachwyt, ale kiedy namalował swoją żonę z zielonym nosem, wywołał szok i ludzie nazwali Matisse'a i jego uczniów *fauves,* czyli „dzikie bestie". Nazwa pozostała i określa styl malarstwa prezentowany przez niego i jemu podobnych.
Pablo PICASSO	1881-1973	Malaga, Hiszpania	Picasso wynalazł nowy styl w malarstwie, zwany *kubizmem,* ponieważ przedstawiał on rzeczy i ludzi o ostrych, geometrycznych, sześciennych kształtach. Kolory, których używał na początku swej twórczości, dały nazwę temu okresowi – „okres niebieski". Nadawały one smutny charakter. Picasso był także rzeźbiarzem, zajmował się projektowaniem ceramiki i druku. Uważany jest za jednego z największych malarzy naszego stulecia.
Salvador DALI	1904-1989	Hiszpania	Dali był malarzem, grafikiem, ilustratorem, a przede wszystkim osobowością, która w wieloraki sposób oddziaływała na sztukę współczesną. Jego dzieła plastyczne pełne są niezwykłych skojarzeń i fantastyki. Był czołowym przedstawicielem *surrealizmu,* kierunku w sztuce, który chyba najpełniej udowadniał, że „twórczość to świat wyobraźni".

ODKRYWCY

Marco POLO	około 1254–1324	Wenecja, Włochy	W wieku 17 lat Marco Polo wyruszył ze swym wujem i ojcem w podróż do Chin. Pracował jako ambasador chana Kubilaj, podróżując po całej Europie. Swoje przeżycia opisał w książce, która zainspirowała innych podróżników, na przykład Kolumba, do dalekich wypraw.

CZENG HO	około 1371–1435	K'unming, Chiny	Admirał Czeng Ho został wysłany przez cesarza Ch'eng Tsu na 7 wypraw morskich do krain leżących poza granicami imperium chińskiego, takich jak Azja Południowo–Wschodnia, Indie, tereny nad Zatoką Perską, wybrzeże Afryki. Jego flota była złożona z 63 okrętów.
Krzysztof KOLUMB	1451–1506	Genua, Włochy	W przeciwieństwie do większości sobie współczesnych ludzi, Kolumb uważał, że Ziemia jest okrągła, a nie płaska. Było już możliwe dopłynięcie do Indii drogą na wschód z Europy, ale Kolumb chciał sprawdzić, czy możliwe jest dopłynięcie tam drogą na zachód. W 1492 roku jego pierwsza wyprawa wyruszyła przez Ocean Atlantycki i po 10 tygodniach żeglugi dopłynęła do wyspy San Salwador na Bahamach. Chociaż podróżnik nigdy nie odnalazł drogi zachodniej do Indii, był pierwszym Europejczykiem, który odkrył nowy ląd nazwany Indiami Zachodnimi.
Amerigo VESPUCCI	1454–1512	Florencja, Włochy	Vespucci wziął udział w wyprawie na Karaiby w roku 1499. Po powrocie ogłosił, że odkrył Amerykę jeszcze przed Kolumbem. Chociaż jego pogląd okazał się fałszywy, jego imię dało nazwę nowemu lądowi. Dlatego dzisiaj mamy Amerykę.
Vasco da GAMA	około 1460–1524	Sines, Portugalia	Da Gama dowodził wyprawą 3 statków portugalskich do południowego krańca Afryki. Już przed nim dopłynięto do tego miejsca, ale da Gama wykorzystał silne wiatry zachodnie, aby bezpiecznie opłynąć przylądek. Dalej odnalazł on drogę do Indii. Droga odkryta przez Vasco da Gama stała się wkrótce handlowym połączeniem między Europą a Dalekim Wschodem.

Francisco PIZARRO	około 1475–1541	Trujillio, Hiszpania	Pizarro stanął na czele wyprawy do imperium Inków w Ameryce Południowej zwabiony pogłoskami o złocie. Inkowie żyli na terenach obecnego Peru i byli rządzeni przez króla Atahuallpę. Pizarro pojmał i zabił króla, a Inków poddał władzy Hiszpanów, którzy opanowali Peru.
Paweł Edmund STRZELECKI	1797–1873	Głuszyn, Polska	Najwybitniejszy polski podróżnik. Prowadził badania w Ameryce Północnej, Południowej i Środkowej. W 1838 roku wyruszył do Australii i Oceanii. Zbadał łańcuch Gór Wododziałowych na zachód od Sydney oraz Alpy Australijskie, których najwyższy szczyt nazwał Górą Kościuszki. Dotarł do terenów, które wcześniej nie były znane i nazwał je „Ziemia Gippsa". Australijczycy nazwali jego imieniem rzekę, jezioro, szczyt górski, przełęcz i miasta. Odkrył w Australii nowe pokłady złota i srebra.
Hernan CORTES	1485–1547	Medelin, Hiszpania	W 1519 roku Cortes dowodził wyprawą do Meksyku, gdzie Montezuma stał na czele imperium Azteków. Kiedy Aztekowie zobaczyli Cortesa i jego towarzyszy na koniach, sądzili, że jest bogiem. W stolicy kraju, Tenochtitlan, Cortes uwięził Montezumę, a Aztekowie poddali się po długiej walce. Potem całe imperium zostało oddane we władanie Hiszpanii.
Ignacy DOMEYKO	1802–1889	Nowogródek, obecnie Białoruś	Wybitny minerolog i geolog, zasłynął jako badacz i odkrywca bogactw naturalnych w Chile. W latach 1838–1846 kilkakrotnie wspinał się na szczyty Andów. Zakładał w Chile stacje meteorologiczne i muzea etnograficzne. Jego nazwiskiem nazwano pasmo górskie w Andach (Cordylliera de Domeyko).
David LIVINGSTONE	1813–1873	Blantyre, Szkocja	Livingstone był misjonarzem i badaczem Afryki. Pragnął otworzyć więcej dróg handlowych ze wschodu na zachód kontynentu afrykańskiego, aby jednocześnie misjonarze mogli łatwiej nieść naukę. Zbadał rzekę Zambezi i odkrył Wodospad Wiktorii. Prowadził także badania u źródeł Nilu.

Henry Morton STANLEY	1841–1904	Denbigh Walia	Angielski badacz i podróżnik. Wsławił się m.in. odnalezieniem zaginionego w Afryce D. Livingstone'a oraz odkryciem jezior, rzek i masywu górskiego.

KRÓLOWIE I KRÓLOWE

KLEOPATRA	69–30 r. p.n.e.	Egipt	Najsłynniejsza piękność starożytności, znana również z inteligencji i wykształcenia. Królowa Egiptu. Dzięki pomocy zakochanego w niej Juliusza Cezara odzyskała tron, a po jego śmierci poślubiła Marka Antoniusza.
KAROL WIELKI	742–814	Francja	Król Franków i cesarz rzymski, miał wyjątkowe zasługi w odbudowie państwa i w rozwoju nauki i kultury. Pod koniec VIII wieku władał większą częścią Europy. Od jego imienia właśnie pochodzi tytuł monarchy: król.
HARUN AR RASZID	ok. 766–809	Iran	Kalif Bagdadu, najwybitniejszy religijny i polityczny przywódca Orientu. Pochodził z dynastii Abbasydów, prowadził wojny z Bizancjum, ale w tradycji i w legendach został zapamiętany jako symbol mądrości i bogactwa.
BOLESŁAW CHROBRY	967–1025	Polska	Pierwszy król Polski, a jednocześnie drugi władca z dynastii Piastów. Był sprawnym politykiem umiejącym realizować wyznaczone cele i dowódcą, który potrafił zwyciężać. Koronacja Bolesława w 1025 r. miała wyjątkowe znaczenie polityczne, bowiem świadczyła o samodzielności władcy i niezależności państwa polskiego.
FERDYNAND I IZABELA	1452–1516 1451–1504	Hiszpania	Małżeństwo, które stworzyło rzeczywistą potęgę Hiszpanii. I to dwoma odmiennymi sposobami: patronując wyprawom Kolumba stworzyli imperium morskie (to właśnie za ich panowania zawarty został słynny układ między Hiszpanią a Portugalią o podziale nowo odkrytych terytoriów), a wprowadzając inkwizycję umocnili swą władzę wewnątrz państwa.

KAZIMIERZ JAGIELLOŃCZYK	1427–1492		Syn Władysława Jagiełły, król polski od 1447 r. Państwo pod jego panowaniem cechował rozkwit gospodarczy i kulturalny. Przyłączył Prusy do Polski i rozpoczął zwycięską wojnę z zakonem krzyżackim. Umiejętnie prowadził działania polityczne, osiągając sukcesy w sporach z hierarchią kościelną oraz doprowadził do przejęcia przez swego syna tronu czeskiego i węgierskiego.
HENRYK VIII	1491–1547	Greenwich, Anglia	Chciał zapewnić Anglii i sobie dominującą pozycję w Europie. Doprowadził do zerwania z Kościołem rzymskim. W 1534 r. sam został głową Kościoła (anglikańskiego). Był władcą despotycznym, prowadzącym bardzo skomplikowane, międzynarodowe gry polityczne. Chociaż był żonaty pięć razy, miał tylko jednego syna, który przeżył dzieciństwo, Edwarda VI.
LUDWIK XIV	1638–1715	St. Germain, Francja	Mimo iż królem był od roku 1643, to rzeczywiste rządy rozpoczął od 1661r. (gdy zmarł kardynał J. Mazarin). Był władcą absolutnym , którego polityka wewnętrzna (gospodarcza) doprowadziła kraj do rozkwitu. Wspierał aktywność mieszczaństwa i drobnej szlachty. Prowadził liczne wojny (z Hiszpanią). Jego panowanie było wyjątkowo długie (zasiadał na tronie ponad 70 lat).
PIOTR WIELKI	1672–1725	Moskwa, Rosja	Doprowadził do wyjścia Rosji z izolacji, przenosił na grunt rosyjski doświadczenia gospodarcze, organizacyjne i techniczne Zachodu. Zmodernizował przemysł, armię, marynarkę wojenną, ograniczył rolę arystokracji. Interesował się sztuką i literaturą – spowodował przetłumaczenie na rosyjski wielu książek. Zbudował miasto – St. Petersburg.

KATARZYNA WIELKA	1729–1796	Szczecin, Prusy (obecnie Polska)	Cesarzowa Rosji od 1762 roku. Wyjątkowo konserwatywna w sprawach wewnętrznych, za granicą uchodziła za reformatorkę (prowadziła korespondencję z Wolterem, Diderotem i Grimmem). Z żelazną konsekwencją umacniała swą władzę i rozszerzała terytorium państwa rosyjskiego.
MARIA ANTONINA	1755–1793	Wiedeń, Austria	Żona króla Ludwika XVI i córka cesarza niemieckiego. Wyjątkowo niepopularna we Francji. W okresie rewolucji francuskiej (1789–99) zabiegała o militarną pomoc Austrii. W czasie dyktatury jakobinów została osądzona i ścięta.
WIKTORIA	1819–1901	Londyn, Anglia	Królowa Zjednoczonego Królestwa i cesarzowa Indii. Podczas długiego, 64-letniego panowania Wiktorii Wielka Brytania bardzo się zmieniła: stała się uprzemysłowionym krajem, imperium panującym nad 1/4 świata. Wiktoria miała dziewięcioro dzieci i nazywana była „Babcią Europy", gdyż wielu jej potomków poprzez małżeństwa weszło do królewskich rodzin europejskich.
LUDWIG Szalony	1845–1886	Monachium, Niemcy	Król Ludwik II Bawarski nigdy nie przejmował się sprawami państwa. Spędzał czas rozwijając swe zainteresowania muzyką i architekturą i na wydawaniu pieniędzy na budowę licznych zamków nad Renem. Z powodu swego trybu życia został uznany za umysłowo chorego.

MUZYCY

Jan Sebastian BACH	1685–1750	Eisenach, Saksonia	Należał do bardzo muzykalnej rodziny, pierwszym jego nauczycielem był ojciec. Bach uczył się gry na skrzypcach i organach. Był organistą kościelnym. Tworzył dwa rodzaje muzyki: sakralną (graną w kościołach) i świecką.
Wolfgang Amadeusz MOZART	1756–1791	Salzburg, Austria	Mozart był cudownym dzieckiem. Od szóstego roku życia jeździł po Europie z koncertami klawesynowymi i fortepianowymi. Do swej śmierci, w 35 roku życia, skomponował ponad 150 utworów na orkiestrę, kilka oper (np. *Wesele Figara, Czarodziejski flet*) oraz kilkanaście utworów sakralnych. Zaliczany jest do grupy najwybitniejszych kompozytorów.
Ludwig van BEETHOVEN	1770–1827	Bonn, Niemcy	Skomponował wiele utworów na fortepian i orkiestrę oraz utworów kameralnych. Osobistą tragedią kompozytora był zanik słuchu, który skończył się zupełną głuchotą. Mimo to Beethoven nadal komponował, tworząc swe największe dzieła. Napisał dziewięć wielkich symfonii, wiele koncertów, sonat, operę (*Fidelio*) oraz wielką mszę symfoniczną.
Fryderyk CHOPIN	1810–1849	Żelazowa Wola, Polska	Wykształcony w Polsce, od 21 roku życia mieszkał w Paryżu. Początkowo wiele koncertował, później poświęcił się głównie komponowaniu. Większość jego utworów czerpie motywy z folkloru. Tworzył niemal wyłącznie kompozycje fortepianowe.
Franciszek LISZT	1811–1886	Węgry	Pianista i kompozytor. Studiował w Paryżu, jeździł z koncertami fortepianowymi po Europie. Zdobył sławę jako twórca poematu symfonicznego.

Giuseppe VERDI	1813–1901	La Roncole, Włochy	Verdi komponował głównie opery. Jego pierwsza opera, która odniosła sukces, to *Nabucco*. Potem napisał ponad 20 innych oper, dzięki którym został sławny na całym świecie.
Ryszard WAGNER	1813–1883	Lipsk, Niemcy	Wagner był wielbicielem dramatów Szekspira i muzyki Beethovena. Pisał dramaty operowe. Jego największym dziełem jest trwający 15 godzin *Pierścień Nibelunga*. Teatr operowy, który został wybudowany w Bayreuth specjalnie, aby wystawić to dzieło, jest dzisiaj miejscem festiwali wagnerowskich.
Johann STRAUSS II	1825–1899	Wiedeń, Austria	Syn Johanna Straussa I. Pochodził z rodziny muzyków. Został nazwany „królem walca", ponieważ napisał ponad 400 walców. Wiele z nich jest bardzo popularnych do dnia dzisiejszego.
Johannes BRAHMS	1833–1897	Hamburg, Niemcy	Brahms uczył się gry na fortepianie, choć pochodził z biednej rodziny. Ćwiczył po 7–8 godzin dziennie. Jego gra oraz kompozycje były podziwiane we wszystkich salonach i salach koncertowych Europy. Nawet jego rywal, Wagner, uznawał jego talent. Znane są jego wielkie symfonie. Sam Brahms lubił bardziej małe formy muzyczne, które pisał dla siebie i swoich przyjaciół.
Piotr CZAJKOWSKI	1840–1893	Wotkinsk, Rosja	Czajkowski słynie głównie ze swoich baletów, takich jak *Jezioro łabędzie* czy *Dziadek do orzechów*, dla których inspiracją były baśnie. Komponował także opery i symfonie. Czajkowski miał bardzo chwiejną naturę. Swoje dostatnie życie zawdzięczał głównie patronatowi bogatej arystokratki, Nadieżdy von Meck.
Giacomo PUCCINI	1858–1924	Lucca, Włochy	Puccini jest znany na świecie dzięki swoim operom, z których najpopularniejsze to *Madame Butterfly*, *Cyganeria i Tosca*.

Igor STRAWIŃSKI	1882–1971	Oranienbaum, Rosja	Strawiński pisał opery i balety. Ich prawykonania wywoływały szok, ponieważ muzyka była zupełnie inna od tej, jakiej do tej pory słuchano. Z czasem ludzie zaczęli podziwiać ją, szczególnie dwa balety: *Pietruszka* i *Święto wiosny*.
Billie HOLIDAY	1915–1959	Baltimore, USA	Jej dzieciństwo było nieszczęśliwe. Kiedy dorosła, zaczęła śpiewać w klubach Harlemu. W latach trzydziestych występowała z Countem Basie i Artie Shawem. Potem rozpoczęła karierę solistki. Zmarła z przedawkowania heroiny.
Elvis PRESLEY	1935–1977	Tupelo, USA	Presley zaczął nagrywać swoje piosenki w 1953 roku. Pierwszą była *Heartbreak Hotel* nagrana na urodziny matki. 26 jego singli zostało przebojami. Jego występy przeszły do historii muzyki rozrywkowej. Presley grał także w filmach. Był uzależniony od narkotyków. Zmarł na atak serca w wieku 42 lat.
THE BEATLES: John LENNON Paul McCARTNEY George HARRISON Ringo STARR (Richard Starkey)	 1940–1980 ur. 1942 ur. 1943 ur. 1940	Liverpool, Anglia	Założyli zespół w 1960 roku. Stali się najpopularniejszą na świecie grupą pop. 17 z 28 ich piosenek trafiło na pierwsze miejsca list przebojów. Lennon i McCartney napisali wspólnie większość piosenek dla The Beatles. Grupa rozpadła się w roku 1971. W 1980 r. Lennon został zastrzelony przez szaleńca.
Robert Nesta (Bob) MARLEY	1945–1981	St Ann, Jamajka	Razem ze swoją grupą, The Wailers, która powstała w 1964 roku, Bob Marley stał się znany na świecie ze swojej muzyki reggae. Pisał i śpiewał piosenki o miłości, polityce, religii. Wiele z nich weszło do kanonu muzyki reggae. Zmarł na raka w 1981 roku.

REFORMATORZY SPOŁECZNI I ŚWIĘCI

ŚWIĘTY FRANCISZEK z Asyżu (Giovanni di Barnardone)	ok. 1181–1226	Asyż, Włochy	Syn bogatej rodziny. Zostawił cały majątek, by wieść życie pokorne, pomagać potrzebującym. Wierzył, że wszystkie stworzenia na Ziemi powinny być traktowane tak samo – darzone miłością. Założył zakon franciszkanów.
Florence NIGHTINGALE	1820–1910	Florencja, Włochy	Nightingale była wykształconą pielęgniarką w czasach, kiedy chorymi opiekowały się nieliczne zawodowe pielęgniarki. Utworzyła więc pierwszą szkołę pielęgniarek. Stała się prekursorką nowoczesnego pielęgniarstwa, dlatego też Międzynarodowy Czerwony Krzyż ustanowił medal jej imienia i przyznaje go szczególnie zasłużonym pielęgniarkom.
Emmeline PANKHURST	1858–1928	Manchester, Anglia	Czołowa sufrażystka, czyli bojowniczka o prawa kobiet do uczestniczenia w życiu społecznym i politycznym (przede wszystkim prawa wyborcze). Cechowały ją bardzo ostre publiczne wystąpienia na różnych demonstracjach.
Mohandas Karamchand GANDHI	1869–1948	Porbandar, Indie	W czasach, kiedy Indie znajdowały się pod panowaniem angielskim, Gandhi odegrał decydującą rolę w odzyskaniu niepodległości. Realizował politykę polegającą na niestosowaniu przemocy. Nakłaniał swoich zwolenników, aby wybierali takie formy protestu, jak strajki głodowe, niepłacenie podatków. Przez swoich wielbicieli został nazwany „Mahatma" (wielka dusza). Po jego zabójstwie dokonanym przez hinduskiego fanatyka, wielu ludzi pogrążyło się w żałobie.

MATKA TERESA z Kalkuty (Agnes Gonxha Bojaxhia)	1910–1997	Skopje, Macedonia	Matka Teresa była zakonną nauczycielką i pielęgniarką. Otworzyła pierwszą szkołę dla biednych dzieci w Kalkucie, w Indiach. Założyła żeński zakon misjonarek miłosierdzia, który prowadzi szkoły, szpitale i sierocińce na całym świecie. Laureatka Pokojowej Nagrody Nobla. (1979)
Martin Luther KING	1929–1968	Atlanta, Georgia, USA	King wychował się w Ameryce w czasach, gdy obowiązywała tam segregacja rasowa. Działał na rzecz równych praw dla Murzynów. Nie używał jednak przemocy. Został zamordowany podczas przemówienia w Tennessee, ale od jego czasów sytuacja społeczna czarnych Amerykanów uległa znacznej poprawie.

MYŚLICIELE (FILOZOFOWIE)

BUDDA (Gautama Siddhartha)	około 563–483 p.n.e.	Kapilavastu, Nepal	Rodzice Gautamy byli bogaci. Chronili swojego syna przed okrucieństwami świata. Po raz pierwszy widział chorobę i śmierć, kiedy miał 29 lat. To zmieniło jego życie. Chciał się dowiedzieć, dlaczego na świecie jest tyle nieszczęścia. Przez medytacje doszedł do przekonania, że to żądza miłości, bogactwa i władzy czyni ludzi nieszczęśliwymi. Jego wyznawcy nazwali go Buddą (oświeconym). Buddyzm ma obecnie ponad 300 milionów wyznawców, którzy wierzą, że wewnętrzna harmonia i siła ducha, przestrzeganie prawa moralnego pozwalają wyzwolić się z żądz tego świata.
KONFUCJUSZ (Kung-fu-cy)	551–479 p.n.e.	Lu, Shandong, Chiny	Konfucjusz skupił się na dociekaniu, czym jest dobro i czy można się go nauczyć. Wiele podróżował i nauczał ludzi, że wszyscy rodzimy się dobrzy i musimy próbować zachować ten stan. Jego wyznawcy rozwinęli te poglądy w cały styl życia zwany konfucjanizmem. Był on powszechnie praktykowany w Chinach prawie 2500 lat, aż do roku 1966, kiedy zniesiono go oficjalnie.

PLATON	około 427–347 p.n.e.	Ateny, Grecja	Platon był uczniem Sokratesa, a później sam został nauczycielem filozofii. Uważał, że świat rzeczywisty jest niedoskonałym odbiciem doskonałych idei. Napisał wiele prac. W jednej z nich, *Republice*, opisuje idealne państwo. Jeszcze dzisiaj można spotkać zwolenników jego poglądów.
ARYSTOTELES	384–322 p.n.e.	Stagira, Grecja	Jako chłopiec, Arystoteles studiował wszystko, co go otaczało. Później wykładał naturę czterech żywiołów: ziemi, ognia, powietrza i wody. Uważał, że z nich zbudowane jest wszystko, co nas otacza. Pisał prace o prawie, polityce, religii i naturze ludzkiej. Arystoteles był znany w całym świecie. Jego poglądy wywarły wpływ na innych naukowców. Jego nauki zostały ponownie odkryte w średniowieczu.
Niccolo MACHIAVELLI	1469–1527	Florencja, Włochy	Machiavelli uważał, że rządzący ma prawo, a nawet musi, czynić wszystko, co zapewni państwu bezpieczeństwo i dobrobyt. Jego książka *Książę* uświadomiła ludziom, że popierał on zło i zdradę, jeśli miały być one dobre dla państwa. Dzisiaj „makiawelistą" jest człowiek przebiegły i samolubny.
Marcin LUTER	1483–1546	Eisleben, Saksonia	Luter, rzymskokatolicki zakonnik, nie mógł pogodzić się z korupcją panującą w Kościele rzymskokatolickim. Szokujące było dla niego zwłaszcza sprzedawanie odpustów, które uwalniały ludzi od kary piekła. Luter uważał, że tylko Bóg ma prawo zwolnić kogoś z kary za grzechy. Nie zważając na gniew papieża, Luter zapoczątkował reformację – ruch, który zmierzał do zmian w Kościele. Przetłumaczył *Biblię* z łaciny na niemiecki oraz napisał modlitwy i hymny, które mogli zrozumieć zwykli ludzie. Protestantyzm zaczął się rozwijać po ekskomunice nałożonej na Lutra w 1521 roku.

KARTEZJUSZ (Rene Descartes)	1596–1650	La Haye, Touraine, Francja	Kartezjusz wierzył, że poznanie można osiągnąć na drodze logicznego rozumowania. Uważał, że wszystko jest zbudowane z materii albo z myśli. Ludzie są niezwykli przez to, że mogą myśleć, ale sami zbudowani są z materii (substancji materialnej), która jest kontrolowana przez umysł. Jego poglądy zawierają się w zdaniu *Cogito, ergo sum* – Myślę, więc jestem.
WOLTER (Francois-Marie Arouet)	1694–1778	Paryż, Francja.	Wolter krytykował fakt, że ludzie we Francji nie mogli żyć według wyznawanych przez siebie reguł religijnych czy politycznych, o ile nie były one akceptowane przez państwo. Za swoje poglądy został uwięziony. Po uwolnieniu ogłosił, że ludzie mają prawo wyznawać dowolne poglądy. Był jednym z największych filozofów okresu oświecenia. Wolter był także autorem dramatów, powiastek filozoficznych i esejów.
Benjamin FRANKLIN	1706–1790	Boston, Massachusetts, USA	Franklin wynalazł między innymi soczewkę dwuogniskową i piorunochron. Był także filozofem. Uważał, że ludzie powinni starać się zrozumieć innych. Prowadził bardzo aktywne życie jako radny miejski. Po ogłoszeniu niepodległości Ameryki w 1792 roku był członkiem komitetu, który stworzył konstytucję amerykańską.
Georg Wilhelm Friedrich HEGEL	1770–1831	Niemcy	Wybitny filozof niemiecki, twórca systemu filozoficznego (heglizmu), którego podstawowym założeniem było stwierdzenie, że rzeczywistość rozwija się poprzez powstawanie i zanikanie sprzeczności. Koncepcje Hegla wywarły bardzo wielki wpływ na rozwój filozofii.

Henry David THOREAU	1817–1862	Concord, Massachusetts, USA	Thoreau czuł ogromną moc, która powstawała z samotności i z Boga, którego czuł wokół siebie. Spędził dwa lata w samotności w lesie, a potem napisał książkę, *Walden*, o swych doświadczeniach. Zainspirowała ona wielu ludzi, którzy wyjeżdżali na urlop w dzikie, niedostępne miejsca, wierząc, że „odnajdą siebie".
Karol MARKS	1818–1883	Trier, Prusy	Poglądy Marksa były podstawą dla współczesnego komunizmu. Uważał on, że system, w którym ludzie biedni pracują dla bogaczy, jest niesprawiedliwy. Wszyscy robotnicy powinni wziąć przedsiębiorstwa i własność w swoje ręce i zacząć żyć w państwie, w którym wszyscy byliby równi. Głoszone przez Marksa hasła wywołały rozruchy, dlatego był on wydalony z krajów, w których mieszkał. Jego dwie prace, *Kapitał* i *Manifest komunistyczny*, opisywały dokładnie jego rewolucyjne poglądy.
Sigmund FREUD	1856–1939	Freiberg, Morawy	Poglądy Freuda na temat mózgu i sposobu jego działania miały fundamentalne znaczenie dla badań nad leczeniem chorób umysłowych. Wierzył, że ważne jest prześledzenie, jak zmienia się umysł od urodzenia. Badania przeprowadza się obserwując rodzinę, przyjaciół i społeczeństwo. Freud wierzył w znaczenie dziecięcych doświadczeń seksualnych. Swoją pracę Freud nazwał „psychoanalizą".
Carl JUNG	1875–1961	Bazylea, Szwajcaria	Jung uważał, że podświadomość wpływa na świadomość. Według niego, ludzie przechowywali w podświadomości wspomienia z przeszłości swojej i całego ludzkiego gatunku. Wpływało to na ich zachowania. Sny i wierzenia religijne są objawem podświadomości, która wpływa na świadomość. Jung podzielił ludzi na *ekstrawertyków* (uzewnętrzniających swoje uczucia) i *introwertyków* (ludzi zapatrzonych w swoje wnętrze).

PRZYWÓDCY

ALEKSANDER WIELKI	około 356–323 p.n.e.	Pella, Grecja	Aleksander zjednoczył pod swoimi rządami miasta-państwa greckie. Doprowadził do zwycięstwa nad imperium perskim. W swojej kampanii zawędrował aż do granic Indii. Stworzył potężne imperium. Umarł w wieku 32 lat w Babilonie.
HUANG-TI	około 259–210 p.n.e.	Chiny	Chiński cesarz, który zarządził budowę Wielkiego Chińskiego Muru. Huang Ti został pochowany w podziemnym grobowcu strzeżonym przez tysiące ceramicznych żołnierzy naturalnych rozmiarów.
HANNIBAL	247– około 183 p.n.e.	Kartagina, Afryka Północna	Hannibal dowodził armią Kartaginy w drugiej wojnie punickiej. Przeszedł Alpy i od północy zaatakował Rzym. Został zmuszony do odwrotu, kiedy rzymski wódz, Scypion Starszy, zaatakował Kartaginę. Później Hannibal popełnił samobójstwo, aby nie dostać się do niewoli.
SPARTAKUS	zmarł w 71 roku p.n.e.	Tracja	Spartakus był Grekiem. Po schwytaniu przez Rzymian został gladiatorem. Dowodził powstaniem niewolników przeciwko Rzymowi. Zostało ono krwawo stłumione, a Spartakus – pojmany i ukrzyżowany.
Juliusz CEZAR	100–44 p.n.e.	Rzym	Cezar był politykiem i wspaniałym dowódcą armii. W kampanii 55–54 p.n.e. zdobył dla Rzymu Brytanię. Pokonał Pompeje w czasie wojny domowej. Został zamordowany w czasie Id Marcowych (15 marca) 44 roku p.n.e.
Bolesław CHROBRY	967–1025	Polska	Pierwszy koronowany władca Polski (1025 r.). Prowadził liczne, zwycięskie wojny z Niemcami, zdobywał nowe ziemie (Marchię Wschodnią). Skonsolidował i umocnił państwo.

DŻYNGIS CHAN	około 1162–1227	Dulun-Boldaq, Mongolia	Dżyngis chan ogłosił się przywódcą wszystkich koczowniczych plemion mongolskich. Po zjednoczeniu poprowadził je na Chiny. Założył ogromne imperium mongolskie, które ciągnęło się od Morza Bałtyckiego aż po Ocean Spokojny.
George WASHINGTON (Jerzy Waszyngton)	1732–1799	Pope's Creek, Virginia, USA	Dowódca armii amerykańskiej w wojnie z Anglikami (wojna o niepodległość Stanów Zjednoczonych Ameryki Północnej – 1775–1783). Po sześciu latach od jej zakończenia został pierwszym prezydentem USA.
Tadeusz KOŚCIUSZKO	1746–1817	Wołyń	Bohater narodowy nie tylko Polski, ale i USA. Jeden z dowódców w wojnie o niepodległość Stanów Zjednoczonych. Po II rozbiorze Polski (1793) – Naczelnik powstania narodowego.
NAPOLEON Bonaparte	1769–1821	Ajaccio, Korsyka	Napoleon stworzył największe cesarstwo w Europie od czasów rzymskich. Jego upadek rozpoczął się po bitwie pod Lipskiem (1813), a dopełnił się po bitwie pod Waterloo (1813), gdzie Francuzi zostali pokonani przez armię angielską i pruską.
Giuseppe GARIBALDI	1807–1882	Nicea, Francja	Garibaldi dowodził powstaniem przeciwko armiom Francji i Austrii we Włoszech (1848–1849, 1851). Zdobył Sycylię i Neapol oraz pomógł w powstaniu królestwa Włoch (1860).
GERONIMO (Goyathlay)	1829–1908	Non–Doyohn Canyon, Nowy Meksyk, USA	Geronimo był przywódcą plemion Apaczów. Walczył przeciwko białym osadnikom i armii Stanów Zjednoczonych do 1886 roku, kiedy dostał się do niewoli.

Józef Klemens PIŁSUDSKI	1867–1935	Polska	Twórca legionów, pierwszy Naczelnik Państwa. Piłsudski zrealizował koncepcję walki zbrojnej o niepodległość Polski. Był wyjątkowo sprawnym dowódcą wojskowym i politykiem. Efektem jego działalności było odrodzenie niepodległej Rzeczypospolitej.
Włodzimierz I. LENIN (Włodzimierz I. Ulianow)	1870–1924	Symbirsk, Rosja	Lenin powrócił do Rosji z emigracji, aby stanąć na czele rewolucji komunistycznej w 1917 roku. Był przywódcą Rosji Radzieckiej aż do swojej śmierci.
Józef STALIN (Josif W. Dżugaszwili)	1879–1953	Gori, Gruzja	Stalin był bezwzględnym, krwawym dyktatorem, który rządził w Związku Radzieckim od 1924 do 1953 roku. Stał na czele rządu w czasie II wojny światowej i doprowadził, wspólnie z armiami aliantów, do zwycięstwa nad Niemcami. Za jego czasów Związek Radziecki stał się światowym mocarstwem.
Adolf HITLER	1889–1945	Braunau am Inn, Austria	W roku 1921 Hitler został przywódcą partii nazistowskiej, a 1933 – kanclerzem Niemiec. Doprowadził do wybuchu drugiej wojny światowej. Był naczelnym dowódcą niemieckich sił zbrojnych. Założył obozy koncentracyjne, w których zginęły miliony ludzi różnych narodowości.
Francisco FRANCO	1892–1975	El Ferrol, Hiszpania	Franco dowodził wojskami faszystowskimi walczącymi przeciwko republikanom w czasie wojny domowej w Hiszpanii (1936–1939). W 1939 roku ostatecznie pokonał rząd republikański i ustanowił w Hiszpanii dyktaturę faszystowską.
MAO Tse Tung (Mao Zedong)	1893–1976	Shaoshan, Hunan, Chiny	Mao dowodził armią chińską podczas II wojny światowej, w czasie inwazji Japończyków. Był jednym z założycieli Chińskiej Republiki Ludowej. Kierował państwem aż do swojej śmierci.
Ernesto (Che) GUEVARA	1928–1967	Rosario, Argentyna	Che Guevara udoskonalił walkę oddziałów partyzanckich jako ważnego narzędzia rewolucji. Odegrał dużą rolę w czasie rewolucji kubańskiej Fidela Castro.

POLITYCY

Kardynał RICHELIEU (Armand-Jean du Plessis)	1585–1642	Paryż, Francja	Richelieu miał olbrzymią władzę jako kardynał Kościoła rzymskokatolickiego. Był pierwszym ministrem Ludwika XIII i faktycznie to on rządził Francją w latach 1624 do 1642. Umocnił monarchię we Francji i znaczenie Francji w Europie.
Thomas JEFFERSON	1743–1826	Shadwell, Virginia, USA	Jefferson był autorem *Deklaracji Niepodległości*, która była podstawą dla Konstytucji Stanów Zjednoczonych. Był trzecim prezydentem Stanów Zjednoczonych (w latach 1801–1809). Za jego rządów Ameryka zyskała nowy stan, Luizjanę, kupioną od Francji.
Maksymilian ROBESPIERRE	1758–1794	Arras, Francja	Jeden z najbardziej znanych przywódców Rewolucji Francuskiej. Wprowadził terror, który pozwalał każdego aresztować, osądzić i stracić. W 1794 roku sam został ścięty na gilotynie przez swoich rodaków.
William PITT (Młodszy)	1759–1806	Hayes, Kent, Anglia	Premier Anglii od roku 1783 do 1801 oraz od 1804 do 1806 roku. Wprowadził istotne zmiany w prawie podatkowym. Od 1793 roku skupił swą uwagę na rewolucji we Francji i na wysiłkach, aby taka rewolucja nie wybuchła w Anglii.
Benjamin DISRAELI (Lord Beaconsfield)	1804–1881	Londyn, Anglia	Premier w rządzie angielskim w roku 1868, a później od 1874 do 1880 roku. Zapoczątkował zmiany w prawodawstwie angielskim, dzięki czemu więcej ludzi uzyskało prawa wyborcze. Współtwórca imperium brytyjskiego. Za jego rządów znacznie poprawiły się warunki życia w miastach.
Otto von BISMARCK	1815–1898	Schönhausen, Prusy	Bismarcka nazywano Żelaznym Kanclerzem. Był premierem Prus w latach 1862–1890. W tym czasie Prusy pokonały Austrię i Francję i zjednoczyły się w jedno państwo, Niemcy.

Sun Yat-sen (SUN Ixian)	1866–1925	Zhangshan, prowincja Guandong, Chiny	Sun Yat–sen walczył, aby obalić rządzącą w Chinach dynastię cesarzy. Musiał uciekać za granicę. Na wygnaniu poznał Lenina. Został poproszony o powrót do Chin w 1911 roku i został pierwszym prezydentem.
Winston Spencer CHURCHILL	1874–1965	Blenheim Palace, Oxfordshire, Anglia	Churchill przeszedł do historii jako przywódca Wielkiej Brytanii podczas II wojny światowej. W 1953 roku otrzymał literacką Nagrodę Nobla za swe pamiętniki.
Franklin Delano ROOSEVELT	1882–1945	Hyde Park, stan Nowy Jork, USA	Trzydziesty drugi prezydent Stanów Zjednoczonych. Był twórcą reform społecznych i ekonomicznych zwanych Nowym Ładem (New Deal). Miały one odbudować gospodarkę po krachu lat trzydziestych. Był głową państwa w czasie II wojny , ale zmarł nie doczekawszy zwycięstwa.
Jawaharlal NEHRU	1889–1964	Allahabad, Indie	Nehru był zwolennikiem Mahatmy Gandhiego. Dążył do odzyskania przez Indie niepodległości. Został pierwszym premierem niepodległych Indii w 1947 roku. Rządził krajem aż do śmierci.
Indira GANDHI	1917–1984	Allahabad, Indie	Indira była jedyną córką Jawaharlala Nehru (patrz wyżej). Poszła w ślady ojca i dziadka i zajęła się polityką. W 1966 roku została premierem Indii. Rządziła do 1977, a potem od 1980 do 1984 roku. W 1984 została zamordowana przez członka swojej ochrony osobistej.
Michaił GORBACZOW	1931	Priwolnoje, Rosja	Gorbaczow został przywódcą ZSRR w 1985 roku. Zapoczątkował „pieriestrojkę”, która miała poprawić gospodarkę radziecką, oraz „głasnost”, czyli jawność. Był także inicjatorem radzieckiej demokratyzacji życia. W 1990 roku został laureatem Pokojowej Nagrody Nobla. W 1991 roku musiał zrezygnować ze swojego stanowiska.

UCZENI

ARCHIMEDES	ok. 287–ok.212 p.n.e.	Syrakuzy, Sycylia	Najwybitniejszy matematyk, fizyk, nauczyciel i wynalazca w starożytności.
Mikołaj KOPERNIK	1473–1543	Toruń, Polska	Astronom, matematyk i lekarz, twórca heliocentrycznej teorii budowy świata.
GALILEUSZ	1564–1642	Piza, Włochy	Astronom i filozof. Pierwszy wykorzystał lunetę do obserwacji astronomicznych. Odkrył 4 satelity Jowisza.
Anton van LEEUWENHOEK	1632–1723	Delft, Holandia	Przyrodnik. Za pomocą mikroskopu własnej konstrukcji dokonywał szczegółowych badań krwi, roślin i tkanek zwierzęcych.
Isaac NEWTON	1643–1727	Woolsthorpe, Lincolnshire, Anglia	Fizyk i matematyk. To właśnie on sformułował prawo powszechnego ciążenia i rozszczepił pryzmatem światło uzyskując w efekcie widmo świetlne.
Jędrzej ŚNIADECKI	1768–1838	Wilno, Polska	Lekarz i biolog. Autor polskiego nazewnictwa chemicznego i pierwszego podręcznika chemii.
Michael FARADAY	1791–1867	Londyn, Anglia	Fizyk, chemik i eksperymentator, którego odkrycia i wynalazki miały wyjątkowe znaczenie dla rozwoju nauki. Zbudował m.in. pierwszy model silnika elektrycznego.
Karol DARWIN	1809–1892	Shrewsbury, Anglia	Twórca teorii ewolucji.
Thomas Alva EDISON	1847–1931	USA	Wynalazca–samouk. Twórca ponad 1000 wynalazków i to takich, jak żarówka i mikrofon. Zbudował pierwszą w świecie elektrownię.
Maria CURIE–SKŁODOWSKA	1867–1934	Warszawa, Polska	Fizyk i chemik , zainicjowała badania nad promieniotwórczością. Odkryła dwa pierwiastki chemiczne: polon i rad.
Guglielmo MARCONI	1874–1937	Bolonia, Włochy	Fizyk. Jako pierwszy przesłał wiadomość przez Atlantyk drogą radiową.
Albert EINSTEIN	1879–1955	Ulm, Niemcy	Twórca teorii względności.

PISARZE

HOMER	Najprawdopodobniej IX lub VIII w. p.n.e.	Grecja	Według tradycji antycznej Homer był autorem *Iliady* i *Odysei* – eposów opiewających herosów i bogów starożytnej Grecji.
DANTE Alighieri	1265–1321	Florencja, Włochy	Najwybitniejszy poeta włoskiego średniowiecza. Główne jego dzieło to *Boska komedia*, składająca się z trzech części: Piekło, Czyściec, Raj.
Mikołaj REJ	1505–1569	Polska	Nazwany „ojcem piśmiennictwa polskiego" ponieważ był pierwszym pisarzem tworzącym wyłącznie po polsku.
Miguel de CERVANTES	1547–1616	Alcala, Hiszpania	Znany jest przede wszystkim jako autor satyrycznej powieści o rycerzu Don Kichot i jego słudze Sancho Pansa.
William SZEKSPIR	1654–1616	Stratford, Anglia	Najsłynniejszy dramaturg w dziejach. Autor takich utworów, jak *Hamlet, Król Lir, Otello, Makbet*. Stworzył najsłynniejszą parę kochanków Romea i Julię.
John MILTON	1608–1674	Londyn, Anglia	Autor wielkich poematów religijno–filozoficznych *Raj utracony, Raj odzyskany*.
Adam MICKIEWICZ	1798–1855	Nowogródek, Polska	Jeden z najwybitniejszych twórców polskiego romantyzmu: poeta, dramaturg, publicysta. Autor m.in *Dziadów* i *Pana Tadeusza.*
Victor HUGO	1802–1885	Besancon, Francja	Najwybitniejszy poeta romantyzmu francuskiego. W literaturze światowej najbardziej ceniony jako dramaturg (*Cromwell*) i powieściopisarz (*Nędznicy*).
Hans Christian ANDERSEN	1805–1875	Odense, Dania	Najsłynniejszy autor baśni, które zostały przetłumaczone na ponad 80 języków.

Charles DICKENS	1812–1870	Portsmouth, Anglia	Jego powieści w sposób realistyczny przedstawiają czasy wiktoriańskiej Anglii.
Lew TOŁSTOJ	1828–1910	Jasna Polana, Rosja	Jeden z najwybitniejszych powieściopisarzy. Autor monumentalnej i bardzo popularnej powieści *Wojna i pokój.*
Lewis CARROL	1832–1898	Daresbury, Anglia	Autor dwóch niezmiernie popularnych utworów dla dzieci: *Alicja w Krainie Czarów* i *O tym, co Alicja odkryła po drugiej stronie lustra.*
Henryk SIENKIEWICZ	1846–1916	Wola Okrzejska, Polska	Najwybitniejszy polski autor powieści historycznych. W 1905r. otrzymał literacką Nagrodę Nobla za powieść *Quo vadis.*
Robert Louis STEVENSON	1850–1894	Edynburg, Szkocja	Autor fascynujących powieści przygodowych dla młodzieży (*Wyspa skarbów*).
Władysław REYMONT	1867–1925	Kobiele Wielkie, Polska	Powieściopisarz i nowelista. W roku 1924 otrzymał literacką Nagrodę Nobla za powieść *Chłopi.*
A. A. MILNE	1882–1956	Londyn, Anglia	Autor dwóch wspaniałych powieści o Krzysiu i jego przyjaciołach: Kubusiu Puchatku, Prosiaczku i Kłapouchym.
J. R. R. TOLKIEN	1892–1973	Bloemfontein, Południowa Afryka	Autor fantastycznych powieści–baśni: *Hobbit, Władca pierścieni.*
Stanisław LEM	1921	Lwów, Polska	Najpopularniejszy na świecie polski pisarz, a jednocześnie jeden z najwybitniejszych pisarzy gatunku science-fiction.

INDEKS NAZWISK

A

B

C

D

E

F

G

H

I

J

K

L

M

N

O

P

R

S

T

U

V

W

Z

INDEKS NAZW GEOGRAFICZNYCH I ASTRONOMICZNYCH

A

L

Ł

M

N

O

P

Q

R

S

Ś

T

INDEKS TERMINÓW I TYTUŁÓW

F

G

H

I

J

K

L

Ł

M

N

O

P

Q

R

S

Ś

T

U

W

Z

Ż

UZUPEŁNIENIA

PAŃSTWA ŚWIATA

Weryfikacja danych na podstawie www.cia.gov i nationalgeographic.com

AFGANISTAN (A)
Powierzchnia 652 225 km²
Ludność (2001) 26 813 000
Stolica Kabul

ALBANIA (E)
Powierzchnia 28 748 km²
Ludność (2001) 3 510 000
Stolica Tirana

ALGIERIA (Af)
Powierzchnia 2 381 741 km²
Ludność (2001) 31 736 000
Stolica Algier

ANDORA (E)
Powierzchnia 467,76 km²
Ludność (2001) 67 600
Stolica Andora la Vella

ANGOLA (Af)
Powierzchnia 1 246 700 km²
Ludność (2001) 10 366 000
Stolica Luanda

ANTIGUA I BARBUDA (AŚ)
Powierzchnia 441,6 km²
Ludność (2001) 67 000
Stolica St. John's

ARABIA SAUDYJSKA (A)
Powierzchnia 2 240 000 km²
Ludność (2001) 22 757 000
Stolica Ar-Rijad

ARGENTYNA (APd)
Powierzchnia 2 780 092 km²
Ludność (2001) 37 385 000
Stolica Buenos Aires

ARMENIA (A)
Powierzchnia 29 800 km²
Ludność (2001) 3 336 000
Stolica Erywań

AUSTRALIA (AiO)
Powierzchnia 7 682 300 km²
Ludność (2002) 19 547 000
Stolica Canberra

AUSTRIA (E)
Powierzchnia 83 857 km²
Ludność (2001) 8 151 000
Stolica Wiedeń

AZERBEJDŻAN (A)
Powierzchnia 86 600 km²
Ludność (2001) 7 771 000
Stolica Baku

BAHAMY (AŚ)
Powierzchnia 13 939 km²
Ludność (2001) 298 000
Stolica Nassau

BAHRAJN (A)
Powierzchnia 695,26 km²
Ludność (2001) 645 000
Stolica Al Manama

BANGLADESZ (A)
Powierzchnia 147 570 km²
Ludność (2001) 131 270 000
Stolica Dakka

BARBADOS (AŚ)
Powierzchnia 430 km²
Ludność (2001) 275 000
Stolica Bridgetown

BELGIA (E)
Powierzchnia 30 528 km²
Ludność (2001) 10 259 000
Stolica Bruksela

BELIZE (AŚ)
Powierzchnia 22 965 km²
Ludność (2001) 256 000
Stolica Belmopan

BENIN (Af)
Powierzchnia 112 622 km²
Ludność (2001) 6 591 000
Stolica Porto-Novo

BHUTAN (A)
Powierzchnia 46 500 km²
Ludność (2001) 2 049 000
Stolica Thimphu

BIAŁORUŚ (E)
Powierzchnia 207 595 km²
Ludność (2001) 10 350 000
Stolica Mińsk

BOLIWIA (APd)
Powierzchnia 1 098 581 km²
Ludność (2001) 8 300 000
Stolica La Paz (adm.); Sucre (kon.)

BOŚNIA I HERCEGOWINA (E)
Powierzchnia 51 129 km²
Ludność (2001) 3 922 000
Stolica Sarajewo

BOTSWANA (Af)
Powierzchnia 581 730 km²
Ludność (2001) 1 586 000
Stolica Gaborone

BRAZYLIA (APd)
Powierzchnia 8 511 996 km²
Ludność (2001) 174 469 000
Stolica Brasilia

BRUNEI (A)
Powierzchnia 5765 km²
Ludność (2001) 344 000
Stolica Bandar Seri Begawan

BUŁGARIA (E)
Powierzchnia 110 994 km²
Ludność (2001) 7 707 000
Stolica Sofia

BURKINA FASO (Af)
Powierzchnia 274 200 km²
Ludność (2001) 12 272 000
Stolica Wagadugu

BURUNDI (Af)
Powierzchnia 25 967 km²
Ludność (2001) 6 224 000
Stolica Bużumbura

CHILE (APd)
Powierzchnia 756 626 km²
Ludność (2001) 15 328 000
Stolica Santiago de Chile

CHINY (A) (NL)
Powierzchnia 9 526 900 km²
Ludność (2001) 1 273 111 000
Stolica Pekin

CHORWACJA (E)
Powierzchnia 56 538 km²
Ludność (2001) 4 334 000
Stolica Zagrzeb

CYPR (E)
Powierzchnia 9251 km²
Ludność (2001) 763 000
Stolica Nikozja

CZAD (Af)
Powierzchnia 1 284 000 km²
Ludność (2001) 8 707 000
Stolica Ndżamena

CZECHY (E)
Powierzchnia 78 865 km²
Ludność (2001) 10 264 000
Stolica Praga

DANIA (E)
Powierzchnia 43 093 km²
Ludność (2001) 5 353 000
Stolica Kopenhaga

DOMINIKA (AŚ)
Powierzchnia 750 km²
Ludność (2000) 71 500
Stolica Roseau

DOMINIKANA (AŚ)
Powierzchnia 48 443 km²
Ludność (2001) 8 581 000
Stolica Santo Domingo

DŻIBUTI (Af)
Powierzchnia 23 200 km²
Ludność (2001) 460 000
Stolica Dżibuti

EGIPT (Af)
Powierzchnia 997 739 km²
Ludność (2001) 69 537 000
Stolica Kair

EKWADOR (APd)
Powierzchnia 269 178 km²
Ludność (2001) 13 184 000
Stolica Quito

ERYTREA (Af)
Powierzchnia 121 144 km²
Ludność (2001) 4 298 000
Stolica Asmara

ESTONIA (E)
Powierzchnia 45 100 km²
Ludność (2001) 1 423 000
Stolica Tallin

ETIOPIA (Af)
Powierzchnia 1 133 380 km²
Ludność (2001) 65 891 000
Stolica Addis Abeba

FIDŻI (AiO)
Powierzchnia 18 376 km²
Ludność (2001) 844 000
Stolica Suva

FILIPINY (A)
Powierzchnia 300 000 km²
Ludność (2001) 82 842 000
Stolica Manila

FINLANDIA (E)
Powierzchnia 338 145 km²
Ludność (1998) 5 176 00
Stolica Helsinki

FRANCJA (E)
Powierzchnia 543 965 km²
Ludność (2001) 59 551 000
Stolica Paryż

GABON (Af)
Powierzchnia 267 667 km²
Ludność (2002) 1 233 000
Stolica Libreville

GAMBIA (Af)
Powierzchnia 11 295 km²
Ludność (2001) 1 411 000
Stolica Bandżul

GHANA (Af)
Powierzchnia 238 533 km²
Ludność (2001) 19 894 000
Stolica Akra

GRECJA (E)
Powierzchnia 131 957 km²
Ludność (2001) 10 624 000
Stolica Ateny

GRENADA (AŚ)
Powierzchnia 344,5 km²
Ludność (2001) 89 000
Stolica St George's

GRUZJA (A)
Powierzchnia 69 700 km²
Ludność (2001) 4 989 000
Stolica Tbilisi

GUJANA (APd)
Powierzchnia 215 083 km²
Ludność (2001) 697 000
Stolica Georgetown

GWATEMALA (AŚ)
Powierzchnia 108 889 km²
Ludność (2001) 12 974 000
Stolica Ciudad de Guatemala (Gwatemala)

GWINEA (Af)
Powierzchnia 245 857 km²
Ludność (2001) 7 614 000
Stolica Konakry

GWINEA-BISSAU (Af)
Powierzchnia 36 125 km²
Ludność (2001) 1 316 000
Stolica Bissau

GWINEA RÓWNIKOWA (Af)
Powierzchnia 28 051 km²
Ludność (2001) 486 000
Stolica Malabo

HAITI (AŚ)
Powierzchnia 27 400 km²
Ludność (2001) 6 965 000
Stolica Port-au-Prince

HISZPANIA (E)
Powierzchnia 504 750 km²
Ludność (2001) 40 499 000
Stolica Madryt

HOLANDIA (E)
Powierzchnia 41 863 km²
Ludność (2001) 15 982 000
Stolica Amsterdam

HONDURAS (AŚ)
Powierzchnia 112 088 km²
Ludność (2001) 6 406 000
Stolica Tegucigalpa

INDIE (A)
Powierzchnia 3 287 263 km²
Ludność (2001) 1 029 992 000
Stolica New Delhi

INDONEZJA (A)
Powierzchnia 904 443 km²
Ludność (2002) 231 328 000
Stolica Dżakarta

IRAK (A)
Powierzchnia 438 317 km²
Ludność (2001) 23 332 000
Stolica Bagdad

IRAN (A)
Powierzchnia 1 648 000 km²
Ludność (2001) 66 129 000
Stolica Teheran

IRLANDIA (E)
Powierzchnia 70 285 km²
Ludność (2001) 3 841 000
Stolica Dublin

ISLANDIA (E)
Powierzchnia 103 000 km²
Ludność (2001) 278 000
Stolica Rejkjawik

IZRAEL (A)
Powierzchnia 21 501 km²
Ludność (2001) 5 938 000
Stolica Jerozolima

JAMAJKA (AŚ)
Powierzchnia 10 991 km²
Ludność (2001) 2 666 000
Stolica Kingston

JAPONIA (A)
Powierzchnia 377 815 km²
Ludność (2001) 126 772 000
Stolica Tokio (NM w zespole miejskim z Jokohamą)

JEMEN (A)
Powierzchnia 527 970 km²
Ludność (2001) 18 078 000
Stolica Sana

JORDANIA (A)
Powierzchnia 89 206 km²
Ludność (2001) 5 153 000
Stolica Amman

KAMBODŻA (A)
Powierzchnia 189 035 km²
Ludność (2001) 12 492 000
Stolica Phnom Penh

KAMERUN (Af)
Powierzchnia 475 442 km²
Ludność (2001) 15 803 000
Stolica Jaunde

KANADA (APn)
Powierzchnia 9 976 140 km²
Ludność (2001) 31 593 000
Stolica Ottawa

KATAR (A)
Powierzchnia 11 400 km²
Ludność (2001) 769 000
Stolica Ad-Dauha

KAZACHSTAN (A)
Powierzchnia 2 717 300 km²
Ludność (2001) 16 731 000
Stolica Astana

KENIA (Af)
Powierzchnia 571 416 km²
Ludność (2001) 30 766 000
Stolica Nairobi

KIRGISTAN (A)
Powierzchnia 198 500 km²
Ludność (2001) 4 753 000
Stolica Biszkek

KIRIBATI (AiO)
Powierzchnia 849 km²
Ludność (2001) 94 900
Stolica Bairiki (atol Tarawa)

KOLUMBIA (APd)
Powierzchnia 1 141 748 km²
Ludność (2001) 40 350 000
Stolica Bogota

KOMORY (Af)
Powierzchnia 1862 km²
Ludność (2001) 596 000
Stolica Moroni

KONGA, DEMOKRATYCZNA REPUBLIKA (Af)
d. ZAIR
Powierzchnia 2 345 095 km²
Ludność (2001) 53 625 000
Stolica Kinszasa

KONGO (Af)
Powierzchnia 342 000 km²
Ludność (2001) 2 894 000
Stolica Brazzaville

KOREA POŁUDNIOWA (A)
Powierzchnia 99 173 km²
Ludność (2001) 47 904 000
Stolica Seul

KOREA PÓŁNOCNA (A)
Powierzchnia 122 400 km²
Ludność (2001) 21 968 000
Stolica Phenian

KOSTARYKA (AŚ)
Powierzchnia 51 060 km²
Ludność (2001) 3 773 000
Stolica San José

KUBA (AŚ)
Powierzchnia 110 860 km²
Ludność (2001) 11 184 000
Stolica Hawana

KUWEJT (A)
Powierzchnia 17 818 km²
Ludność (2001) 2 042 000
Stolica Kuwejt

LAOS (A)
Powierzchnia 236 800 km²
Ludność (2001) 5 636 000
Stolica Wientian

LESOTHO (Af)
Powierzchnia 30 355 km²
Ludność (2001) 2 177 000
Stolica Maseru

LIBAN (A)
Powierzchnia 10 230 km²
Ludność (2001) 3 628 000
Stolica Bejrut

LIBERIA (Af)
Powierzchnia 99 067 km²
Ludność (2001) 3 226 000
Stolica Monrowia

LIBIA (Af)
Powierzchnia 1 757 000 km²
Ludność (2001) 5 241 000
Stolica Trypolis

LIECHTENSTEIN (E)
Powierzchnia 160 km²
Ludność (2001) 32 500
Stolica Vaduz

LITWA (E)
Powierzchnia 65 200 km²
Ludność (2001) 3 611 000
Stolica Wilno

LUKSEMBURG (E)
Powierzchnia 2586 km²
Ludność (2001) 443 000
Stolica Luksemburg

ŁOTWA (E)
Powierzchnia 64 500 km²
Ludność (2001) 2 385 000
Stolica Ryga

MACEDONIA (E)
Powierzchnia 25 713 km²
Ludność (2001) 2 046 000
Stolica Skopje

MADAGASKAR (Af)
Powierzchnia 587 041 km²
Ludność (2001) 15 983 000
Stolica Antananarywa

MALAWI (Af)
Powierzchnia 94 276 km²
Ludność (2001) 10 548 000
Stolica Lilongwe

MALEDIWY (A)
Powierzchnia 288 km²
Ludność (2001) 311 000
Stolica Male

MALEZJA (A)
Powierzchnia 330 442 km²
Ludność (2001) 22 229 000
Stolica Kuala Lumpur

MALI (Af)
Powierzchnia 1 240 192 km²
Ludność (2001) 11 009 000
Stolica Bamako

MALTA (E)
Powierzchnia 316 km²
Ludność (2001) 395 000
Stolica Valletta

MAROKO (Af)
Powierzchnia 458 730 km²
Ludność (2001) 30 645 000
Stolica Rabat

MAURETANIA (Af)
Powierzchnia 1 030 700 km²
Ludność (2001) 2 747 000
Stolica Nawakszut

MAURITIUS (Af)
Powierzchnia 2040 km²
Ludność (2001) 1 189 000
Stolica Port Louis

MEKSYK (AŚ)
Powierzchnia 1 958 201 km²
Ludność (2001) 101 880 000
Stolica Ciudad de Mexico

MIKRONEZJA (AiO)
Powierzchnia 702 km²
Ludność (2001) 135 000
Stolica Palikir

MOŁDAWIA (E)
Powierzchnia 33 700 km²
Ludność (2001) 4 432 000
Stolica Kiszyniów

MONAKO (E)
Powierzchnia 1,95 km²
Ludność (2001) 31 800
Stolica Monako

MONGOLIA (A)
Powierzchnia 1 566 500 km²
Ludność (2001) 2 655 000
Stolica Ułan Bator

MOZAMBIK (Af)
Powierzchnia 799 379 km²
Ludność (2001) 19 371 000
Stolica Maputo

MYANMAR (A)
Powierzchnia 676 577 km²
Ludność (2001) 41 995 000
Stolica Rangun

NAMIBIA (Af)
Powierzchnia 823 144 km²
Ludność (2001) 1 798 000
Stolica Windhuk

NAURU (AiO)
Powierzchnia 21 km²
Ludność (2001) 12 000
Stolica Jaren

NEPAL (A)
Powierzchnia 147 181 km²
Ludność (2001) 25 284 000
Stolica Katmandu

NIEMCY (E)
Powierzchnia 357 868 km²
Ludność (2001) 83 030 000
Stolica Berlin

NIGER (Af)
Powierzchnia 1 186 408 km²
Ludność (2001) 10 355 000
Stolica Niamej

NIGERIA (Af)
Powierzchnia 923 768 km²
Ludność (2001) 126 636 000
Stolica Lagos

NIKARAGUA (AŚ)
Powierzchnia 120 349 km²
Ludność (2001) 4 918 000
Stolica Managua

NORWEGIA (E)
Powierzchnia 323 878 km²
Ludność (2001) 4 503 000
Stolica Oslo

NOWA ZELANDIA (AiO)
Powierzchnia 267 515 km²
Ludność (2001) 3 864 000
Stolica Wellington

OMAN (A)
Powierzchnia 300 000 km²
Ludność (2001) 2 622 000
Stolica Maskat

PAKISTAN (A)
Powierzchnia 769 095 km²
Ludność (2001) 144 617 000
Stolica Islamabad

PALAU (AiO)
Powierzchnia 1632 km²
Ludność (2001) 19 000
Stolica Melekeok

PANAMA (AŚ)
Powierzchnia 77 082 km²
Ludność (2001) 2 846 000
Stolica Panama

PAPUA-NOWA GWINEA (AiO)
Powierzchnia 462 840 km²
Ludność (2001) 5 049 000
Stolica Port Moresby

PARAGWAJ (APd)
Powierzchnia 406 752 km²
Ludność (2001) 5 734 000
Stolica Asunción

PERU (APd)
Powierzchnia 1 285 216 km²
Ludność (2001) 27 484 000
Stolica Lima

POLSKA (E)
Powierzchnia 312 683 km²
Ludność (2001) 38 642 000
Stolica Warszawa

PORTUGALIA (E)
Powierzchnia 92 389 km²
Ludność (2001) 10 066 000
Stolica Lizbona

REPUBLIKA POŁUDNIOWEJ AFRYKI (Af)
Powierzchnia 1 225 815 km²
Ludność (2001) 43 586 000
Stolica Pretoria

REPUBLIKA ŚRODKOWOAFRYKAŃSKA (Af)
Powierzchnia 622 984 km²
Ludność (2001) 3 577 000
Stolica Bangi

ROSJA (E/A)*
Powierzchnia 17 075 400 km²
Ludność (2001) 145 470 000
Stolica Moskwa

RUMUNIA (E)
Powierzchnia 237 500 km²
Ludność (2001) 22 364 000
Stolica Bukareszt

RWANDA (Af)
Powierzchnia 26 338 km²
Ludność (2001) 7 313 000
Stolica Kigali

SAINT KITTS I NEVIS (AŚ)
Powierzchnia 269 km²
Ludność (2001) 39 000
Stolica Basseterre

SAINT LUCIA (AŚ)
Powierzchnia 617 km²
Ludność (2001) 158 000
Stolica Castries

SAINT VINCENT I GRENADYNY (AŚ)
Powierzchnia 389 km²
Ludność (2001) 116 000
Stolica Kingstown

SALWADOR (AŚ)
Powierzchnia 21 041 km²
Ludność (2001) 6 238 000
Stolica San Salvador

SAMOA ZACHODNIE (AiO)
Powierzchnia 2831 km²
Ludność (2000) 179 000
Stolica Apia

SAN MARINO (E)
Powierzchnia 61 km²
Ludność (2001) 27 340
Stolica San Marino

SENEGAL (Af)
Powierzchnia 196 722 km²
Ludność (2001) 10 285 000
Stolica Dakar

SERBIA I CZARNOGÓRA (E)
Powierzchnia 102 173 km²
Ludność (2001) 10 660 000
Stolica Belgrad

SESZELE (Af)
Powierzchnia 453 km²
Ludność (2001) 79 715
Stolica Victoria

SIERRA LEONE (Af)
Powierzchnia 71 740 km²
Ludność (2001) 5 427 000
Stolica Freetown

SINGAPUR (A)
Państwo–miasto
Powierzchnia 622 km²
Ludność (2001) 4 300 000

SŁOWACJA (E)
Powierzchnia 49 035 km²
Ludność (2001) 5 415 000
Stolica Bratysława

SŁOWENIA (E)
Powierzchnia 20 251 km²
Ludność (2001) 1 930 000
Stolica Lublana

SOMALIA (Af)
Powierzchnia 637 657 km²
Ludność (2001) 7 489 000
Stolica Mogadiszu

SRI LANKA (A)
Powierzchnia 65 610 km²
Ludność (2001) 19 409 000
Stolica Kolombo

STANY ZJEDNOCZONE (APn)
Powierzchnia 9 166 600 km²
Ludność (2002) 287 000 000
Stolica Waszyngton

SUAZI (Af)
Powierzchnia 17 364 km²
Ludność (2001) 1 104 000
Stolica Mbabane

SUDAN (Af)
Powierzchnia 2 503 890 km²
Ludność (2001) 36 080 000
Stolica Chartum

SURINAM (APd)
Powierzchnia 163 820 km²
Ludność (2001) 434 000
Stolica Paramaribo

SYRIA (A)
Powierzchnia 185 180 km²
Ludność (2001) 16 729 000
Stolica Damaszek

SZWAJCARIA (E)
Powierzchnia 41 293 km²
Ludność (2001) 7 283 400
Stolica Berno

SZWECJA (E)
Powierzchnia 449 964 km²
Ludność (2002) 8 877 000
Stolica Sztokholm

TADŻYKISTAN (A)
Powierzchnia 143 100 km²
Ludność (2001) 6 579 000
Stolica Duszanbe

TAJLANDIA (A)
Powierzchnia 513 115 km²
Ludność (2001) 61 798 000
Stolica Bangkok

TAJWAN (A)
Powierzchnia 36 000 km²
Ludność (2001) 22 370 000
Stolica Tajpej

TANZANIA (Af)
Powierzchnia 885 987 km²
Ludność (2001) 36 232 000
Stolica Dodoma

TIMOR WSCHODNI (A)
Powierzchnia 15 007 km²
Ludność (2002) 953 000
Stolica Dili

TOGO (Af)
Powierzchnia 56 785 km²
Ludność (2001) 5 153 000
Stolica Lomé

TONGA (AiO)
Powierzchnia 780 km²
Ludność (2001) 104 000
Stolica Nuku'alofa

TRYNIDAD I TOBAGO (AŚ)
Powierzchnia 5128 km²
Ludność (2001) 1 170 000
Stolica Port-of-Spain

TUNEZJA (Af)
Powierzchnia 154 530 km²
Ludność (2001) 9 705 000
Stolica Tunis

TURCJA (A)
Powierzchnia 779 452 km²
Ludność (2001) 66 494 000
Stolica Ankara

TURKMENISTAN (A)
Powierzchnia 488 100 km²
Ludność (2001) 4 603 000
Stolica Aszchabad

TUVALU (AiO)
Powierzchnia 24 km²
Ludność (2001) 11 000
Stolica Fongafale

UGANDA (Af)
Powierzchnia 197 040 km²
Ludność (2001) 23 986 000
Stolica Kampala

UKRAINA (E)
Powierzchnia 603 700 km²
Ludność (2001) 48 760 000
Stolica Kijów

URUGWAJ (APd)
Powierzchnia 175 016 km²
Ludność (2001) 3 360 000
Stolica Montevideo

UZBEKISTAN (A)
Powierzchnia 447 400 km²
Ludność (2001) 25 155 000
Stolica Taszkient

VANUATU (AiO)
Powierzchnia 14 760 km²
Ludność (2001) 193 000
Stolica Port-Vila

WATYKAN (E)
Powierzchnia 0,44 km²
Ludność (2001) 1000

WENEZUELA (APd)
Powierzchnia 921 050 km²
Ludność (2001) 23 917 000
Stolica Caracas

WĘGRY (E)
Powierzchnia 93 031 km²
Ludność (2001) 10 106 000
Stolica Budapeszt

WIELKA BRYTANIA (E)
Powierzchnia 244 110 km²
Ludność (2001) 59 648 000
Stolica Londyn

WIETNAM (A)
Powierzchnia 331 653 km²
Ludność (2001) 79 939 000
Stolica Hanoi

WŁOCHY (E)
Powierzchnia 301 323 km²
Ludność (2001) 57 680 000
Stolica Rzym

WYBRZEŻE KOŚCI SŁONIOWEJ (Af)
Powierzchnia 320 462 km²
Ludność (2001) 16 393 000
Stolica Jamusukro

WYSPY MARSHALLA (AiO)
Powierzchnia 181 km²
Ludność (2001) 71 000
Stolica Dalap-Uliga-Darrit

WYSPY SALOMONA (AiO)
Powierzchnia 28 370 km²
Ludność (2001) 480 000
Stolica Honiara

WYSPY ŚWIĘTEGO TOMASZA I KSIĄŻĘCA (Af)
Powierzchnia 1001 km²
Ludność (2001) 165 000
Stolica São Tomé

ZAMBIA (Af)
Powierzchnia 752 614 km²
Ludność (2001) 9 770 000
Stolica Lusaka

ZIELONY PRZYLĄDEK (Af)
Powierzchnia 4033 km²
Ludność (2001) 405 000
Stolica Praia

ZIMBABWE (Af)
Powierzchnia 390 759 km²
Ludność (2001) 11 365 000
Stolica Harare

ZJEDNOCZONE EMIRATY ARABSKIE (A)
Powierzchnia 77 700 km²
Ludność (2001) 2 407 000
Stolica Abu Zabi

Objaśnienia:
(A) Azja
(Af) Afryka
(AiO) Australia i Oceania
(APd) Ameryka Pd
(APn) Ameryka Pn
(AŚ) Ameryka Środkowa
(E) Europa
(NM) największe miasto
(NL) najbardziej zaludniony kraj

* Podział administracyjny w obrębie Federacji: 21 republik, 6 terytoriów, 49 obwodów, 11 obszarów autonomicznych, 2 miasta wydzielone.

POLSKA

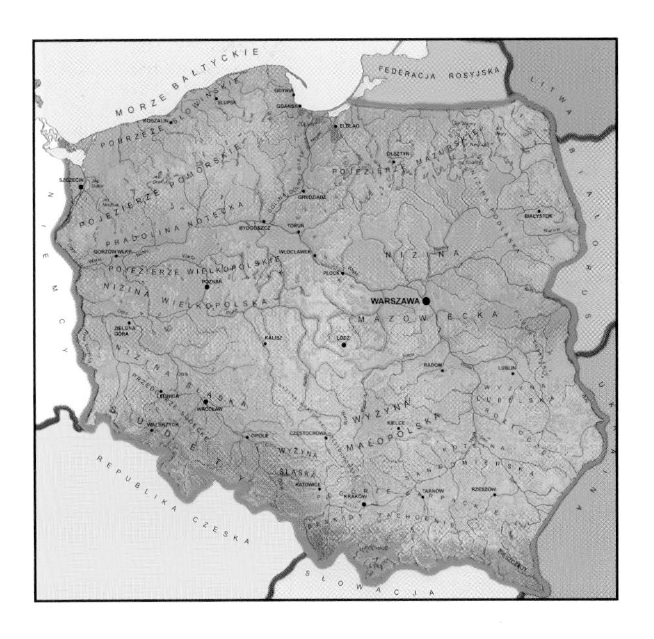

Polska, mimo że przez wieki zmieniała granice, niezmiennie ograniczona jest przez dwie naturalne granice: na południu przez Karpaty, na północy przez Morze Bałtyckie. Największym wahaniom podlegały granice na zachodzie i wschodzie. W 2001 roku powierzchnia Polski wynosiła 312 685 km². Obszar państwa trzeba jednak, zgodnie z konwencją Praw Morza, powiększyć o pas wód terytorialnych, który wynosi 8682 km².

Położenie geograficzne

Polska leży między 54°50' szerokości geograficznej północnej a 49°00' szerokości geograficznej północnej (jest to w przybliżeniu obszar wyznaczony przez Rozewie i najbardziej wysunięty fragment Bieszczad) oraz między 14°08' długości geograficznej wschodniej a 24°09' długości geograficznej wschodniej (obszar zawarty między korytem Odry a korytem Bugu).

Podział administracyjny

WOJEWÓDZTWO DOLNOŚLĄSKIE
Powierzchnia: 19 948 km²
Ludność: (2001) 2 971 000
Stolica: Wrocław
Większe miasta: Jelenia Góra, Legnica, Wałbrzych
Region graniczny (z Niemcami i Czechami). Województwo zasobne zarówno w bogactwa naturalne, zakłady przemysłowe, jak i w regiony turystyczne o wyjątkowych walorach krajobrazowych.

WOJEWÓDZTWO KUJAWSKO-POMORSKIE
Powierzchnia: 17 970 km²
Ludność: (2001) 2 100 000
Stolica: Bydgoszcz
Większe miasta: Toruń, Włocławek, Inowrocław
Województwo rolniczo-przemysłowe o bardzo dużym potencjale rozwoju. Na północy jeden z największych kompleksów leśnych w Polsce – Bory Tucholskie.

WOJEWÓDZTWO LUBELSKIE
Powierzchnia: 25 114 km²
Ludność: (2001) 2 230 000
Stolica: Lublin
Większe miasta: Biała Podlaska, Chełm, Zamość
Województwo należy do grupy większych, ale rozwój przemysłu nie jest zbyt duży. Przeważa przemysł chemiczny i samochodowy.

WOJEWÓDZTWO LUBUSKIE
Powierzchnia: 13 984 km²
Ludność: (2001) 1 024 000
Stolica: Zielona Góra
Większe miasta: Gorzów Wielkopolski, Nowa Sól, Krosno Nadodrzańskie, Żagań
Województwo graniczne (Niemcy) o niewielkim jeszcze uprzemysłowieniu. Ziemia lubuska jest atrakcyjnym regionem turystycznym o nieco łagodniejszym klimacie, o czym świadczą uprawy winnej latorośli.

WOJEWÓDZTWO ŁÓDZKIE
Powierzchnia: 18 219 km²
Ludność: (2001) 2 638 000
Stolica: Łódź
Większe miasta: Piotrków Trybunalski, Skierniewice, Bełchatów, Rawa Mazowiecka
Łódź i jej tradycja przemysłowa tworzy charakter całego województwa. Region zurbanizowany.

WOJEWÓDZTWO MAŁOPOLSKIE
Powierzchnia: 15 144 km²
Ludność: (2001) 3 238 000
Stolica: Kraków
Większe miasta: Nowy Sącz, Tarnów, Zakopane, Olkusz
Region graniczny (Słowacja) o wyjątkowych walorach turystycznych: liczne zabytki kultury (Kraków) i wspaniałości krajobrazowe.

WOJEWÓDZTWO MAZOWIECKIE
Powierzchnia: 35 579 km²
Ludność: (2001) 5 075 000
Stolica: Warszawa
Większe miasta: Płock, Ostrołęka, Radom, Siedlce
Najludniejszy, największy region, o nierównomiernym uprzemysłowieniu i stopniu bezrobocia. Duża liczba inwestycji zagranicznych w centrum.

WOJEWÓDZTWO OPOLSKIE
Powierzchnia: 9412 km²
Ludność: (2001) 1 082 000
Stolica: Opole
Większe miasta: Kędzierzyn-Koźle, Nysa, Brzeg, Strzelce Opolskie
Region bardzo mały, ale z dużym potencjałem przemysłowym. Liczne świadectwa wielkiej kultury (Brzeg, Nysa).

WOJEWÓDZTWO PODKARPACKIE
Powierzchnia: 17 926 km²
Ludność: (2001) 2 129 000
Stolica: Rzeszów
Większe miasta: Krosno, Przemyśl, Tarnobrzeg
Województwo graniczne (Słowacja, Ukraina), w którym większa część ludności mieszka na wsi.
Na południowymwschodzie wielkie obszary leśne (Bieszczady), na północy tereny o wysokim poziomie uprzemysłowienia (Tarnobrzeg, Stalowa Wola).

WOJEWÓDZTWO PODLASKIE
Powierzchnia: 20 180 km²
Ludność: (2001) 1 220 000
Stolica: Białystok
Większe miasta: Łomża, Augustów, Suwałki
Region graniczny (Białoruś) do niedawna określany mianem „Polska B". Rozwija się przemysł spożywczy; wysoki poziom bezrobocia.

WOJEWÓDZTWO POMORSKIE
Powierzchnia: 18 293 km²
Ludność: (2001) 2 201 000
Stolica: Gdańsk
Większe miasta: Gdynia, Sopot, Słupsk, Tczew, Chojnice, Starogard Gdański
Nadmorskie położenie determinuje charakter północy regionu. Środkowa i południowa część to wspaniałe tereny turystyczne Pojezierza Kaszubskiego z wielkimi kompleksami leśnymi.

WOJEWÓDZTWO ŚLĄSKIE
Powierzchnia: 12 294 km²
Ludność: (2001) 4 840 000
Stolica: Katowice
Większe miasta: Bielsko-Biała, Częstochowa, Gliwice, Dąbrowa Górnicza, Rybnik, Chorzów
Jedno z najgęściej zaludnionych i zurbanizowanych województw. Olbrzymi potencjał przemysłowy i wielkie problemy z zanieczyszczeniem środowiska. Na południu tereny ze znacznymi możliwościami turystycznymi (Cieszyn, Żywiec).

WOJEWÓDZTWO ŚWIĘTOKRZYSKIE
Powierzchnia: 11 691 km²
Ludność: (2001) 1 321 000
Stolica: Kielce
Większe miasta: Sandomierz, Skarżysko-Kamienna, Busko-Zdrój, Starachowice
Region o starej tradycji przemysłowej i znacznych walorach turystycznych (Jędrzejów, Busko-Zdrój).

WOJEWÓDZTWO WARMIŃSKO-MAZURSKIE
Powierzchnia: 24 203 km²
Ludność: (2001) 1 468 000
Stolica: Olsztyn
Większe miasta: Elbląg, Iława, Ełk, Giżycko, Ostróda
Region o wielkich tradycjach turystycznych. Ostatnio rozwija się przemysł spożywczy. Tereny o największym bezrobociu w Polsce.

WOJEWÓDZTWO WIELKOPOLSKIE
Powierzchnia: 29 826 km²
Ludność: (2001) 3 363 000
Stolica: Poznań
Większe miasta: Kalisz, Konin, Leszno, Piła, Gniezno
Region o wspaniałej tradycji przemysłowej i rolniczej i wielkim potencjale rozwoju. Liczne świadectwa prastarej kultury (Gniezno, Poznań).

WOJEWÓDZTWO ZACHODNIOPOMORSKIE
Powierzchnia: 22 902 km²
Ludność: (2001) 1 734 000
Stolica: Szczecin
Większe miasta: Koszalin, Świnoujście, Kołobrzeg, Stargard Szczeciński, Szczecinek
Województwo graniczne (Niemcy) i nadmorskie z rozbudowanym przemysłem stoczniowym i turystycznym. Na wschodzie obszary rolnicze i leśne.

ZDJĘCIA

Wydawcy dziękują za udostępnienie praw do reprodukcji zdjęć:

(G = górne, D = dolne, S = Środkowe, L = lewe, P = prawe)

AEA Technology 174D;

Allsport 16;

Ancient Art and Architecture Collection 93, 116, 119 i okładka, 122G, S, 126G, 166P, 200D, P;

Sue Baker 70/71D, 94/95D;

Barnaby's Picture Library 133D, L;

The Bridgeman Art Library 129, 132G, D, 139GL, 165D, 201S, (C) Academia de San Fernando, Madrid)133DP, (C)ADAGP Paris and DACS, London 1992)201L, (Biblioteca National, Turin) 132S, (Bibliotheque nationale, Paris) 71, (Univerity of Oxford, Bodleian library) 70, 118D, 164G, (Forbes Magazine) 136G, (Gallerica Academia, Florence), 201DP (Germanisches National Museum, Nuremburg) 133GP, (Greek Museum, Newcastle on Tyne)112D, (Guildhall Library)140S, (Hammerby House, Upsala)135GL, (Harrogate Museums)134, (Musee Conde)131GP, (Museum of Antiqities, Newcastle on Tyne)112G, (National Army Museum)141DP, (Worshipful Company of Clockmakers, London)84D; The Bridgeman Art Library/Giaudon 136SD, 200DL, 201GPD;

British Film Institute 199SLSPDL;

The British Museum 114G;

BT Pictures, (C) British Telecommunications plc 181;

Britstock–IFA Ltd. 224S;

Neill Bruce Photographic 166D;

J Allan Cash Photolibrary 221D;

C M Dixon 121G;

Editions Alecto 128G;
Ivan Lapper/English Heritage 128D;

Pete Addis/The Environmental Picture Library 13;

Mary Evans Picture Library 127P, 137GD, 140D, 144D;

E T Archive 167D, (British Museum)114D, 144D
First Independent Films 199G;
Werner Forman Archive (Museo Nationale, Rome)123, (National Museum Copenhagen)125DP;

Fotomas Index 131GL, 135GP;

French Railways/Jean Marc Fabro 169;

Colin Garratt's Steam Locomotives of the World Photo Library 169;

The Ronald Grant Archive 199P;

Robert Harding Picture Library 68GL, 69DL, 86, 87, 192, 205GL, 207DL, 209D, 216SP, 217DP, 218DL, 224D, 225DP, 229DP;

Michael Halford 118G, 127L, 130, 131D, 191G, 193, 194, 195, 200G;

Holt Studios Ltd. 69P, 223DP;

The Hulton Deutsche Collection 135D, 137S, 139GPD, 140G, 141DL, 143DL, 144GDLDP, 145SD, 147GDP, 164D, 165GL, 166L, 184, 188;

The Hutchison Library 24DL, 187GSDLDS, 189G, 219GLDL;

Impact Photos 183G;

International Stock Exchange Photo Library 189D;

David King Collection 145G, 146DP;

L Freed/Magnum Photos 148S;
P J Griffiths/Magnum Photos 149D;

NASA 74; ! NHPA 23, 24, 25, 29 i okadka, 49, 51, 53, 61, 64, 65, 66D, 67;

NHM Picture Library 90, 104;

Peter Newark's Historical Pictures 129G, 133GL, 141G, 144S, 146GDL, 147DL, 197GP;

Ronnie O'Brien 156;

Oxford Scientific Films Ltd. 22, 47, 52, 98S, 102D, 103G;

Panos Pictures 98G;

Planet Earth Pictures 31, 42;

Millbrook House Collection 169;

Railways and Steam Locomotives of the World Milepost 92, 171;

Redferns 180, 203GL, GP;

Rex Features Ltd. 148GD, 149GS, 182, 183D, 212, 213GLGP, 216;

Ann Ronan Picture Library 126D, 196;
The Royal Photographic Society, Bath 178;

Science Photo Library 9, 10, 11, 12, 19, 20G, 58, 67G, 72, 73, 74G, 75, 76, 77, 78, 79, 81, 88, 89, 92, 93, 97, 98D, 99, 102, 103DP, 151, 161, 162, 164S, 167GLGP, 174G, 175, 176G, 177, 178, 197GLD;

South American Pictures 221G; ! ! Staatliche Museen zu Berlin, Vorderasintisches Museen – PK 115;

Tony Stone Worldwide 11, 20L, 68D, 84G, 97, 113DP, 121D, 122D, 176D, 184G, 187DP, 198, 201GL, 204DLDP, 205GPD, 206, 207GLP, 208GLGPD, 209G, 210LP, 211LP, 213D, 214, 215, 217DL, 218DP, 219DP, 220, 222, 223G, 225DL, 226, 227, 228, 229DL;

TRH Pictures 170G, 171DP;

The Board of Trinity College Dublin 124;

TRRL Photography and Video Section 153;

Dr A C Waltham 91, 94, 95, 191D;

York Archeological Trust Picture Library 125GSDL;

Zefa Picture Library 138, 185, 189S;

ILUSTRACJE

Arcana: John Fox, Greg Stewart;

Norman Arlot;

Peter Bull Art Studio;

Tony Hanaford;

David Lewis Management: Martyn Andrews, Oriol Bath, Christopher Brown, Robert Cook, Daid Cuzik, Jeremy Ford, Sue Hall, Bob Harvey, Philip Roberts, David John Rowe, Peter Walsh, Ross Watton, Tracy Wayte;

Martin Woodward

Greg Whyte; Strawberrie Donnelly; Braz Atkins

Pierwsze wydanie ukazało się w 1992 r. nakładem wydawnictwa HarperCollin's Children's Books